二十五史藝文經籍志考補萃編

第二卷

漢書藝文志疏證　漢書藝文志拾補

〔清〕沈欽韓　撰　尹承　整理

〔清〕姚振宗　撰　項永琴　整理

王承略　劉心明　主編

清華大學出版社　北京

圖書在版編目(CIP)數據

二十五史藝文經籍志考補萃編. 第 2 卷/王承略，劉心明主編. --北京：清華大學出版社，2011.9
ISBN 978-7-302-24577-3

Ⅰ. ①二… Ⅱ. ①王… ②劉… Ⅲ. ①中國－古代史－紀傳體②二十五史－研究 Ⅳ. ①K204.1

中國版本圖書館 CIP 數據核字(2011)第 010154 號

責任編輯：馬慶洲
責任校對：王榮静
責任印製：楊　艷
出版發行：清華大學出版社　　　　　　地　　址：北京清華大學學研大廈 A 座
　　　　　http：//www. tup. com. cn　郵　　編：100084
　　　　　社 總 機：010-62770175　郵　　購：010-62786544
　　　　　投稿與讀者服務：010-62776969，c-service@tup. tsinghua. edu. cn
　　　　　質 量 反 饋：010-62772015，zhiliang@tup. tsinghua. edu. cn
印 刷 者：清華大學印刷廠
裝 訂 者：三河市金元印裝有限公司
經　　銷：全國新華書店
開　　本：148×210　印　張：13.625　字　數：332 千字
版　　次：2011 年 9 月第 1 版　印　　次：2011 年 9 月第 1 次印刷
印　　數：1～3000
定　　價：40.00 元

產品編號：040801-01

目　　録

漢書藝文志疏證

清·沈欽韓 撰

尹承 整理

底本：清光緒二十六年（1900）浙江書局刻《漢書
疏證》（卷二十四至二十六）本

漢書藝文志疏證卷一

建藏書之策

《文選注》三十八劉歆《七略》曰："孝武皇帝敕丞相公孫弘廣開獻書之路,百年之閒,書積如山。"又曰："《尚書》有青絲編目録。"

校經傳、諸子、詩賦

《文選注》《魏都賦》《風俗通》曰："劉向《別録》:讎校,一人讀書,校其上下,得謬誤爲校;一人持本,一人讀書,若怨家相對爲讎。"

録而奏之

《御覽》六百六《風俗通》曰："劉向《別録》:'殺青者,直治竹作簡書之耳。新竹有汗,善朽蠹。凡作簡者,皆於火上炙乾之。陳、楚閒謂之汗,汗者,去其汁也。吴、越曰殺,殺亦治也。'劉向爲孝成皇帝典校書籍二十餘年,皆先書竹,改易刊定,可繕寫者以上素也。"《文選注》引多"今東觀書竹素也"一句。按向上《晏子》、《列子》奏並云"以殺青書可繕寫",然則其録奏者,並先殺青書簡也。

總羣書而奏其《七略》①

《隋書·經籍志》:劉向《七略别録》二十卷,劉歆《七略》七卷。"古者史官既司典籍,蓋有目録,以爲綱紀。孔子删《書》,别爲之序,各陳作者所由;韓、毛二《詩》,亦皆相類。漢時,《别録》、《七略》各有其部。推尋事迹,則古之制也"。

_____

① 本條原在"建藏書之策"條後,"七"後原脱"略"字,據清乾隆武英殿本(以下簡稱"殿本")《漢書·藝文志》調正並補字。

易經十二篇，施、孟、梁丘三家

《乾鑿度》："孔子曰：易者，易也，變易也，不易也，管三成爲道德包籥。"《周易疏》："《子夏傳》雖分爲上、下二篇，未有'經'字，不知誰加'經'字。按前漢《孟喜易》本云分上、下二經，是孟喜之前已有'經'字。"王應麟《藝文志考證》曰："今《易·乾卦》至'用九'，即古《易》之本文。秦漢之際，《易》亡《説卦》。宣帝時，河内女子發老屋得之。"按《論衡·正説篇》："河内女子發老屋，得逸《易》一篇。"按《説卦》釋文云："《荀爽九家集解》本乾後更有四：爲龍，爲直，爲衣，爲言。《《後有八：爲牝，爲迷，爲方，爲囊，爲裳，爲黄，爲帛，爲漿。震後有三：爲王，爲鵠，爲鼓。巽後有二：爲楊，爲鸛。坎後有八：爲宮，爲律，爲可，爲棟，爲叢棘，爲狐，爲蒺藜，爲桎梏。離後有一：爲牝牛。艮後有三：爲鼻，爲虎，爲狐。兑後有二：爲常，爲輔頰。注云：'常，西方神也。'不同。"

易傳周氏二篇

《儒林傳》云："周王孫古義，號《周氏傳》。"

服氏二篇

《祭祀志》注：蔡邕《明堂論》："《易傳·太初篇》曰：太子旦入東學，晝入南學，暮入西學。在中央曰太學，天子之所自學也。"《御覽》三百八十五《會稽先賢傳》曰："淳于長通年十七，説《宓氏易經》。"

楊氏二篇

武帝時五經博士之一。《經典叙録》："劉向典校書，考《易》説，以爲諸《易》家説皆祖田何，楊叔元、丁將軍大義略同。"

蔡公二篇

《五經異議》：《王制》疏引。《易下邳傳》甘容説："諸侯在千里内，皆奔喪；千里外，不奔喪；若同姓千里外，猶奔喪，親親也。"按所謂《下邳傳》,疑本此。

韓氏二篇

《儒林傳》:"韓嬰亦以《易》授人,推《易》意而爲之傳。"

王氏二篇

《儒林傳》:"王同授淄川楊何。"

丁氏八篇

《儒林傳》:"丁將軍作《易説》三萬言,今《小章句》是也。"《經典序録》:"《子夏易傳》三卷,《七略》云漢韓嬰傳,《中經簿録》云丁寬所作。"張璠云:"或馯臂子弓所作,薛虞記。虞,不詳何許人。"《册府元龜》六百四:"開元初,禮部奏議,荀勗《中經簿》'《子夏傳》四卷,或云丁寬所作'。王儉《七志》引劉向《七略》云:'《易傳》子夏,韓氏,而載薛虞記。'"

古五子十八篇

《初學記》文部劉向《別録》曰:"所校讎中《易》傳《古五子書》,除復重,定著十八篇。分六十四卦,著之日辰,自甲子至於壬子,凡五子,故號曰'五子'。"

淮南道訓二篇

《初學記》:"劉向《別録》曰:所校讎中《易》傳《淮南九師道訓》,①除復重,定著十二篇。"《御覽》六百九劉向《別録》曰:"中書署曰《淮南九師書》。"《淮南·人間訓》:"《易》曰'潛龍勿用'者,言時之不可以行也;'終日乾乾',以陽動也;'夕惕若,厲',以陰息也。因日以動,因夜以息,惟有道者能行之。"《思玄賦》注引《九師道訓》曰:"遯而能飛,吉孰大焉?"按此志作二篇,與總數不合,明脱"十"字也。

古雜八十篇

按此即《乾鑿度》、《稽覽圖》之等。《後書》張衡歷言《尚書》、

---

① "易"字原誤作"書",據古香齋袖珍本《初學記》及上下文意改。

《詩》、《春秋》讖之繆妄，而不及《易》，則《易説》爲古書也。又《乾坤鑿度》"炎帝、黄帝有《易靈緯》。太卜掌三易之法，一曰《連山》，二曰《歸藏》"，注云："連山，似山出内氣也。歸藏者，萬物莫不歸而藏於其中。杜子春云：'《連山》，宓戲；①《歸藏》，黄帝。'"疏云："夏、殷《易》以七八不變爲占，《周易》以九六變者爲占。杜子春云'《連山》，宓戲；②《歸藏》，黄帝'者，《鄭志》答趙商云：以無明文，改之無據，且從子春。近師皆以爲夏、殷也。"《襄九年傳》"穆姜筮，遇《艮》之八"，杜預云："二《易》皆以七八爲占，故言遇《艮》之八。"《太卜》疏引注云："爻在初六、九三、六四、六五、上九，惟六二不變。《連山》、《歸藏》之占以不變者爲主。"按此葢服虔注也。《禮運》注："殷陰陽之書，其書存者有《歸藏》。"疏熊氏云："殷《易》以《坤》爲首。"《御覽》六百九《金樓子》云："《歸藏》先《坤》後《乾》。"知是殷明矣。《歸藏》既則殷制，《連山》理合夏書。按賈疏："《連山》以純《艮》爲首。"據鄭注，則漢時二《易》尚存其一也。《隋志》云"漢初已亡"，葢見《志》無其目也。《志》只云《古雜》者，葢年代汗漫，雖有其書，莫究其用；亦未知適是周大卜所掌與否，故存疑云爾。孔氏《左傳疏》云"世有《歸藏易》者，僞妄之書"，不知《隋書》載劉炫僞撰者乃《連山》，非《歸藏》也。然如晉《中經簿》、《隋·經籍志》"《歸藏》十三卷"，云晉太尉參軍薛貞注。刊本誤"注"爲"撰"。新、舊《唐志》：司馬膺注《歸藏》十三卷。鄭樵《通志略》："司馬膺注，十三卷，今亡。隋有薛貞注十三卷。今所存者，《初經》、《齊母》、《本蓍》三篇而已。"郭璞《爾雅注》引《歸藏》"兩壺兩犧"之文，邢昺疏謂出《齊母經》，其非隋、唐間僞擬明矣。《御覽》六百八桓譚《新論》："《連山》八千言。"《秦始本紀》："始皇卜之，卦得《游徒》。"羅泌以爲《連山》卦，此傅會也。

---

①②　"戲"字原誤作"獻"，據中華書局 1980 年影印清阮元校刻《十三經注疏》本（以下簡稱《十三經注疏》本）《周禮注疏》及清光緒王氏刻本王先謙《漢書補注》引沈欽韓説（以下簡稱《補注》引沈説）改。

《公羊疏》："《春秋説》云：孔子欲作《春秋》，卜得《陽豫》之卦。"宋氏云："夏、殷之卦名也。"《歸藏》四千三百言，夏《易》詳而殷《易》簡。今按傳注所引，似非四千三百言所能盡也。

賈公彦疏："《歸藏·坤開筮》：'帝堯降二女爲舜妃。'又見《節卦》云：'殷王其國常母谷。'"《路史》注云：①"其卦又有《明夷》、《營惑》、《耆老》、《大明》之類。昔啟筮《明夷》；鯀治洪水，枚占《大明》；桀筮《營惑》；武王伐紂，枚占《耆老》，曰不吉。"王應麟《考證》曰："傳注所引，若'君子戒車，小人戒徒'，'有鳧駕鶩，有雁鸙鵝'，'有白雲自蒼梧入大梁'，'上有高臺，下有雕池'，'若以賈市，其富如河漢'，'昔女媧筮，張雲幕，枚占之曰吉'，'昭昭九州，日月代極。平均土地，和合四國'，'黄神將戰，筮於巫咸'，'昔夏后啟筮，乘龍飛以登於天，皋陶占之曰吉'，'昔者河伯筮與洛戰，而枚卜，昆吾占之曰不吉'，'昔夏后啟筮享神於大陵，而上鈞臺枚占，皋陶曰不吉'，'昔夏后啟筮享神於晉之墟，作爲璿臺於水之陽'，'昔者，桀筮伐唐，而枚占於《熒惑》，曰不吉，不利出征，惟利安處。彼爲貍，我爲鼠，勿用作事，恐傷其父'，'昔穆王子筮卦於禺強'，'昔常娥以西王母不死之藥服，遂奔月爲月精'。"按並見《太平御覽》。葢雜説古帝王卜筮之事，疑如汲郡《師春》，但取《左傳》卜筮事爲書耳。又《説苑》、《鹽鐵論》引《易》皆本經所無，亦《古雜》之篇也。

雜災異三十五篇②　神輸五篇　圖一。

《後書·郎顗傳》："《易天人應》曰：君子不思遵利，兹謂無澤，厥災蟄火燒其宮。"又曰："君高臺府，犯陰侵陽，厥災火。"又曰："上不儉，下不節，災火並作，燒君室。"葢《雜災異》之流，與《京房傳》大略同。又《乾坤鑿度》有《萬形經》、《制靈經》之名，葢後人妄立名目以爲奇怪，今古回換，無以知之。

孟氏京房十一篇

《隋志》：京房《周易章句》十卷。《唐志》卷同。晁公武《讀書志》曰："今其《章句》亡，乃略見於僧一行及李鼎祚之書。"按李

---

① "注"後原衍"注"字，今刪。
② "三十五"三字原誤作"五十三"，據殿本《漢書·藝文志》改。

鼎祚《周易集解》引《九家易》有京房注也。又《否》九五爻引京房曰：①“桑有衣食人之功，聖人亦有天覆地載之德。故以喻。”《大畜》象辭京房曰：“謂二變五體坎，故‘利涉大川’。五，天位，故曰‘應乎天’。”《新唐書·曆志》：“《大衍曆·卦議》曰：十二月卦，出於孟氏《章句》，其説《易》本於氣，而後以人事明之。京氏又以卦爻配期之日，《坎》、《離》、《震》、《兑》，其用事自分、至之首，皆得八十分日之七十三。《頤》、《晉》、《井》、《大畜》，皆五日十四分，餘皆六日七分。止於占災眚與吉凶善敗之事，至於觀陰陽之變，則錯亂而不明。自《乾象曆》以降，皆因京氏。”然此自其災異書，非章句也。《御覽》：“《五經異義》曰：今《易》京氏説，臣動養君，其義理也。必望利下，弗養以道，厥妖，國有披髮於野祭者。”

災異孟氏京房六十六篇

《後書》郎顗曰：“臣伏案《飛候》參察衆政。”注：“京房作《易飛候》。”《隋志》：《周易占》十二卷、王氏《考證》：“元祐八年，高麗進書，有《京氏周易占》十卷，疑《隋志》‘《周易占》十二卷’也。”《周易守林》三卷、《周易集林》十二卷、《周易飛候》九卷，又《飛候》六卷、《周易四時候》四卷、《周易錯卦》七卷、《周易混沌》四卷、《周易逆刺占災異》十二卷，並云京房撰。就其名目重複誕異，不知誰所定也。《舊唐志》有《京氏周易四時候》二卷、《京氏周易飛候》六卷、《周易混沌》四卷、《周易錯卦》八卷，《新唐志》多《逆刺》三卷。今僅存《易傳》三卷。按《儒林傳》，焦延壽嘗從孟喜問《易》，會喜死，房以爲延壽《易》即孟氏學。然則京氏之《易》，託諸孟喜，故《志》叙京房《易》而冠以孟氏。然《隋志》又有焦贛《易林》十六卷，諸錄卷數並同。今見行，而《志》不列焦氏，以其無師法，故不錄中祕；或以京氏包之耳，六十六篇内當有焦氏《易林》也。晁氏《讀書記》曰：“《京房易傳》，景迂嘗曰：‘是書兆《乾》、《坤》之二象以成八卦，卦凡八變六十有四。於其往來升降之際，以觀消息盈虚，大抵辨三《易》、運五行、正四時、謹二十四氣、悉

---

① “九”字原誤作“六”，據《津逮秘書》本《周易集解》改。

七十二候，而位五星、降二十八宿，其進退以幾，而爲一卦之主者謂之世；奇耦相與，據一以超二，而爲主之相者謂之應；世之所位，而陰陽之肆者謂之飛；陰陽肇乎所配，《乾》與《坤》、《震》與《巽》、《坎》與《離》、《艮》與《兑》。而終不脱乎本，以飛某卦之位，乃伏某宫之位。以隱賾佐神明者謂之伏；起乎世而周乎内外、參乎本數以紀月者謂之建；終終始，極乎數而不可窮以紀日者謂之積；含於中而以四爲用，一卦滿四卦者謂之互。《乾》建甲子於初，《坤》建甲午於上，八卦之位乃生一世之初。初一世之五位，乃命而爲五世之位，其五世之上，乃爲遊魂之世；而歸魂之初，乃生後卦之初。其建剛日則節氣，柔日則中氣。其數虚則二十有八，盈則三十有六。蓋其可言者如此。'"①按《御覽·咎徵部》又有《京房别對災異》。

五鹿充宗略説三篇

《朱雲傳》："充宗爲《梁丘易》。"

京氏段嘉十二篇

京房弟子所撰，故冠以京氏學也。《儒林傳》作"殷嘉"。《史記索隱》引《别録》"《易》家有救氏注"，"救"乃"殷"之訛。

章句，施、孟、梁丘各二篇

《隋志》：漢曲臺長孟喜章句八卷，殘缺。梁十卷。《釋文序録》："孟喜章句十卷，無《上經》。《七録》云：'又《下經》無《旅》至《節》，無《上繫》。'"按阮孝緒時已殘缺，則梁題十卷，亦非完本。梁丘、施氏亡於西晋，孟氏、京

---

① 本條所引《郡齋讀書志》自"以隱賾"至"卦之初"，譌謬難讀，上海古籍出版社1990 年孫猛校證本《郡齋讀書志》及臺灣世界書局 1990 年影印《摛藻堂四庫全書薈要》本晁説之《景迂生集》卷十八《記京房易傳後》原文如下：以隱賾佐神明者謂之伏；起乎世而周乎内外、參乎本數以紀月者謂之建；終終始，極乎數而不可窮以紀日者謂之積；會於中而以四爲用，一卦備四卦者謂之互。《乾》建甲子於初，《坤》建甲午於上，八卦之上乃生一世之初。初一世之五位，乃分而爲五世之位。其五世之上，乃爲遊魂之世；五世之初，乃爲歸魂之世；而歸魂之初，乃生後卦之初。

氏有書無師。《新唐書·曆志》："《大衍卦議》曰：十二月卦出於孟氏《章句》。其説《易》本於氣，而後以人事明之。"《郊特牲》"天子存二代之後"，疏引許慎"謹案治《易》施讎等説引《外傳》曰：'三王之樂可得觀乎？'知王者所封，三代而已"。《王制》疏："《異義》：《易》孟氏説：民年二十行役，三十受兵，六十還兵。"《曲禮》疏："《五經異義》：《易》孟、京説，天子有爵，周人五號：帝，天稱，一也；王，美稱，二也；天子，爵號，三也；大君者，興盛行異，四也；大人者，聖人德備，五也。"《詩·干旄》正義："《異義》：《易》孟、京説，天子駕六。"《通典·凶禮》引《異義》大鴻臚眭生説："諸侯踰年即位，乃奔天子喪。"按《後漢書》："洼丹治《孟氏易》。"

於是重《易》六爻

孔氏《正義》第二論云：[1]"重卦之人，諸儒不同，凡有四説。王輔嗣等以爲伏羲畫卦，鄭玄之徒以爲神農重卦，孫盛以爲夏禹重卦，[2]史遷等以爲文王重卦。其言夏禹及文王重卦者，按《繫辭》神農之時已有，葢取《益》與《噬嗑》。[3]以此論之，不攻自破；其言神農重卦，亦未爲得。今以諸文驗之，案《説卦》云：'昔者聖人之作《易》也，幽贊於神明而生蓍。'凡言'作'者，創造之。[4]神農以後，便是述修，不可謂之'作'也。故《乾鑿度》云：'垂皇策者犧。'伏羲用蓍，即伏羲已重卦矣。"按《連山》之《易》，説者言宓羲、神農、夏后氏不一，故説重卦之人各異，要諸重卦不可謂始於文王。

《彖》、《象》、《繫辭》、《文言》、《序卦》之屬十篇

孔氏第六論《夫子十翼》："亦有多家。既《易經》本分爲上、下二篇，則區域各別，《彖》、《象》釋卦，亦當隨經而分。故一家

---

① "氏"字原誤作"義"，據上下文意改。
② "以"字原脱，據《十三經注疏》本《周易正義》補。
③ "益"字原誤作"易"，據《十三經注疏》本《周易正義》改。
④ 《十三經注疏》本《周易正義》"創造之"後有"謂也"二字。

數十翼云：《上象》一，《下象》二，《上象》三，《下象》四，《上繫》五，《下繫》六，《文言》七，《説卦》八，《序卦》九，《雜卦》十。鄭學並同此説。"《釋文》梁武帝云："《文言》是文王所制。"

人更三聖，世歷三古

《乾鑿度》："垂皇策者犧，卦道演德者文，成命者孔。"《辨終備》云："至哉！《易》三聖。"注云："三聖：伏羲、文王、孔子。"則三聖之徵也。班氏以前，並如此説。王充《正説篇》云："文王、周公因《象》十八章究六爻。"始牽綴周公。馬融之徒因之，孔穎達、陸德明並承俗説。《劉禹錫集·絶編生墓表》云："尼父與伏羲、文王並行，猶天三辰同麗太極。"唐代老儒，猶循古訓也。

《易》爲卜筮之事，傳者不絶

《隋志》云："《易》初失《説卦》三篇。"按此則本未嘗缺，葢承王充之妄説也。又杜預《左傳後序》："太康元年，汲郡有發其界內舊冢者，大得古書：《周易》上、下篇，與今正同；別有《陰陽説》，而無《彖》、《象》、《文言》、《繫辭》，疑於時仲尼造之於魯，尚未播之於遠國也。"葢人閒所用卜筮，本無"十翼"耳。

費、高二家之説

《隋志》：梁有漢單父長費直注《周易》四卷，亡。新、舊《唐志》：《費直章句》四卷，其真偽未辨。費直傳《易》，其本皆古字，號曰古文《易》。後漢陳元、鄭衆皆傳費氏之《易》。見《後書·儒林傳》。馬融又爲其傳，以授鄭玄。按李氏《集解》有馬融説，最爲庸淺，不直鄭君一哂耳，胡云相授耳？玄作《易注》，荀爽又作《易傳》，魏代王肅、王弼並爲之注。自是費氏大興，高氏遂衰。按高氏本微，據《儒林傳》，乃謂京氏。按傳云："費直長於卦筮，亡章句，徒以《彖》、《象》、《繫辭》十篇解説上、下經。"則費氏無章句明矣。或後師爲之，而荀勖之徒，不別朱紫耳。晁公武云："凡以《彖》、《象》、《文言》等參入卦中，皆祖費氏。"《文獻通考》亦云："《彖》、《象》、《文言》雜入卦中,自費氏始。"按《魏志》《三少帝紀》:"高貴鄉公問《易》博士淳于俊曰:'孔子作《彖》、《象》,鄭玄作《注》,雖聖賢不同,其所釋經義一也。今《彖》、《象》不與經文相連而注連之,[①]何也?'俊對曰:'鄭合《彖》、《象》於經者,欲使學者尋省易了也。'"則合《彖》、《象》等始自鄭氏,《詩正義》:"馬融爲《周禮》之注,欲省學者兩讀,[②]故具載本文。後漢以來,始就經爲注。未審此《詩》傳引經附傳是誰爲之?"按此蓋鄭本其師。不關費氏。[③] 孔穎達又謂輔嗣之意,《象》本釋經,宜相附近,分爻之《象》辭,各附當爻。是漢、魏間注費氏本者,共分析連綴;宋人粗心,誤言也。《隋志》云高氏亡於西晋,傳云:"其學亦亡章句,專説陰陽災異。"

惟費氏經與古文同

王氏《考證》曰:"《釋文》引古文,如'彚'作'菁','翩'作'偏','介'作'砎','枕'作'沈','蹢躅'作'躓踤','繻'作'襦'。"

尚書古文經四十六卷

《志》云五十七篇者,《書疏》引鄭注云:"《武成》,逸《書》,建武之際亡。"班據作《志》時少一篇,故數五十七篇也。按《律曆志》,劉歆《三統曆》引存八十二字,此真《武成》也。《隋志》:"晋世祕府所存,[④]有《古文尚書》經文,今無有傳者。永嘉之亂,歐陽、大小夏侯《尚書》並亡。至東晋,豫章内史梅賾始得安國傳,奏之。"此近世所斥爲僞者。計晋中府所藏,亦當亡於永嘉時。閻若璩《古文疏證》曰:"四十六卷之分,鄭以同題者同卷,異題者異卷; 如《九共》九篇同爲第四卷,《泰誓》三篇爲卷二十三。孔則以同序者同卷,異序者異卷。其同序者:《太甲》、《盤

---

① "連"字原脱,據殿本《三國志》及《補注》引沈説補。

② "者"字原脱,據《十三經注疏》本《毛詩正義》及上下文意補。

③ 本句後《補注》引沈説有"或鄭名重,遂專擧之耳"一句。

④ "世"字原誤作"書",據殿本《隋書》改。

庚》、《説命》、《泰誓》，"泰"當爲"大"，如字。皆三篇共序，凡十二篇，只四卷。《大禹謨》、《皋陶謨》、《益稷》、《康誥》、《酒誥》、《梓材》亦各三篇共序，凡六篇，只二卷。外四十篇，篇各有序，凡四十卷。故爲四十六卷也。然鄭注四十六卷，原無《武成》，而以百篇序實爲末卷。孔則有《武成》一篇，篇自爲序，已足四十六卷之數，故不便以百篇序爲一卷，宜相附近。此遷就之詞爾。"王鳴盛《尚書後辨》曰："真書四十六卷，僞書亦四十六卷。其卷數似合，而不知真書三十四篇，《盤庚》三篇同卷，《太誓》三篇同卷，[1]《顧命》、《康王之誥》二篇同卷，實二十九卷。二十四篇內《九共》九篇同卷，實十六卷，共四十五卷。桓譚《新論》云'《古文尚書》舊有四十五卷，爲五十八篇'是也。《漢·藝文志》云四十六卷者，兼《序》言之。"

經二十九卷

《書疏》云："《史記》：'秦焚書，伏生壁藏之。漢定，伏生其書得二十九篇，[2]以教。'按馬融云'《大誓》後得'，鄭玄《書論》亦云'民間得《大誓》'。《別録》曰：'武帝末，民有得《大誓》於壁內者，獻之。與博士使讀說之，數月皆起傳，以教人。'則《泰誓》非伏生所傳。又王充《論衡》及《後漢史》獻帝建安十四年黃門侍郎房宏等說云：'宣帝本始元年，河內女子有壞老屋，得古文《大誓》三篇。'《論衡》又云'掘地所得'。按《論衡·正說篇》亦云："宣帝時，河內女子發老屋，而《尚書》二十九篇始定。"今《史》、《漢》書皆云伏生傳二十九篇，則司馬遷時已得《大誓》，并歸伏生，不得云宣帝始出也。或者爾時重得，故其後亦據而言之。"按孔氏

---

① "太誓三篇同卷"六字原脱，據清乾隆刻本《尚書後案》附《尚書後辨》"辨孔安國序"條及上下文意補。

② "篇"字原作"卷"，據《十三經注疏》本《尚書正義》及本條文意改。

自難自解，於王充等所説，亦不斥其謬妄。葢唐人多有持此論者，故《隋志》竟云伏生口傳二十八篇，又河内女子得《大誓》一篇獻之，陸德明則云："伏生二十九篇，宣帝時，河内女子得《大誓》一篇，獻。與伏生所誦合三十篇。"彼意竟謂以前未有《大誓》，其二十九篇，將兼《序》數之。而《史記·周本紀》所載，不謂之《大誓》耶？比孔氏尤疎舛。閻若璩曰："武帝建元元年，《大誓》曰：'白魚入於王舟。有火復於王室，流爲烏。周公曰：復哉復哉。'知此篇出於武帝之前，決矣。"

傳四十一篇

《隋志》：鄭注《尚書大傳》三卷，顧彪《音》二卷。《舊唐志》惟云《尚書暢訓》三卷，伏勝注。《新唐志》題伏勝注《大傳》三卷，又《暢訓》一卷。按不云鄭氏注而云伏勝注，則是未見其書而妄説也。一代史志，憒憒如此，反不若晁公武、陳振孫輩能言其大略也。按鄭君叙云："張生、歐陽生從伏生學，數子各論所聞，以己意彌縫其闕，別作章句。又特撰大義，因經屬指，名之曰傳。劉子政校書，得而上之，凡四十一篇。至玄始詮次爲八十三篇。"今本并《略説》爲四卷。《唐志》之《暢訓》殆即今之《略説》與？

歐陽章句三十一篇　歐陽説義二篇①

分出《大誓》二篇，故三十一篇。《書疏》引鄭《書贊》云："歐陽氏失其本義，今疾此蔽冒，猶復疑惑未悛。"則其學亦可知矣。《釋文》引賈逵説"俗儒以錙重六兩"，俗儒者，歐陽也。賈逵以大夏侯《尚書》教授，知此"俗儒"不斥夏侯家。今見於許氏《五經異義》。《詩正義》："今《尚書》歐陽説：春曰昊天，夏曰蒼天，秋曰旻天，冬曰上天。總爲皇天。"《大宗伯》疏："今《尚書》歐陽、夏侯説：六宗者，上不及天，下不及地，旁不及四時，居中央，恍惚無有神助，陰陽變化有益於人，故郊祭之。"《月令》疏："今文《尚書》歐陽

---

① "歐陽説義二篇"於《漢書·藝文志》在"劉向五行傳記十一卷"條前。

説：肝，木也；心，火也；脾，土也；肺，金也；腎，水也。"《詩正義》、《左傳·桓六年》疏並引《尚書》歐陽説云："九族乃異姓有親屬者。父族四，五屬之内爲一族，①父女昆弟適人者與其子爲一族，己女昆弟適人者與其子爲一族，己之子適人者與其子爲一族。母族三，母之父姓爲一族，母之母姓爲一族，母女昆弟適人者爲一族。妻族二，妻之父姓爲一族，妻之母姓爲一族。"《王制》疏："今《尚書》歐陽、夏侯説：中國方五千里。"又："今《尚書》夏侯、歐陽説：以類祭天名曰以事類祭之。奈何天位在南方，就南郊祭之是也。"又《白虎通論》皆依歐陽、夏侯三家之説，"《尚書》曰'虞賓在位'，不臣丹朱也"。但不分別三家，無以辨之。《續漢·輿服志》："永平二年初，詔有司乘輿服，從歐陽氏説；公卿以下，從大、小夏侯氏説。"按《五經異義》亦有《古尚書説》。《儒林傳》："都尉朝授膠東庸生。"劉歆《移博士》云："膠東庸生之遺學。"此西京時當已有《古尚書説》，以不立學官，故棄而不收。

大小夏侯章句各二十九卷　大小夏侯解故二十九篇

夏侯勝受於夏侯始昌。勝傳從兄子建，建自師事勝及歐陽高，左右采獲，又從《五經》諸儒問。與《尚書》相出入者，牽引以次章句。《書疏》云："夏侯等《書》，'嵎夷'爲'嵎鐵'，'昧谷'曰'柳谷'，《吴志》注，虞翻譏鄭氏改"柳"爲"昧"，謂此。然鄭實未嘗改"柳"爲"昧"，《周官·縫人》注："《書》曰：分命和仲度西曰柳穀。"作"昧"者古文。'心腹腎腸'曰'憂腎陽'，'劓刵劅剠'②云'臏宫劓割臏庶剠'。"按《緇衣》："《君奭》曰：在昔上帝，周田觀文王之德。"注云："古文爲'割申勸寧王之德'，今博士讀爲'厥亂勸寧王之德'。"《釋文》："《酒誥》，馬本作'成王若曰'。注云：'俗儒以爲成王骨節始成，故曰成王。'"此亦指三家《尚書》也。又《隸釋》載石經《尚書》殘碑五百四十七字，洪氏校之，石本多十字，少二十一字，不同者五十五字，借用者八字，通用者十一字，即其異同如此。按章句者，經師指括其文，敷暢其義，以相教授。《宣二年傳》疏，服虔載賈逵、鄭衆、或人三説解"叔牂曰子之馬然也"，此章句之體類然。解故者，《管

---

① "内"字原誤作"類"，據《十三經注疏》本《毛詩正義》及《春秋左傳正義》改。

② "剠"字原脱，據《十三經注疏》本《尚書正義》及上下文意補。

子・刑法解》、《墨子・經説》、《尚書大傳》、《毛詩傳》之類。解故不必盡人能爲；章
句，各師具有，煩簡不同耳。秦恭增師法至百萬言，桓榮受朱普學章句四十萬言，榮
減爲二十三萬言，子郁復删省成十二萬言是也。《通典》："魏代或問高堂隆曰：'昔
受訓云，馮君八萬言章句。'"

劉向五行傳記十一卷

《隋志》："伏生之傳，惟劉向父子所著《五行傳》，[①]是其本法，
而又多乖戾。"其卷數與此同。《後書》："郎顗奏便宜四事。
《尚書洪範記》：'月行中道，移節應期，德厚受福，重華
留之。'"

許商五行傳記一篇

《儒林傳》："許商善爲算，著《五行論曆》。"疑與劉向説災異者
不同。《溝洫志》："丞相、御史白：博士許商治《尚書》，善爲算，能度功用。"

周書七十一篇

《隋志》：《周書》十卷。云《汲冢書》者非也，以爲仲尼删《書》
之餘者是。《舊唐志》題《周書》八卷，《新唐志》題《汲冢周書》十卷，亦承《隋志》
之誤。按宋晁公武、李燾等並云存者七十篇，才缺其一。顔師
古乃云存者四十五篇，彼特未見全書而妄説。王氏《考證》
曰："鄭康成注《周禮》、《儀禮》引《王會》，許叔重《説文》亦引
《逸周書》，馬融注《論語》引《周書・月令》，[②]《集解》馬融曰"《周書・
月令》有更火"云云，今此篇亡。《召誥》正義亦引《月令》云："三日粵朏。"杜預注
《左傳》'蠻之柔矣'，謂'逸《詩》，見《周書》'。按見《太子晉解》。而
狼瞫所稱《周志》'勇則害上，不登於明堂'，其語今見篇中。按
見《大匡》篇。'千里百縣，縣有四郡'，引以爲'上大夫受縣'注。
見《作雒解》。《吕氏春秋》引'民善之則畜也，不善則讎也'，《楚

---

① "傳"字原脱，據殿本《隋書》及本條文意補。

② "注"字原脱，據清嘉慶康基田刻本《漢藝文志考證》（以下簡稱"康本《漢志
考》"）補。

世家》'欲起無先',蘇秦'縣縣不絶,蔓蔓奈何',《和寤解》。《蒙恬傳》引'必參而五之',蕭何'天予不取,反受其咎',主父偃'安危在出令,存亡在所用',《王佩解》。谷永'記功忘過,宜爲君',《王商傳》'以左道事君者誅',楊賜引'天子見怪則修德',《説苑》引'前車覆,後車戒',《墨子》引'國無三年之食,非其國',《淮南子》引'掩雉不得,更順其風','上言者常,下言者權',《戰國策》引魏任章'將欲敗之,必姑輔之;將欲取之,必姑與之',《貨殖傳》引'農不出則乏食,工不出則乏事,商不出則三寶絶',今文有無其語者,豈在逸篇乎?"

議奏四十二篇

《儒林傳》石渠論《書》者:林尊、歐陽地餘、周堪、張山拊、假倉等,堪經爲最高。

凡百篇而爲之序

《論衡·正説篇》:"孝景帝時,魯共王壞孔子教授堂以爲殿,得百篇《尚書》於牆壁中。"按此言所得者,乃孔子百篇之《書》爾。曰所得,不必有百篇之數也。《法言·問神篇》:"昔之説《書》,序以百。"《書疏》:"鄭作《書論》,依《尚書緯》云:'孔子求書,得黃帝玄孫帝魁之書,迄于秦穆公,凡三千二百四十篇。斷遠取近,定可以爲世法者百二十篇,以百二篇爲《尚書》,十八篇爲《中候》。'去三千一百二十篇。"《白虎通》同,亦本緯。《儒林傳》復云百兩篇,則班氏亦未能定也。《史記·孔子世家》:"追迹三代之禮,序《書》傳,上紀唐、虞之際,下至秦繆,編次其事。"與班意並以爲孔子作《序》也。按《序》由史官,非孔子作也。《周官》:"外史掌三皇五帝之書,掌達書名四方。"注云:"謂若《堯典》、《禹貢》,達此名使知之。"鄭意既然,又推七十一篇之《書》,孔子所删,亦有序。則當日史官皆序其恉,各以時代編聯相附,猶今之目録耳。《法言》:"惜乎《書序》之不如《易》

也。《易》可數也，如《書序》，雖孔子亦未如之何。"雄意以爲非孔子作，但仍周史之
舊。伏生今文失其《序》，故《盤庚》三篇合爲一，《康王之誥》合
於《顧命》。壁中古文出，始據《序》以定篇，故史遷詫以爲祕
寶，采入三代《本紀》，則真古志也。以爲孔子作者，《書》爲孔
子刪定，容得歸衷於孔子。孔子歿，七十子之徒與孔氏之裔，
謹守不墜，承聖師者，何敢措辭？外人亦何能竄入？而宋人
之《序》爲周、秦閒所作，[①]輕肆詆毀，非矣。

出孔子壁中

《孔叢·獨治篇》："陳餘謂子魚曰：'秦將滅先王之籍，而子
爲書籍之主，[②]其危矣！'子魚曰：'吾將先藏之。'"《家語序》云
孔騰子襄，子襄即子魚弟，容得同計也。《隋志》與《釋文》並
作孔惠。[③]　按《孔光傳》叙世系，無其人；如云"惠"、"順"義通，
爲孔順，又不當秦時。《東觀記·尹敏傳》云孔鮒所藏，與《孔叢》同。

武帝末

本傳，魯恭王以孝景前三年徙王魯。前二年立。好治宮室，季年
好音。二十八年薨。《表》云元朔元年，安王光嗣。就令季年有此事，亦
在武帝建元、元光閒，何得言武帝末？《論衡》作孝景時，是也。

及《禮記》、《論語》

"記"字衍。

得多十六篇

《舜典》一，《汩作》二，《九共》九篇三，《大禹謨》四，《弃稷》五，
《五子之歌》六，《胤征》七，《湯誥》八，《咸有一德》九，《典寶》
十，《伊訓》十一，《肆命》十二，《原命》十三，《武成》十四，《旅

---

① "之"字疑當作"以"。
② "書"字原誤作"之"，據《漢魏叢書》本《孔叢子》及《補注》引沈説改。
③ 《補注》引沈説"釋文"後有"史通"二字。

獒》十五,《畢命》十六。《九共》九篇出八篇,故又爲二十四篇,然鄭注《説命》云亡,而《書傳》復有《説命》,蓋鄭氏以其説高宗居喪之事而分。即八十三篇數。古文本無《説命》。

安國獻之,遭巫蠱事,未立於學官

今僞《孔序》亦有此語。朱彝尊曰:"司馬遷與都尉朝同受《書》於安國者也。《世家》稱安國早卒,《自序》則云:'予述黃帝以來,至太初而訖。'是安國卒在太初前。若巫蠱事,乃征和二年,距安國殁久矣。《藝文志》'《古文尚書》遭巫蠱'云之者,乃史追述古文所以不立學官之故耳。① 而僞《序》云云,竟出安國口中,不亦刺謬甚乎!"愚按劉歆移書博士,與此志所説同。蓋安國既殁,其家獻之,荀悦《記》可證也。但云安國獻之,傳説小誤耳。然不列學官,自緣俗儒專己妒能,排擯古學,如《毛詩》、《左傳》、古《禮》,皆不得立。若適遭巫蠱,後此宣帝右文之世,胡爲永歇耶? 至王充所云"武帝取之,祕於中,外不得見",又非也。《儒林傳》庸生、胡常、徐敖、塗惲、桑欽等,皆古文之真傳;王莽又立學官,外人奚爲不得見耶? 光武中興,一切反王莽之爲,古文既非禄利之途,非高才好古者莫之習,亦莫之授。王充蛙黽之微,自不聞師説,輒造妄談,以惑後人。至僞古文行,而孔穎達等於漢世習古文者,一槩抹殺,指爲張霸之僞,其禍原於充也。

《酒誥》脱簡一,《召誥》脱簡二

《法言》云:"《酒誥》之篇俄空焉。"吳祕注:"空,缺也。"謂此。王氏《考證》曰:"伏生《大傳》:'《酒誥》曰:王曰:封。唯曰若圭璧。'其脱簡之文歟?"按《志》以爲今文脱簡,伏生所引,自是別説。王氏説非也。

① "官"字原脱,據清乾隆盧氏補刻本《經義考》卷七十六"孔氏尚書傳"條及上下文意補。

率簡二十五字者，脱亦二十五字；簡二十二字者，脱亦二十二字

《左傳序》疏云："單執一札，謂之爲簡；連編諸簡，乃名曰策。"鄭注《論語》序引《鉤命決》云：①"《春秋》二尺四寸書之，《孝經》一尺二寸書之。"故知六經之策，皆長二尺四寸。按《後書·周磐傳》"編二尺四寸簡寫《堯典》"，束皙《穆天子傳序》以古尺度其簡，二尺四寸。然則中外寫經同用二尺四寸之簡，②故以中簡校外簡，知其所脱爲一爲二也。然書名疎密不同，鄭注《尚書》係三十字，服虔注云"《左傳》自篆書，一簡八字"是也。雖有疎密，要以祖本相傳寫，不敢妄有增損。故劉向校中書之簡，外簡脱字二十五、脱字二十二，字數多少相符，可知數定也。至下文之"脱字數十"，則逐簡所遺之字而乘之。

文字異者七百有餘

《後書》："杜林於西州得漆書《古文尚書》一卷。"又："劉陶推三家《尚書》及古文，是正文字三百餘事，名曰《中文尚書》。"王氏《考證》曰："以古文考之，如《國語》'嬴内'，《史記》'放勛'，'中霤'，'伯翳'，'畬絲'，《周禮注》'啟乃攩'，《漢書》'大祭'，'鹵'，'蒜'，'南僞'，'揖五瑞'，'楘遷'，'傅納'，'桼木'，'沇河'，'厥棐'，'惟甾'，'盟豬'，'夏狄'，'瑤琨'，'内憂服'，'服田力嗇'，'思曰㬗'，'畏用六極'，《説文》'臬咎繇'，'平鈇東作'，'剛而塞'，'五品不愻'，'㡓畎澮距川'，'若丹朱昇'，'竄三苗'，'鳥獸毨氄'，'遴以記'，'草木蔪苞'，'蜀咨'，'播告'，'惟箘輅枯'，'峹山'，'雝州'，'埓野'，'相時憨民'，'若顛木之有㽕枿'，'我興受其退'，'西伯戡黎'，'使百工復求，得之傅巖'，'至於嫡婦'，'上不謇於凶德'，'我之不畀'，'無有作政'，'曰圛'，'曰貞曰邲'，'夏氏之民叨懓'，'有疾不念'，'焞見三有俊心'，'在受德忞'，'王三宿，三祭，三咤'，'柴誓'，'㬅㬅猗無他技'，'大命不摯'，'一人冕執銳'，'惟緒有稽'，'惟斁丹雘'，③'㦸㦸善諞言'，'瑮火豼獻'，'旁述屠功’，‘教育子’，皆與古文合。”欽韓按許慎受學於賈逵，其引《古文尚書》宜可信。然如“魪獻”等字，猶恐後人竄入，古文不應有也。至王氏所據《古文尚書》，乃晁公武所云“皇朝呂大防得本於宋次道、王仲至家，較陸德明《釋文》小有異同”者也。此是東晉僞古文，經唐明皇所刊落，改爲今字，豈是壁中舊物而據之乎？其偶與《史》、《漢》、《説文》合，或好事者轉取古書所引以爲比附，①并非唐以前舊本。欲憑之以考證古文，多見其拙。以至石經殘碑、漢之今文，轉是真者，而古文竟無一字，可歎也。

古文讀應《爾雅》

《大戴·小辨篇》：“《爾雅》以觀於古，足以辨言矣。”《後書·賈逵傳》：“逵數爲帝言《古文尚書》與經傳《爾雅》詁訓相應。詔令撰歐陽、大小夏侯《尚書》古文同異，逵集爲三卷。”《詩·載驅》箋：“《古文尚書》以‘弟’爲‘圛’。圛，明也。”疏云：“《洪範稽疑論》‘卜兆有五，曰圛’。蓋古文作‘悌’，今文作‘圛’。賈逵以今文校之，定以爲‘圛’，故鄭依賈氏所奏從爲‘圛’，於古文則爲‘悌’。”按《宋微子世家》，《洪範》正作“涕”②，蓋訛“悌”爲“涕”耳。此古文之一毛也。

詩經二十八卷，齊、魯、韓三家

《儒林傳》：“諸齊人以《詩》顯貴，③皆轅固之弟子。”《釋文》據《後書》：“轅固生作《詩傳》，號《齊詩》。傳夏侯始昌，始昌授后蒼。”蒼乃《齊詩》再傳弟子。應劭云“后蒼作《齊詩》”，謬矣。《文賦》注：“《春秋演孔子圖》曰：《詩》含五際六情，絕於申。”宋均曰：“申，申公也。”《隋志》：“《齊詩》魏代已亡，《魯詩》亡於西晉，石經殘碑有《魯詩》百七十三字。郭璞《爾雅注》引《魯詩》“陽如之何”，璞不應耳食。則《魯詩》亡於永嘉後。《韓詩》雖存，無傳之者。”《考證》云：“晁氏曰：‘齊、魯、韓三家以《關雎》、《葛覃》、《卷耳》、《鵲巢》、《采蘩》、《采蘋》、《騶虞》、《鹿鳴》、《四牡》、《皇皇者華》之類，皆以爲康王詩，《王風》爲魯詩，《鼓鍾》爲昭王詩，異同不可悉舉。賈誼以《騶虞》爲天子之囿，以《木瓜》爲下之報上；劉向以衛宣夫人作《邶·柏舟》，黎莊公夫人作《式微》陳婦道，蔡人之妻作《芣苢》之類，

---

① “所”字原誤作“作”，據《補注》引沈説及上下文意改。
② “涕”字原誤作“悌”，據殿本《史記》、《補注》引沈説及上下文意改。
③ “人”字原脱，據殿本《史記》補。

皆三家之説也。揚雄曰：周康之時，《頌》聲作乎下，《關雎》作乎上，習治也。與《毛詩》大不類。如此則其《序》必不同也。今所略見者，《韓詩》之序曰：《芣苢》，傷夫也；《漢廣》，悦人也；《汝墳》，辭家也；《蝃蝀》，刺奔女也。'《韓詩序》又云：《黍離》，伯封作也；《賓之初筵》，衛武公飲酒悔過也。又謂《商頌》美宋襄公。"《困學紀聞》："元城謂《韓詩》有《雨無極篇》，序云：'《雨無極》，正大夫刺幽王也。'篇首多'雨無其極，①傷我稼穡'八字。"按考《韓詩》有此，《詩疏》當引之，蓋偽託之也。又《郊特牲》引《詩》云"爲下國畷郵"，疏云："所引者，齊、魯、韓《詩》也。郵謂民之郵舍，言成湯施布仁政，爲下國諸侯在畷民之處所，使不離散。"

魯故二十五卷

《儒林傳》："申公獨以《詩經》爲訓故以教，亡傳，疑者則闕弗傳。"《續漢·輿服志》注："《魯訓》曰：和，設軾者也。鸞，設衡者也。"《白虎通·辟雍章》引《詩訓》曰："水圓如璧。"《士昏禮》注："《詩》云'素衣朱綃'，《魯詩》以綃爲綺屬。"

魯説二十八卷

《儒林傳》："《魯詩》有韋氏學。"《隸釋·武榮碑》："治《魯詩》韋君章句。"則《魯説》殆韋氏學歟？何休《公羊隱五年傳》注引《魯詩傳》曰："天子食日舉樂，諸侯不釋縣，大夫、士日琴瑟。"《白虎通》："《詩傳》曰：大夫、士琴瑟。"蓋白虎觀議論，以《魯詩》爲定也。魏應習《魯詩》，白虎觀論五經同異，使應專掌難問。《詩·何人斯》疏鄭《異義》駁之："《詩説》鄭伯使卒及行所出，皆謂詛耳，小於盟也。"但云《詩説》者，皆《魯詩説》。《郊特牲》疏：《五經異義》云"謹按治《魯詩》丞相韋玄成等説引《外傳》"云云。《詩·生民》疏《異義》引齊、魯、韓三家説："聖人皆無父，感天而生。"《周官·鍾師》疏："《異義》：今《詩》韓、魯説：'騶虞，天子掌鳥獸官。'"《後漢書》注："《魯詩傳》曰：梁鄒，天子之田。"《詩·烈祖》疏："《異義》：《詩》魯説，丞相匡衡以爲殷中宗、周成、宣王皆以時毀。"按匡衡在韋氏後，治《齊詩》，非《魯詩》也，疑誤。《白虎通·諫諍篇》："妻得諫夫者，夫婦一體，榮辱共之。

---

① "其"字原脱，據清乾隆馬氏叢書樓刻本《困學紀聞》及上下文意補。

《詩》云：'相鼠有體，人而無禮。'此妻諫夫之詩也。"此亦《魯詩》説矣。其劉向之書，所説亦《魯詩》也。

齊后氏故二十卷

后蒼授翼奉、蕭望之、匡衡。

齊孫氏傳二十八卷[①]

《儒林傳》無其人。

齊雜記十八卷

《郊特牲》疏《異義》引匡衡説："支庶不敢薦其禰，[②]下士諸侯不得專祖於王。"《後書》："伏黯以明《齊詩》，改定章句，作《解説》九篇，子恭以章句繁多，省減浮詞，定爲二十萬言。"按匡衡授郎邪伏理，理以《詩》授成帝，別自名學，即黯之父。《解頤新語》引《齊詩章句》："騶虞爲天子掌鳥獸官。"

韓故三十六卷

傳云：淮南賁生受之。後有王、食、長孫之學。《後書》："薛漢世習《韓詩》，以章句著名。弟子杜撫定《韓詩》章句，其所作《詩題約義通》，學者傳之曰'杜君注'云。"《隋志》：《韓詩》二十二卷，薛氏章句。按章懷注《後書》、李善注《文選》，引其説尤多，或稱薛君、薛夫子，葢杜撫尊其師説，即杜撫所注，世罕知其出於撫矣。《隋志》又有《韓詩翼要》十卷，漢侯苞撰，新、舊《唐志》並題爲卜商撰，舛謬可笑。《困學紀聞》："董氏舉侯包言衡武公作《抑》詩，使人日誦於其側。"按包言亦本《楚語》。

韓內傳四卷

《白虎通·爵篇》："《韓詩內傳》曰：諸侯世子三年喪畢，上受爵命於天子。"《誅伐篇》："《韓詩內傳》曰：孔子爲魯司寇，先誅少正卯。"又《不臣篇》："《韓詩內傳》曰：師臣者帝，友臣者王，臣臣者霸，魯臣者亡。"校者云"魯"當與"虞"同。《通典·吉禮》：

---

① "齊"字原脱，據殿本《漢書·藝文志》補。
② "禰"字原作"禮"，據《十三經注疏》本《禮記正義》及上下文意改。

"《韓詩內傳》：祫所毀廟之主，皆升合食於太廟。"又何休《公羊注》多引之。《周禮·玉府》職注引《詩傳》曰："佩玉上有蔥衡，下有雙璜，衝牙蠙珠以納其間。"疏謂是《韓詩》也。

韓外傳六卷

《隋志》：《韓詩外傳》十卷。今見行卷次同，或後人合內、外《傳》爲一也。今按其書多奄取《荀卿書》，與《賈子》、《説苑》、《戴德記》相出入，其首卷第三章云："孔子南遊適楚，至於阿谷之隧，有處子佩瑱而浣。孔子抽觴、抽琴、絺綌五兩以授子貢曰：'善爲之辭，以觀其語。'"是真以孔子爲秋胡輕薄之流也。此而不能決擇，何名通儒？仲長統所謂"百家雜碎，請用從火"者也。董斯張曰："世所傳，亦非全書。《文選注》、《藝文類聚》、《御覽》等書所引，今本皆無之。"

韓説四十一卷

《異義》："今《韓詩説》：一升曰爵，爵，盡也，足也。二升曰觚，觚，寡也，飲當寡少。三升曰觶，觶，適也，飲當自適也。四升曰角，角，觸也，飲不能自適，觸罪過也。五升曰散，散，訕也，飲不能自節，爲人所謗訕也。總名曰爵，其實曰觴。觴者，餉也。觥亦五升，所以罰不敬觥廓也，所以著明之貌，君子有過，廓然明著，非所以餉不得名觴。"《詩·卷耳》疏、《禮器》疏並引之。又《王制》疏《異義》《韓詩説》與《易》孟氏同。見前。又《隱元年傳》疏：《異義》："《韓詩説》：八尺爲板，五板爲堵，一堵爲雉。《詩·鴻雁》疏作"五堵爲雉"。板廣二尺，積高五板爲一丈。五堵爲雉，雉長四丈。"《詩·靈臺》疏：《異義》："《韓詩説》：辟雍者，天子之學，圓如璧，壅之以水示圓。言辟，取辟有德，不言辟水；言辟雍者，取其雍和也。所以教天下春射、秋饗、尊事三老五更，在南方七里之內，立明堂於中。五經之文所藏處，葢以茅葦，①取其潔清也。"又《詩・卷耳》疏：《異義》："《韓詩說》：金罍，大夫器也。天子以玉，諸侯、大夫皆以金，士以梓。"《詩・簡兮》疏：《異義》："萬舞，《韓詩說》以夷狄大鳥羽。"

毛詩二十九卷

鄭《箋》："孔子論《詩》，其義與衆篇之義合編。至毛公爲《詁訓傳》，乃分衆篇之義，各置於其篇端。"又《十月之交》箋："當爲刺厲王作。《詁訓傳》時移其篇第，因改之耳。"《說文序》稱引《詩》則《毛詩》，今本按之，又與彼不同。按三家《詩》無《都人士》一篇，而《毛詩》有之，與《襄十四年傳》合。此《左氏》、《毛詩》所以同名古學也。

毛詩故訓傳三十卷

《隋志》：二十卷，題河間太守毛萇撰。按《後書・儒林傳》云"趙人毛萇傳《詩》"，故《隋志》以爲《詁訓傳》萇作也。《經典序録》云："大毛公爲《詩詁訓傳》於家，以授趙人小毛公。"《初學記》乃云大毛公名亨。班叙儒林，惟一毛公，甚爲疎略，不如後來者所據。②

附 毛詩說

《詩・干旄》疏：《異義》："《毛詩說》：天子至大夫，同駕四；士駕二。《詩》云'四騵彭彭'，武王所乘；'龍旂承祀，六轡耳耳'，魯僖所乘；《閟宮》疏："古《詩》毛說以'龍旂承祀'爲郊祀。"'四牡騑騑，周道倭遲'，大夫所乘。"又《靈臺》疏：《異義》："《毛詩說》：靈臺不足以監視。靈者，精也，神之精明稱靈。"又《卷耳》疏：《異義》："罍制，《毛詩說》：'金罍，酒器也。諸臣之所

---

① "葦"字，《十三經注疏》本《毛詩正義》作"草"。

② "如"字疑當作"知"。

酢。人君以黃金飾,大一碩,金飾龜目,蓋刻爲雲雷之象。'"
《説文解字》與《異義》同。《司尊彝》疏引《異義》作"古廷説",古廷《詩》蓋即古《毛詩》
説,其人當考。又《簡兮》疏:《異義》:"《詩》毛説'萬以翟羽'。"又
《駉鐵》疏:《異義》:"毛説在軾曰和,在鑣曰鸞。"《曲禮》疏:
《異義》:"《毛詩説》:盟牲,君以豕,臣以犬,民以雞。"按《後
書·儒林傳》"九江謝曼卿善《毛詩》,乃爲其訓",則《毛詩説》
是謝曼卿也。衛宏從曼卿受學,乃西京人。劉歆移書太常云
"民閒有趙國貫公之遺學",亦爲《毛詩》者。蓋《毛詩》不立學
官,其《詩説》又不尚祕府,故此志遺之。章帝令賈逵撰齊、
魯、韓《詩》與毛氏同異,此時已顯矣。班氏何但舉《七略》目
錄也?

古有采詩之官

《王制》"命太師陳詩以觀民風",注云:"陳詩,謂采其詩而視
之。"《古文苑》劉歆《與揚雄書》曰:"詔問三代周秦,軒車使者
以歲八月巡路,衆代語、僮謠、歌戲,欲得其最目。"雄答書曰:
"常聞先代輶軒之使,奏籍之書,皆藏於周、秦之室。"《公羊·宣公
十五年傳》注[1]"男女有所怨恨,相從而歌。饑者歌其食,勞者歌其事。男年六十、女
年五十無子者,官衣食之,使之民閒求詩。鄉移於邑,邑移於國,國以聞於天子。"《説
文·丌部》:"𠀍,古之遒人以木鐸記詩言。讀與'記'同。"

凡三百五篇

《詩疏》:"漢世毛學不行,三家不見《詩序》,不知六篇亡失,謂
其惟有三百五篇。"又"由儀"箋云:"《燕禮》'下管《新宮》'。
《新宮》亦《詩》篇名,辭、義皆亡,無以知其篇第之處。"疏云:
"孔子錄而不得,子夏不爲之序也。《左傳·昭二十五年》:

---

[1]　"宣公"二字原脱,據《補注》引沈説及《十三經注疏》本《春秋公羊傳注疏》補。

'宋公享昭子，賦《新宫》。'至孔子定《詩》，①三十餘年，其閒亡
之也。"按如此志，則班氏亦未見《毛詩傳》者也。

遭秦而全

《南陔》箋云："笙詩遭戰國及秦之世而亡之。"②劉歆移書云：
③"《詩》先師起於建元之間，當此之時，一人不能獨盡其經，或
爲《雅》，或爲《頌》，相合而成。"則亦幸而幾於全耳。

或取《春秋》，采雜説

如《鹿鳴》、《關雎》等爲刺詩。《列女傳》以《周南》爲大夫之妻
作，《魯》、《韓》葢同。《柏舟》爲衛宣夫人所作，《式微》爲黎傅母閔
莊公夫人作，《碩人》爲傅母諷衛莊姜作，《燕燕》爲定姜作，鄭
《坊記》注同，是《魯》、《韓》合。《大車啍啍》爲息夫人作，《墓門有梅》
爲陳辯女作。《新序》以《黍離》爲衛公子壽作。《御覽》四百
六十九《韓詩》曰："《黍離》，伯封作也。"陳思王植《惡鳥論》：尹吉甫
殺孝子伯奇，其弟伯封求而不得，作《黍離》。鄭注《士虞》："經云'出宿於
泲，飲餞於禰'爲餞尸。"《坊記》"采葑采菲"疏云："鄭未見《毛
詩》，④不知夫婦相怨，謂交友相與。"《宋世家》贊以爲正考父
美宋襄公，作《商頌》。《索隱》云："商家祭祀樂章，非考父追作也。考父佐
戴、武、宣，在襄公前且百年。斯謬説耳。"《匈奴傳》以《出車》爲周襄王時
作。班《匈奴傳》以《采薇》爲宣王時作。趙岐《孟子注》以《鴟鴞》爲"刺
邠君不如此鳥"，《小弁》爲伯奇之詩。《文選注》引《韓詩》
"《芣苢》，傷夫惡疾"；"'漢有游女'爲鄭交甫遇神女"。《困學紀
聞》："袁孝政釋《劉子》：魏武公信讒詩爲《青蠅》。"此三家不得《詩》本義，
旁取《春秋》、雜説者也。

---

① "子"字原脱，據《十三經注疏》本《毛詩正義》補。
② "世"字原誤作"詩"，據《十三經注疏》本《毛詩正義》改。
③ "書"字原誤作"詩"，據《補注》引沈説改。
④ "詩"字，《十三經注疏》本《禮記正義》作"傳"，於義較勝。

禮古經五十六卷

《曲禮》疏:"《六藝論》云:孔子壁中古文《禮》凡五十六篇,其十七篇與高堂生所傳同,而字多異;其十七篇外,則逸《禮》是也。"《士冠》經疏:"十七篇,是今文也;五十六篇,其字皆以篆書,是爲古文。鄭注《禮》之時,以今、古二字並之,或從古文,或從今文。若二字俱合義者,則互換見之。"古文祕禁中,絕無師説。按《平帝紀》元始五年,徵天下通知逸經。《王莽傳》云:"通知《逸禮》意者,徵詣公車。"則彼時已爲絕學可驗也。又《禮記鄭目錄》云:"《奔喪》、《投壺》實《曲禮》之正篇。漢興,後得古文,而禮家又貪其説,因合於《禮記》耳。"疏云:"《奔喪禮》,十七篇外,既謂之逸,鄭注引《逸奔喪禮》,但此《奔喪禮》對十七篇爲逸《禮》,内錄入於《記》。其不入於《記》者,又比此爲逸也。二逸不同,實祇是一篇。"按《大戴記》復有《諸侯遷廟》、《諸侯釁廟》、《公冠》三篇,亦是經文,而戴入《記》中,如鄭所説也。又推檢傳注,尚有逸經篇名遺句,如《曲禮下》注:"《覲禮》,今存;《朝宗遇禮》,今亡;《聘禮》,今存;《遇會誓盟禮》,亡。"此本不在五十六篇之數也。《月令》注引《中霤禮》:"祀户之禮,南面設主於户内之西,乃制脾及腎爲俎,奠於主北。又設盛於俎西。祭黍稷、祭肉、祭醴皆三。祭肉脾一,腎再。^① 既祭,徹之,更陳鼎俎。設饌於筵前,迎尸。"疏云:"《中霤禮》文。祭户、祭中霤在於廟室之中。若祭竈、祀門、祀行,皆在廟門外。此謂殷禮,若周則加七祀。不審祀之處所,當俱在廟門外。""祀竈之禮,先席於門之奥,東面設主於竈陘,乃制肺及心、肝爲俎,奠於主西。又設盛於俎南。亦祭黍三,祭肺心肝各一,祭醴二。亦既祭,徹之。更陳鼎俎,設饌於筵前,迎尸,如祀户之禮"。疏云:"逸《中霤禮》文。"下同。"祀中霤之禮,設主於牖下,

---

① "再"字原脱,據《十三經注疏》本《禮記正義》及上下文意補。

乃制心及肺、肝爲俎。其祭肉心、肺、肝各一。他皆如祀户之
禮"。《周禮·司巫》注:《中霤禮》曰:"以功布爲道,布屬於
几。""祀門之禮,北面設主於門左樞,乃制肝及肺、心爲俎,奠
於主南。又設盛於東俎。其他皆如祭竈之禮"。"祀行之禮,
北面設主於軷上,乃制腎及脾爲俎,奠於主南。又設盛於俎東。
祭肉腎一,脾再。其他皆如祀門之禮"。又有《王居明堂禮》,《月
令》注引云:"出十五里迎歲,蓋殷禮也。"疏云:"《逸禮》之篇名。"又引云:"帶以弓韣
禮之祺下,其子必得天材。"又引云:"季春,出疫於郊,以禳春氣。"又云:"毋宿於國。"
又云:"仲秋農隙,民畢入於室,曰時殺將至,毋罹其災。"又云:"季秋,除道致梁,以利
農也。"又云:"孟冬之月,命農畢積聚,繫收牛馬。"又云:"季冬,命國爲酒,以合三族。
君子説,小人樂。"又《禮器》注引云:"仲秋,乃命國釀。"蔡邕論亦引之。又有《禘於
太廟禮》。《通典》:"禘於太廟禮,毀廟之主皆升合食而立一尸。"又《少牢饋食禮》
注引《禘於太廟》逸禮:"日用丁亥。若不得丁,則用己亥、辛亥,苟有亥焉,可也。"《王
制》疏王肅論引《禘於太廟》逸禮:"其昭尸穆尸,其祝辭總稱孝子、孝孫,皆升合於其
祖。"《禮運》疏:"《逸禮》云:毀廟之主,昭共一牢,穆共一牢。"有
《烝嘗禮》、《射人》注"烝嘗之禮有射豕",疏云:"據《逸烝嘗》而言。"《朝貢禮》,
《聘禮》注引"純四只,制丈八尺"。又《天子巡狩禮》,《内宰》注引"制幣丈八尺純
四狄"。又《學禮》。《賈子》、《大戴·保傅篇》並引。又《通典》引《逸禮·
本命篇》:"太古男五十而娶,女三十而嫁;中古男三十而
室,女二十而嫁。"按今《大戴記·本命篇》有之,疑《通典》誤
指也。《初學記》:"《逸禮》曰:天子龜尺二寸,諸侯八寸,大
夫六寸,士、民四寸。"又《月令》注云:"《大飲之禮》亡。"《職
喪》注云:"國之喪禮、喪服、士喪、既夕、士虞,今存者;其餘
則亡。"疏:"其時有天子、諸侯、卿大夫及卒哭、①袝、小祥、大祥禮,皆有。遭暴
秦而亡。"《通典》《凶禮》:"虞喜《釋滯》云:'降殺之禮,始於周。

———————————

① 《十三經注疏》本《周禮正義》"卿大夫"三字後有"士喪與既夕"五字,"及"字
後有"虞"字。

然先所未臣，不忍即臣之，故爲之服也。'此當出《逸禮》。"《禮記·曲禮》曰"毋不敬"，疏云："既云'《曲禮》曰'，是《儀禮》正經今不見者，散亡也。"

經七十篇

此節今十七篇，誤倒。劉氏已訂其誤。《儀禮疏》引《鄭目録》云："《士冠禮》、《昏禮》、《士相見禮》三篇，大、小《戴》及《別録》皆第五；《鄉飲酒禮》，《大戴》第十，《小戴》、《別録》第四；《鄉射禮》，《大戴》十一，《小戴》、《別録》第五；《燕禮》，《大戴》第十二，《小戴》第六；《大射儀》，《大戴》第十三，《小戴》、《別録》第七；《聘禮》，《大戴》第十四，《小戴》第十五，《別録》第八；《公食大夫禮》，《大戴》第十五，《小戴》第十六，《別録》第九；《覲禮》，《大戴》第十六，《小戴》第十七，《別録》第十；《喪服》，《大戴》第十七，《小戴》第九，《別録》第十一；《士喪禮》，《大戴》第四，《小戴》第八，《別録》第十二；《既夕禮》，《大戴》第五，刪，《小戴》第十四，《別録》名《士喪禮下篇》，第十三；《士虞禮》，《大戴》第六，《小戴》第十五，《別録》第四；《特牲饋食禮》，缺，《少牢饋食禮》，《大戴》第八，《小戴》第十一，《別録》第十六；《有司徹》，《大戴》第九，《小戴》第十二，《別録》：《少牢下篇》第十七。"《夏采》注："《士冠禮》及《玉藻》'冠緌'之字，故書亦多作'緌'者，今禮家定作'蕤'。"又《巾車》職鄭司農云："《士喪禮下篇》曰'馬纓三就'，禮家説曰：'纓，當胷，以削革爲之。三就，三重三匝也。'"禮家者，即此后、戴二氏也。

記百三十一篇

此《禮記》所始。《隋志》："河閒獻王又得仲尼弟子及"及"字當衍。後學者所記一百三十一篇獻之，時亦無傳之者。至劉向考校經籍，檢得一百三十篇，按此志見云三十一篇，《別録》胡爲少其一？非也。向因第而叙之。而又得《明堂陰陽記》三十三篇、《孔子三朝記》七篇、《王史氏記》二十一篇、《樂記》二十三篇，^①凡五種，合二百十四篇。戴德删其煩重，合而記之，爲八十五篇，謂之《大戴記》。而戴聖又删大戴之書，爲四十六篇，謂之《小戴記》。按此俗説，不知《隋志》何所本？劉向校書在成帝時，戴德、戴聖論石渠在宣帝末年。只可二戴自删，劉向自合，不可云二戴承劉向之本。又大、小戴並授一師，同議石渠，各自名家，聖又何暇取大戴書而删之？現行《大戴記》與《禮記》重複甚多，則不出大戴明矣。《序錄》引陳邵《周禮論序》云"戴德删古《禮》二百四篇爲八十五篇"者是也。馬融足《月令》、《明堂位》、《樂記》，合爲四十九篇。"按孔氏《樂記疏》云："《別錄》：《禮記》四十九篇，《樂記》第十九。"則《樂記》入《禮記》也。《序錄》亦云劉向《別錄》有四十九篇，篇次與今《禮記》同。按鄭于《喪服四制》目錄云："此於《別錄》舊説屬喪服。"《正義》云："按《別錄》無《喪服四制》之文，惟舊説此篇屬喪服。"然則《別錄》尚少其一，^②未知當入何篇也？是則四十九篇，劉向已著錄，何云後人增益乎？《儒林傳》："小戴授梁人橋仁。"《後書・橋玄傳》之七世祖仁著《禮記章句》四十九篇。又《曹襃傳》："襃受慶氏《禮》，又傳《禮記》四十九篇。"是慶普、戴聖並有四十九篇《禮記》也。今考逸篇除《三朝記》等已見《大戴記》者，不著有《三正記》，《白虎通》："《禮三正記》曰：王者二社，爲天下立社曰太社，自爲立社曰王社。太社爲天下報功，王社爲京師報功。太社尊於王社。"又曰："天子龜長一尺二寸，諸侯一尺，大夫八寸，士六寸。龜，陰數，偶也。天子蓍長九尺，諸侯七尺，大夫五尺，士三尺。蓍陽數，故奇也。"又曰："正朔三而改，文質再而復。"有《五帝記》，《白虎通》："《禮五帝記》曰：立庠序之學，^③則父子有親，長幼有序。"有《親屬記》，《白虎通》："《禮親屬記》曰：男子先生稱兄，後生稱弟。女子先生稱姊，後生稱妹。"有《別名記》，《白虎通》："《禮別名記》曰：司徒典民，司空主地，司馬順天。"又曰："五人曰茂，十人曰選，百人曰俊，千人曰英，倍英曰賢，萬人曰傑，倍傑曰聖。"《公羊・成八

---

①　"樂記二十三篇"六字原脱，據殿本《隋書・經籍志》及上下文意補。

②　"錄"字原脱，據上下文意補。

③　"立"字原誤作"帝"，據《抱經堂叢書》本《白虎通義》改。

年》疏：“《辨名記》云：天子無爵，而言天子爲爵稱者，爵者醮也，所以醮盡其材。天子有聖德，居無極之尊位，謂之爵稱亦何傷？”又《月令》“孟夏”疏引蔡氏《辨名記》，《左傳·宣十五年》疏亦作《辨名記》。古“辨”、“別”聲同。《月令》疏以爲蔡氏，非也，蓋蔡氏亦引是文耳。王氏《考證》誤分別名、辨名爲二也。有《王度記》，《雜記》注：“《王度記》曰：百戶爲里，里一尹，其禄如庶人在官者。”疏云：“按《別錄》，《王度記》似齊宣王淳于髠等所説。”按《詩正義》引《異義》：“《王度記》曰：天子駕六，諸侯與卿同駕四，大夫駕三，士駕二，庶人駕一。”鄭駁云：“《王度記》云‘天子駕六’者，自是漢法，與古異。”則鄭以《王度記》爲漢作，疑即漢文帝使博士所作，而盧植誤指《王制》。《王制》疏鄭駁《異義》云：“《王制》是孔子之後大賢所記先王之事。”又鄭答臨碩云：“孟子當赧王之際，《王制》之作復在後。”二説雖殊，並不以爲漢文時所作。《白虎通》：“《禮王度記》曰：子男三卿，一卿命於天子。”按鄭注《王制》疑“小國二卿皆命於其君”文似脱誤，云：“小國亦三卿，一卿命於天子，二卿命於其君。”蓋據此也。又曰：“反之以玦。”又曰：“天子䲔，諸侯薰，大夫苣蘭，士蒹，庶人艾。”按《周禮·鬱人》疏引作“天子以䲔，諸侯以薰，大夫以蘭芝，士以蕭，庶人以艾”。有《王霸記》。《大司馬》注引《王霸記》曰“四面削其地”云云。王氏《考證》云有《瑞命記》、《文選注》、《論衡》。《禮運記》，《白虎通》：“《禮運記》曰：六情所以扶成五性也。”此未可信也。《白虎通》又有《禮記·謚法》、云：“德象天地稱帝，仁義所生稱王。”《禮·保傅》。當即《賈子》、《大戴記》所載。《公羊·文二年》注引《禮·士虞記》，云：“桑主不文，吉主皆刻而謚之。”今《士虞記》無此文。《襄十六年》注引《禮記·玉藻》，疏以爲《玉藻》無其文。此或名同而文異者也。蔡邕《明堂論》並引《禮記》，詳在下。

明堂陰陽三十三篇

《鄭目録》云：“《月令》、《明堂位》二篇于《別錄》屬明堂陰陽。”《明堂位》疏：按《異義》：“今《戴禮》説《盛德記》曰：‘明堂者，自古有之。凡九室，室四户、八牖，共三十六户、七十二牖，以茅蓋屋。上圓下方，所以朝諸侯。其外有水，名曰辟雍。’今《大戴記》分爲二。《隋·牛弘傳》引作《禮記·盛德篇》。《明堂月令》説：‘明堂高三丈，東西九仞，南北七筵，上圓下方，四堂十二室，鄭駁曰：

"字誤,本書云'九堂十二室'。"室四戶、八牖,其宫方三百步,在近郊三十里。'"以上《明堂月令》,鄭注《月令》引之,又《牛弘傳》引蔡邕《明堂月令章句》即此。《續漢·祭祀志》劉昭注引蔡邕《明堂論》:"《禮記·古文明堂之禮》曰:'膳夫是相禮,日中出南闈,見九侯門子。日側出西闈,視五國之事。日闇出北闈,視帝節猶。'字疑誤。又《禮記·大學志》曰:'禮,士大夫學於聖人、善人,祭於明堂。其無位者,祭於太學。'又《禮·昭穆篇》曰:'祀先賢於西學,所以教諸侯之德也。'即所以顯行國禮之處也。太學,明堂之東序也,皆在明堂辟雍之内。又《月令記》曰:'明堂者,所以明天氣、①統萬物。'明堂上統於天,象日辰,故下十二宫象日辰也。水環四周,言王者動作法天地,②德廣及四海,方此水也。"《通典》《吉禮》《禮記·明堂陰陽録》:"水行左旋以象天,水廣二十四丈。"《御覽》五百三十三《禮記·明堂陰陽録》曰:"明堂陰陽,王者之所以應天也。内有太室,象紫宫;南出明堂,象太微;西出總章,象五潢;北出玄堂,象營室;東出青陽,象天市。上帝四時,各治其宫。③王者承天統物,亦於其方,以聽國事。"按二書所引,皆係《禮記》並正文也。《隋書·宇文愷傳》《明堂議》引《周書·明堂》曰:"堂方百一十二尺,高四尺,階博六尺三寸,室居内,避"中"字。方百尺,室内方六十尺。户高八尺,博四尺。"今本《明堂解》缺此文。又《御覽》五百三十三《周書·明堂》曰:上如宇文愷引。"東應門,南廟門,西皋門,北雉門。東方曰青陽,南方曰明堂,西方曰總章,北方曰玄堂,中央曰太廟。以左爲左个,右爲右个也。"《周書》五十三有《月令篇》,此則《明堂月令》並出於古《周書》所載,即禮家之祖矣。今按《月

---

① "氣"字原誤作"地",據殿本《後漢書》及上下文意改。

② "法"字原誤作"發",據殿本《後漢書》改。

③ "宫"字原誤作"功",據文淵閣《四庫全書》本《太平御覽》(以下簡稱"四庫本《御覽》")及上下文意改。

令》有三，一是周公所作，牛弘云："蔡邕、王肅云《周書》内有
《月令》，第五十三，即此也。"馬融《論語注》引之，在《集解》。一是吕
不韋所述，《鄭目録》云："本《吕氏春秋》十二月紀之首章，以
禮家好事，鈔合之，後人因言周公所作。"牛弘云："束晳以爲夏時之
書。"劉瓛云："不韋鳩集儒者，尋於聖王月令之事而記之。不韋安能獨爲此書？"今
案不得全稱周書，亦未可即爲秦典，其内雜有虞、夏、殷、周之法。一是漢所行
《月令》，則鄭注《月令》引"今《月令》"，其文稍異。《説文》：
《明堂月令》曰"腐草爲蠲"，《吕氏春秋》作"腐草化爲蚈"，《祭
法》注引《明堂月令》其辭。又大同三代文質之政，粗具於此。
他若《管子·幼官》、《四時》、《淮南·時則》諸篇，又其支流派
别也。《後書·儒林傳》：景鸞作《月令章句》。又州置月令師。立春日，尚書郎讀
令，下寬大詔書，皆奉《月令》行事。西京丞相魏相表采《易陰陽》及《明堂月令》奏之。

王史氏二十一篇

《廣韻》："王史，複姓。漢有新豐令王史音。"

曲臺后蒼九篇

《儒林傳》："倉説《禮》數萬言，號曰《后氏曲臺記》。"《文選注》
六十《七略》曰："宣皇帝時，行射禮，博士后蒼爲之辭，至今記
之，曰《曲臺之記》。"《困學紀聞》云："《大戴·公冠》有孝昭帝
冠詞，其《曲臺記》歟？"按蒼在宣帝時，昭帝冠自是漢儀，《通
典》："漢改皇帝冠加元服。惠帝加元服，用正月甲子若丙子爲吉。"《宋書·禮志》：
"漢惠帝冠以三月也。"與倉何事？ 王氏非也。

中庸説二篇

《鄭目録》云："孔子之孫子思伋作之，以昭明聖祖之德。此於
《别録》屬通論。"按《孔叢·居衛篇》"子思選《中庸》之書四十九
篇"，疑彼説妄也。云《中庸説》者，鄭注"仲尼祖述"以下以《春
秋》之義説孔子之德，鄭當有所本，蓋此説也。《隋志》有戴顒
《中庸傳》、梁武帝《中庸講疏》，則自來《中庸》有説也。

明堂陰陽説五篇

《明堂位》正義引《異義》：“講學大夫淳于登説云：明堂在國之陽，丙巳之地，三里之外，七里之内。而祀之就陽位，上圓下方，八窗四闥，布政之宮，故稱明堂。明堂，盛貌。周公祀文王於明堂，以配上帝。上帝，五精之神，太微之庭中有五帝坐位。”葢此類明堂説也。講學大夫，在王莽時。明堂，平帝時立。《御覽》五百三十三《禮記外傳》曰“黄帝享百神於明廷。唐虞爲五府，夏謂太廟爲世室，殷人謂路寢爲重屋，周人謂五府爲明堂。① 夏后氏一堂之上爲五室，木室，東北；火室，東南；金室，西南；水室，西北；土室，中央。南面三階”三面兩階，則九階矣。云云。按《外傳》無考。其注與《考工記》注同。《隋書》牛弘議云：“馬宫、蔡邕等所見，當時有《古大明堂禮》、《王居明堂禮》、《明堂圖》、《明堂大圖》、《明堂陰陽》、《太山通義》、《魏文侯孝經傳》等，並説古明堂之事。其書皆亡，莫得而正。”

周官經六篇

《隋志》：“漢時有李氏，得《周官》，上於河閒獻王，獨闕《冬官》一篇。獻王購以千金不得，遂取《考工記》以補其處，合成六篇奏之。”賈公彦《序周禮廢興》云：“《周官》，孝武之時始出，② 祕而不傳。《周禮》後出者，以其始皇特惡之之故也。是以馬融《傳》云：‘孝武帝始除挾書之律，開獻書之路。除挾書律不始孝武，博學如融，猶造妄説。既出於山巖屋壁，復入於祕府。五家之儒，《禮記目録》正義：“《六藝論》云：傳《禮》者十三家，惟高堂生及五傳弟子戴德、戴聖名在也。”熊氏云：“則高堂生、蕭奮、孟卿、后倉及戴德、戴聖爲五也。”融云“五家之儒”葢同之。莫得而見焉。至孝成皇帝，達才通人劉向、子歆校

① 本句三“謂”字原皆誤作“位”，據四庫本《御覽》改。
② “出”字原脱，據《十三經注疏》本《周禮注疏》補。

理祕書，始得列序著於《録》、《略》。然亡其《冬官》一篇，以《考工記》足之。'"如融言，則以爲亡於既得之後。《禮記目録》正義引《六藝論》云"得其六篇"，與馬同。按《明堂位》"周官三百"，鄭注云："周時三百六十官。此云三百者，記時《冬官》已亡。"《論衡·佚文》云："魯恭王得《禮》三百。"即謂《周官》。《隋志》言先亡者是也。賈疏亦云六國時亡。《考證》曰："齊文惠太子鎮雍州，有發楚王冢，獲竹簡書，青絲編簡，廣數分，長二尺。有得十餘簡，以示王僧虔，僧虔曰：'是科斗書《考工記》。'按見《南齊書·文惠太子傳》。然則《考工記》亦先秦書，謂之漢博士作，誤矣。"《禮器》疏："漢孝文帝時，求得此書，不見《冬官》一篇，乃使博士作《考工記》補之。"厚齋以爲誤者是也。《周官》之出，亦非孝文世。

周官傳四篇

此當在劉歆置博士前，或班氏於後附益歟？賈疏引馬融云："劉歆獨識，知其周公致公太平之迹，奈遭天下倉卒，兵革並起，疾疫喪荒，弟子死喪，徒南里人河南緱氏杜子春尚在。《隋志》無"里人"二字，是也。"緱氏"下衍"及"字，非。永平之初，年且九十，家於南山，能通其讀，按鄭注有"故書作某字"、"書或爲某字"、"杜子春讀爲某字"。賈疏云："劉向未校之前，或在山巖石室，有古文，文校後爲今文。古、今不同，鄭氏據今文注。"今按《説文》所引又不同。頗識其説。鄭衆、賈逵往受業焉。"則先前未有傳者，應爲劉歆所傳矣。《五經異義》引古《周禮》説，見於注疏、《通典》者。《曲禮》疏："古《周禮》説：士尸肆諸市，大夫肆諸朝。"又古《周禮》説："天子無爵，同號於天，何爵之有？"《王制》疏引古《周禮》説與《宗伯》文同，又古《周禮》説與《鄉大夫》文同，《禮器》疏古《周禮》説與《考工記》"梓人"文同。又古《周禮》説："顓頊氏有子曰黎，爲祝融，祀以爲竈神。"《明堂位》疏古《周禮》説與《考工記》"匠人"文同。《詩·鴻雁》疏："《周禮》説：雉高一丈，長二丈。"《周禮·調人》疏："古《周禮》説：復讎可盡五世之内。五世之外，施之於己則無義，施之於彼則無罪。所復者，謂殺者之身乃在，被殺者子孫可盡五世得復之。"《梓人》疏古《周禮》説亦與《韓詩》同。其《北堂書鈔》、《御覽》等引《五經異義》亦有古

《周禮》説，兹不具。許氏多從《周禮》説，蓋賈逵所説。

軍禮司馬法百五十五篇

《博物志》云"周公所作"，是其始耳。《史記》："齊威王使大夫追論古者《司馬兵法》，而附穰苴於其中，因號《司馬穰苴兵法》。"①《隋志》云亦河閒獻王所上。今存五篇，前《仁本》、《天子之義》，應爲古義；後三篇與孫、吳之旨不殊矣。《文選注》五十七引《司馬兵法》"火攻有五"，按《定爵篇》："一曰人，二曰正，三曰辭，四曰巧，五曰火，六曰水，七曰兵。"疑此句涉彼而誤。又云"善守者藏於九地之下，善攻者動於九天之上"，並《孫子》語，則其出於戰國可知也。今傳注所引者，《中庸》注："素，讀如'攻城攻其所傃'。"《正義》云《司馬法》文。《鄉師》注："《司馬法》曰：夏后氏謂輦曰余車，殷曰胡奴車，周曰輜輦。輦，一斧，一斤，一鑿，一梩，一鋤。周輦加二板二築。"又曰："夏后氏二十人而輦，殷十八人而輦，周十五人而輦。"《鼓人》注："《司馬法》曰：昏鼓四通爲大鼓，夜半三通爲晨戒，旦明五通爲發昫。"《大司馬》注："《司馬法》曰：鼓聲不過閶，鼙聲不過闒，鐸聲不過琅。"按此皆言其聲。"閶"同"鐣"，"闒"同"鞜"，琅者，琅琅然也。又《司馬法》曰："上卜下謀，是謂參之。"疏又云："十人之長執鉦，百人之帥執鐸，千人之帥執鼙，萬人之主執大鼓。"《司勳》注："《司馬法》曰：上多下虜。"今見有者，不具列。《左傳》成七年注："《司馬法》：百人爲卒。二十五人兩。車九乘爲小偏，十五乘爲大偏。"《襄二十三年》疏服虔引《司馬法·謀帥篇》曰："大前驅、啟，乘車。大晨，倅車屬焉。"大晨，大殿也，音相似。此服虔自下己意，王氏誤連引之。又按《周書·武順篇》"一卒居前曰開，一卒居後曰敦"，與此文相似。《昭元年》疏服

---

① "穰苴"二字原脱，據殿本《史記》及上下文意補。

虔引《司馬法》云："五十乘爲兩,百二十乘爲伍,八十一乘爲專,二十九乘爲參,二十五乘爲偏。"《文選》張孟陽《魏都賦》注:"《司馬法》曰:師多則讀。"《説文》引有"人"字。又云:"明君不寶咫尺之玉,而愛寸陰之旬。"《説文·耳部》:"《司馬法》曰:小罪耿,中罪刖,大罪剄。"

古封禪羣祀二十二篇

《文選注》四十六《禮記·逸禮》曰:"三皇禪,云云;五帝禪,亭亭。"《御覽》引云:"三皇禪,云云,盛意也;五帝禪,亭亭,特立於身。三皇禪梁父,連延不絶,父死子繼也。"案《梁書·許懋傳》引《禮記》云:"三皇禪,奕奕,謂盛德也;五帝禪,亭亭,特立獨起於身也。"懋據"伏羲封太山,禪云云,不禪奕奕",則《文選注》、《御覽》作"云云"者,誤也。《管子》有《封禪篇》,即古封禪禮也。今其篇亡,僅見《史記》所引。《續志》注:"《莊子》曰:易姓而王,封於泰山、禪於梁父者,七十有二代。其有形兆垠堮勒石,凡千八百餘處。"《御覽》五百三十六桓譚《新論》同。

封禪議對十九篇

牛弘所云《泰山通義》即此,宇文愷《明堂議》曰:"武帝元封二年,立明堂汶上,①無室。其外略依此制。《泰山通議》今亡,不可得而辨。"《兒寬傳》:"議封禪之事,諸儒對者五十餘人。"

漢封禪羣祀三十六篇

《史記》"上令諸儒習射牛,草封禪儀"。光武封禪,亦有馬第伯《封禪儀記》。

議奏三十八篇

《隋志》:《石渠禮論》四卷,戴聖撰。按石渠議禮者,戴聖、聞人通漢、韋玄成、蕭望之等,專題戴聖,非也。梁有《羣儒疑義》十二卷,戴聖撰。

---

①　"堂汶"二字原誤作"後",據殿本《隋書》改。

亦《石渠》之類歟？按《石渠》、《白虎》，二京盛典。然《白虎論》專尚俗學，雜引纖緯，屑屑覼縷，使人生厭；石渠議禮諸儒，具有義蘊，粲然之迹，莫過於此。《尚書》、《春秋》，《隋志》不載，而禮論唐時尚完，企慕弗置，就《通典》所引，附於左。《禮》三十三《石渠禮議》曰："'經云：宗子孤爲殤。言孤何也？'聞人通漢曰：'孤者，師傅曰：因殤而見孤也。男子冠而不爲殤，^①亦不爲孤，故因殤而見之。'戴聖曰：'凡爲宗子者，無父乃得爲宗子。然爲人後者，父雖在，得爲宗子。故稱孤。'聖又問通漢曰：'因殤而見孤，冠則不爲孤者，《曲禮》曰：孤子當室，冠衣不純采。此孤而言冠，何也？'對曰：'孝子未曾亡親，有父母、無父母衣服輒異。《記》曰：父母存，冠衣不純素；父母歿，冠衣不純采。故言孤。言孤者，別衣冠也。'聖又曰：'然則子無父母，年且百歲，猶稱孤_{疑亡}。不斷，何也？'通漢曰：'二十而冠不爲孤；父母之喪，年雖老，猶稱孤。'"《禮》三十七《石渠議》曰："'鄉請射告主人，樂不告者，何也？'戴聖曰：'請射告主人者，賓主俱當射也。夫樂，主所以樂賓也，故不告於主人也。'宣帝甘露三年三月，黃門侍郎臨_{原注"失其姓"。按《儒林傳》，臨爲少府梁丘賀之子}。奏：'《經》曰：鄉射合樂，大射不樂，何也？'戴聖曰：'鄉射至而合樂者，質也。大射，人君之禮，儀多，故不合樂也。'聞人通漢曰：'鄉射合樂者，人禮也，所以合和百姓也。大射不合樂者，諸侯之禮也。'韋玄成曰：'鄉射禮所以合樂者，鄉人本無樂，故合樂歲時，所以和合百姓以同其意也。至諸侯，當有樂，《傳》曰諸侯不釋懸，明用無時也。君臣朝廷固當有之矣，不必須合樂而後合，故不云合樂也。'公

---

①　清乾隆武英殿本《通典》（以下簡稱"殿本《通典》"）"冠"前有"二十"二字，於義較勝。

卿以玄成議是。"《禮》四十三《石渠議》:"聞人通漢問云:'《記》曰:君赴於他國之君曰不禄,夫人曰寡小君不禄,大夫、士或言卒、死。皆不能明。'戴聖對曰:'君死未葬曰不禄,既葬曰薨。'又問:'尸服卒者之上服。士曰不禄,言卒何也?'聖又曰:'夫尸者,所以象神也。其言卒而不言不禄者,通貴賤尸之義也。'通漢對曰:'尸,象神也,故服其服。士曰不禄者,諱辭也。孝子諱死曰卒。'"《禮》四十一《石渠禮》曰:"'諸侯之大夫爲天子、大夫之臣爲國君服何?'戴聖對曰:'諸侯之大夫爲天子當總縗,既葬除之。以時接見於天子,故既葬除之。大夫之臣無接見之義,不當爲國君也。'聞人通漢對曰:'大夫之臣,陪臣也,未聞其爲國君也。'又問:'庶人尚有服,大夫臣食禄,反無服,何也?'聞人通漢對曰:'《記》云:仕於家,出鄉不與士齒。是庶人在官也,當從庶人之爲國君三月服。'制曰:'從庶人服是也。'按宣帝稱制以決之。又問曰:'諸侯大夫以時接見天子,故服。今諸侯大夫臣,亦有時接見於諸侯?'戴聖對曰:'諸侯大夫臣,無接見。諸侯有時使臣奉賀,乃非常也,不得爲接見。按《周禮》説,惟大國之孤接見天子爾。至於大夫有年,獻於君,君不見,亦非接見也。'侍郎臣臨、待詔聞人通漢等皆以爲有接見義。"《禮》四十九漢《石渠議》:"問:'父卒母嫁,爲之何服?'蕭太傅云:'當服周。爲父後則不服。'韋玄成以爲:'父歿則母無出義,王者不爲無義制禮。若服周,則是子貶母也,故不制服也。'宣帝詔曰:'婦人不養舅姑,不奉祭祀,下不慈子,是自絶也,故聖人不爲制服,明子無出母之義,玄成議是也。'"《石渠禮議》:"又問:'夫死,妻稚子幼,與之適人,之子後何服?'韋玄成對'與出妻子同服周',或議以爲子無絶母,①

---

① "絶"字原誤作"議",據殿本《通典》改。

應三年。"《禮》五十《石渠禮議》："戴聖曰：'大夫在外者，三諫不從而去，君不絕其禄位，使其嫡子奉其宗廟。言長子者，重長子也，承宗廟宜以長子爲文。'嫡妻之長子也。蕭太傅曰：'長子者，先祖之遺體也。大夫在外，不得親祭，故以重者爲文。'宣帝制曰：'以在故，言長子。'"按《經》言"妻長子爲舊國君"，特稱舊國君，則長子亦隨父而去矣。本自無服，《傳》言未去，謂欲去未去之。頃適值君喪，則制此服；若如戴聖議"嫡子奉其宗廟"，則自有臣爲君服。本條何得止齊衰三月乎？《禮》五十二《石渠禮議》戴聖對曰："君子子爲庶母慈己者，大夫之嫡妻之子，養於貴妾，大夫不服賤妾，慈己則緦服也。①其不言大夫之子而稱君子子者，君子猶大夫也。"《禮》五十二《石渠禮議》："問曰：'大夫降乳母耶？'聞人通漢對曰：'乳母所以不降者，報義之服，故不降也。則始封之君及大夫，皆不降乳母。'"②《禮》五十六漢《石渠議》："'大宗無後，族無庶子，己有一嫡子，當絕父祀以後大宗不？'戴聖云：'大宗不可絕。言嫡子不爲後者，不得先庶耳。族無庶子，則當絕父以後大宗。'聞人通漢云：'大宗有絕，子不絕其父。'宣帝制曰：'聖議是也。'"《禮》五十九《石渠禮議》曰："經云大夫之子爲姑姊妹女子子無主後者，爲大夫命婦者，唯子不報何？戴以爲'唯子不報者，言命婦不得降，故以大夫之子爲文。唯子不報者，言猶斷周，不得申其服也'。宣帝制曰：'爲父母周是也。'"《禮》六十三《石渠禮議》："蕭太傅云：'以麻終月數者，以其未葬，除無文節，故不變其服爲稍輕也。已除喪服未葬者，皆至葬反服。庶人爲國君亦如之。'宣帝制曰：'會葬服喪衣是也。'或問蕭太傅：'久而不葬，唯主喪者不除。今則或十年不葬，主喪者

---

① "己"字原誤作"意"，據殿本《通典》及上下文意改。

② 殿本《通典》無"不"字。

除否?'答云:'所謂主喪者,獨謂子耳。雖過期不葬,子義不可以除。'"又《通典·禮》四十二姜輯議渤海王服范太妃事:"按薛公謀議:'皇子以封爲王,列土守藩,不得戚於天子者,父卒爲母三年。'"《禮》五十三《鄭志》答趙商下薛公謀議曰:"按《春秋》,庶子爲君,則母稱夫人。故昭公之母齊歸卒,《經》書曰'夫人歸氏薨',昭公不戚。叔向曰:'君有三年之喪,而無一日之戚。'此與鄭注相反,蓋爲公羊之學。明孔子以義書,叔向以禮譏也。"以上兩條,疑亦《石渠奏》也。薛公,薛廣德。本傳"爲博士,論石渠"。注疏亦閒引《石渠論》。《詩·既醉》疏:"《石渠論》:周公祭天,用太公爲尸。"《王制》疏:"《石渠論》:周以后稷、文、武特七廟。"

附禮戴説

《五經異義》有二戴《禮説》,《志》於他經並載解故、章句、説三種,獨於《禮》遺之,非也。今於注疏所引,補其梗概。《曲禮》疏:"《禮》戴説:刑不上大夫。"《哀公問》疏:"《禮》戴説:天子親迎。"《檀弓》疏:"戴《禮》説:虞主埋於壁兩楹之閒。"《王制》疏《禮》戴説同《王制》文。《禮器》疏戴説引此燔柴盆瓶之事爲竈神。《郊特牲》疏《禮》戴説同《郊特牲》文。《明堂位》疏今戴《禮説》引《盛德記》云云。《昏義》疏今大戴《禮説》、《公羊·隱元年》疏:"今《禮》戴説:男子,陽也,成於陰,故二十而冠。"

附戴德喪服變除一卷

新、舊《唐志》目同。《通典·凶禮》引之,今采其有論説者附之。《童子喪服議》戴德《變除》曰:"童子當室,謂十五至十九,爲父後,持宗廟之重者。其服深衣,不裳,其餘與成人同。禮,不爲未成人制服者,爲用心不能一也。其能服者,亦不禁。縗經不以制度,惟其所能勝。"《喪殤》戴德云:[1]"七歲以下至生三月,殤之,以日易月。生三月哭之。朝夕即位哭。[2]

---

① 殿本《通典》該引文在《禮》五十一"大功殤服九月七月"。

② "哭"字原脱,據殿本《通典》及上下文意補。

葬於園。既葬，止哭，不飲酒食肉。畢喪各如其日月。此獨謂父母爲子與昆弟相爲耳。"《改葬服議》漢戴德云："制緦麻具而葬，葬而除，謂子爲父、妻妾爲夫、臣爲君、孫爲祖後也。無遣奠之禮。其餘親皆弔服。"

附叔孫通漢儀十二篇

蕭子顯《禮志》云：①"叔孫通制漢禮，而班固之《志》不載。"《後書・曹褒傳》："肅宗召褒詣嘉德門，令小黃門持班固所上叔孫通《漢儀》十二篇，敕褒曰：'此制散略，多不合經。今宜依《禮》條正，使可施行。'褒復爲百五十篇。"王氏《考證》云："十二篇，不著於《七略》，蓋與律令同錄，藏於理官法家。《南史》沈文阿云：'叔孫定禮，尤失前憲。奠贄不珪，致享無帛，公王同璧，鴻臚奏賀，若此數事，未聞於古。'《三禮》注疏引《漢禮器制度》，通所作也。"今按傳注所云《漢儀》，略有其槩。《縫人》注："《禮器制度》：飾棺，天子龍火黼黻皆五列，又有龍翣二，其戴皆加璧。"《典瑞》注："漢禮，瓚槃大五升，口徑八寸，下有槃，口徑一尺。"疏云："此據《禮器制度》。"《小祝》注杜子春云："漢儀，每街路輒祭。"《王制》注："禮制，周猶以十寸爲尺。"《喪大記》注："漢禮，大槃廣八尺，②長丈二，深三尺，赤中。夷槃小焉。"《凌人》注引同，作《禮器制度》。又："翣以木爲筐，廣三尺，高二尺四寸，方兩角高，衣以白布。"《詩・卷耳》疏："禮圖依制度云：罍刻木爲之。"《行葦》疏："《禮器制度》：注勺五升，徑六寸，長三尺。"《哀公問》疏："《異義》：高祖時，皇太子納妃。據《外戚傳》云：'惠帝即位，以公主女配爲皇后。'叔孫通制漢禮，以爲天子無親迎。"《鄉射》疏引《漢禮》云："五武成步，步六尺。"《三禮圖》：《禮器制度》："冕制，皆長尺六寸，廣八寸。天子

---

① "禮志"二字原誤倒，據文意乙正。
② "尺"字原誤作"寸"，據《十三經注疏》本《禮記正義》改。

以下皆同。"又："射罰爵之豐，作人形。豐，國名。其君坐酒亡國，載杅以爲戒。"又："水器尊卑皆用金罍。"《續漢·輿服志》注："《漢制度》曰：戎，立車，以征伐。"然注家、類書所引，或有與衛宏《漢儀》相亂。鄭《禮器》注之"壺大一石，瓦甒五斗"，疏云："漢《禮器制度》文也。"又："禁，如今方案，隋長，局足，高三寸。"

凡禮十三家

按《志》所次但本《七略》，不與《別録》相應。知者，《禮記正義》："《鄭目録》云：《曲禮》、《王制》、《禮器》、《少儀》、《深衣》於《別録》屬制度；《檀弓》、《禮運》、《玉藻》、《大傳》、《學記》、《經解》、《哀公問》、《仲尼燕居》、《孔子閒居》、《坊記》、《中庸》、《表記》、《緇衣》、《儒行》、《大學》，《別録》屬通論；《月令》、《明堂位》於《別録》屬明堂陰陽；《曾子問》、《喪服小記》、《雜記》、《喪大記》、《奔喪》、《喪服》、《閒傳》、《三年問》於《別録》屬喪服；《文王世子》、《內則》於《別録》屬文王世子法；①《郊特牲》、《祭法》、《祭義》、《祭統》於《別録》屬祭祀；《投壺》、《冠》、《昏》、《鄉射》、《燕》、《聘》之《義》於《別録》屬吉禮吉事；《樂記》屬樂記。"則彼於《禮》之目自有五種，使人尋省如此。《志》殆無從識別也。

《禮》古經出於魯淹中

古經之出有三説。《後書·儒林傳》云孔安國所獻。《論衡·佚文篇》云魯恭王發孔子宅，得《禮》三百，上言武帝，武帝遣吏發取。《隋志》："古經出於淹中，而河間獻王好古愛學，收集餘燼，得而獻之，合五十六篇，並威儀之事。"按本傳云獻王所得書：《周官》、《尚書》、《禮》、《禮記》。言獻王得者是也。

---

① "文王"二字原誤作"世子法"，《補注》引沈説脱"文王"二字，據《十三經注疏》本《禮記正義》改。

下文云"及孔氏"，則《志》亦兩歧其說，范書殆本於此，"孔氏"因舉可名之孔安國言之爾。《論衡‧正說》又云："河内女子發老屋，得佚《禮》一篇。"又不言何篇，疑充妄說。間若璩見"孔安國所獻"一語，又誤讀訛文，遂謂康成所注古文爲安國之本，并謂安國有功於《禮》學。瑣論從祀，真老傖語耳。

學七十篇相似

劉原父正之曰："'學'當作'與'，'七十'當作'十七'。"

推士禮而致於天子之說

按專言士禮，僅《冠》、《昏》、《相見》、《喪禮》上下、《虞禮》、《特牲》七篇，其他皆君、大夫禮也。即以喪服言之，三年之喪，自天子達雖貴與士庶同也：經未嘗缺也。天子、諸侯絕旁期，本無其禮也；經不言士者，皆通禮也。諸侯爲天子與嫁於諸侯與寄公爲國君，皆在焉，寧有不備者乎？《考證》引朱氏曰："燕、射、朝聘，士豈有是禮而可推耶？"葢班氏未嘗讀十七篇之文而爲是言矣。

樂記二十三篇

《樂記》疏："今《樂記》所斷取十一篇合爲一篇，謂有《樂本》，有《樂論》，有《樂施》，有《樂言》，有《樂禮》，有《樂情》，有《樂化》，有《樂象》，有《賓牟賈》，有《師乙》，有《魏文侯》，餘十二篇。按《別錄》，《奏樂》第十二，《樂器》第十三，《樂作》第十四，《意始》第十五，《樂穆》第十六，《說律》第十七，《季札》第十八，《樂道》第十九，《樂義》第二十，《招本》第二十一，《招頌》第二十二，《竇公》第二十三。"《風俗通‧聲音篇》："謹按《禮‧樂記》：'五弦，筑身也。'篆，《樂記》：'武帝丘仲之所作也。'竽，《樂記》：'竽，三十六簧也。'籟，《樂記》：'竽，三十六簧也，長二尺四寸。'籟，《樂記》：'三孔籥也。'"劉昭注《明堂論》："《樂記》曰：武王伐殷，薦俘馘於京太室。"皆其逸篇。《律曆志》孟康曰："《禮‧樂器記》：

管，漆竹，長一尺六寸。"①

王禹記二十四篇

定《七略》時，與劉向所校並存。其增多一篇，無考。《樂記》疏："《王禹》二十四卷，《記》無所録也。"《御覽》十七《禮·樂記》曰："春生夏長，秋收冬藏。土所以不名時者，地，土之别名也。比於五行最尊，故是居部職也。"又曰："萬物懷任交易變化，始起先有太初，然後有太始，形兆既成，名曰太素。混沌相連，視之不見，聽之不聞，然後剖判，清、濁既分，精輝出布，庶物生精者爲三光，濁者爲五行。五行生情性，情性生汙中，汙中生神明，神明生道德，道德生文章。"按此或《樂記》佚文。

雅歌詩四篇

《河間獻王傳》："武帝時獻王來朝，獻雅樂。"《宋書·樂志》："魏雅樂四曲，一曰《鹿鳴》，二曰《騶虞》，三曰《伐檀》，四曰《文王》。《騶虞》、《伐檀》、《文王》並左延年改其聲。正旦大會，太尉奉璧，羣后行禮，東箱雅樂郎作者是也。"鄭樵《通志略》云："漢雅樂郎杜夔所得於三百篇者，惟《鹿鳴》、《騶虞》、《伐檀》、《文王》四篇。太和末又失其三，左延年所得《鹿鳴》一篇。"按《晋志》，杜夔傳舊雅樂四篇，皆古聲辭。太和中，左延年改變《騶虞》、《伐檀》、《文王》三曲，更自作聲節。考晋、宋二《志》，只謂左延年改之，樵便爲先亡，何其粗疎而妄説也！《琴操》，古琴曲，有歌詩五曲，一曰《鹿鳴》，二曰《伐檀》，三曰《騶虞》，四曰《鵲巢》，五曰《白駒》。此别是琴曲，非歌詩也。

雅琴趙氏七篇　師氏八篇　龍氏九十九篇

《長門賦》注："《七略》曰：雅琴，琴之言禁也，雅之言正也。君子守正以自禁也。"陳祥道《禮書》引《樂書》曰："琴長八尺一寸，正度也。絃大者爲君而居中央，商居左旁，②其餘大小相次，不失次序，君臣之位正矣。"《三禮圖》桓譚《新論》正云："今琴長四尺五寸，法四時、五行。"《後書·儒林傳》："劉昆能彈雅琴，知清角之操。"注："劉向《别

---

① "寸"字，殿本《漢書》作"孔"。
② "左"字，文淵閣《四庫全書》本《禮書》作"右"。

録》曰：《雅琴》之意，事皆出龍德《諸琴雜事》中。"按《襄二年傳》"穆姜爲頌琴"，杜預云："頌琴，猶言雅琴。"然二琴形制、長短實不同。《三禮圖》云："雅瑟長八尺，^①廣一尺八寸，二十三絃。頌瑟長七尺二寸，廣尺八寸，二十五弦。"其他雅塤、頌塤、雅篪、頌篪、雅簫、頌簫並雅侈於頌，則雅琴長於頌琴矣。《通考》："頌琴在俗部，十三弦，柱如箏。"此則後來改作，非古之頌琴也。《爾雅》："大琴謂之離。"趙定、龍德二人事，見《王襃傳》。《隋書·音樂志》沈約奏《別録》"《龍氏雅琴》百六篇"，按此蓋合《趙氏》七篇爲數。《文選注》："《七略》曰：《雅暢》第十七。"約之言誤也。《御覽》五百七十九劉向《別録》曰："宣帝使鼓琴侍閒燕爲散操，多爲之涕泣者也。"

附樂元語

《白虎通》引《樂元語》曰："受命而六樂，樂先王之樂，明有法也。"又云："東夷之樂，持矛舞，助時生也。南夷之樂，持羽舞，助時養也。西夷之樂，持戟舞，助時殺也。北夷之樂，持干舞，助時藏也。"《公羊疏》以爲《樂説》。《食貨志》"《樂語》有五均"，鄧展曰："《樂元語》，河閒獻王所傳，道五均事。"臣瓚曰："其文云：天子取諸侯之土以立五均，則市無二賈，四民常均。"然《志》不能如《別録》分別篇目，未知《樂元語》之文，已在《王禹記》否？兹因王氏《考證》附列，故仍之。王莽時又有《樂經》。《莽傳》：元始四年，立《樂經》。《三禮圖》舊圖引《樂經》云："黄鍾磬，前長三律二尺七寸，後長二律一尺八寸。此謂特縣大磬配鎛鍾者也。"《隋書·牛弘傳》引劉歆《鍾律書》云："春宮秋律，百卉必彫；秋宮春律，萬物必榮；夏宮冬律，雨雹必降；冬宮夏律，雷必發聲。"《續志》注："建初二年七月，太常樂丞鮑鄴上言：'《樂經》曰：十二月行之，所以宣氣豐物也。月開斗建之門，而奏歌其律。'"詳其言，《樂經》與《鍾律書》實一書也。《周禮·磬氏》"爲磬"疏按《樂》云與前《禮圖》所引同，彼不知王莽有《樂經》，故誤去"經"字耳。王充《對作篇》云："陽成子張作

---

① 《通志堂經解》本《三禮圖》"八尺"後有"一寸"二字。

《樂》。"按劉歆典領陽城，子長參預之耳。《御覽》五百六十五《風俗通》引劉歆《鍾律書》，與《隋書》同。

内史丞王定

《樂記》疏引作"内史中丞王度"，誤。

獻二十四卷記

《禮樂志》："其弟子宋暈等上書言之。"

春秋古經十二篇

《莊子·天道篇》："孔子繙十二經以説老聃。"《釋文》"一云《春秋十二公經》"者是也。《小宗伯》注鄭司農云："古者'立'、'位'同字。古文《春秋經》'公即位'爲'公即立'。"按周、秦古器字類然。許慎云："左丘明述《春秋》，皆以古文。"按今本爲唐時竄改，故與《説文》所引字體多不同。惠棟云："唐石經、《釋文》凡經、傳中'二十'字皆作'廿'，'三十'字均皆作'卅'。"[1]孔穎達撰《正義》，始改"廿"、"卅"爲"二十"、"三十"字，殊失古義。《初學記》："《春秋》兩家，或具四時，或不。古文无事，必具四時。"[2]《文獻通考》眉山李氏《古經後序》曰："唐貞元末，陸淳《纂例》列三傳經文差謬，凡二百四十一條。司馬遷言'《春秋》文成數萬'，張晏曰'《春秋》才萬八千字'，遷誤也。今細數之，更闕一千四百二十八字。自杜預集解《左氏》，合經、傳爲一。"

經十一卷

二家合閔公於莊公，故十一卷。彼師當緣閔公事短，不足成卷，并合之耳。何休乃云："繫閔公篇於莊公下者，子未三年，無改於父之道。"其先俗師未見古文，或分或合，猶可言也；休已見古文，強生賊心，以自標異，真經學之巨蠹！本朝齊侍郎召南言之當矣。《隋志》：吳衛將軍士燮注《春秋經》十一卷。

---

① "廿"字原誤作"廿十"、"卅"字原作"三十"，據《貸園叢書》本《春秋左傳補注》及上下文意改。

② 古香齋袖珍本《初學記》"必"字前有"不"字。

按《吳志》言變《春秋左氏傳》尤簡練精微，不知何緣注二家之經？**按成公十年
經，《左氏》、《穀梁》並有"冬十月"，而《公羊》獨遺之。爲其學
者復生狂惑之論，是二家經文之不同也。《公羊疏》："古者，
《春秋左氏》説；今者，《春秋公羊》説。"**

左氏傳三十卷

《吳世家》贊："余讀《春秋》古文，乃知中國之虞，與荊蠻、句吳
兄弟也。"此謂《左氏傳》也。桓譚云："遭戰國寢藏。"陸氏《序
錄》："其事實皆形於傳，故隱其書而不宣，所以免時難也。"然
戰國諸子，又嘗覦《春秋傳》而成書，如《韓非・姦劫弒臣篇》
"《春秋》記之曰：楚王子圍將聘於鄭，未出境，聞王病而反"云
云，此全依《左氏傳》也。故《十二諸侯年表序》云："鐸椒、虞
卿、呂不韋之徒，各捃摭《春秋》之文以著書。"是先秦周末並
鑽研窺望其學，獨屈抑於漢耳。三十卷之書，雖鈍置者終年
讀之，①亦可粗通，奈何西京人物，除賈誼、史遷數人外，無能
一觀，使十二公事迹，懵然若襪，沈溺於俗學，可歎也。《御
覽》六百十桓譚《新論》曰："《左氏》經之與傳，猶衣之表、裏，相
待而成。有經而無傳，使聖人閉門思之十年，不能知也。"

附**左氏説**②

自賈生以後，傳古學者不隨人事推遷，可謂篤學善道之君子。
雖其朴學，不能與莊、顏之徒利口詭辨乘便勢者相抗。又立
説者往往自違其本傳，致生瘡痏。《王制》疏鄭駁《異義》云："《左氏》諸
侯奔天子喪及會葬有明文。説《左氏》者云諸侯不得弃其所守奔喪，自違其傳。夫人
喪，士會葬，説者致之非傳詞。"然區區統緒，以待劉歆、賈逵而昌明
之。上甲微之報，不可設也。晋、宋以後，惟知服、杜，唐乃祧

---

① "置"字疑當作"質"。
② "説"後原衍"國"字，據本條文意刪。

服而祖杜。其始師講説，湮没無聞，惜矣。兹就許氏《異義》中録之。《曲禮》疏：“《左氏説》：既殁，稱字而不名。桓二年，宋督弑其君，與夷及其大夫孔父先君死，故稱其字。”《王制》疏：“《古春秋左氏傳説》：禹會諸侯於塗山，執玉帛者萬國。唐虞之地萬里，容百里地萬國，其侯、伯七十里，子、男五十里，餘爲天子閒田。”又《左氏説》：“王喪，赴者至，諸侯既哭，問故，遂服斬衰，使上卿弔，上卿會葬，《經》書‘叔孫得臣如京師葬襄王’，以爲得禮。”又：“諸侯夫人喪，士弔，士會葬，文、襄霸，士弔，大夫會葬，叔弓如宋葬宋共姬，上卿行過厚，非禮。”《禮運》疏：“《左氏説》：麟，中央軒轅大角之獸。”陳欽説“麟是西方毛蟲”。《禮器》疏：“《左氏説》：躋僖公，逆祀，爲大惡也。”《郊特牲》疏：“《古春秋左氏説》：周家封夏、殷二王之後以爲上公，封黄帝、堯、舜之後，謂之三恪。”又《古左氏説》：“共工爲后土，后土爲社。列山氏之子曰柱，死，祀以爲稷，稷是田正。周弃亦爲稷，自商以來祀之。”《雜記》疏：“《古春秋左氏説》：諸侯薨，赴於鄰國，稱名則書名，稱卒。卒者，終也，取其終身又以尊不出其國。”《服問》疏：“《古春秋左氏説》：成風，妾，得立爲夫人，母以子貴，禮也。”《詩·靈臺》疏：“《左氏説》：天子靈臺在太廟之中，雍之靈沼，謂之辟雍。諸侯有觀臺，亦在廟中，皆以望嘉祥也。”《詩·臣工》疏：“《左氏説》：諸侯者，天子藩衛純臣。”《大司馬》疏：“《左氏説》：治兵於廟，禮也。”《通典·凶禮》十五《左氏説》：“臣之奉君，悉心盡恩，不得緣君父有子則爲立廟，無子則廢也。”又《左氏説》：“諸侯未踰年，在國内稱子，以王事出則稱爵。詘於王事，不敢伸其私恩。鄭伯伐許是也。”又《左氏説》：“未踰年之君，未葬繫於父。殺奚齊於次時，父未葬。雖未踰年，稱子，成爲君，不繫于父，齊公子商人弑其君舍，父已葬。”又《左氏説》：“妾子爲君，當尊其母，有三年之喪而出朝會，非禮也。故譏魯宣公。”又《吉禮》九晋徵士虞喜引《左氏説》：“古者，先王日祭於祖、考，月祀於曾、高，時享及二祧，歲祫於壇墠，終禘及郊宗石室。”又《王制》疏：“《左氏説》：卿大夫皆世禄，不世位。父爲大夫，死，子得食其故采地，而有賢才則復父故位。”《曲禮》疏：“《左氏説》：晋祀夏郊，以董伯爲尸。”又《左氏説》：“二名者，楚公子弃疾弑其君。即位之後，改爲熊居，是爲二名。”《王制》疏：“《左氏説》：諸侯有功德於王室，京師有朝宿之邑，泰山有湯沐之邑。魯周公之後、鄭宣王母弟，此皆有湯沐邑，其餘則否。”又《左氏説》：“士葬先遠日，辟不懷，言不汲汲葬其親，雨不可行事，①廢禮不行，庶人不爲雨止。”《郊特牲》疏：“《左氏説》：天子之子以上德爲諸侯，得祀所自出。魯以周公之故，立文王廟。《左傳》‘宋祖帝乙’，‘鄭祖厲王’，猶上祖也。”《曲禮》疏：“《左氏説》：既葬反虞。天子九虞。九虞者，以

---

① “雨”字原脱，據《十三經注疏》本《禮記正義》及上下文意補。

柔日九虞，十六日也。諸侯七虞，十二日也。大夫五虞，八日也。士三虞，四日也。既虞，然後祔死者於先死者，祔而作主，謂桑主也。期年，然後作栗主。"又《左氏説》："周禮有司盟之官。是知於禮得盟。"《周禮·邕人》疏："《左氏説》：凡君薨，祔而作主，特祀主於寢。畢三時之祭期年，然後蒸嘗，禘於廟。"《王制》疏："《左氏説》：山林之地，九夫爲度，九度而當一井。藪澤之地，九夫爲鳩，八鳩而當一井。京陵之地，九夫爲辨，七辨而當一井。淳鹵之地，九夫爲表，六表而當一井。疆潦之地，九夫爲藪，五藪而當一井。偃豬之地，九夫爲規，四規而當一井。原防之地，九夫爲町，三町而當一井。隰皋之地，九夫爲牧，二牧而當一井。衍沃之地，九夫爲賦。賦法，積四十五，除山川、坑岸三十六井，定出賦者九井，則千里之畿，地方百萬井，①除山川、坑岸三十六萬井，定出賦者六十四萬井，長轂萬乘。"《御覽》五百三十八《異義》曰："《古春秋左氏説》：閏以正時，時以作事，事以厚生。不告閏朔，棄時正也。棄時正則不知其所行，故閏月不以朝者，諸侯歲遣大臣之京師，受十二月之正，遂藏於太廟。月旦朝廟，存神有司，因告曰：今月當行某正。至於閏月，蘖殘餘分之月無正，故不以朝。經書閏月猶朝之者是也。"按許氏學爲賈逵，故《異義》多從《左氏》，鄭君駁之。鄭本爲《公羊》學，又篤信讖緯，其與許立異，未必是也。

公羊傳十一卷

桓譚《新論》："《左氏傳》遭戰國寢藏，後百餘年，齊人公羊高緣經文作傳，彌失本事。"《論衡·正説篇》："《公羊》、《穀梁》之傳，日月不具，輒爲意使。平常之事，有怪異之説；徑直之文，有曲折之義，非孔子之心。"《公羊·宣十二年傳》疏："公羊子是景帝時人。"愚嘗論之，公羊何嘗爲聖經作傳？直爲漢世主作如意珠，酷吏作護身符。其巧搆曲造，回穴邪枉，害人心而亂治道，莫此爲甚。因緣際會，猖狂於世。且其文辭鄙陋，語言侏離，慎到前後，是目不識丁墟落乞兒伎倆。以之穢聖經，可爲於邑。

穀梁傳十一卷

陸賈《新語·道基篇》："《穀梁傳》曰：仁者以治親，②義者以

---

① "井"字原脱，據《十三經注疏》本《禮記正義》及上下文意補。
② "親"字原誤作"繞"，據《浮溪精舍叢書》本《新語》改。

利尊。"則漢初已傳竹帛。二家之學,大約互相占伺,更從竊聽。《穀梁》稍點,又後立,故舉其"新周"、"故宋"、"祭仲行權"、"叔術妻嫂"之辭刊落,若"酅季姬遇防"、"石曼姑圍戚"汙邪之義,悉復隨同。《王制》疏引鄭《釋廢疾》:"《穀梁》近孔子。"然其傳羌無典物,同是鄉壁虛造,亦在漢時箸竹帛可知也。且鄭所據,乃《春秋緯》,何足依信?鄭於三傳立異,特不能憖置何休,其所言未必當三傳利病也。觀其論斷,恐不足以塞何休之口。

鄒氏、夾氏傳十一卷

王吉能爲《騶氏春秋》。《隋志》:"王莽之亂,《鄒氏》無師,《夾氏》亡。"此固先有其書,故二劉著録,至班氏乃絶耳。《志》下云"夾氏未有書",非也。按《後書·范升傳》:"《春秋》之家,又有《騶》、《夾》。如今《左氏》得置博士,《騶》、《夾》並復求立。"則祕府雖亡,而其私學未絶也。《史記》:"齊有三騶子,莫知爲誰。"《坊記》兩引《魯春秋》。《曲禮下》注引《魯春秋》"齊高子來盟",定當時又别有《魯春秋》歟?《儒林傳》:"穀梁子本魯學。"

左氏微二篇

微者,《春秋》之支别,與"鐸氏微"同義。顏籀解非。

鐸氏微三篇

《十二諸侯年表序》:"鐸椒爲楚威王傅,爲王不能盡觀《春秋》,采取成敗,卒四十章,爲《鐸氏微》。"[①]《序録》:"椒爲左丘明四傳弟子。"

張氏微十篇

疑張蒼。按此等皆一字無傳。《鹽鐵論》引《春秋》曰:"筭不及蠻夷則不行。"又

曰："其政恢卓,恢卓可以爲卿相。其政察察,察察可以爲匹夫。"又曰："士守一不移,循理不外援,共其職而已。"又曰："山有虎豹,葵藿爲之不采;國有賢士,邊境爲之不害也。"又曰："冬浚洙,修地理也。"①皆不知其家所傳,故附著之。

虞氏微傳二篇

劉向《別録》:"虞卿作《鈔撮》九卷,授荀卿,卿授張蒼。"

公羊外傳五十篇②　穀梁外傳二十篇

《公羊外傳》,其董仲舒《玉杯》、《蕃露》、《清明》、《竹林》之類?

公羊章句三十八篇

《公羊疏》:"顔安樂等解此《公羊》,苟取頑曹之詞。"又:"莊、顔之徒以周王爲天囚。"何休序云:"講誦師言,至於百萬,猶有不解。"《後書》:"張霸減定《嚴氏春秋》爲二十萬言,更名張氏學。"③

穀梁章句三十三篇

范甯序云:"釋者近十家。"疏云:"尹更始則漢時始爲章句者也。"《釋文叙録》:尹更始《穀梁章句》十五卷。《王制》疏馬昭難王肅曰:"尹更始説天子七廟,據周也。"張載《魏都賦》注:"尹更始曰:天子以千里爲寰。"《周官·媒氏》疏亦引其語。按《五經異義》亦有《穀梁》説。《王制》疏引"葬既有日,不爲雨止"。《穀梁傳疏》引:"隕石於宋五,象宋王德劣。國小,陰類也,而欲行霸道,是陰而欲陽行也。其隕將拘執之象也。"《通典·禮》三十二《穀梁》説:"魯僖公立妾母成風爲夫人,入宗廟,是子而爵母也。以妾爲妻,非禮也。"又《公羊》、《穀梁》説:"王使榮叔錫魯桓公命,追錫死者,非禮也。死者功可追而錫,如有罪,又可追而刑耶?"按桓公自不當錫,天子自辱其命耳。苟使王章昭明,死者何爲不可追錫?又奚不可以追罰耶?若《左氏》譏其錫篡弑之君,無譏錫死者之文,許氏援之是矣。

公羊雜記八十三篇

公孫弘學《春秋雜説》。④《詩·烈祖》正義《異義》引《春秋公羊》御史大夫貢

① "理"字,《四部叢刊》影印明刻本《鹽鐵論》作"利"。
② "外"字原脱,據殿本《漢書·藝文志》及本條文意補。
③ 本句後《補注》引沈説有"皆章句也"四字。
④ 本句後《補注》引沈説有"疑此是也"四字。

禹説。

公羊顏氏記十一篇

顏安樂所説。熹平石經《公羊》碑有顏氏説。按《周官》"冥氏"注鄭司農云："讀爲《冥氏春秋》之'冥'。"則其徒冥都亦自名家。《隸釋》碑復有《倉氏春秋》。[①] 按《公羊》説最多不足録。《檀弓》疏："《異義》：妻甲夫乙毆母，甲見乙毆母而殺乙。《公羊》説甲爲姑討夫，猶武王爲天誅紂。"可笑。《王制》疏："《公羊》：'諸侯夫人喪，卿弔君，自會葬。'許君謹案：《公羊》説'同盟諸侯薨，君會葬。其夫人薨，君又會葬'，是其不遑國政而常在路。"觀此亦略見之矣。

公羊董仲舒治獄十六篇

《後書》應劭奏曰："董仲舒作《春秋決獄》二百三十一事，動以經對。"《隋志》：董仲舒《春秋決事》十卷。《崇文總目》云："至吳太史令、吳汝南丁季、江夏黄復平正得失。今頗殘逸，止有七十八事。"《通典》東晉成帝咸和五年，散騎侍郎賀嶠妻于氏上表云："董仲舒時有疑獄曰：'甲無子，拾道旁棄兒乙，養之以爲子。及乙長，有罪殺人，以狀語甲，甲藏匿乙。甲當何論?'[②]仲舒斷曰：'甲無子，振活養乙，雖非所生，誰與易之?《詩》云：螟蛉有子，蜾蠃負之。《春秋》之義，父爲子隱。甲宜匿乙。'詔不當坐。又一事曰：甲有子乙以乞丙。乙後長大而丙所成育。甲因酒色有酒態也。謂乙曰：'汝是吾子。'乙怒，杖甲二十。甲以乙本是其子，不勝其忿，自告縣官。仲舒斷之曰：'甲生乙，不能長育，以乞丙，於義以絶矣。雖杖甲，不應坐。'"《御覽》六百四十《董仲舒決獄》曰："甲父乙與丙爭言相鬭，丙以佩刀刺乙，

---

① 按清乾隆汪氏校刻本《隸釋》無"倉氏春秋"，"倉"字疑當作"顏"。

② "何"後原衍"何"字，據殿本《通典》刪。

甲即以杖擊丙，誤傷乙。甲當何論？或曰：'毆父也，當梟首論。'曰：'臣愚以父子至親也，聞其鬭，莫不有怵悵之心，扶伏而救之。《春秋》之義，許止父病，進藥於其父而卒，君子原心，赦而不誅。甲非律所謂毆父，不當坐。'"又曰："甲夫乙將船會海盛風，船没溺流，屍亡不得葬。四月，甲母丙即嫁，甲欲何論？或曰：'甲夫死，未葬，法無許嫁，以私爲人妻，當棄市。'議曰：臣愚以爲《春秋》之義言'夫人歸於齊'，言'夫死無男，有更嫁之道也'。婦人無專制擅恣之行，聽從爲順嫁之者歸也。甲又尊者，所嫁無淫之心，非私爲人妻也。不當坐。"

議奏三十九篇　石渠論。

《儒林傳》"太子太傅蕭望之等大議殿中"，平《公羊》、《穀梁》同異義三十餘事，望之等各以經誼對，多從《穀梁》。《禮運》疏："《異義》：《公羊》説，哀十四年獲麟。此漢將受命之瑞，周亡失天下之異。其妄如此。謹案公此下脱誤。按《儒林傳》云"《穀梁》議郎"。議郎尹更始、待詔劉更生等議石渠，皆以爲吉凶不並，瑞災不兼，今麟爲周亡天下之異，則不得爲瑞以應孔子至。"

國語二十一篇

《通考》巽巖李氏曰："昔左丘明將傳《春秋》，乃先采集列國之史，國别爲語。旋獵其英華，作《春秋傳》，而先取采集之語，草藳具存，時人共傳習之，號曰《國語》。"按此雖近似之言，愈於陸淳、葉夢得等妄論也。柳宗元《非國語》，其言邨夫子能道之，乃亦編於書林乎！若以《左氏》之言鬼神非是，則《書》之《盤庚》、《金縢》不當爲經也。

世本十五篇

即《史記》所采。《隋志》：《世本王侯大夫譜》二卷，又《世本》二卷，劉向撰，又《世本》四卷，宋衷撰，葢向等所注也。《新唐志》云宋衷注，又有宋均注《帝譜世本》七卷。《周禮·小史》"奠繫世"，注謂"帝繫、世本之屬"，疏云："天子謂之帝繫，諸侯謂之世本。"《考證》項氏曰："古者，立氏必告於太史氏。春秋之末，知果别族於太史爲輔氏。後世史職既廢，宗法又亡。"按魏、晋以降，迄於唐代，史官雖不掌其事,然閥閱名家,具有簿籍,皁隸之子,不得扳援,清望猶有古之遺法。至中國頻經喪亂,華夷雜處,斯道遂絕。

戰國策三十三篇

劉向奏云:"除複重,得三十三篇。中書本號曰《國策》,或曰《國事》,或曰《短長》,或曰《事語》,或曰《長書》,或曰《脩書》。臣向以爲,戰國時遊士輔所用之國,爲筴謀,宜爲《戰國策》。"《考證》:"姚氏按,姚寬。校定,總四百八十餘條,太史公所采九十餘條,其事異者止五六條。"

奏事二十篇　秦時大臣奏事、刻石名山文。

此漢魏名臣奏事所始。按《始皇本紀》,奏事如王綰、李斯等所議也。泰山刻石,一;琅邪刻石,二;之罘刻石,三;東觀刻石,四;刻碣石門,五;三十六年,黔首刻石,深疾惡之,而效其刻石之事。會稽刻石,六。二世元年,東行郡縣,到碣石,南至會稽,而盡刻始皇所立刻石,石旁著大臣從者名,以章先帝成功盛德焉。丞相斯請具刻詔書,刻石凡七也。《隋志》刑法篇:《漢名臣奏事》三十卷。《本紀》"二十八年,上鄒嶧山立石",不載其辭。宋鄭文寶模刻本,則刻石有八也。按《水經注·泗水篇》:"秦始皇登嶧山之上,命丞相李斯以大篆勒銘山頂,名曰書門。"與《史記》考之,①似本無嶧山頌德事。《宋書·索虜傳》:"拓跋燾登鄒山,見秦始皇刻石,使人排倒之。"蓋即李斯勒石字。自《元和志》、《寰宇記》等所載,並不言有文辭。疑未能定也。

楚漢春秋九篇

《隋志》:九卷。《舊唐志》:二十卷。《御覽》引之,《經籍考》不載,蓋亡於南宋也。《容齋隨筆》曰:"陸賈書當時事,而所言多與史不合。

---

① "與"字疑當作"以"。

若高祖之臣，別有絳、灌、南宮侯張耳、淮陰舍人謝公。"按余嘗見明楊忠愍所書《十八侯贊》，其名姓略與洪氏所指同。《史記索隱》云："十八侯位次，《楚漢春秋》不同者，陸賈記事高祖、惠帝時，《漢書》是後定功臣等列。"然如張耳、韓信，皆在高祖初年，陸賈豈猶未及覩聞耶？莫曉其參差之故。

太史公百三十篇　十篇有錄無書。　　馮商所續太史公七篇

《隋志》題云《史記》，蓋晉以後箸錄，始改今名。呂氏謂十篇未嘗無書，或遷草具未成。詳説其《大事記》。① 今考書中有題"褚先生"者，《十二諸侯年表序》、②《建元侯者表》、補《外戚》、《三王世家》及《田仁》、《滑稽》、《日者》、《龜筴》等傳。有無題而知其補綴者，《景》、《武紀》、《將相名臣表》，迄成帝鴻嘉年。《禮》、《樂》、《律志》、《韋賢》等傳，或是馮商所續也。《張湯傳》贊引馮商語，又有《酈食其傳》後，《公孫弘傳》後載元始中詔并班固贊，《秦始皇本紀》後，此等數經後來，并非西京之舊。《志》但題馮商而不及褚少孫，其疏漏誠不免。《索隱》引韋稜云："褚顗家傳褚少孫，梁相褚大董仲舒弟子。弟之孫。宣帝時爲博士，寓居沛，事大儒王式，故號先生。續《太史公書》。"阮孝緒亦以爲然。按此乃始續《太史公》者也。據《七略》，馮商事劉向，爲元、成閒人，此再續《太史公》也。《班彪傳》云："好事頗或綴集時事，然多鄙俗，不足以繼。"注云："謂劉歆、揚雄、陽城衡、褚少孫、史孝山之徒。"此雜舉。《論衡·須頌篇》"揚子雲錄宣帝以至哀、平"，此三續《太史公》也。又，班彪作《後傳》數十篇，是《漢書》所起，爲四續《太史公》也。劉知幾《史通》："向、歆及諸好事者，若馮商、衞衡、揚雄、史岑、梁審、肆仁、晉馮、段肅、金丹、馮衍、韋融、蕭奮、劉恂等，相次撰續，迄於哀、平閒，猶名《史記》。"

太古以來年紀二篇

《隋志》：《漢氏帝王譜》三卷。

---

① "詳"、"説"二字疑當互乙。
② 檢《史記》，《十二諸侯年表》内無褚先生語，《三代世表》末有之。

漢著記百九十卷　漢大年紀五篇

魏相奏云：“觀高皇帝所述書《天子所服》第八。”①《後書·皇后紀》平望侯劉毅云：“古之帝王，左右置史。漢之舊典，世有注記。”《隋志》起居注篇，漢武帝有《禁中起居注》。《抱朴子·論僊篇》“按漢《禁中起居注》”云云，此著記之類。“著”與“注”同。《大年紀》者，《文選注》二十四謝承《後漢書》曰：“謝承父嬰爲尚書侍郎，每讀高祖及光武之後將相名臣策文通訓，條在南宮，祕於省閣，惟臺郎升複道取急，因得開覽。”此亦通繫年月大事，若《史記·將相名臣表》之類。《考證》云：“《高祖》、《文帝》、《武帝紀》臣瓚注引《漢帝年紀》，葢即此書。”《玉海》又引《律曆志》劉歆《曆譜著紀》，此乃諸帝在位紀年長短，非注記也。按唐世宰相撰時政記倣此。見《姚璹傳》。

凡春秋二十三家，九百四十八篇。　省《太史公》四篇。

葢《武帝紀》之類重複者。

論語古二十一篇

《釋文》鄭康成云：“仲弓、子夏等所撰定。”何晏序云：“《古論》惟博士孔安國爲之訓説，而世不傳。”皇侃序云：“《古論》分《堯曰》下章《子張問》更爲一篇。篇次以《鄉黨》爲第二，《雍也》爲第三，篇内倒錯不可具説。”《論衡·正説篇》：“武帝發取孔子壁中古文，得二十一篇。”《序録》：“《新論》云：文異者四百餘字。”《考證》云：“《春秋正義》‘哀公問主於宰我’，《釋文》：鄭本作“主”。按《古論語》及孔、鄭皆以爲社主，張、包、周等並爲廟主。按《公羊疏》云：“古文《論語》‘哀公問社於宰我’，今文《論語》無‘社’字，故何氏以爲廟主。”合兩疏，則今《論語》單作“社”字者非。《説文》引《論語》皆古文也。”

齊二十二篇　多《問王》、《知道》。

---

① “觀”後原衍“先聖”二字，據殿本《史記》及《補注》引沈説删。

《別録》云：“齊人所學，謂之《齊論》。”何晏序：“《齊論語》二十二篇，其二十篇中章句頗多於《魯論》。”皇侃云：“雖齊、魯舊篇同，而篇中細章文句，亦多於《魯論》也。”諸説並與《志》同，惟王充云：“齊、魯、二河閒，凡三十篇，今時失九篇。”此許慎所謂“野言”也。《初學記》二十七《逸論語》曰：“玉十謂之區。此不似《論語》。璠璵，魯之寶玉也。孔子曰：‘美哉璠璵，遠而望之，奐若也；近而視之，瑟若也。一則理勝，一則孚勝。’”《説文·玉部》：《逸論語》曰：“玉粲之璓兮，其瑮猛也。”又“如玉之瑩”。

魯二十篇

《別録》云：“魯人所學，謂之《魯論》。”《隋志》：“張禹本授《魯論》，晚講《齊論》，後遂合而考之，删其煩惑，除去《齊論·問王》、《知道》二篇，從《魯論》二十篇爲定，號《張侯論》，當世重之。《禹傳》云：“欲爲《論》，念張文。”周氏，包氏，爲之章句。”按此則石經所刻是也，碑末有盍、毛、包、周同異增損之記。何晏序：“漢末，大司農鄭氏就《魯論》篇章，考之《齊》、《古》，以爲之注。”《鄭志》：“‘《關雎》樂而不淫，哀而不傷’，注云：‘哀世夫婦不得此人，不爲減傷其愛。’①《詩箋》以哀爲衷，此以衷爲義，答劉炎云：‘《論語》注，人閒行久，義或宜然，不復定，以遺後。’”按此節注，皇侃《義疏》亦引之。《釋文》：“鄭校周氏之本，以《齊》、《古》讀正凡五十事。”又：“‘傳不習乎’，《魯》讀‘傳’爲‘專’，今從《古》。”又：“‘不知命，無以爲君子也’，《魯論》無此章，今從《古》。”

傳十九篇

疑孔安國所傳。按《家語後序》：“博士孔衍言：光禄大夫劉向以其爲時所未施之故，《論語》則不使名家。”然祕府葢無安國傳。

---

① “愛”字原誤作“哀”，據《十三經注疏》本《毛詩正義》改。

齊説二十九篇

王吉以《論語》教授。《張禹傳》云：“王陽説《論語》。”

魯夏侯説二十一篇

《夏侯滕傳》：“受詔撰《論語説》。”

魯安昌侯説二十一篇

《張禹傳》：“禹爲師，以上難數對己問，爲《論語章句》，獻之。”

魯王駿説二十篇　燕傳説三卷

以上皆《論語》説。《樂記》疏：“《異義》：今《論語》説，鄭國之爲俗，有溱洧之水，男女聚會，謳歌相感，故鄭聲淫。”

孔子家語二十七卷

《隋志》：二十一卷，王肅解。梁有《當家語》二卷，魏博士張融撰。有孔安國《後序》，曰：“並時弟子取其真實而切事者，[①]別出爲《論語》，其餘則多集録之，名之曰《孔子家語》。荀卿入秦，昭王從之問儒術，荀卿以孔子之語及諸國事、七十二弟子之言，凡百餘篇與之。按荀卿豈能如墨翟、惠施載書盈車乎？若果孔子家書，荀卿乃不易得也。秦輕儒術，肯輕以章甫貽越人乎？始皇之世，李斯焚書，而《孔子家語》與諸子同列，故不見滅。按秦斂民間書燒之，本不焚毀官所有也。何消説？高祖克秦，悉斂得之。吕氏專漢，取歸藏之。按吕氏暴貴，啖肉未暇，何事學博士所爲？其後被誅亡，而《孔子家語》乃散在人間，孔氏詩書之府，竟無別本在者乎？好事者或各以意增損。孝景皇帝末，求遺書，得吕氏之傳。元封之時，吾仕京師，竊懼先人之典辭將遂泯没，於是因諸侯公卿大夫，私以人事募求其副，悉得之，霍山坐寫祕書，安國乃可募其副乎？乃以事類相次，撰集爲四十四篇。”按此序即出王肅之手，並私定《家語》，以難鄭學。晋代爲鄭學者，馬昭、張融，並不之信。

---

①　文淵閣《四庫全書》本《孔子家語後序》“並”前有“與論語孝經”五字，則“並”字宜屬上讀。

張融云:"《春秋》迎夫人,四時通用。《家語》限以冬,不符《春秋》,非孔子之言也。"又,同母異父之昆弟死,《家語》孔子以爲從於繼父而服。馬昭云:"異父昆弟,恩繫於母,不於繼父。"見《通典》。《王制》疏:"《家語》,先儒以爲肅之所作,未足可信。"按肅惟取婚姻、喪祭、郊、禘、廟、祧與鄭不同者羼入《家語》,以矯誣聖人,其他固以有之,未可竟謂肅所造也。

孔子三朝七篇

今《大戴記·千乘》、第六十七。《四代》、六十八。《虞戴德》、六十九。《誥志》、第七十。《小辨》、七十四。《用兵》、七十五。《少閒》。七十六。劉向《別録》曰:"孔子三見哀公,作《三朝記》七篇。"今在《大戴記》是也。疑已在《記》百三十一篇中,此爲重出。顏籀僅云有一篇,彼葢未見《大戴記》也。晉《中經簿》亦名《三朝》,八卷。見《蜀·秦宓傳》注。

孔子徒人圖法二卷

《隋志》"《孝經内事星宿講堂七十二弟子圖》一卷",葢本諸此,而別標詭異之名。《史記·仲尼弟子傳》贊云:"弟子籍出孔氏古文近是。"文翁石室圖,七十二弟子舊有圖法,皆出壁中者矣。《家語·弟子解》亦與《史記》不同。《御覽》三百七十《論語摘輔象》:"仲弓鉤文在手,是謂知始。宰我握户,是謂守道。子貢山庭斗繞口。子游手握文雅,是謂敏士。子夏握正,是謂受相。澹臺滅明歧掌,是謂正直。公冶長手握輔,是謂習道。公伯周手握直期,是謂疾惡。"①

故謂之《論語》

皇侃序云:"依字爲論者,言此書出自門徒,必先詳論。人人僉允,然後乃記。記必已論,故曰論也。"王充《正說》云:"孔

---

① 本段引文,四庫本《御覽》作:"仲弓鉤文在手,是謂知始。宰我手握户,是謂守道。子游手握文雅,是謂敏士。公冶長手握輔,是謂習道。子貢手握五,是謂受相公。公伯周手握直期,是謂疾惡。"

安國以教魯人扶卿，官至荊州刺史，始曰《論語》。"按扶卿與蕭望之同時，又自傳《魯論》，充又謬論也。

張氏最後，而行於世

皇侃序云："張禹就夏侯建學《魯論》，兼講《齊》説，擇善而從之，號曰《張侯論》。"今日所講，即是《魯論》，爲張侯所學。

孝經古孔氏一篇

許慎序以爲壁中。許沖上《説文解字》奏云："《古文孝經》者，孝昭帝時魯國三老所獻。建武時，給事中議郎衛宏所校。"按此與序不同，疑"孝昭"字誤也。《隋志》："《古文孝經》一卷，孔安國傳，梁末亡逸。今疑非古本。《古文孝經》與《古文尚書》同出，而長孫有《閨門》一章。其餘經大較相似，篇簡缺解，又有衍出三章，並前合爲二十二章，孔安國爲之傳。至劉向典校經籍，以顔本比古文，除其繁惑，以十八章爲定。鄭衆、馬融並爲之注。《釋文》："馬融亦作《古文孝經傳》，而世不傳。"梁代，安國及鄭氏二家，並立國學，而安國之本，亡於梁亂。陳及周、齊，惟傳鄭氏。至隋，祕書監王劭於京師訪得《孔傳》，送至河間劉炫。炫因序其得喪，述其義疏，講於人間，漸聞朝廷，後遂著令，與鄭氏並立。儒者諠諠，皆云炫自作之。"按時因劉炫習造僞書，故疑百真爲一妄。要孔氏《孝經》，流傳已久，不應人間遂絶。《通考》："《崇文總目》云：'今孔注不存，而隸古文與章數存焉。'《中興藝文志》：'自唐明皇時，議者排毀古文，以《閨門》一章爲鄙俗，而古文遂廢。'"乾隆中，於日本得孔安國傳《孝經》。安國自序云"魯共王使人壞夫子講堂，於壁中石函得《古文孝經》二十二章，載在竹牒。其長尺有二寸，字科斗形。魯三老孔子惠抱詣京師，獻之天子。天子使金馬門待詔學士與博士、羣儒從隸字寫之，還子惠一通，以一通賜所幸侍中霍光"云云。又有日本享保十六年信陽太宰純序云："宋人尊信《孝經》者莫若司馬溫公，然特得古文本經而讀之耳，不覩《孔傳》也。自二程至朱熹，皆疑《孝經》，以爲後人所操作。朱氏又妄改易本經篇章，著爲經一章、傳十四章，且删去其本文二百餘字。孔子曰'信而好古'，若朱氏者，可謂拂矣。今朱氏之徒，不讀《孝經》而學心法，其不爲浮屠之歸者幾希。"按朱氏書名《孝經刊誤》，删削經文二百二十三字。改經之弊，乃爲外國所譏之。《汗簡目録》云："李士訓《記異》曰：大曆初，予帶經鉏瓜於灞水之上，得石函，中有絹素《古文孝經》一部，二十二章，壹阡捌伯柒拾貳言。"與桓譚字數同。日本所傳，止千八百六十一言。

孝經一篇

《隋志》："秦焚書。爲河間人顔芝所藏。漢初，芝子貞出之。凡十八章。"《吕覽·察微篇》引《孝經》曰"高而不危"六句，《黃氏震日鈔》云："觀彼所引，《孝經》固古書也。"然則朱氏之徒，有謂其非古書矣。又《春秋繁露·五行對》河間獻王問温城董君，稱《孝經》曰："夫孝，天之經，地之義。"此則漢世始行，而獻王首述之也。

長孫氏説二篇

《廣韻》："漢複姓。齊大夫長孫修。"《儒林傳》"《韓詩》學有長孫順"，疑此人耳。

江氏説一篇　翼氏説一篇　后氏説一篇

其説見《五經異義》中。《郊特牲》疏："今《孝經説》曰：社者，土地之主。土地廣博，不可徧敬，封五土以爲社。稷者，五穀之長；穀衆多，不可徧敬，故立稷而祭之。"

雜傳四篇

《祭祀志》注蔡邕《明堂論》引魏文侯《孝經傳》曰："太學者，中學明堂之位也。"

爾雅三卷二十篇

《釋文序録》云："《釋詁》一篇，蓋周公所作。《釋言》以下，或言仲尼所增，子夏所足，[1]叔孫通所益，梁文所補。張揖論之詳矣。"張揖《上廣雅表》"周公制禮，以道天下，著《爾雅》一篇，以釋其義。傳乎後

---

① "足"字原作"作"，據《通志堂經解》本《經典釋文》及上下文意改。

孕,歷載五百,墳典散落,惟《爾雅》常存。《春秋元命包》言子夏問夫子作《春秋》,不以初、哉、首、基爲始何,是以知周公所造也。率斯以降"云云。《詩·黍離》正義鄭駁《異義》云:"《爾雅》者,孔子門人所作,以釋六藝之言。"《異義》又云:"《地理志》云:'殷因於夏,無所變改。'班固不以《爾雅》爲世法。"陳氏《書録解題》曰:"今書惟十九篇。"

小爾雅一篇

《隋志》:李軌略解。<small>《舊唐志》題李軌撰作。</small>陳振孫曰:"《漢志》不著名氏,《唐志》有李軌《解》一卷,今《館閣書目》云孔鮒撰。蓋即《孔叢》第十一篇,當是好事者鈔出別行。"按班氏時《孔叢》未著,已有《小爾雅》,亦孔氏壁中文,不當謂其從《孔叢》鈔出也。

古今字一卷

《儒林傳》:"孔安國以今文字讀《古文尚書》。"《論衡》云:"壁中古文《論語》,後更隸寫以傳誦。"《晋書》衛恆《四體書勢》曰:"秦用篆書,焚燒先典,而古文絶。"

弟子職一篇　説三篇

今爲《管子》弟五十九篇。鄭《曲禮注》引之,蓋漢時單行也。《説》即其師説,王氏《考證》遙屬《孝經》,非也。

父母生之,續莫大焉

"續",日本古文作"續",《孔傳》云"續,功也",陸氏《釋文》從鄭本作"續焉大焉"。按此言似續之事,無大於此,作"續莫大焉"爲是。

故親生之膝下[①]

日本古文作"親生毓之",無"膝下"二字。宋本古文與此志同。按此言始生在膝下,故親愛,長而異宫,有嚴君之義也。"毓之"非是。

---

① "下"字原脱,據殿本《漢書·藝文志》及本條文意補。

史籀十五篇

《説文解字叙》：“大篆十五篇，與古文或異。”衛恆云：“或與古同，或與古異，世謂之籀文。”張懷瓘《書斷》云：“以史官製之，用以教授，謂之史書，凡九千字。”元帝善史書。應劭曰：“史籀所作大篆。”唐玄度《十體書》曰：“逮王莽亂，此篇亡失。建武中，獲九篇。章帝時，王育爲作解説，所不通者十有二三。”又“禿”字，王育説：“蒼頡出，見禿人伏禾中，因以制字。”《説文·亡字部》引王育説：“天屈西北爲无。”醫字，“殹惡姿也，醫之性然，得酒而使。从酉。王育説。”又《爪部》，王育曰：“爪，象形也。”《説文》引作《史篇》。妸字，“燕召公名，《史篇》名醜”。又，“《史篇》讀匋與缶同”。

八體六技

《説文繫傳》：“臣鍇按蕭子良以刻符、募印合爲一體。臣以爲符者，内外之信，若晋鄙奪魏王兵符。”按當云魏公子竊魏王兵符。又云：“借符以駡宋，然則符者，竹而中剖之，字形半分。摹印屈曲填密，秦璽文是。子良誤合之。署書者，蕭子良云漢高六年蕭何所定，以題蒼龍、白虎二闕。羊欣云：‘蕭何覃思累月，然後題之。’殳書者，殳體八觚，隨其勢而書之。”以上八體，具如韋昭所説。許慎序又云：“亡新改定六書，有古文、奇字、篆書、佐書、繆篆、鳥蟲書也。”與此志之蕭何所定者異。

蒼頡一篇

許序云：“丞相李斯奏同文字，罷其不與秦文合者。斯作《蒼頡篇》，中車府令趙高作《爰歷篇》，太史令胡母敬作《博學篇》，皆取史籀大篆，或頗省改，所謂小篆者也。俗儒見《蒼頡篇》中‘幼子承詔’，因曰古帝之所作。”顏之推《書證篇》：“《倉頡》，李斯所造，而云‘漢兼天下，海内并廁，豨黥韓覆，畔討滅殘’，由後人所羼入，非本文也。”《考工記》注“《倉頡篇》有‘鞄韗’”，又鄭司農云："《倉頡篇》中有'柯欇'。"

凡將一篇

《隋志》：梁有，後亡。劉淵林《蜀都賦注》：《凡將篇》曰："黃
潤纖美宜制禪。"《説文》引相如説。《草部》宮，"司馬相如説菅或从弓"。
蔆，"从遴"。茵，"从革"。《口部》唠，[①]"淮南宋蔡謳舞唠喻"。《鳥部》鶾，"从鳥妟
聲"。又䩾，"从赤"。又饗字，"相如从向"。[②]

急就一篇

晁公武曰："凡三十二章，雜記姓名、諸物、五官等字，以教童
蒙。'急就'者，謂字之難知者，緩急可就而求焉。"《書斷》曰："愔
云，漢元帝時，史游作《急就章》，解散隸體麤書之，漢俗隨簡。"

元尚一篇

訓纂一篇

《隋志》：《三蒼》三卷，郭璞注，合李斯、揚雄、後漢郎中賈訪
《滂喜篇》，故曰《三蒼》。按章懷《後書注》、李善《文選注》多引《三蒼》。許
慎序："《訓纂篇》凡《倉頡》以下十四篇，五千三百四十字。"

別字十三篇

葢即奇字。劉歆子棻從揚雄學作奇字。

倉頡傳一篇

《公羊·定四年》注："同門曰朋，同志曰友。"疏云："出《倉頡
篇》。漢主謂司馬遷曰：'李陵非汝同門之朋、同志之友乎?'"
此《倉頡傳》。

揚雄倉頡訓纂一篇　杜林倉頡訓纂一篇

《説文》引揚雄説。《肉部》："臘，鳥臘也。"又"奎從夰"，《舛部》"揚雄説舛從
足、舝"。又疊字，"揚雄説以爲古理官決罪，三日得其宜乃行之"。又説"拜從兩
手下"。

---

① "唠"字原脱，據《平津館叢書》本《説文解字》及上下文意補。
② "向"字原誤作"蚼"，據《平津館叢書》本《説文解字》改。

杜林倉頡故一篇

《隋志》：梁有杜林注《倉頡》二卷，亡。《説文》引杜林説。董字，"杜林曰藕根"。茇字，"杜林説茇從多"。薺字，"杜林説艸薺薺兒"。界字，"杜林以爲麒麟字"。又尋字，"杜林説以爲貶損之貶"。又娑字，"杜林説卜者黨相詐驗爲娑"。又䇬字，"杜林以爲竹笘，揚雄以爲蒲器"。又鼀字，"揚雄説匽鼀，蟲名。杜林以爲朝旦，非是"。又幹，"揚雄、杜林説皆以爲輻車輪"。《齊民要術》卷十《倉頡解故》曰："芸蒿，葉似邪蒿，可食。春秋有白蒻，可食之。"

太史試學僮

《説文序》："《尉律》漢九篇之一。：學僮十七以上始試，諷籀書九千，乃得爲吏。"按此葢通呼史書爲籀書，非大篆之籀文也。官府所行隸書，通以爲史籀。

書令史

《漢官儀》："能通《蒼頡》、《史籀篇》，補蘭臺令史，滿歲爲尚書郎。"

六體者，古文、奇字[①]

王鳴盛《商榷》曰："許氏《説文自序》謂：'秦李斯省改史籀大篆，作小篆，又有隸書，以趨約易，而蒼頡古文絶矣。自爾秦書有八體。即前"八體六技"，韋昭所注同。漢興，尉律學僮以八體試之。亡新改定六書。'見上。若依許氏，則六體乃王莽所定，西漢試學童者八體，非六體。許氏是也。蕭何本秦時吏，自宜沿襲秦故。僞孔安國《尚書序》云：'科斗文字書廢已久，時人無能知者。'即倉頡古文也。《太史公自序》云：'秦撥去古文，焚滅《詩》、《書》。'晉衛恆《書勢》謂古文絶於秦。漢興而人不識古文，故逸在祕府，不立學官。杜林得漆書古文，語其徒云：'古文不合時務。'可見古文曹秦而絶，蕭何安能以此試學

---

① 本條原在本卷末，據殿本《漢書·藝文志》調正。

童、著之律令乎？"

隸書

衛恆《隸書勢》曰："秦既用篆，奏事繁多，篆字難成，即令隸人佐書，曰隸字。漢因行之。隸書者，篆之捷也。"《考證》云：趙明誠曰："庾肩吾云：'隸書，今之正書也。'張懷瓘《六體書論》亦云：'程邈造，字皆真正，亦曰真書。'自唐以前，皆謂楷字爲隸，至歐陽《集古録》誤以八分爲隸書。"

所謂秦篆者也

《御覽》八十六《古文奇字序》曰："秦改古文以爲大篆當云"小篆"。及隸字，國人多誹謗怨恨。"

是時始造隸書矣

封演《見聞記》："酈善長注《水經》云：'臨淄人發古冢，得銅棺。前和外隱起爲隸字，言齊太公六代之孫胡公之棺。惟三字是古，餘同今書。故知隸書非始於秦氏也。'按此，隸書在春秋之前，但諸國或用或不用。程邈觀其省易有便於時，故修改而獻，非創造也。"然隸書之中，又有分別。《初學記》引摯虞《決疑要注》曰："尚書臺召人用虎爪書，告下用偃波書，皆不可卒學，以防矯詐。"

各令記字於庭中

《説文序》："孝平皇帝時，徵沛人爰禮等百餘人，令説文字未央廷中，以禮爲小學元士。"

臣復續揚雄，作十三章

《隋志》：班固《太甲篇》、《在昔篇》。《説文》亦引其説。陧字，"徐巡以爲凶也。賈侍中説：陧，法度也。班固説：不安也"。按許氏復取譚長、尹彤、官溥、歐陽喬等説，莫可考。

漢書藝文志疏證卷二

晏子八篇

劉向上奏："臣向所校中書《晏子》十一篇。臣向謹與長社尉臣參杜參也。校讎，太史書五篇、臣向書一篇、參書十三篇，凡中外書三十篇，爲八百三十八章。除復重二十二篇六百三十八章，定著八篇二百一十五章。其書六篇，皆合六經之義。又有復重，文辭頗異，不敢遺失，①復列以爲一篇。又有頗不合經術，似非晏子言，疑後世辨士所爲者，故亦不敢失，復以爲一篇。"柳宗元曰："後之錄諸子書，宜列之墨家。非晏子爲墨也，爲是書者，墨之道也。"

子思二十三篇

《隋志》：《子思子》七卷。又《音樂志》沈約曰："《禮記·中庸》、《表記》、《坊記》、《緇衣》皆取《子思子》。"《御覽》四百三《子思子》曰："天下有道，則行有枝葉；天下無道，則言有枝葉。"即《表記》語。《初學記》："《子思子》曰：東户季子之時，道上雁行而不拾遺，耕耨餘糧，宿諸畝首。"晁公武曰："載孟軻問：'牧民之道何先？'子思曰'先利之'云云。温公采之，著於《通鑑》。"按此條見《孔叢·雜訓篇》。是二十三篇，大約《戴記》、《説苑》、《孔叢》盡之矣。《御覽》三百八十六《子思子》曰："中行穆伯手捕虎。"又五百六十五《子思子》曰："繁於樂者重於憂，厚於味者薄於行。君子同則有樂，異則有禮。"

---

① "敢"字原誤作"復"，據《四部叢刊》影印明本《晏子春秋》及上下文意改。

曾子十八篇

《隋志》：《曾子》二卷，目一卷。晁公武曰：“《唐志》：《曾子》二卷。今此書亦二卷，凡十篇，葢唐本也。視《漢》亡八篇，視《隋》亡目一篇。考其書已見《大戴記》。”①今按《大戴記》四十九至五十八即《曾子》十篇也。

漆雕子十二篇

《韓非·顯學》：“有漆雕氏之儒。”

宓子十六篇

《淮南·齊俗訓》“客有見人於宓子者”。《趙策》作“服子”，《淮南》書又作“密”。《論衡·本性篇》：“密子賤、漆雕開、公孫尼子之徒亦論情性，與世子相出入。”

景子三篇

《孟子》書有“景子”。

世子二十一篇

《繁露·俞序篇》世子曰：“功及子孫，光輝百世。聖王之德，莫先於世。② 故余先言《春秋》詳己而略人。”《論衡·本性篇》：“周人世碩以爲人性有善有惡，舉人之善性養而致之，則善長；性惡養而致之，則惡長。如此則性各有陰陽，善、惡在所養焉。故世子作《養書》一篇。”

魏文侯六篇　李克七篇

《説苑·反質篇》魏文侯問李克語，孝景帝詔文用之。張載《魏都賦》注：“《李克書》曰：言語辨聽之説而不度於義者，謂之謬言。”

---

① “考”字原誤作“篇”，據清嘉慶汪氏刻本《郡齋讀書志》改。

② “世”字，清嘉慶凌氏蜚雲閣刻本《春秋繁露注》作“恕”，於義較勝。

公孫尼子二十八篇

《隋志》：一卷。云“似孔子弟子”。《唐志》卷同。《音樂志》引沈約云：“《樂記》取《公孫尼子》。”陸德明引劉瓛云：“《緇衣》，公孫尼子所作。”①《荀子·強國篇》稱公孫子語。《御覽》三百六十引《公孫尼子》，又三百七十五。《御覽》四百二《公孫尼子》曰：“道爲智者設，賢爲聖者用。”

孟子十一篇

《史記》云《孟子》七篇。趙岐《章恉題辭》云：②“七篇，二百六十一章，三萬四千六百八十五字。③ 又有《外書》四篇：《性善》、《辨文》、《説孝經》、《爲正》。其書不能弘深，似非孟子本真也。”今《外書》遂不可見。《荀子·大略》：“孟子三見齊王而不言，弟子問之，曰：‘我先攻其邪心。’”《説苑·建本篇》孟子曰：“人知糞其田，莫知糞其心。”《法言·修身篇》孟子曰：“夫有意而不至者有矣，④未有無意而至者也。”《鹽鐵論》引孟子曰《論儒篇》：“居今之朝，不易其俗而成千乘之勢，不能一朝居也。寧窮飢居於陋巷，安能變己而從俗也！”《伐功篇》孟子曰：“君不鄉道，不由仁義，而爲之強戰，雖克必亡。”《大行人》注孟子曰：“諸侯有王。”《廣韻》圭字注：“孟子云：六十四黍爲一圭，十圭爲一合。”《考證》：“《顏氏家訓》引‘圖景失形’，劉知幾《史通》引‘堯舜不勝其美，桀紂不勝其惡’，李善注《文選》引‘太山之高，參天入雲’。《漢·伍被傳》引《孟子》曰：‘紂貴爲天子，死曾不如匹夫。是紂先自絶久矣，非死之日天去之也。’《藝文類聚》引滕文公葬及惠子諫。《坊記》注引‘舜年五十而不失其孺子之心’。”《梁書·處士傳序》：“孟子曰：人之於爵禄，得之若其

---

① 《補注》引沈説本句後有“馬總《意林》引之”六字。
② “恉”字疑當作“句”。
③ “三”字原誤作“二”，據《十三經注疏》本《孟子注疏》及《補注》引沈説改。
④ “有矣”之“有”字原脱，據《四部叢刊》影印清覆宋本《揚子法言》及上下文意補。

生。”《論衡·本性》：“孟子作《性善》之篇。”此並趙岐所云
《外書》。《孟子疏》云：“劉歆九種《孟子》有十一卷，時合此
四篇。”顏師古引《聖證論》：字子車。按《孔叢·雜訓篇》“孟子車尚幼，請見子
思”，是王肅所據。趙岐《題辭》云字則未聞，此岐荒落耳。師古未詳，肅所得，抑又
陋矣。

孫卿子三十三篇

劉向上云：“臣所校讐中《孫卿書》凡三百二十二篇，以相校，
除復重二百九十篇，定著三十二篇。”按此云三十三篇，或連
向叙歟？

芉子十八篇　名嬰，齊人。

《史記》“阿之呀子”，注：劉向《別錄》作“芉子”。張守節云：
“顏師古音弭，誤也。”蓋芉是楚姓，此爲齊人。

內業十五篇

《考證》曰：“《管子》有《內業篇》，此書恐亦其類。”

周史六弢六篇

《隋志》：《太公六韜》五卷，梁六卷。《文選注》四十六《七略》曰：
“太公《金版》、《玉匱》，雖近世之文，然多善者。”《莊子·徐無
鬼》：“橫說之則以《金版》、《六弢》。”《淮南·精神訓》：“通許
由之意，《金縢》、《豹韜》廢矣。”《後書·何進傳》“《太公六韜》
有天子將兵事”，注云：“《太公六韜》篇，第一《霸典》，文論。
第二《文師》，武論。第三《龍韜》，主將。第四《虎韜》，偏裨。
第五《豹韜》，校尉。第六《犬韜》，司馬。”按此唐時篇目，與今
析爲六十篇者異也。《志》所云春秋戰國時者，蓋因太公遺教
而述爲書，非是憑空創造。宋人妄議，今所不取。

周政六篇　周時法度政教。　　周法九篇　法天地，立百官。

《昭七年傳》楚芉尹無宇曰：“周文王之法曰：有亡，荒閱。”
《管子·兵法篇》引《大度》之書。

河閒周制十八篇

《説苑・君道》、《建本篇》有"河閒獻王曰"四章，略見梗概。

讕言十篇　不知作者，陳人君法度。

功議四篇　不知作者，論功德事。

甯越一篇

《吕覽・不廣篇》"甯越謂孔青"。《説苑・尊賢篇》："周威公問於甯子曰：'取士有道乎？'"皆甯越之書也。

王孫子一篇

《隋志》：梁有《王孫子》一卷。《文選・舞賦》注："《王孫子》曰：衛靈公侍御數百，隨珠照日，羅衣從風。"《史記集解・李斯傳》亦引《王孫子》，又見《藝文類聚》。《御覽》四百五十七引《王孫子新書》二條，其一即衛靈公事。按《隋志》，梁有王基《新書》五卷，然則此疑王基不類古書。《考證》云："《太平御覽》引'趙簡子獵於晉陽，撫轡而歎'。"按《御覽》四百二："董安于曰：'敢問何歎？'簡子曰：'吾食穀之馬數千，多力之士數百，以獵獸也。吾恐鄰國養賢以獵吾也。'"

公孫固一篇

《十二諸侯年表》論"公孫固、韓非之徒，各往往捃摭《春秋》之文以著書"①。

李氏春秋二篇

疑李兑。

羊子四篇　百章，故秦博士。

董子一篇

《隋志》：一卷。《唐志》作二卷，誤。《通考》：宋吳祕註。《論衡・福虛篇》："儒家之徒董無心、墨家之役纏子，相見講道。纏子稱墨家祐鬼神，是引秦繆公有明德，上帝賜之九十年。董子

---

①　"各"字原誤作"子"，據殿本《史記》及《補注》引沈説改。

難以堯舜不賜年，桀紂不夭死。"《繹史》一百三："纏子修墨子之業以教於世。儒有董無心者，其言修而謬，欲事纏子。纏子曰：'文言華世不中利民，傾危繳繞之辭並不爲。墨子所修，勸善兼愛。子重之。'董子曰：'信鬼神何異以踵解結，終無益也。'纏子不能應。"

侯子一篇

魏有隱士侯嬴，秦有方士侯生，高祖有安國君侯公。按《説苑・反質篇》："秦始皇後得侯生。侯生仰臺而言曰：'臣聞知死必勇，陛下肯聽臣一言乎？'"其文八百餘言，疑即此一篇。

徐子四十二篇

《魏策》："魏太子自將過宋外黃。外黃徐子曰：'臣有百戰百勝之術。'"即此徐子也。

魯仲連子十四篇

《隋志》：《魯連子》五卷，録一卷。《舊唐志》與《隋》同，《新志》作一卷。《玉海・藝文類》："《書目》：五卷。仲連退隱海上，論著此書。"今惟存一篇，即《史記正義》所引。《文選注》引大略同。《御覽》一百八十四"魯連子見孟嘗君於杏堂之門"，與《鶡冠子・兵政篇》語相似。

平原君七篇

當次《虞氏春秋》之後。

虞氏春秋十五篇

《孔叢・執節篇》："虞卿著書，名曰《春秋》。魏齊曰：'子無然也。《春秋》，孔聖所以名經。今子之書，大抵談説而已。'"按《史記》，虞卿著書在魏齊死後；且韓宣子至魯觀《春秋》，《春秋》之名久矣。《韓非・備內篇》引《桃左春秋》曰："人主之疾死者不能處半。"以《春秋》名，何怪乎虞卿？殆孔氏子孫，傳聞失實耳。

高祖傳十三篇

《隋志》：梁有《漢高祖手詔》一卷。魏相奏"高皇帝所述書"。

陸賈二十三篇

《隋志》：①陸賈《新語》二卷。今見行十二篇。按本傳稱凡著十二篇，此二十三篇葢誤。《考證》云存七篇，葢所見非全本。然其引吳儔謂《輔政篇》曰"書不必起於仲尼之門"，今《輔政篇》無此語。

劉敬三篇

孝文傳十一篇

《考證》云："《史記·文帝紀》凡詔皆稱'上曰'，以其出於帝之實意也。"

賈山八篇②

本傳載《至言》一篇。

太常蓼侯孔臧十篇

《隋志》：梁有漢太常《孔臧集》二卷。《文選注》一《孔臧集》曰："臧，仲尼之後，少以才博知名，稍遷御史大夫。辭曰：'臣代以經學爲家，乞爲太常，專修家業。'武帝遂用之。"按《孔叢》中臧以所著賦與詩謂之《連叢》，附於卷末。然漢以列侯爲太常，臧若襲父封，則《孔光傳》絕不言及。恐此"蓼侯孔臧"非彼所謂孔臧。

賈誼五十八篇

與本傳同。《隋志》：《賈子》十卷，録一卷。《崇文總目》："本七十二篇，劉向删定爲五十八篇。《隋》、《唐》皆九卷，今別本或爲十卷。"葢附《誼傳》。今佚三篇。昭帝始元五年詔曰"通《保

---

① 《補注》引沈説"隋"後有"唐"字。
② "篇"字原脱，據殿本《漢書·藝文志》補。

傳傳》”,即《新書》第三十三篇也。篇中多錯誤難讀,亦有比次絶無理者,盧文弨謂出鈔胥妄寫也。

河間獻王對上下三雍宮三篇

事見本傳。《後書·張純傳》:“純案河間《古辟雍記》,欲具奏之。”按漢多以明堂、辟雍、靈臺爲一,故謂之“三雍”。又以爲在太廟。《詩·靈臺》正義:“《異義》:《韓詩説》:‘辟雍者,天子之學。圓如璧,雍之以水。立明堂於中,五經之文所藏處。’《左氏説》:‘天子靈臺在太廟之中。雍之靈沼,謂之辟雝。’皆無明文,各無以正之。以上許慎説。玄之聞也:此鄭駁。《王制》:‘小學在公宮之左,太學在郊。天子曰辟雝,諸侯曰泮宮。’《大雅·靈臺》之詩,①則辟雝及三靈皆同處在郊矣。②衆家之説,於郊差近之耳,在廟則遠矣。如鄭此説,靈臺與辟雍同處,辟雍即天子太學。《王制》言太學在郊,乃是殷制,其周制則太學在國。太學雖在國,而辟雍仍在郊,何則?囿、沼魚鳥所萃,終不可在國中也。所以得太學移而辟雍不移者,以辟雍是學之名。不必常以太學爲辟雍,小學亦可矣。周立三代之學,虞庠在國之西郊,則周以虞庠爲辟雍矣。鄭以靈臺、辟雍在西郊,則與明堂、宗廟皆異處矣。”袁準《正論》申明鄭意,又以辟雍非學,云:“《王制》曰‘周人養國老於東膠’,不曰辟雍。明堂者,大朝講禮之處。③宗廟,享鬼神歲觀之宮。辟雍,大射養孤之處。太學,衆學之居。靈臺,望氣之觀。清廟,訓儉之室。各有所爲,非一體也。古有王居明堂之禮,《月令》則其序也。④天子居其中,學士處其内,君臣同處,死生參並,非其義也。大射之禮,天子張三侯,大侯九十步,其次七十步,其次五十步,辟雍處其中。今未知辟雝廣狹之數,但

---

①　按此處文意不完整,《十三經注疏》本《毛詩正義》作:“《大雅·靈臺》一篇之詩,有靈臺,有靈囿,有靈沼,有辟廱。”

②　“三靈”後原衍“與辟雍”三字,據《十三經注疏》本《毛詩正義》及上下文意删。

③　《十三經注疏》本《毛詩正義》引袁氏《正論》“大朝”後有“諸侯”二字。

④　“序”字,《十三經注疏》本《毛詩正義》引作“事”。

二九十八加之，辟雍則徑三百步也。凡有公卿大夫諸侯之賓、百官侍從之衆，殆非宗廟所能容也。馬融云‘明堂在南郊，就陽位’，而宗廟在國外，非孝子之情也。古文稱明堂陰陽者，非宗廟之謂。”《禮記·玉藻》疏《禮》戴説以明堂、辟雍是一，古《周禮》、《孝經》説以明堂爲文王廟。《詩正義》：“盧植《禮記注》云：‘明堂即太廟也。天子太廟，上可以望氣，故謂之靈臺；中可以序昭穆，故謂之太廟；圜之以水，似璧，故謂之辟雍。古法皆同一處，近世殊異，故分爲三耳。’潁容《春秋釋例》云：‘太廟有八名，其體一也。肅然清靜，謂之清廟；行祫祫、序昭穆，謂之太廟；告朔、行政，謂之明堂；行饗射、養國老，謂之辟雍；占雲物、望氣祥，謂之靈臺；其四門之學，謂之太學；其中室謂之太室，總謂之宮。’”又《僖五年》：“公既視朔，遂登觀堂。”①服氏云：“人君入太廟視朔、告朔，在明堂之中。”又《文二年》服氏云：“明堂，祖廟。”並與鄭説不同者。按《王制》云：“小學在公宮南之左，大學在郊。天子曰辟雍。”辟離是學也，不得與明堂同爲一物。又，天子宗廟在雉門之外，《孝經緯》云：“明堂在國之陽。”又《記》云：“聽朔於南門之外。”是明堂與祖廟別處，不得爲一也。《孟子》云“齊宣王問曰：‘人皆謂我毀明堂。’孟子對”云云，是王者有明堂，諸侯以下皆有廟，又知明堂非廟也。今按《大戴記》：“明堂外水曰辟雍。或以爲明堂者，文王之廟也。”盧辨注亦以或説爲謬。《大戴》此篇葢即本於河間之對，則始言之者獻王也。明堂爲祖廟，蔡邕等雖煩詞支衍，其謬顯然。若如袁準、孔穎達以明堂、辟雍爲二，鄭亦無明文也。《三輔黃圖》：“漢辟雍在長安西北七里。明堂在長安西南七里。”又，漢本有太學，元始五年復治明堂、辟雍，則三者並立。晉則釋奠於太學，行饗於辟雍。又兩立。見《御覽》五百三十五《晉尚書大事》。

董仲舒百二十三篇

今本題《春秋繁露》十七卷，其首數卷則公羊家言，何休注亦

---

① “堂”字，《十三經注疏》本《春秋左傳正義》作“臺”。

竊取之。以後則支詞雜説，掇拾三代遺事野文，駁多醇少，與《春秋》義無涉。《隋》、《唐志》混列春秋類，非也。宋《崇文總目》有八十二篇。晁公武曰："今通名《繁露》，未詳。"南渡後亡。紹興間，董某進十卷。程大昌謂其書辭意淺薄，非董氏本書，後胡榘得三十七篇，刻於萍鄉縣學。嘉定中，樓鑰得潘景憲本，增多四十二篇，凡七十九篇，爲十七卷，不足者三篇而已。《隋志》又有《董仲舒集》一卷。梁二卷。近人江都凌曙爲《繁露注》。

兒寬九篇

《兩都賦序》云："公卿大臣，御史大夫兒寬等時時間作。"

公孫弘十篇

《西京雜説》："公孫弘著《公孫子》，言刑名事。"《志》列儒家，豈以其名儒術進歟？

終軍八篇

《爾雅》郭注："漢武帝時得鼤鼠，孝廉郎終軍知之，賜絹百匹。"《廣韻》引《竇氏家傳》，爲光武時竇攸。

吾丘壽王六篇　虞丘説一篇

《隋志》：梁有《吾丘壽王集》二卷。《天中記》引《吾丘壽王論》："始皇既并海内，以威力爲王道，以權詐爲要術，遂非唐笑虞，絶滅舊章，防禁文學。行是古之戮，嚴誹謗之誅。十餘年澇沱而盈溢，故皇天疾滅。"按《藝文類聚》五十九有吾丘壽王《驃騎論功論》曰"驃騎將軍霍去病征匈奴，立克勝之功。壽王作士大夫之論，稱武帝之德曰'士或問於大夫曰：側聞強秦之用兵'"云云。《天中記》所引即在此論中。①

莊助四篇

臣彭四篇

葢固時已失其姓。

---

① "爲王"至"類聚"原在"莊助四篇"之下，據上下文意調正。"五十九"至"此論中"原在下"臣彭四篇"條"葢固時已失其姓"一句之下，據上下文意調正。

鉤盾冗從李步昌八篇

《續百官志》注：“《漢官》曰：鉤盾令吏從官四十人。”

儒家言十八篇

桓寬鹽鐵論六十篇

傳云：“當時相詰難，頗有其議。至宣帝時，汝南桓寬推衍鹽鐵之議，增廣條目，極其論難萬言。”今觀其辭，瑰瑋宏富。賢良、文學，倉卒未能；弘羊以賈人子，亦稱今道古，辭條豐蔚，苟非出自鴻才，未易辨也。

劉向所序六十七篇　新序

《隋志》：《新序》三十卷，録一卷。《通考》：“《崇文總目》云：《新序》亡其二十卷。”曾子固校定十卷，《雜事》至《善謀》，題云陽朔元年二月癸卯上，總一百八十三章。按宋《御覽》中時有《新序》佚篇，近世盧文弨摭集之，并《藝文類聚》、《北堂書鈔》、《文選》、《荀子注》凡五十餘條，又集《説苑》逸者三十餘條。按後人亦有雜入，如《御覽》二百七十六劉向《新序》曰：“吳漢起於販馬，立爲良將。”論其事，則向歿已卅餘年。

説苑二十卷[①]

《隋志》：二十卷。劉向奏上云：“護左都水使者光禄大夫臣向言：所校中書《説苑雜事》及臣向書、民間書，誣校讎，其事類衆多，章句相溷，或上下謬亂，難分別次序。除去與《新序》復重者，其餘者淺薄不中義理，別集以爲《百家》，後令以類相從，一一條別篇目，[②]更以造新事十萬言以上，凡二十篇，七百八十四章，號曰《新苑》，[③]皆可觀。”按此《説苑》所載詭異事，

---

① 《漢書·藝文志》無“二十卷”三字。
② “目”字原脱，據《四部叢刊》影印明鈔本《説苑》補。
③ “新”字原誤作“説”，據《四部叢刊》影印明鈔本《説苑》及上下文意改。

與《春秋傳》相舛者，本出舊造，向復删益之耳。其云與《新序》復重，則《新序》亦已先創。云"新"者，向更新之，未知《新序》舊名爲何耳。今亦有事辭相同者。《通考》："《崇文總目》：存者五篇。"晁公武曰："曾子固自謂得十五篇於士大夫家，與舊爲二十篇，然止是析十九卷，《修文》爲上、下篇耳。"《考證》李德芻曰："闕《反質》一卷。鞏分《修文》爲上、下以足二十卷。後高麗進一卷，遂足。"

世説

《考證》曰："未詳。本傳：'箸《疾讒》、《摘要》、《救危》及《世頌》凡八篇，依歸古事，悼己及同類也。'"《隋志》："劉向校經籍，始作《列仙》、《列士》、《列女》之傳。"今《列仙》、《列士傳》現行而《志》不録。

列女傳頌圖

《隋志》：《列女傳》十五卷。按本傳，凡八篇。曾鞏序曰："《隋書》及《崇文總目》皆稱向《列女傳》十五篇，曹大家注。以頌義考之，蓋大家所注，離其七篇爲十四，與頌義凡十五篇，而益以陳嬰母及東漢以來十六事，非向書本然也。"又云："《隋書》以頌義爲劉歆作，與向列傳不合。今驗頌義之文，蓋向之自叙。"按李善張衡賦注引劉歆《列女傳頌》曰："材女修身，廣觀善惡。"云歆作者久矣。王回序曰："以頌義證之，删爲八篇，號《古列女傳》。餘二十傳，其文亦奧雅可喜，別爲一篇，號《續列女傳》。"按今本又逸去頌義、大序及師氏母一傳，共爲八卷，又非回之舊也。其圖則向因畫爲屏風四堵，班固《叙傳》"張畫屏風，畫紂醉踞妲己作長夜之樂"者是也。自然不傳。頌云："畫之屏風。"《初學記》引《別録》，詳見《叙傳》。

揚雄所序三十八篇

《隋志》：《揚子法言》十五卷，解一卷，李軌注又十三卷，宋衷注《太玄經》九卷又十卷。宋衷、陸績等注，自范望至溫公《集注》，並十卷。陳振孫曰："按本傳：三方、九州、二十七部、八十一家、二百四十三表、七百二十九贊，分爲三卷。有《首》、《衝》、《錯》、《測》、《攡》、《瑩》、《數》、《文》、《掜》、《圖》、《告》十一篇。與本經三卷，共爲十四卷。今注云十九，未詳。《法言》十三篇，篇各有序，本在卷末，如班固《叙傳》。今本分冠篇首，自宋咸始。"《考證》："蕭該《音義》曰：案《別録》，^①《告》下有《玄問》一篇，合十二篇。今脱一篇。"《困學紀聞》云："《法言》末篇稱'漢公'，斯言之玷，過於《美新》矣。"愚按，雄能卻富人千萬之錢，而獨諛王莽，豈亦有刀鋸加其頸而迫脅爲之邪？

樂四篇二

《考證》云："未詳。雄有《琴清英》。"按《御覽》引揚雄《琴清英》，恐非此之"樂"也。或王莽作《樂經》，雄參爲之歟？"《箴》二"下有脱字。《後書·胡廣傳》："初，揚雄依《虞箴》作《十二州》、《二十五官箴》，其九箴亡闕。"則雄見存應有二十八箴也。晁公武曰："雄見莽更易百官，變置郡縣，制度大亂，士皆忘去節義，以從諛取利，乃作司空、尚書、光禄勳、衛尉、廷尉、太僕、司農、大鴻臚、將作大匠、博士、城門校尉、上林苑令等《箴》。"^②《御覽》二百廿九有揚雄《大官令箴》，二百卅二有揚雄《上林令箴》，二百卅五有揚雄《太史令箴》及荆、揚、兖、豫、徐、青、冀、并、雍、《古文苑》卷十四有揚雄《雍州牧箴》。益、交《十二州箴》。按王莽時，交阯未爲州，容有後人攙入。《初學記》又云漢揚雄作潤、晉等州《箴》。《御覽》二百五十二揚雄爲《河南尹箴》，彌舛矣。《陳遵傳》："成帝令雄作《酒箴》。"

---

① "録"字原缺，據康本《漢志考》補。

② 按該引文見臺灣世界書局 1990 年影印《摛藻堂四庫全書薈要》本晁説之《景迂生集》卷十九《揚雄別傳》。

《隋志》又有《揚雄集》五卷。《御覽》四百六十九有揚雄《演連珠》。

右儒五十三家

儒家者流

《鄭目録》云："儒之言優也，柔也；能安人，能服人。"又："儒者，需也，以先王之道需其身。"

伊尹五十一篇

《吕覽・本味篇》"伊尹說湯以至味"，全引其文。應劭《上林賦》注引作《伊尹書》，則戰國先有其書也。《逸書・王會篇》又載伊尹四方獻令。《殷本紀》："伊尹從湯言素王九主之事。"集解引劉向《别録》曰："九主者，有法君、專君、授君、勞君、等君、寄君、破君、國君、三歲社君，凡九品，圖畫其形。"按此劉向依其本書，故能次第言之。《説苑・君道篇》："伊尹對湯曰：昔者堯見人而知，舜任人然後知，禹以成功舉之。"並就其書所采也。

太公二百三十七篇　　《謀》八十一篇，《言》七十一篇，《兵》八十五篇。

《隋志》：《太公陰謀》一卷、梁六卷。又有魏武帝解《太公陰謀》三卷。《太公陰符鈐録》一卷、《太公伏符陰陽謀》一卷。《舊唐志》：《太公陰謀》三卷，又《陰謀三十六用》一卷。《隋志》：《太公金匱》二卷、《舊唐志》三卷。《太公兵法》二卷，又《兵法》六卷，梁有《太公雜兵書》六卷。又《三宫兵法》一卷。又《禁忌立成集》二卷、《枕中記》一卷。自宋以來，著録家無之。蓋六朝以前著書者，喜託名古人。唐以後，道術之士多攘古人之言以爲己書。如李筌《太白陰經》、趙蕤《長短經》類。故前乎此，不爲多人所扳援也；後乎此，無怪其少新名易故也。《秦策》："蘇秦夜發書，得《太公陰符》之謀。"《齊世家》："後世之言兵及周之陰權，皆宗太公爲本謀。"是太公之書，尚矣。今按《志》云《謀》者，即《太公陰謀》也。《言》者，即《太公金匱》，凡善言，書諸金版。《羣書治要》引《武韜》太

公云云,文王曰:"善。請著之金版。"又《文選注》:《太公金匱》曰:"'詘一人之下,
申萬人之上'。武王曰:'請著金版。'"《大戴記·踐阼篇》、《呂覽》、《新
書》、《淮南》、《説苑》所稱皆是也。《兵》者,即《太公兵法》。
《説苑·指武篇》引《太公兵法》最其先,亦《管子》書中所本
耳。已別綴補爲《太公遺書》,此不具列。《論衡·語增篇》:"太公陰謀之書,食小
兒丹,教云亡殷。兵到牧野,晨與脂燭。"此則詭誕不經之談,劉向所定者已然矣。

辛甲二十九篇

《史記集解》引劉向云:"封之長子。"《左傳》:"辛甲爲太史,
命百官官箴王闕。"《韓非·説林》作"辛公甲"。

鬻子二十二篇

《隋志》:《鬻子》一卷。唐、宋著録皆以冠道家。葉夢得曰:"今
一卷,止十四篇,本唐永徽中逢行珪所獻。其文太略。廖仲容
《子鈔》、當作"庚"。《隋志》:梁黟令庚仲容《子鈔》三十卷。馬總《意林》並云
六篇。其所載與行珪先後不倫,[1]恐行珪或有附益。"按,今亦有
十四篇,標題甲乙數目雜亂不可曉,又短僅不成章。而《列
子·天瑞》、《黄帝》、《力命》三篇引鬻子。《賈誼·修政語下篇》,[2]
周文王、武王、成王問於鬻子,有七章,皆本書所無,其糟粕耳。[3]

筦子八十六篇

《隋志》十九卷,今本二十四卷。晁公武曰:"今亡十篇。杜佑
《指略序》云:'唐房玄齡注。而注頗淺陋,恐非玄齡。或云尹
知章也。'"按《崇文總目》云唐國子博士尹知章注。劉向上奏
云:"所校讐中《管子》書,大中大夫卜圭書、臣富參書、射聲校
尉立書、太史書,凡中外書五百六十四,以校,除復重四百八
十四篇,定著八十六篇。"

---

① "載"字原脱,據《補注》引沈説補。
② "語"字原脱,據《抱經堂叢書》本《新書》及本卷"大帝"條補。
③ 《補注》引沈説本句後有"小説亦有《鬻子説》十九篇"一句。

老子鄰氏經傳四篇

《志》不序河上公。陸氏《序錄》云："河上公作《老子章句》四篇,以授孝文帝。"與此篇目卻合。

老子傅氏經説三十七篇　徐氏經説六篇

以上無考。《隋志》有漢長陵三老毋丘望之、徵士嚴遵注《老子》。《老子指歸》十一卷,嚴遵注。《老子指趣》三卷,毋丘望之撰。當緣未上中祕書,故不録。《後書·耿弇傳》:"父況,學《老子》於安丘先生。"注:"稽康《高士傳》曰:安丘望之少持《老子經》,恬淨不求仕宦,號曰'安丘丈人'。"

劉向説老子四篇

文子九篇

《隋志》:《文子》十二卷。《新唐志》:徐靈府注《文子》十二卷,李暹訓注《文子》十二卷。《讀書志》又有唐朱玄注《文子》,缺《符言》一篇。晁公武曰:"李暹注。其傳曰:姓辛,葵丘濮上人,號曰計然,范蠡師事之。本受業於老子,文子録其遺言爲十二篇。劉向録《文子》九篇而已。[1]《唐志》録暹注,與今篇次同。豈暹析之歟?"晁氏未考,《隋志》已十二篇也。《容齋隨筆》云:"其書一切以老子爲宗,略無與范蠡謀議之事。馬總《意林》所編《文子》正與此同。"按彼因計然字文子,誤以此氏爲彼字,因合爲一家,其謬也。書爲《淮南》襲取殆盡,《莊》、《列》亦時與之同。十二篇並引老子之言而推衍之。

蜎子十三篇　名淵,楚人。老子弟子。

《列仙傳》曰:"涓子者,齊人。好餌术,著《天地人經》三十八篇。"[2]按與此全乖。《考證》云:"《史記》:'蜎淵,楚人。學

---

① "篇"字原誤作"卷",據清嘉慶汪氏刻本《郡齋讀書志》及上下文意改。

② 《琳琅秘室叢書》本《列仙傳》無"地"字,又"三"字作"四"。

黄、老道德之術，著《上下篇》。'索隱、正義皆無注。今按枚乘
《七發》'便蛸、詹何之倫'，注云：'《淮南子》：雖有鉤鍼芳餌，
加以詹何、蛸蠬之數，猶不能與罔罟爭得也。宋玉與登徒子
偕受釣於玄淵。《七略》：蛸子名淵。三文雖殊，其人一也。'"
愚謂玄淵似非人名，李善葢誤。

關尹子九篇

其書久亡。《書錄解題》云："徐藏子禮得之於永嘉孫定，首載
劉向校定序，劉向："校中祕書九篇，太常存七篇，臣向本九篇。葢公授曹相國
參，相國薨，書葬。至孝武時，有方士以七篇上來，上以僊處之。淮南王安好道聚書，
有此不出。臣向父德因治淮南王事，得之。永始二年八月庚子上。"末有葛洪後
序。未知孫定從何得之，殆皆依託也。"宋寶祐時，道士陳顯
微注。書凡三卷，一《字》，二《柱》，三《極》，四《符》，五《鑑》，
六《匕》，七《釜》，八《籌》，九《藥》。張湛《列子注》云："關令尹
喜字公度。"按官爲關令，姓尹，名喜也，今世多誤讀。《列
子》、《吕覽》皆有尹喜語，而書中無之。此全真之徒白玉蟾之
類所爲歟？

莊子五十二篇

陸氏《序錄》："司馬彪注二十一卷、孟氏注十八卷，並五十二
篇，《内篇》七，《外篇》二十八，《雜篇》十四，《解說》三。郭象注三十三篇。
後人增足，漸失其真，故郭子玄云：'一曲之才，妄竄奇說，若
《閼奕》、《意修》之首，《危言》、《遊鳧》、《御覽》五百三十《莊子》："遊鳧
問雄黄曰：'今逐疫出魅，擊鼓呼噪何也？'雄黄曰：'黔首多疫，黄帝氏立巫咸，使黔
首沐浴齋戒，以通九竅；鳴鼓振鐸，以動其心；勞形趨步，以發陰陽之氣；飲酒茹蔥，
以通五藏。夫擊鼓呼噪，逐疫出魅鬼。黔首不知，以爲魅祟也。'"《子胥》之篇，
凡諸巧雜，十分有三。'即司馬彪、孟氏所注是也。言多詭誕，
或似《山海經》，或類占夢書，故注者以意去取。其《内篇》衆
家並同，自餘或有《外》而無《雜》，惟子玄所注，特會莊生之

旨。"按晉人知尚玄虛，擺落名物，故郭本特爲談玄者所宗。宋王應麟采逸文若干條。見《困學紀聞》。而嚴君平《老子指歸》引《莊子》之語，亦今書所無。明焦竑云："《莊子》崔譔本語多不同。《逍遙遊》、《大宗師》中有文句溢出。相傳《外》、《雜》篇多郭象所删修，豈此類邪？"按《文選注》三十五《莊子》曰："庚市子肩之毀玉也。"《淮南子莊子後解》曰："庚市子，聖人無慾者也。人有爭財相鬬者，庚市子毀玉於其閒，而鬬者止。"則非獨《莊子》有佚篇，淮南又有佚解，葢梁、陳閒義疏所引。

列子八篇

劉向言："所校中書《列子》五篇，臣向謹與長社尉臣參校讐，太常書三篇、太史書四篇、臣向書六篇、臣參書二篇，內外書凡二十篇，以校，除復重十二篇，定著八篇。"隋、唐《志》同。晋張湛注，唐殷敬順釋文。又有唐盧重玄、宋徐遹注。《讀書志》云："高麗國有《列子》十卷。政和中，宜春彭俞得其第九篇，曰《元瑞》。"若然，高麗所得本傳在向校書之前邪？其妄明矣。

老成子十八篇

《列子·周穆王篇》："老成子學幻於尹文先生。"殷敬順《釋文》作"考成子"。

長盧子九篇

《鄧析子》云："長盧之不士。"《列子·天瑞》引其語，葢並時人也。《史記·孟荀列傳》"楚有長盧"。又《齊物論》："瞿鵲子問乎長梧子。"李云："居長梧下，因以爲名。"此聲同字異，一人耳。《御覽》三十七引《吕氏春秋》《長盧子》曰："山、嶽、河、海、水、金、石、火、木，此積形成乎地也。"

王狄子一篇
公子牟四篇

《列子·仲尼篇》:"中山公子牟,魏國賢公子。悦趙人公孫龍。"張湛云:"文侯子,作書四篇,號曰道家。"按平原君時,文侯歿且百年,不得爲文侯子也。詳《古今人表》。

田子二十五篇

《史記》:"田駢之徒,各著書。"《莊子·天下篇》:"田駢學於彭蒙。"按《尹文子·大道下篇》:"田子讀書,彭蒙在側。田子曰:'蒙之言然。'"又似彭蒙學於田子也。

老萊子十六篇

《魏策》:[1]"或謂黃齊曰:不聞老萊子之教孔子事君乎?示之其齒之堅也,六十而盡:相靡也。"《孔叢·抗志篇》又云:"子思見老萊子。老萊子曰:'子不見夫齒乎? 齒堅剛,卒盡相磨;舌柔順,終以不弊。'"蓋記載者誤分爲兩事也。《史記》云:"著書十五篇,與孔子同時。"《大戴記》《衛將軍文子篇》孔子語子貢老萊子之行。[2] 則《孔叢》所記妄矣。《文選注》十一劉向《別録》曰:"老萊子,古之壽者。"畢尚書沅《道德經序》:"案古有萊氏,《左傳》有萊駒,老萊子應是萊子,如列御寇師老商氏,以商氏稱老矣。"

黔婁子四篇　齊隱士,守道不詘,威王下之。

《列女傳》:"魯黔婁先生死,曾子與門人往弔。"當爲魯人,先曾子死,亦不當威王時。[3]

宮孫子二篇

鶡冠子一篇

《隋》、《唐志》並三卷,韓子《讀鶡冠子》云十六篇,《讀書志》云十五篇。《通考》晁氏曰:"按《四庫書目》十六篇,與愈合,已

---

① 按此引文實在《楚策》。
② "衛"字原脱,據《四部叢刊》影印明刻本《大戴禮記》補。
③ 《補注》引沈説本句後有"蓋別一人"四字。

非《漢志》之舊。今書乃八卷，前三卷十三篇，與今所傳《墨子》同；中三卷十九篇，愈所稱兩篇皆在；後兩卷有十九篇，多稱引漢以後事，皆後人雜亂附益之。今削去前、後五卷，止存十九篇，庶得其真。"按宋陸佃所注，自《博選》至《武靈王》十九篇，然其中龐煖論兵法，《漢志》本在兵家，爲後人傅合耳。其語多有可采。柳宗元謂惟賈生《鵩賦》所引用者爲美，餘無可者。彼信遍觀之而定論邪？何其牾疎也！韓子之言，當矣。

周訓十四篇

《隋志》有《周書陰符》九卷。《初學記》十七引云："凡治國有三常，一曰君以舉賢爲常，二曰官以任賢爲常，三曰士以敬賢爲常。"葢即此類。《御覽》亦引之。

黃帝四經四篇　黃帝銘六篇

《隋志》道經部："漢道書之流，其《黃帝》四篇、《老子》二篇最得深旨。"《列子·天瑞篇》："《黃帝書》曰：谷神不死，是謂玄牝。玄牝之門，是謂天地之根。緜緜若存，用之不勤。"又曰："形動不生形而生影，聲動不生聲而生響。"又曰："精神入其門，骨骸反其根，我尚何存？"《吕覽·去私篇》黃帝言曰："聲禁重，色禁重，衣禁重，香禁重，味禁重，室禁重。"《賈子·修政語上》黃帝曰：[①]"道若川谷之水，其出無已，其行無止。"不具錄。《淮南·泰族訓》黃帝曰："芒芒昧昧，因天之威，與元同氣。"此則至言要道，真道家之鼻祖。漢時黃帝、老子之言，自名其學，厥後轉湮。大約自淮南王等箸書，遞相剽竊，故真書反無傳焉。《志》敘於此，次第非也，谷神、玄牝之語爲老子所述，豈虛也哉？蔡邕《銘論》曰："黃帝有巾机之法。"《文心雕

---

① "語"字原脱，據《抱經堂叢書》本《新書》及本卷"大命"條補。

龍·銘箴篇》："帝軒刻輿几以弼違。"注："《皇王大紀》：帝軒作輿几之箴，以警晏安。"《御覽》五百九十《皇覽記》："武王問尚父曰：'五帝之誡，可得聞乎？'尚父曰：'黃帝之誡曰：吾之居民上也，搖搖恐夕不至朝，故爲金人，三封其口，古之慎言。'"《考證》曰："《金人銘》葢六篇之一也。"王欽若《先天紀》"帝作巾机之法，以箸經"。葢依此志爲說，而傅合之。《吳越春秋》禹"按《黃帝中經曆》，葢聖人所記，在於九山東南天柱，號曰宛委"。

黃帝君臣十篇

《五帝紀》："舉風后、力牧、常先、大鴻以治民，順天地之紀、幽明之占、死生之說、存亡之難。"《御覽》七十九《尸子》曰："子貢曰：'古者黃帝四面，信乎？'孔子曰：'黃帝取合己者四人，使治四方。不計而耕，不約而成，此之謂四面。'"王欽若《先天紀》："太公《六韜》曰：'風后、力牧五聖爲七公。'則五聖，五人也。"按此葢雜記其君臣事迹，爲後來言風后、力牧、大山稽等所本。

雜黃帝五十八篇
力牧二十二篇

《淮南·覽冥訓》："黃帝治天下而力牧、大山稽輔之，以治日月之行律，治陰陽之氣，節四時之度，正律曆之數。"《先天紀》："帝問張若謀敵之事。張若曰：'不如力牧能於推步之術。'"

孫子十六篇

《鹽鐵論·論功篇》："孫子曰：今夫國家之事，一日更百變，然而不亡者，可得而革也。逮出兵乎平原廣牧，鼓鳴矢流，雖有堯、舜之知，不能更也。"不稱兵法而言孫子，似是道家之孫子。

捷子二篇

《史記》作"接子"，張守節引此志爲證。原注"武帝時說"四字，涉下《曹羽》而誤錯。

曹羽二篇

郎中嬰齊十二篇
臣君子二篇

《史記‧樂毅傳》："樂臣公善修黃、老之言，顯聞於齊，稱賢師。"此臣君子是也，注"蜀人"，乃上文誤移。

鄭長者一篇

《韓非‧外儲說右》："鄭長者曰：田子方欲知爲廩，而未得所以爲廩。夫虛無無見者，廩也。"又唐易子對齊宣王曰："鄭長者有言曰：夫虛靜無爲而無見也。"《鹽鐵論》丞相史曰"吾聞諸鄭長孫"云云，未審即鄭長者否也？

楚子三篇
道家言二篇

按《隋志》列《黃石公三略》等於兵家，似當在道家。

右道三十七家

王氏《考證》增《素王妙論》。按其言但豔羨范之三致千萬，不知素王之妙，安在此也？或者後來繼《貨殖傳》而僞託乎？《隋志》五行家梁有太史公《素王妙議》二卷。《越世家》集解："太史公《素王妙論》曰：蠡本南陽人。""諸稱富者，非貴其身得志也，乃貴恩覆子孫、澤及鄉里也"。又曰："黃帝設五法，布之天下，用之無窮，蓋世有能知者，莫不尊親。如范子可謂曉之矣。管子設輕重、九府，行伊尹之術，則桓公以霸。范蠡行十術之計，二十一年之間，三致千萬，再散與貧。"《七略》云司馬遷撰，《史記正義》云二卷。今僅見此語於《太平御覽》。按此見《御覽》四百七十二，又《御覽》四百四太史公《素王妙論》曰："計然者，蔡丘濮上人。其先晉國公子也，姓辛氏，字文常，[①]南遊越，[②]范蠡師事之。"

道家者流

劉向序《列子》云："道家者，秉要執節，[③]清虛無爲，及其治身

---

①　"常"字，四庫本《御覽》作"當"。

②　"遊"字原脱，據四庫本《御覽》補。

③　"節"字，明世德堂刻本《列子》作"本"。

接物，務崇不競，合於六經。"班氏即用其語。《隋志》："黃帝以下，聖哲之士，所言道者，傳之其人，世無師說。漢時，曹參始薦蓋公，能言黃、老，文帝宗之。自是相傳，道學衆矣。"按《樂毅傳》贊序其源流云："樂臣公本師號曰河上丈人，不知其所出。河上丈人教安期生，安期生教毛翕公，毛翕公教樂瑕公，樂瑕公教樂臣公，樂臣公教蓋公，蓋公教於齊，爲曹相國師。"《御覽》五百十嵇康《高士傳》以安丘先生從河上公遊，又《道學傳》云樂鉅公曰安丘丈人，皆誤。

宋司星子韋三篇

《呂覽・制樂篇》："宋景公之時，熒惑在心。公懼，召子韋而問焉。子韋曰：'熒惑者，天罰也。心者，宋之分野也。禍當於君。'"《論衡・變虛篇》："按《子韋》書録序奏亦言子韋曰：'君出三善言，熒惑宜有動。'於是候之，果徙舍。"按充所引者，即劉向奏也。

公檮生終始十四篇　傳鄒奭《始終書》。

按言終始者鄒衍，非鄒奭，亦不當在鄒子前。《律曆志》："丞相屬寶、長安單安國、安陵梧育治《終始》，言黃帝已來三千六百二十九歲。"

公孫發二十二篇

文帝時魯人。公孫臣上書陳《終始五德傳》，言漢土德。發或臣之異名？

鄒子四十九篇

《文選注》："劉向《別録》曰：鄒衍在燕，燕有谷地美而寒，不生五穀。鄒子居之，吹律而溫氣至，五穀生。① 今名黍谷。"《史記》："其語閎大不經，必先驗小物，推而大之，至於無垠。先序今以上至黃帝，學者所共術，大並世盛衰。因載其禨祥

---

① "五穀"二字，清胡克家校刻本《文選》作"黍"，於義較勝。

度制,推而遠之。至天地未生,及海外人之所不能睹。稱引天地剖判以來,五德轉移,治各有宜,而符應若茲。又如燕,作《主運》。"《索隱》曰:"劉向《别録》有《主運篇》。"武帝時,嚴安上書稱鄒子曰:"政教文質者,所以云變也。"《周禮·司爟》注鄭司農説引《鄒子》,與《周書·月令》同。

鄒子終始五十六篇

《封禪書》:"齊威、宣之時,騶子之徒,論著終始五德之運,及秦帝而齊人奏之,故始皇采用之。"《鹽鐵論·論鄒篇》:"大夫曰:'鄒子疾晚世之儒、墨,不知天地之弘曠,守一隅而欲知萬方。於是推大聖終始之運,以喻王公列士。所謂中國者,天下八十分之一,名曰赤縣神州。而分爲九川,谷阻絶陵陸不通,乃爲一州,有八瀛海環其外,此所謂八極。'文學曰:'鄒衍非聖人,作怪惑,誤六國之君,《春秋》所謂匹夫熒惑諸侯也。'"①

乘丘子五篇

當作"桑丘",《隋·經籍志》"晋征南軍師楊偉撰《桑丘先生書》二卷"本此。

杜文公五篇

黄帝泰素二十篇　六國時,韓諸公子所作。

南公三十一篇

---

①　原書所引《鹽鐵論》譌謬難讀,中華書局 1992 年王利器校注本《鹽鐵論》據各本釐正原文如下:

大夫曰:"鄒子疾晚世之儒墨,不知天地之弘,昭曠之道,將一曲而欲道九折,守一隅而欲知萬方……於是推大聖終始之運,以喻王公……所謂中國者,天下八十一分之一,名曰赤縣神州,而分爲九州。絶陵陸不通,乃爲一州,有大瀛海圈其外。此所謂八極。"……文學曰:"鄒衍非聖人,作怪誤,熒惑六國之君,以納其説。此《春秋》所謂'匹夫熒惑諸侯'者也。"

《項羽本紀》楚南公曰："楚雖三户,亡秦必楚!"徐廣曰："楚人也,善言陰陽。"《真隱傳》:"居國南鄙,因以爲號,著書言陰陽事。"

容成子十四篇

《吕覽·勿躬篇》"容成作曆",此亦如《黄帝泰素》託名者也。《莊子·則陽篇》:"容成氏曰:除日無歲,無内無外。"

張蒼十六篇

《年表》云:"張蒼曆譜五德。"按蒼不數亡秦當五運者是也。公孫臣言土德而黄龍見,其偶中者耳。本傳言蒼絀於臣,[①]蒼之術豈不如臣哉?

鄒奭子十二篇

《文選注》三十六《七略》曰:"鄒赫子,齊人爲之語'雕龍赫'。"按赫、奭通用。《史》、《漢·竇嬰傳》可知。

閭丘子十三篇

馮促十三篇

將鉅子五篇　六國時,先南公,南公稱之。

五曹官制五篇　漢制,似賈誼所條。

本傳:"誼草具其儀法。色上黄,數用五,爲官名悉更奏之。"按《五曹算經》云:一爲田曹,地利爲先;既有田疇,必資人,故次兵曹;人衆必用食飲,故次集曹;衆既會集,必務儲蓄,次倉曹;倉廩貨幣相交質,次金曹。

周伯十一篇　齊人,六國時。

衛侯官十二篇　近世,不知作者。

于長天下忠臣九篇　平陰人,近世。

公孫渾邪十五篇

《公孫賀傳》云著書十餘篇。

---

① "於"後原衍"於"字,據殿本《史記·張丞相傳》及上下文意删。

雜陰陽三十八篇
右陰陽二十一家
陰陽家者流

《史記·自序》云:"陰陽之術,大祥而衆忌諱。四時、八位、十二度、二十四節,各有教令。逆之者不死則亡。使人拘而多所畏。"班論大略同。《通考》陳氏曰:"班《志》論陰陽家者流,蓋出於羲、和之官。至其論數術,則又以爲羲和卜史之流。而《司星子韋》不列於天文,而著之陰陽家之首,不知何以別之?豈此論其理,彼具其術邪?今《志》所載二十一家之書皆不存,無所考究,而隋、唐以來子部遂闕陰陽一家。"欽韓按所異者,以其猶知據古訓匡時失,若宰折睢、屈宜咎之徒,固足尚也;他術數則曲藝守職而已。漢使孝廉郎爲太醫令,善方藥者非令也。而將護之者,令事陰陽卜史之同異,亦猶是矣。

李子三十二篇

《食貨志》"李悝爲魏文侯作盡地力之教",《晋書·刑法志》:"律文起自李悝。悝撰次諸國法,著《法經》。以爲王者之政,莫急於盗賊,故其律始於《盗》、《賊》。盗賊須劾捕,故著《網捕》一篇。[①] 其輕狡、越城、博戲、借假、不廉、淫侈、踰制,以爲《雜律》一篇。又以《具律》具其加減,是故所著六篇而已。商君受之以相秦。"《後魏·刑罰志》:"商君以《法經》六篇入説於秦。"今按李悝爲律家之祖,三十二篇,則其自著書。

商君二十九篇

《隋志》:《商君書》五卷。《新唐志》:或作《商子》。《讀書志》云宋時亡三篇,又佚其二,凡二十四篇。《通考》晁氏謂司馬

---

① "一"字,殿本《晋書》作"二"。

貞於《史記·商君傳》未見《商君書》，不知"開塞"之義。以湯、武尚力，其道久塞，今日啟之。治者偏之民，當前刑而法。今本考之，所謂又佚二篇者，乃第十六《刑賞》、第二十一。無目。又按第十五《來民篇》云："今三晋不勝秦四世矣。自魏襄王以來，野戰不勝，城必拔。"又云："周軍之勝，華軍之勝，秦斬首而東之。"又《弱民篇》："秦師至，鄢郢舉，若振槁。唐蔑死於垂沙，莊蹻發於內楚。"①則皆在秦昭王時，非商君本書也。《御覽》二百九十七《商君書》曰："民之見戰如飢狼之見兔，則民可以用矣。"書中所無，即其佚篇。

申子六篇

《隋志》：梁有《申子》三卷，亡。新、舊《唐志》仍列之。《御覽》三百九十《申子》曰："明君治國，三寸之機運而天下定；方寸之謀正而天下治，一言正而天下定，一言倚而天下靡。"《繹史》一百十一集數十條。其云："妬妻不難破家，亂臣不難破國。智均不相使，力均不相勝。百世有聖人猶隨踵，千里有賢者是比肩。"大抵爲韓非之所本。《史記》云著書二篇。注："劉向《別錄》曰：今民閒所有上、下二篇，中書六篇，皆合二篇已備，過太史公所記。"《考證》："《七略》曰：孝宣皇帝重申不害《君臣篇》，使黃門郎張子僑正其字。"按出《御覽》二百二十一。②

處子九篇

《史記》"趙有劇子之言"，徐廣云："應劭《氏姓注》直云處子。"索隱曰："趙有劇辛。"《後書·酷吏傳》注引《風俗通》"趙有辯士處子"。處字注云"亦姓"。《風俗通》云："漢有北海太守處興。"劇字注云"又姓"。《史記》"燕有劇辛"，兩

---

① 　《四部叢刊》影印明刻本《商子》"楚"字後有"分爲五"三字，則"楚"字宜屬下讀。
② 　"二百"之"二"字原脱，據四庫本《御覽》補。

姓未知孰定也。

慎子四十二篇

《隋志》:《慎子》十卷。《舊唐志》:滕輔注。《通考》:一卷。陳氏曰:"今麻沙刻本纔五篇,非全書也。"按今五篇,《威德》一,《因循》二,《民雜》三,《德立》四,《君人》五,亦非完篇矣。《韓非·難勢》"飛龍乘雲,騰蛇遊霧,雲罷霧霽,而龍蛇與蚯蚓同矣,則失其所乘也"云云。《吕覽·慎勢篇》"今一兔走,百人逐之。非一兔足爲百人分也,由未定。積兔滿市,行者不顧,非不欲兔也,分已定矣"云云。所引《慎子》皆亡篇也。《意林》引《慎子》,其云"兩貴不相事,兩賤不相使","家富則疏族親,家貧則兄弟離","不聰不明,不能王;不瞽不聾,不能公","海與山爭水,海必得之","廊廟之材,非一木之枝;狐白之裘,非一狐之腋",其語爲雅俗所本。高誘云:"在申不害、韓非前,申、韓稱之。"《御覽》五百二十三《慎子》曰:"禮從俗政,上國有貴賤之禮,無賢不肖之禮;有長幼之禮,無勇怯之禮;有親疏之禮,無愛惡之禮也。"此條集《慎子》者所未采。

韓子五十五篇

《隋志》:《韓子》二十卷,目一卷。唐、宋《志》無目。明萬曆十年趙用賢刻《韓子》凡例云:"元何犿至元中所進《韓子》,止五十三篇,謂《姦劫》亡一篇,《説林》亡下篇,《内儲説》下篇《六微》内《似類》已下亡數章。今按古本,《説林》下篇之首尚有'伯樂教二人相踶馬'等凡十六條。近本俱自上篇'田伯鼎好士章'逕接下篇'蟲有蚘章',遂謂脱此下篇,其實未嘗亡也。又據近刻,《六微》後共闕二十八條,亦按古本校定。又宋本《和氏》第十三、《姦劫》第十四,文無闕。時本乃自'和雖獻璞而未美,未爲王之害也'下,逕接'我以清廉事上'句,既脱《和氏》末章,又并《姦劫篇》目而失之。今所校定,一準宋本。"《史記》:"韓非刑名法術之學,而其要歸本於黄、老。"《索隱》曰:

"《韓子》書有《解老》、《喻老》二篇，是大抵亦崇黄、老之學也。"

游棣子一篇

《鼌錯傳》"與洛陽宋孟及劉帶同師軹張恢生"，此"游棣"與
"劉帶"聲同。

鼌錯三十一篇

《隋志》：梁有《鼌氏新書》三卷，亡。新、舊《唐志》仍列之。
《文選注》二十六《朝子》曰："工商游食之民少而名卑。"又四十五
《賓戲》引《朝錯新書》曰："臣聞帝王之道，包之如海，養之如
春。"《御覽》九百四十四《朝子》曰："以火去蛾蛾愈多，以魚毆蠅
蠅愈至。"

燕十事十篇　法家言二篇

《韓安國傳》"嘗受《韓子》雜説鄒田生所"，則鄒田生亦法家之
一也。《燕十事》疑是燕王定國獄事。

右法十家

《考證》附入《漢律》、《令》，從之。《説文》引《漢律》"會稽獻鮚醬"，"會稽
獻藨一斗"，又"祠祀司命"，又"能捕豺貙，購百錢"，又"婦告威姑"，又"祠宗廟丹書
告"①，又"民不繇，貲錢二十二"，又"綺絲數謂之紙，布謂之總，綬組謂之首"，又"嘹
田茯草"，"及其門首洒涪"，又"賜衣者縑表白裏"，又"船方長爲舳艫"，又"齊人予妻
婢姦曰姘"，又"見妹變不得侍祠"。《周禮‧冢人》注："《漢律》：列侯墳高四丈，關内
侯以下至庶人各有差。"又《大胥》注："《漢大樂律》曰：卑者之子，不得舞宗廟之酬。
除吏二千石到六百石，及關内侯，到五大夫子，先取適子高七尺已上，年十二到三十，
顔色和順，身體修治者，以爲舞人。"又《典路》注："《漢朝上計律》：陳屬車于庭。"又
《大司馬》注："誓曰：無干車。無自後射。"疏云："此據《漢田律》。"又《士師》注："野
有《田律》。"《朝士》注："無故人人室宅廬舍、上人車船、牽引人欲犯法者，其時格殺
之，無罪。"疏云："舉《漢賊律令》。"按前、後兩《書》注所引甚多，不具列。章懷太子
《光武紀》注云："《漢律》今亡。"愚謂非亡也，魏晉以來，增損用之耳。

───────────

① "告"字原在下句"民"字前，據康本《漢志考》及《平津館叢書》本《説文解字》調
正。

法家者流

《莊子》稱:"慎到棄知去己而緣不得已,泠汰於物以爲道理。豪傑相與笑之曰:'慎到之道,非生人之行而至死人之理。'"荀卿《非十二子》云:"尚法而無法,下修而好作。取聽於上,取從於俗,是慎到、田駢也。"然此二人同術,亦道家之支流。而歆等列慎到於法家,非歟。

鄧析二篇

《隋志》:《鄧析子》一卷。《唐志》同。《讀書志》曰:"文字訛闕,或以'繩'爲'澠',以'巧'爲'功'。"今其書有《無厚》、《轉辭》二篇,瑣辭短章,不似設無窮之辯以屈子産者。劉向奏上:"臣所校讎中《鄧析》書四篇,臣叙書一篇,凡中外書五篇,以相校,除復重爲二篇。子産卒後二十年而鄧析死,傳或稱子産誅鄧析,非也。"

尹文子一篇

《隋》、《唐志》二卷,乃分上、下篇也。《書目》云:"漢末仲長統得其書,詮次爲上、下二篇。"《説苑》尹文對齊宣王曰:"事寡易從,法省易因。"其書言"有形者必有名,有名者未必有形。形而不名,未必失其方圜白黑之實。名而不可不尋名以檢其差,故名以檢形,形以定名,名以定事,事以檢名",大旨爲公孫龍所祖述,龍又加觿瑣焉。仲長統序稱其學於公孫龍,非也。晁氏又誤以"形名"爲"刑名",類未究其書者。然以"大道"爲書,而雜以山雞鳳皇,字長子曰"盜",少子曰"毆",詼嘲無稽,是禮服獻酬,忽跳地作沐猴戲也。

公孫龍子十四篇

《隋志》不著,《舊唐志》三卷,有賈大隱、陳嗣古注。《書録解題》:"今書六篇。首叙孔穿事,文意重複。"按六篇者,《蹟府》

一，叙與孔穿會平原君家。《孔叢·公孫龍篇》同。《白馬》二，言白馬非馬。《指物》三，言物莫非指，而指非指。《通變》四，言二非一。《堅白》五，言堅、白、石三爲一。《名實》六，言物正其實以正其名。滑稽遠不逮莊生，皆辯其不必辯也。《荀子·正名》論曰：“析辭擅作名以亂正名，使民疑惑，人多辯訟，則謂之大姦。”其此人歟！三耳之理，不勝孔穿；餘竅之發，復嗤子輿。龍也奚爲者也！

成公生五篇　與黃公同時。

惠子一篇

《莊子·天下篇》：“惠施之口談，自以爲最賢。南方有倚人焉曰黃繚，問天地所以不墜不陷，風雨雷霆之故，惠施不辭而應，徧爲萬物説，説而不休，猶以爲寡，益之以怪。由天地之道觀惠施之能，其猶一蚉一蝱之勞者也。”莊、惠相友，其稱之者如此。

黃公四篇

《文選注》三十四黃子曰：“駿馬有晨風、黃鵠，皆取鳥名馬。”

毛公九篇

右名七家

尹佚二篇

《説苑·政理篇》：“成王問政於尹逸曰：‘吾何德之行而民親其上？’對曰：‘使之以時，而敬順之，忠而愛之，布令信而不食言。天地之閒、四海之内，善之則畜也，不善則讎也。’”按此即尹佚之書。《保傅傳》尹佚爲少師，道與周召叶。三代異物，豈尚守胅胍之規、巫鬼之説，爲墨者之祖哉？《志》列於此，俱矣。王氏《考證》曰：“按《吕氏春秋》《當染篇》‘魯惠公使宰讓請郊廟之禮於天子。桓王魯惠公時當爲平王。使史角往，惠公止之。其後在於魯，墨子學焉’。意者史角之後，託於佚歟？”

田俅子三篇

《隋志》：梁有《田俅子》一卷。《呂覽》、《韓非》諸書作"田鳩"。
詳《古今人表》。《西京賦》注："《田俅子》曰：堯爲天子，蓂莢生於
庭，爲帝成曆。"

我子一篇

隨巢子六篇

《隋志》一卷。《容齋隨筆》云："馬總《意林》有鬼神賢於聖人
之論。"[1]《諸子彙函·隨巢子》曰："執無鬼者曰越蘭，問隨巢
曰：'鬼神之智何如？'曰：'聖也。'[2]越蘭曰：'治亂由人，何謂
鬼神邪？'隨巢子曰：'聖人生於天下，未有所資，鬼神爲四時
八節以化育之，乘雲雨潤澤以繁長之，皆鬼神所能也。豈不
謂賢於聖人？'"王氏《考證》云《藝文類聚》、《御覽》所引《隨巢
子》即墨氏明鬼之語。

胡非子三篇

《隋志》：[3]一卷。《意林》引云"胡非子修墨以教。有屈將子好
勇，聞墨者非鬭，帶劍危冠往見胡非子而問之。胡非言勇有
五等"云云。按其言與《説苑·善説篇》林既語齊景公同。無
稽之談，彼此般演，以是名家，一錢不直！始皇烈火，惜其不
分皁白。若此輩，恨不盡空之！

墨子七十一篇

《隋志》：《墨子》十五卷，目一卷。《館閣書目》云："自《親士》
至《雜守》爲六十一篇，亡九篇。"今本則九篇之外，又十篇無
目。孔穎達《大雅》疏引《墨子·備衝篇》，當在其後二卷中

---

① 文淵閣《四庫全書》本《容齋隨筆》"意林"後有"所述"二字，於義較勝。

② 自"鬼神之智"至"聖也"，《諸子彙函》本《隨巢子》作："'鬼神之智何如聖人？'
曰：'勝也。'"

③ 《補注》引沈説"隋"後有"唐"字。

也。高氏《子略》曰："墨子爲書，一切如莊周，如申、商、韓非、惠施之徒，雖不闚可也。惟其言近乎誣，行近乎僞，使天下後世信其説，害有不可勝言者，是以不可不加闚也。"_{欽韓}謂墨翟徒能熒惑一世耳，慮不足以及後。蓋目周衰文弊，習詐僞以鉗世，無所不至，學詭則名高，名高則榮利隨之。如翟，則巧僞之尤者矣。不然，彼猶是人也，獨糟食苦衣，爲孔、曾之所不爲，是賢於孔、曾也。使墨翟獨以堅忍刻厲爲之，猶曰性。然乃其教強窮里之罷士，數且千百，傳且數世，一聞墨子之風，而人之能糟食苦衣、摩頂放踵，曰爲天下，吾是以知其僞也。禽滑釐之徒，寧可語於孔氏之廝役，無所利而率爲苦行，雖商鞅之慘酷，不能立其法，是必不惜百金之賞，畀一木之移以爲標榜也。翟之齗牙赤舌，孰可慕，孰可畏哉？及觀其書，一則曰子墨子游耕柱子於楚，而遺墨子以金；再則曰游高石子於衛；復曰子墨子任人於衛，以遺其金少而反。又云："墨子勸人學曰：姑學乎！吾將任子。"又云："子墨子游公尚過於越。"又云："子墨子游魏越。"又云："曹公子游於子之門，處高爵禄。"又云："子墨子使勝綽事項子牛。"又云："墨子南見楚惠王。王以老辭，使穆賀見墨子。墨子説穆賀，穆賀大説。"論其事，稍知廉恥者所不欲宣，而居然筆諸書者，弟子與師其誘迪之道，誠如是也！游揚禄利以招其徒，勤苦節儉爲可憐之狀以干其主。猶有不信，則怵之以鬼，則亦乞食之一道耳。戰國之時，竭民膏血養無用之徒，何啻千萬，奚在於禽滑釐三百人之游食哉！所當誅絶者，門户既立，飽食無事，乃鼓其狂瀾，誣毀大聖，適當人心狂易失據之時、世運剥撓無底之隙，爲鬼爲蜮，使後生小子，中於隱微，憬於心府；使聖道蒙昧，疑信相參，而墨之學乃高揭於世，動曰孔、墨。是固大賢所痛心疾首、如救焚溺。故觀孟子、荀卿之闢墨深淺，可以定兩家之優劣矣。逮乎後世,天下一君,浮僞日消,使墨翟尚在,亦無所沾衒,況徒存糟粕之言、師巫囈語乎!使孟子當其際,雖無辯可也。然則後儒之助孟子張目者,猶重視乎墨翟而未悉其姦欺也。獨怪昌黎韓氏自詡於學,以爲庶幾者,猶曰:"孔子必用墨子,墨子必用孔子。"可謂喪其本然,而亦有以窺其無所得也。彼欲存其書者,則又曲爲之辭曰其徒之所爲。夫不有盜魁,安能攻城殺吏;苟非其師之説,而徒敢倡爲非聖無法哉?然則二氏之甚猖狂者,皆可曰其徒使然邪?

右墨六家

墨家者流

《莊子・天下篇》:"相里勤之弟子五侯之徒,南方之墨者苦獲、己齒、鄧陵子之屬,俱誦《墨經》,而倍譎不同,相謂別墨。"《韓非・顯學篇》:"世之顯學,儒、墨也。有相里氏之墨,有相夫氏之墨,有鄧陵氏之墨。"其徒見於墨翟書者十數人。《吕覽》有腹䵍、許犯、田繫、索盧參、孟勝、徐弱等百八十三人,田襄子、謝子、唐姑果,《列子》有東門賈,《孟子》有夷之,《論衡》有纏子。《文選・文賦》注引《纏子》。《淮南・泰族訓》:"墨子服役者百八十人,皆可使赴火蹈刀。"其私名門人,如蚋聚醯、蟻慕羶,揚、秉稷下之徒,未有若是之衆也。

蘇子三十一篇

今見於《史記》、《國策》者,灼然爲《蘇秦》者八篇,其短章不與。秦死後,蘇代、蘇厲等並有論説,《國策》通謂之"蘇子"。又誤爲《蘇秦》,是三十一篇,容有代、厲并入。王氏《考證》雜舉《後漢書》注、《御覽》引《蘇子》者。按《隋志》道家有晋北中郎參軍蘇彦撰七卷,雜家有蘇道撰《立言》六卷。後來徵用,既無的指,不敢信爲此《蘇子》也。《御覽》四百六十九《蘇子》曰:"載貂鶡之尾。"六百八《蘇子》曰:"載百王、紀治亂,莫過乎《史》、《漢》。"則魏晋人語無疑也。

張子十篇

尹知章序《鬼谷子》曰："蘇秦、張儀往事，受捭闔之術十有二章，復受《轉丸》、《胠篋》三章。然秦、儀用之，裁得温言酒食貨財之賜。秦也、儀也知道未足行，復往見，具言所受於師，行之，少有口吻之驗耳，未有傾河填海移山之力，豈可更聞至要，使弟子得見其閫奥乎？先生曰：爲子陳言至道。齋戒擇日而往見，先生乃正席而坐，嚴顔而言，告二子以全身之道。"按此注家欲尊其書而爲之説。

附鬼谷子三卷

《隋志》有皇甫謐、樂壹注，今所行者，陶弘景注。《史記》注："《風俗通義》曰：鬼谷先生，六國時從橫家。"索隱曰："樂壹注《鬼谷子》書云：蘇秦欲神祕其道，故假中鬼谷。"按《秦策》："蘇秦得《太公陰符》之《謀》，簡練以爲《揣》、《摩》。"《鬼谷》書有《揣》篇、《摩》篇、《謀》篇，有《本經陰符七術》，則言蘇秦作，似矣。然《説苑·善説篇》鬼谷子曰："人之不善而能矯之者，難矣。説之不行，言之不從者，其辨之不明也；既明而不行者，持之不固也；既固而不行者，未中其心所善也。辨之、明之、持之、固之，又中其人之所善，言神而珍，白而分，能入於人之心，如此而説不行者，天下未嘗聞也。"《史記·自序》云："故曰：聖人不朽，時變自守。虛者，道之常也；因者，君之綱也。"索隱曰："此出《鬼谷》。"據此兩家，則別有《鬼谷子》，其篇第多寡亦不合。蓋中書不叙，故《志》無其目耳。本十三篇，今亡《轉丸》、《胠篋》二篇。《田完世家》索隱引《鬼谷子》云："田成子殺齊君，十二代而有齊國。"《意林》引《鬼谷子》云："人動我靜，人言我聽，能固能去，在我而問。知性則寡累，知命則不憂。憂、累去則心平，心平而仁義著矣。"《御覽》六百二十《鬼谷子》曰："事聖君，有聽從，無諫諍；事中君，有諫諍，無諂；事暴君，有補削，無矯拂。"又曰："君得名則羣臣恃之。"此蓋《鬼谷子》亡篇中文句。

龐煖二篇

疑後人并入《鶡冠子》。

闕子一篇

《文選·百一詩》：①《闕子》曰：“宋之愚人，得燕石於梧臺之側，藏之以爲大寶。周客聞而觀焉。主人齋七日，端冕玄服以發寶，革十重、巾十襲。客見，俛而掩口盧胡而笑，曰：‘此特燕石也，_{燕，今俗以“贋”代。}其與瓦甓不殊。’主人大怒，曰：‘商賈之言，醫匠之心。’藏之愈固，守之彌謹。”《藝文類聚》又有“宋景公使弓工爲弓，九年來見”事，或是《闕子》正文也，亦見《御覽·弓部》。《隋志》：梁元帝有《補闕子》十卷。_{《御覽》三百八十一《闕子》曰“西施自窺於井，不恃其美，猶佐湯沐。堯、舜自窺於世，不恃其美，猶須才德，況中庸而拒諫”云云。八百三十四《闕子》曰：“魯人有好釣者，以桂爲餌；黃金之鈎，錯以銀碧，垂翡翠之綸，其持竿處位則是，然其得魚不幾矣。故曰，釣之務，不在芳餌；事之急，不在辯言。”又有“任公子冬羅鯉於山阿”。此其詞飾，非周秦人文字，顯然可知。王氏《考證》以徵《闕子》，非也。}

國筮子十七篇

秦零陵令信一篇

蒯子五篇

本傳：“通論戰國時説士權變，亦自序其説，凡八十一首，號曰《雋永》。”

鄒陽七篇

《説苑·尊賢篇》：“鄒子説梁王曰：《詩》曰：‘緜緜之葛，在於曠野。良工得之，以爲絺紵。良工不得，枯死於野。’不遇明君聖主，幾行乞丐，枯死於中野，譬猶‘緜緜之葛’矣。”

主父偃二十八篇

《考證》：《説苑》《善説篇》主父偃曰“人而無辭，安所用之”云云。

---

① 按下引文乃《文選·百一詩》李善注文。

按本傳，偃學長短縱橫術。

徐樂一篇　莊安一篇

皆載本傳。

待詔金馬聊蒼三篇

右縱橫十二家

縱橫家者流

《韓非·五蠹篇》："從衡之黨，借力於國。從者，合衆弱以攻
一強也；衡者，事一強以攻衆弱也。皆非所以持國也。今人
臣之言衡者皆曰：不事大則遇敵受禍矣。事大未必有實，則
舉圖而委地，效璽而請兵。獻圖則地削，效璽則名卑。事大
爲衡，未見其利，而亡地亂政矣。人臣之言從者皆曰：不救小
而伐大，則失天下，國危而主卑。救小未必有實，則起兵而敵大
矣。出兵則軍敗，退守則城拔。救小爲從，未見其利，而亡地敗
軍矣。"按游士之效如此，洎乎國亡，則其徒錦衣玉食，富貴已百
餘年矣。諸葛武侯曰"不圖從橫之事，復見於今"，言其道最賤
也。張儀之惡，甚於蘇秦，其歸則巫、匠之殊耳，何分優劣！

孔甲盤盂二十六篇

《繹史》："《七略》曰：《盤盂書》者，其傳言孔甲爲之。孔甲，
黃帝之史也。書盤盂中爲戒法，或於鼎，名曰銘。"《文心雕
龍》云："成湯盤盂著日新之規。""田蚡學盤盂諸書"。按宋編
《御覽》以爲帝孔甲。

大厹三十七篇　傳言禹所作，其文似後世語。

《新書·修政語》大禹曰："民無食也，則我弗能使也。功成而
不利於民，我弗能勸也。"《博物志》："處士東鬼槐責禹亂天下
事，禹退作三章。強者攻，弱者守，敵戰，城郭葢禹始也。"理至
不通。張華所記類如此。《周書·文傳解》："《夏箴》曰：'中不容
利，民乃外次。'《開望》曰：'土廣無守，可襲伐；土狹無食，可

圍竭。'"又"《夏箴》曰"云云。

子晚子三十五篇　齊人，好議兵，與《司馬法》相似。

伍子胥八篇①

由余三篇

《韓非·十過篇》秦穆公問由余事，②比《吕覽》爲詳，史遷采入《秦本紀》。《新書·禮篇》引由余語。

尉繚子二十九篇③

《隋志》雜家《尉繚子》五卷，梁并録六卷，《舊唐志》：六卷。梁惠王時人。按梁惠王問者，當在兵形勢家，疑此别也。《始皇本紀》："大梁人尉繚來説秦王，其計以散財物，賂諸侯豪臣，不過三十萬金，則諸侯可盡。"《秦策》有頓弱説秦王"資萬金，使東遊韓、魏，入其將相；北遊燕、趙，而殺李牧"。正與尉繚謀同。頓弱與尉繚乃一人，記異耳，是此之尉繚也。《初學記》："《尉繚子》曰：天子宅千畝，諸侯百畝，大夫以下里舍九畝。"《御覽》六百八十四引《尉繚子》曰："天子玄冠玄纓，諸侯素冠素纓，大夫以下練冠。"④並類雜家言。

尸子二十篇

《後書·宦者傳》注："尸子，晋人也，作書二十篇，十九篇陳道德仁義之紀，一篇言九州險阻，水泉所起。"《隋志》："其九篇亡，魏黄初中續。"《公》、《穀》二家，並引尸子，未知即其人否也？郭璞《爾雅注》引《尸子》。邢昺疏："《尸子·廣澤篇》云：墨子貴兼，孔子貴公，皇子貴衷，田子貴均，列子貴虚，料子貴别囿。其舉之相非也數世矣。"又《釋天》疏云："《尸子·仁意篇》述太平之事。"又《釋山》疏《尸子·綽子篇》云云，證

①　"伍子胥八篇"於《漢書·藝文志》在"子晚子三十五篇"之前。
②　"十過"原誤作"一紀"，據《補注》引沈説改。按《韓非子》無"一紀"篇。
③　"子"字原脱，據殿本《漢書·藝文志》補。
④　四庫本《御覽》"練冠"後有"練纓"二字，於義較勝。

山有名密者。宋初猶未亡，故疏能據其篇章。今惟《勸學》一篇稍完，而《御覽》所引頗多。三百二十七"公輸般爲蒙天之階成，將以攻宋"事，與《墨子·公輸篇》、《宋策》大略同。

呂氏春秋二十六篇

總十二紀、八覽、六論也。十二紀，紀各五篇；八覽，覽各八篇；六論，論各六篇，凡百六十篇。第一覽少一篇。按不韋之書，弘益良多。以其與《淮南》並雜采諸書，故入雜家。然《呂氏》隸名，篇各有指歸，比於《淮南》市井販賣者懸絶，且帝王舊物猶可窺尋；所惜者，秦僅處墨之徒，本無儒者。雖極崇王道，終是旁門。王氏《考證》糾其引夏、商之《書》，異於今僞古文者爲舛謬，恐未能睨市門之金也。

淮南内二十一篇

其《要略》一篇，自叙也。《隋志》許慎、高誘兩家注並列，今惟存高誘注。鼂公武曰："許慎自名注曰'記上'。"今許注已亡。《文選注》、《御覽》等書閒引之，或又以高爲許，頗難識別。《景十三王傳》云："淮南王安好書，所招致率多浮辯。"則是書之定論也。周氏《涉筆》曰："《淮南子》多本《文子》，因而出入儒、墨、名、法諸家，雖章分事彙，欲成其篇，而本末愈不相應。且并其事自相舛錯，如云：'武王伐紂，載尸而行，海内未定，故不爲三年之喪。'又云：'天下未定，海内未輯，武王欲昭文王之令德，使夷狄各以其賄來貢，遼遠未能至，故治三年之喪，殯兩楹，以俟遠方。'當諸子放言之時，不自相考，幾無一可信者。又謂武王用太公之計，爲三年喪，以不蕃人類。嘻，又甚矣。"按《淮南》襲《文子》，此其顯然者。若《莊》、《列》、《慎》、《韓》、《尸佼》、《吕覽》、兵家書無不弋獲，今者九流僅存十一，猶可追蹤。若在當時，按之殆無一字自作，而自云"字挾風霜"，推其盜寫虎符，不亦拙謀易露邪？篇中殊無芟截總彙之才，極其汎濫。

而止即如《兵略》一篇"雷霆風雨"之語至四五見，其他可知。高誘
爲之注解，并舉音讀，實有裨於小學矣。

淮南外三十三篇

本傳云："《外書》甚衆。"高誘序："劉向校定撰具，名之
《淮南》。《西京雜記》："安著《鴻烈》二十一篇。"誘序云"號曰《鴻烈》"，是先
名《鴻烈》。又有十九篇者，謂之《淮南外篇》。"與此三十三篇
不同，蓋其後或有缺矣。按《文選注》引《淮南莊子後解》，
疑即外篇。

東方朔二十篇

本傳載二篇。《隋志》：《東方朔集》二卷。

伯象先生一篇①

《御覽》八百十一《新序》："公孫敖問伯象先生曰：'今先生收天
下之術，博觀四方之日久矣，②未能裨世主之治，明君臣之義，
是則未有異於府庫之藏金玉、篋之囊簡書也。'"又八百十三《新
序》："公孫敖曰：夫玉石金鐵，猶可琢磨以爲器用，而況於
人？"按今《新序》無之。

荊軻論五篇

《文心雕龍·頌讚篇》"相如屬筆，始讚荊軻"，注："《文章緣
起》：司馬相如《荊軻贊》，世已不傳。厥後，班孟堅《漢史》以
論爲贊。"按此亦以贊爲論也。

吳子一篇

公孫尼一篇

博士臣賢對一篇　　漢世，難韓子、商君。

臣說三篇　　武帝時作賦。

---

① "一"前原衍"論"字，據殿本《漢書·藝文志》刪。
② "觀"字原脱，據四庫本《御覽》及《補注》引沈說補。

解子簿書三十五篇

推雜書八十七篇

雜家言一篇　王伯，不知作者。

右雜二十家

雜家者流

《隋志》："古者司史歷記前言往行、禍福存亡之道。然則雜者，蓋出史官之職。"

神農二十篇　六國時，諸子疾時怠於農業，道耕農事，託諸神農。

許行爲神農之言，其遺教尚矣。《管子·揆度篇》："神農之數曰：一穀不登，減一穀，穀之法什倍。二穀不登，減二穀，穀之法再什倍。夷疏滿之，無食者予之陳，無種者貸之新。"《文子》、《呂覽》並稱神農之教曰："士有當年而不耕者，天下或受其飢矣。女有當年而不績者，則天下或受其寒矣。"鼂錯引神農之教曰："石城十仞，湯池百步，帶甲百萬，而無粟，弗能守也。"此閒有古訓，不必盡六國時也。《齊民要術》《種穀》第三氾勝之曰："溲種法，神農復加之骨汁、糞汁。"

野老十七篇　六國時，在齊、楚閒。

《御覽》六百十張顯《逸民傳》叙之，[①]然所謂野老，特叙錄不顯其名耳。按《隋志》：梁有《陶朱公養魚法》。《齊民要術》引《陶朱公養魚經》："威王聘朱公，問之曰：'聞公在湖爲漁父，在齊爲鴟夷子皮，在西戎爲赤精子，在越爲范蠡，有之乎？'曰：'有之。'曰：'公任足千萬，家累億金，何術乎？'朱公曰：'夫治生之法有五：水畜第一。水畜，所謂魚池也。'"《唐志》有《范子計然》十五卷，范蠡問，計然答。《貨殖傳》裴駰按《范子》曰："計然者，葵丘濮上人，姓辛氏，字文子，其先晉國亡公子也。嘗南游於越，范蠡師事之。"《意林》引《范子》云："計然爲人有内無外，狀貌似

---

① 四庫本《御覽》卷六百十無《逸民傳》，卷五百十袁淑《真隱傳》叙"野老"。

不及人。少而明，學陰陽，見微知著，其志沈沈不肯自顯，天下莫知，故稱曰'計然'。計然時遨遊海澤，號曰'漁父'。范蠡請其見越王，計然曰：'越王鳥喙，不可與同利也。'"顔師古《貨殖傳》注云："其書則有《萬物録》，著五方所出。"按《文選·西京賦》注："《范子計然》曰：玉英出藍田。"《御覽》："《范子計然》曰：六尺繭席出河東，上價七十。蒲席出三輔，上價百。"又有武都、隴西等名，明是漢人附益，然其《萬物録》獨非范子書。見《皇覽》及晋《中經簿》。高氏《子略》曰："卷十有二，《意林》亦云卷十二。極陰陽之變，窮曆數之微。其言之妙者有曰：'聖人之變，如水隨形。'"《御覽》四百一亦引之，《意林》亦云並陰陽曆數之言。則顔師古所云言萬物五方所出，特其一篇，彼勦聞而未見其書也。今其書已亡，《越絶書·計倪内經》、《外傳枕中》二篇，與越王言陰陽之數、天地之圖，即從《范子》書中采取耳。《枕中篇》，《齊民要術》引作《范子》。《御覽》八百二十一《范子計然》曰："'請問九田隨世盛衰，有水旱貴賤，願聞其旨。'計然曰：'諸田各有名，其從一官起始，以終九官，所以設諸田差高下，治進退也。假令一值錢百金，一值錢九百，此略可知。從一畝至百畝，直是大之極也。'"①此《唐志》所云范蠡問、計然答也。計然之書，彰灼於漢，必非僞造，然《史記》著之而《漢志》遺之，不知野老之即計然也。《齊民要術》："《范子計然》曰：五穀者，萬民之命，國之重寶，故無道之君，不能積其盛有餘之時，以待其衰不足也。"

宰氏十七篇

董安國十六篇　漢代内史，不知何帝時。

尹都尉十四篇　不知何世。

《唐志》：《尹都尉書》三卷。《齊民要術》《種穀篇》氾勝之曰："區種，驗美田至十九石，中田十三石，薄田一十石。尹澤取減法。"似尹都尉名澤也。《御覽》九百八十劉向《別録》曰："《尹都尉書》有《種芥》、《葵》、《蓼》、《薤》、《蔥》諸篇。"《考證》引《北

---

①　四庫本《御覽》"大"字後有"貴"字，於義較勝。

史》蕭大圜云："穬菽尋氾氏之書，露葵徵尹君之録。"

趙氏五篇　不知何世。

疑即趙過教田三輔者。《齊民要術》《耕田》第一崔寔《政論》曰："趙過教民耕殖法，三犁共一牛，一人將之，下種挽耬，皆取備焉。日種一頃，至今三輔猶賴其利。"

氾勝之十八篇　成帝時爲議郎。

《隋志》：《氾勝之書》二卷。《齊民要術》："《氾勝之書》曰：凡耕之本在於趣時，和土，務糞澤，早鋤穫。春凍解，地氣始通，土一和解。夏至，天氣始暑，陰氣始盛，土復解。夏至後九十日，晝夜分，天地氣和。以此時耕田，一而當五，名曰膏澤，皆得時功。春地氣通，可耕堅硬強地黑壚土，輒平摩其塊以生草；草生復耕之；天有小雨復耕和之，勿令有塊以待時。所謂強土而弱之也。春候地氣始通：椓橛木長尺二寸，埋尺，見其二寸；立春後，土塊散，土沒橛，陳根可拔。《詩·大田》正義不知《鄭箋》乃引此，而云《月令》注言農書，不知出誰書也。至《月令》疏乃云：鄭所引農書，先師以爲《氾勝之書》。由此可知孔氏雖冠名，不出一人之手，或《禮記疏》承舊疏之文。博洽之難如此。此時二十日以後，和氣在，即土剛。以此時耕，一而當四；和氣去，耕，四不當一。杏始華榮，輒耕輕土弱土。望杏花落，復耕。耕輒藺之。草生，有雨澤，耕重藺之。土甚輕者，以牛羊踐之。如此則土強。此謂弱土而強之也。慎無旱耕。須草生，至可種時，有雨即種土相親，句。苗獨生，草穢爛，皆成良田。此一耕而當五也。不如此而旱耕，塊硬，苗、穢同孔出，不可鉏治，反爲敗田。秋無雨而耕，絶土氣，土氣堅垎，名曰'腊田'。及盛冬耕，洩陰氣，土枯燥，名曰'脯田'。脯田與腊田，皆傷田，二歲不起稼，則一歲休之。冬雨雪止，輒以藺之，掩地雪，勿使從風飛去；後雪復藺之，則立春保澤，凍蟲死，來年宜稼。得時之和，適地之宜，田雖薄惡，收可畝十石。"按此乃草人土化之法，故鄭注亦云："土化之法，化之使美，若氾勝之術也。"賈疏不能引此，淺陋。又有區種九穀法曰："湯有旱災，伊尹作爲區田。"《後書·劉愷傳》："永平中，以郡國牛疫，通使區種增耕。"詳彼疏證。《御覽》八百二十三亦多引《氾勝之書》，然不出《齊民要術》所引也。

蔡癸一篇　宣帝時，以言便宜，至弘農太守。

《御覽》八百二十二崔元始《正論》曰即崔寔。："宣帝使蔡癸教民耕田，三犁共一牛，一人持之，下種挽耬，皆取備焉。一日種一頃。"

王氏六篇①　不知何世。

右農九家

農家者流

《吕覽·上農》、《任地》二篇，皆引"后稷曰"。《任地》以下三篇，似全述古者樹藝收穫之法，此農書之祖。

伊尹説二十七篇　其語淺薄，似依託也。

《説苑·君道》、《臣術》並有湯問伊尹答，其語誠淺薄。

鬻子説十九篇

《舊唐志》於小説家亦載《鬻子》一卷。《文選注》三十六《鬻子》曰："武王率兵車以伐紂，紂虎旅百萬陳於商郊，起自黄鳥，至於赤斧。《御覽》三百一引作"赤鳥"。② 三軍之士，靡不失色。武王乃命太公把旄以麾之，紂軍反走。"《御覽》三百八十三引鬻子年九十見文王事。按此類小説也。

周考七十六篇　考周事也。

青史子五十七篇　古史官記事也。

《新書·胎教篇》："青史氏記胎教。"《隋志》：梁有《青氏子》

---

① 本條於《漢書·藝文志》在"蔡癸一篇"條前。

② "鳥"字，四庫本《御覽》作"甫"。

一卷,録一卷。《風俗通》:"《青史子》書説:雞者,東方之牲也,歲終更始,辨秩東作,萬物觸户而出,故以雞祀祭也。"

師曠六篇

《説苑·辨物篇》"晋平公出畋,見乳虎,伏而不動,顧謂師曠曰:'吾聞霸王之主出,則猛獸伏不敢起。今者寡人出見乳虎,伏而不動,此其猛獸?'師曠曰:'鵲食蝟,蝟食駿蟻,駿蟻食駮,駮食虎。夫駮之狀,有似駁馬。今者君之出,必驂駁馬乎?'公曰:'然。'師曠曰:'臣聞之:一自誣者窮,再自誣者辱,三自誣者死'"云云。又《御覽》三百六十九《瑣語》曰:"晋師曠晝侍平公,鼓瑟輟行,笑曰:'齊君與嬖人戲,墜牀傷臂。'公書記之。使問齊候,①果如其言。"按此類小説也。《説苑·君道》首載平公問師曠人君之道。

務成子十一篇

《荀子·大略篇》"舜學於務成昭",《韓詩外傳》五"堯學於務成子"。附《志》與《外傳》同。楊倞引《尸子》曰:"務成昭之教舜曰:'避天下之逆,從天下之順,天下不足收也;避天下之順,從天下之逆,天下不足失也。'"

宋子十八篇　孫卿道宋子,其言黄老意。

《莊子·天下篇》宋鈃、尹文並稱。《尹文子》下篇:"田子讀書,曰:'堯時太平。'宋子曰:'聖人之治以致此乎?'"《荀子·正論》:"子宋子曰:明見侮之不辱,使人不鬭。人皆以見侮爲辱,故鬭也。"又云:"子宋子曰:人之情欲寡,而皆以己之情欲爲多,是過也。"《非十二子》與墨翟同稱,則其言又類墨家。《孟子》之"宋牼"。

天乙三篇　天乙謂湯,其言非殷時,皆依託也。

---

① "齊"字原誤作"其",據四庫本《御覽》及上下文意改。

《新書·修政語篇》湯曰：[1]"學聖王之道者，譬其如日；靜思而獨居，譬其若火。"又曰："藥食嘗於卑，然後至於貴；藥言獻於貴，然後聞於卑。"《説苑·君道》引湯同。

黄帝説四十篇　　迂誕依託。　　封禪方説十八篇

此方士所本，史遷所云"其文不雅馴"。《通考》：《黄帝内傳》一卷。

待詔臣饒心術二十五篇　　武帝時。

待詔臣安成未央術一篇

臣壽周紀七篇

虞初周説九百四十三篇

《封禪書》："雒陽虞初等以方祠詛匈奴、大宛。"

百家百三十九卷

《御覽》八百六十九《風俗通》："按《百家書》：宋城門失火，汲取池中水以沃之，魚悉露見，但就取之。"《後書》仲長統詩："百家雜碎，請用從火。"

右小説十五家

小説家者流

《滑稽傳》"東方朔博觀外家之語"，即傳記小説也。《文選注》三十一《桓子新論》曰："小説家合叢殘小語，近取譬論，以作短書，治身理家，有可觀之詞。"《隋志》首以《燕丹子》冠小説家。《漢》録無一存者。[2]

屈原賦二十五篇

自《離騷》至《大招》適二十五篇。《隋志》專列楚詞一家，云：

---

① "語"字原脱，據《抱經堂叢書》本《新書》及本卷"大帝"條補。

② 《漢書補注·藝文志·諸子略》小序自注"鬻鞠一家，二十五篇"句後，引"沈欽韓曰：從諸子家出，入兵技巧"，疑本書有脱文。

"漢武帝命淮南王爲之章句。且受詔,食時而奏之,其書今亡。後漢校書郎王逸,集屈原已下,迄於劉向。逸又自爲一篇,并叙而注之,今行於世。隋時有釋道騫善讀之,能爲楚聲,音韻清切,至今傳《楚辭》者,皆祖騫公之音。"按漢時朱買臣召見,言《楚辭》;宣帝徵能爲《楚辭》,九江被公召見誦讀。爾時自有專門,可知其音讀非易也。

唐勒賦四篇

《御覽》六百三十三宋玉賦云:"景差、唐勒等並造《大言賦》。"

宋玉賦十六篇

《考證》云:"《楚辭》:《九辯》、《招魂》。《文選》:《風賦》、《高唐》、《神女》、《登徒子好色賦》。《古文苑》:《大言》、《小言》、《釣》、《笛》、《諷》、《舞賦》。"按《笛賦》非宋玉作。《隋志》:《宋玉集》三卷。

趙幽王賦一篇

本傳作"歌"。

莊夫子賦二十四篇　名忌,吳人。

《楚辭章句》王逸云:"《哀時命》者,嚴夫子之所作也。"

賈誼賦七篇

《隋志》:梁有《賈誼集》四卷。《楚辭章句》云:"《惜誓》者,不知誰所作,或曰賈誼。"《御覽》五百八十二賈誼《簨簴賦》曰:"纓擊拳以蟉虬,負大鍾而欲飛。"《古文苑》有《旱雲賦》。

枚乘賦九篇

《隋志》:梁有《枚乘集》二卷。《考證》云:"《古文苑》有《梁王菟園賦》,《文選注》:王粲《七哀詩》。《枚乘集》有《臨霸池遠訣賦》。"按《西京雜記》又有《柳賦》。

司馬相如賦二十九篇

《初學記》有《美人賦》,所謂"玉釵掛臣冠,羅袖拂臣衣"者也。

淮南王賦八十二篇　羣臣賦四十四篇

《招隱》入《楚辭》。《隋志》：集一卷。梁二卷。《考證》："劉向
《別錄》：淮南王有《熏籠賦》。"見《御覽》七百十一。按《古文苑》有
劉安《屏風賦》。

孔臧賦二十篇

《考證》："《孔叢子》云：臧嘗爲賦二十四篇，四篇別不在集，似
其幼作。"《御覽》九百二十七："漢太常孔臧，仲尼之後，以才學知
名，作《鴞賦》曰：'季夏庚子，思道靜居。爰有飛鴞，集我室隅。
異物之來，吉凶是符。昔在賈生，有識之士。忌茲鵩鳥，[①]卒用
喪己。[②]咨我令考，信道秉真。變怛生家，謂之天神。[③]修德
滅邪，化及其鄰。'"又《藝文類聚》有孔臧《蓼蟲賦》。

陽丘侯劉隁賦十九篇

吾丘壽王賦十五篇

《考證》："《藝文類聚》有《驃騎論功論》，而賦不傳。"

蔡甲賦一篇

上所自造賦二篇

《傷李夫人》及《秋風辭》。《隋志》：《武帝集》一卷。

兒寬賦二篇

光祿大夫張子僑賦三篇

陽城侯劉德賦九篇

劉向賦三十三篇

樂家所出《琴頌》應入此。《文選·琴賦》注："劉向《雅琴賦》
曰：遊予心以廣觀，[④]且德樂之愔愔。"《楚辭》有《九歎》，《古文

---

① "鵩鳥"二字原誤作"爲鴞"，據衍刻卷(按清光緒二十六年浙江書局刻《後漢書
疏證》第二十七卷乃衍刻本書《詩賦略》至《方技略》之全文，今取以爲校，簡稱"衍刻卷"，
後同)及四庫本《御覽》改。

② "卒用喪己"原誤作"喪用己"，據四庫本《御覽》改。

③ "謂"字原脫，據四庫本《御覽》及《漢魏叢書》本《孔叢子》補。

④ "予"字原誤作"於"，據衍刻卷及清胡克家校刻本《文選》改。

苑》有《請雨華山賦》。

王襃賦十六篇

《隋志》：《王襃集》五卷。傳云作《甘泉》、《洞簫頌》。《洞簫賦》在《文選》，《楚辭》有《九懷》。《文選注》五十五王襃《碧雞頌》曰："持節使者敬移金精神馬，縹縹碧雞。歸來歸來，漢德無疆。黃龍見兮白虎仁，歸來歸來，可以爲倫。歸來翔兮，何事南荒？"漢時賦、頌通稱。《聖主得賢臣頌》亦其一也。高誘注《呂覽》，引班固《幽通頌》。

右賦二十家

陸賈賦三篇

枚皋賦百二十篇

本傳："頗詼笑，不甚閑靡。凡可讀者百二十篇。"

朱建賦二篇

常侍郎莊葱奇賦十一篇

嚴助賦三十五篇

朱買臣賦三篇

劉辟彊賦八篇　以下唐、宋類書無可考者，不書本文。

司馬遷賦八篇

《藝文類聚》、《文選注》引司馬遷《悲士不遇賦》。

揚雄賦十二篇

《考證》云："本傳作四賦。《志》云入揚雄八篇，蓋《七略》所載，止四賦也。《古文苑》有《太玄》、《蜀都》、《逐貧賦》。《文選注》引《覈靈賦》。"《御覽》一《覈靈賦》曰："自今推古，至於元氣始化。古不覽今，名號迭毀。請以《詩》、《春秋》言之。"

博士弟子杜參賦二篇

按參與劉向同事者。《文選注》：《七略》又有"尚書郎中北海展隆”。

孫卿賦十篇

《荀子・賦篇》所載是也。

秦時雜賦九篇

劉勰《詮賦篇》“秦世不文，頗有雜賦”本諸此。

李思孝景皇帝頌十五篇

別栩陽賦五篇

不知誰作。梁庾信賦栩陽，有離別之意。

漢中都尉丞華龍賦二篇

《蕭望之傳》“宣帝時，龍與張子蟜等待詔”，《王褒傳》有柳褒。

右賦二十五家

客主賦十八篇

子墨，客卿。翰林，主人。蓋用其體。

雜行出及頌德賦二十四篇

雜四夷及兵賦二十篇

雜中賢失意賦十二篇

董仲舒有《士不遇賦》，見《古文苑》。

雜思慕悲哀死賦十六篇

雜鼓琴劍戲賦十三篇

雜山陵水泡雲氣雨旱賦十六篇

《古文苑》有董仲舒《山川頌》。

雜禽獸六畜昆蟲賦十八篇①

《考證》：“劉向《別錄》有《行過江上弋雁賦》、《行弋賦》、《弋雌

---

① “篇”字原脱，據衍衍刻卷及殿本《漢書・藝文志》補。

得雄賦》。"

成相雜辭十一篇

《荀子》有《成相篇》。楊倞云："雜論臣治亂之事，以自見其意。故下云'託於成相以喻意'。"按《樂記》"治亂以相"，鄭云："相即拊也，亦以節樂。[①] 拊者，以韋爲之，[②]裝之以穅。穅，一名相，因以名焉。"此則瞽矇之諷誦，持此器以爲節，故名"成相"，亦歌賦之流。《考證》云："淮南王亦有《成相篇》，見《藝文類聚》。"

隱書十八篇

《列女傳》六："無鹽邑女言於齊宣王：'竊嘗喜隱。'宣王曰：'隱固寡人之所願，試一行之。'言未卒，忽然不見。宣王大驚，立發《隱書》而讀之，退而推之。"《吕覽·重言篇》："荆莊王立三年，不聽而好讔。成公賈願與王讔。"《滑稽傳》以爲齊威王、淳于髡。《說苑·正諫篇》："咎犯見晋平公，曰：'臣善隱。'平公召隱士十二人，咎犯申其左臂而詘五指，平公問於隱官曰：'占之爲何？'隱官皆曰不知。"蓋如今之謎語掌於史卜筮者也。又《六韜·陰書篇》太公曰："諸有陰事大慮，當用書，不用符。主以書遺將，將以書問主。皆一合而再離，三發而一知。"故《列女傳》"臧文仲拘於齊。文仲微使人遺公書，恐得其書，乃謬其詞"云云。《左傳》還無社、申叔儀之語。《國語》"秦客廋辭於朝"，此則兵交使往，又取尚於祕聞密喻也。劉勰《諧讔篇》："至東方曼倩，尤巧辭述。朔與郭舍人爲隱，舍人不服，因曰："臣願復問朔隱語。"[③]自魏代已來，頗非俳優；

---

① "節"字原脱，據衍刻卷及《十三經注疏》本《禮記正義》補。
② "之"字，《十三經注疏》本《禮記正義》作"表"。
③ "願"字原作墨圍，據衍刻卷及殿本《漢書·東方朔傳》補。

而君子嘲隱，化爲謎語。謎也者，①迴互其辭，使昏迷也。"

右雜賦十二家②

高祖歌詩二篇

《大風起兮》、《鴻鵠》。《考證》云："《大風歌》亦名《三侯之
章》。"《索隱》："侯，語辭也。沛詩有三兮，故云三侯。"

泰一雜甘泉壽宮歌詩十四篇　　宗廟歌詩五篇

疑即《郊祀歌》十九章。《樂書》云："今上即位，作十九章，令
侍中李延年次序其聲。通一經之士，不能獨知其辭，皆集會
五經家，相與共講習讀之，乃能通知其意，多爾雅之文。"按能通
《雅》、《頌》，則《郊祀歌》無不可讀，其辭句特外飾耳。不料漢經生之陋如此，若空守
章句，雖會五經家，猶未能知爾。

漢興以來兵所誅滅歌詩十四篇

《宋書·樂志》魏繆襲造鼓吹曲，有《獲呂布》、《克官渡》等曲，
其義本於此。

出行巡狩及遊歌詩十篇

此應指武帝《瓠子歌》、《盛唐》、《樅陽歌》等也。《御覽》五百九十
二《武帝集》曰："奉車子侯暴病，一日死，上甚悼之，乃自爲
歌詩。"

臨江王及愁思節士歌詩四篇

當爲臨江閔王榮作。《李太白集》有《擬臨江王節士歌》。

李夫人及幸貴人歌詩三篇

《外戚傳》有《是邪非邪詩》。劉勰《樂府篇》"孝武之歓'來遲'，歌童被聲"。
王子年《拾遺記》有《落葉哀蟬曲》，未審其真僞。《洞仙傳》漢武帝
思車子侯歌曰："嘉幽蘭兮延秀，罩妖婬兮中溏。華斐兮麗景，③風徘徊兮流芳。皇

---

① "謎"字原脱，據衍刻卷及《四部叢刊》影印明刻本《文心雕龍》補。
② "雜"字原作墨圍，據衍刻卷及殿本《漢書·藝文志》補。
③ 明正統《道藏》本《雲笈七籤》所引《洞仙傳》重"斐"字。

天兮無惠，至人逝兮仙鄉。天路遠兮無期，不覺涕下兮霑裳。”

詔賜中山靖王子噲及孺子妾冰未央材人歌詩四篇

《文選》有陸韓卿《中山王孺子妾歌》，但泛詠姬妾袵席之情而已，不得本事。

吳楚汝南歌詩十五篇

崔豹《古今注》：“《吳趨曲》，吳人以歌其地。”《宋志》相和歌曲有《江南可采蓮》。又云，第一平調，第二清調，第三瑟調，第四楚調，第五側調。① 《樂府題解》云《采菱曲》等，疑皆出於此。又有《楚妃歎》。按《樂府·楚調歌》有《怨歌行》。

燕代謳

《上林賦》“文成顛歌”，文穎曰：“文成，遼西縣名，其縣人善歌。”魏有《燕歌行》。

雁門雲中隴西歌詩九篇

《宋志》大曲有《雁門太守行》，歌洛陽令王渙。葢本有此曲，後漢取其音節以祠王渙爾。《樂府·瑟調曲》有《隴西行》。

邯鄲河間歌詩四篇

崔豹《古今注》：“《陌上桑》，邯鄲女名羅敷，爲邑人千乘王仁妻。王仁後爲趙王家令，羅敷出采桑於陌上。趙王登臺，見而悦之，因飲酒，欲奪焉。羅敷乃彈箏作《陌上歌》以自明焉。”然未知此辭是前漢若後漢否？《琴操》有《河間雜歌》二十一章。

齊鄭歌詩四篇

《禮樂志》有齊四會員、齊謳員、鄭四會員。《樂府題解》：“《齊謳行》，齊人以歌其地。”

淮南歌詩四篇

---

① 殿本《宋書》瑟調、楚調間有“大曲”，無“側調”。

《上林賦》"淮南《干遮》"。《宋志》拂舞歌有《淮南王篇》。

左馮翊秦歌詩　京兆尹秦歌詩　河東蒲反歌詩

以上似郡官侍祠所奏樂曲。《禮樂志》有秦倡員。

黄門倡車忠等歌詩十五篇

《宋志》:"黄門鼓吹樂,天子宴羣臣之所用。"《禮樂志》"黄門名倡丙彊、景武之屬"。《樂府·散樂》有《俳歌辭》。《南齊書·樂志》:"《俳歌辭》曰《侏儒導》,句。舞人人自歌之。古辭俳歌八曲,此是前一篇。二十二句,今侏儒所歌,擿取之也。"辭云:"俳不言不語,呼俳噏所。俳適一起,狼率不止。生拔牛角,摩斷膚耳。馬無懸蹏,牛無上齒,駱駝無角,奮迅兩耳。"按《隋志》,梁三朝樂設俳技。《考證》:"《樂府集》有《黄門倡歌》一首。"

雜各有主名歌詩十篇　雜歌詩九篇

《樂府》有《雜曲歌辭》,如《蛺蝶行》、《枯魚過河泣》之類。吴兢云:"《樂府·雜題》自《相逢狹路間行》已下皆不知所起,自《君子有所思行》已下又無本詞。"

雒陽歌詩至**河南周歌聲曲折七篇**

以上疑皆祀神之歌。曲折者,若投壺禮記魯鼓、薛鼓之節。《宋·樂志》《苦寒行》、《秋胡行》等,每於字下重二畫,此歌者之曲折也。又云:"今鼓吹鐃歌詞,樂人以音聲相傳,詁不可復解。"又《漢鼓吹鐃歌》十八篇,按《古今樂録》,皆聲辭、[①]豔相雜,不可復分。豔者如魏武《步出東西門行》,前有"雲行雨步,超越九江之皋,臨觀異同。心意懷遊豫,不知當復何從。經過至我碣石,心惆悵我東海"三十七字爲豔,此豔與辭分者也。

周謡歌詩七十五篇　曲折同篇。

---

① "辭"字原誤作"亂",據衍刻卷及上下文意改。

《樂府・瑟調曲》有《步出夏門行》,《西門》、《東門》二《行》,此
其類。

諸神歌詩三篇　送迎靈頌歌詩三篇

後之迎送神弦歌本此。

周歌詩二篇①

南郡歌詩五篇

右歌詩二十八家

《宋志》有《漢鼓吹鐃歌》十八曲:一《朱鷺》,二《思悲翁》,三
《艾如張》,四《上之回》,五《翁離》,六《戰城南》,七《巫山
高》,八《上陵》,九《將進酒》,十《君馬黃》,十一《芳樹》,十二
《有所思》,十三《雉子班》,十四《聖人出》,十五《上邪》,十六
《臨高臺》,十七《遠如期》,十八《石留》。又崔豹《古今注》:
"橫吹,胡樂也。張博望入西域,傳其法於西京,惟得《摩訶
兜勒》二曲。李延年因胡曲更造新聲《二十八解》,乘輿以爲
武樂。後漢以給邊將。魏晉以來,《二十八解》不復具存,世
用者《黃鶴》、《隴頭》、《出關》、《入關》、《出塞》、《入塞》、《折
楊柳》、《黃華子》、《赤之陽》、《望行人》等十曲。"按《宋志》,
《默默篇》爲《折楊柳》古辭。古樂府有《隴頭流水詞》,應在
西京行用,而《志》不錄,當補者也。沈約《律志》序"朱贛博
采風謠,尤爲詳洽",此《志》所本。

凡詩賦百六家

自《藝文類聚》、《御覽》諸書所載東京文辭頗多,而此志所載
略無遺言,則知皆亡於王莽。《梁書・張率傳》:"率少好屬
文,《七略》及《藝文志》所載詩賦,今亡其文者,並補作之。"②

---

① "歌"字原作"頌",據衍刻卷及殿本《漢書・藝文志》改。
② "作"字原誤作"足",據衍刻卷及殿本《梁書》改。

漢書藝文志疏證卷三

吳孫子兵法八十二篇　　圖九卷。

《隋志》:《孫子兵法》二卷、《吳孫子牝牡八變陣圖》二卷、①《孫子兵法雜占》四卷。梁有《孫子戰鬪六甲兵法》一卷。《新唐志》:《吳孫子三十二壘經》一卷。按《周官·車僕》注:"孫子八陣有苹車之陳。"《文選注》:"長陳爲甄。"此即《八變陳圖》也。《御覽》三百二十八《孫子占》曰:"三軍將行,其旌旗從容以向前,是爲天送,必亟擊之,得其大將。三軍將行,其旌旗墊然若雨,是爲天霑,其師失。三軍將行,旍旗亂於上,東西南北無所主方,其軍不還。三軍將陳,雨甚,是爲浴師,勿用陳戰。三軍將戰,有雲其上而赤,勿用陳;先陳戰者,莫復其迹。三軍方行,大風飄起於軍前,右周絕軍,其將亡;右周中,其師得糧。"此即《雜占》也。《御覽》三百五十七《吳孫子三十二壘經靈輔》曰:"務軍移旗,②以順其意,銜枚而陳,分師而伏,後至先生,③以戰則克。"此《三十二壘經》也。按《通典》兵類有吳王問、孫武答,其文亦與《六韜》答問相似,並在十三篇之外。杜牧序云:"武書十數萬言,魏武削其繁剩,筆其精切,凡十三篇,成爲一編。"按《史記·武傳》闔廬曰:④"子之十三篇,吾盡觀之矣。"則十三篇,其初見時所進。《吳越春秋》:"吳王召孫子,問以兵法。每陳一篇,王不知口之稱善。"杜牧乃

---

① "牝牡"二字原脱,衍刻卷脱"牡"字,據殿本《隋書》補。
② "務軍",四庫本《御覽》作"移車"。
③ "生"字,四庫本《御覽》作"擊",於義較勝。
④ "記"字原脱,據衍刻卷補。

謂曹操所定，非也。操所著新書，正於《孫子》作賊耳。《隋志》有《兵書接要》、《兵書略要》等，云操所撰也。

齊孫子八十九篇　圖四卷。

《通典》一百四十九《兵》二孫臏曰："用騎有十利：一曰迎敵始至；二曰乘敵虛背；三曰追散亂擊；四曰迎敵擊後，使敵奔走；五曰遮其糧食，絕其軍道；六曰敗其津關，發其橋梁；七曰掩其不備，卒擊其未整旅；八曰攻其懈怠，出其不意；九曰燒其積聚，虛其市里；十曰掠其田野，係纍其子弟。此十者，騎戰利也。夫騎者，能離能合，能散能集，百里爲期，千里而赴，出入無閒，故名離合之兵也。"然則騎兵之用，在孫臏前矣。《御覽》二百八十二《戰國策》："齊孫臏謂王曰：凡伐國之道，攻心爲上，務先伏其心。今秦之所恃爲心者，燕、趙也。當收燕、趙之權。今説燕、趙之君，弗虛言空辭，①必將以實利，以得其心，所謂攻其心者也。"

公孫鞅二十七篇

《荀子·議兵》："齊之田單、楚之莊蹻、秦之衛鞅、燕之繆蟣。"

吳起四十八篇

《隋志》：《吳起兵法》一卷，賈詡注。按今存者《圖國》、《料敵》、《治兵》、《論將》、《變化》、《勵士》六篇而已。《文選注》兩引，俱作三十八篇。

范蠡二篇

《吳越春秋》："越王問范蠡用兵行陣。"《左傳·桓五年》疏："賈逵以旝爲發石，一曰飛石，引《范蠡兵法》作飛石之事以證之。"《文選》潘安仁賦注："《范蠡兵法》：飛石重二十觔，爲機發，行三百步。"《甘延壽傳》張晏注同。

---

① "虛"字原脱，據衍刻卷及四庫本《御覽》補。

大夫種二篇

《吳越春秋》:"大夫種曰:'報怨復讐,破敵滅吳者有九術,一曰尊天事鬼,以求其福;二曰重財幣以遺其君,多貨賄以喜其臣;三曰貴糴粟槁以虛其國,利所欲以疲其民;四曰遺美女以惑其心而亂其謀;五曰遺之巧工良材,使之起宮室以盡其財;六曰遺之諛臣,使之易伐;七曰強其諫臣,使之自殺;八曰君王國富而備利器;九曰利甲兵以承其弊。'越王召相國,謂曰:'子有陰謀兵法傾敵取國九術之策,今用三,已破強吳。'"是其事也。《史記》作"七術",《越絕書》"九術",同。

李子七篇

疑李悝。

婕一篇

兵春秋三篇

《新唐志》亦有《兵春秋》一卷,殆非此。

龐煖三篇

《鶡冠子‧兵政篇》:"龐子問鶡冠子曰:用兵之法,天之、地之、人之,賞以勸戰,罰以必衆。五者已圖,然九夷用之而勝不必者,其故何也?"又有悼襄王、武靈王問,武靈王問作"龐煥",注云煥兒。疑即龐煖之書。《燕世家》:"劇辛故居趙,與龐煖善。已而亡走燕。燕欲因趙弊,攻之。劇辛曰:'趙令龐煖將,易與耳。'燕使劇辛擊趙,趙使龐煖擊之,取燕軍二萬,殺劇辛。"

兒良一篇

高誘《呂覽注》:兒良作兵法。貴後。

廣武君一篇　　李左車。

疑即《淮陰侯傳》中一事。

韓信三篇

馬隆《八陣讚》云："天地前衝，變爲虎翼。淮陰用之，變化無極。垓下之會，魯公莫測。"

右兵權謀十三家，二百五十九篇。　省《伊尹》、《太公》、《管子》、《孫卿子》、《鶡冠子》、《蘇子》、《蒯通》、《陸賈》、《淮南王》二百五十九篇，出《司馬法》，入禮也。

按所省者，不可知。其出《司馬法》入禮，是也。然是書有《古司馬兵法》，有《穰苴兵法》，未可一概論。《通典》兵一司馬穰苴曰："五人爲伍，十伍爲隊，一軍凡二百五十隊，餘奇爲握奇。故一軍以三千七百五十人爲奇兵，隊七十有五，以爲中壘。守地六千尺，積尺得四里，以中壘四面乘之，一面得地三百步，壘內有地三頃。餘百八十步，正門爲握奇。大將軍居之，六纛、五麾、金鼓、府藏、輜積皆中壘。外餘八千七百五十人，隊百七十五，分爲八陣。六陣各有千九十四人，六陣各減一人，以爲一陣之部署，舉一軍則千軍可知。"《御覽》二百九十八引《穰苴兵法》同。又三百十三《穰苴兵法》曰："以戰止戰，雖戰可也。戰，春不東，秋不西，月食還師，所以止衆也。"[1]別引《古司馬兵法》，然後人固別而言之也。

楚兵法七篇　圖四卷。

孫叔敖稱《軍志》，楚之兵法尚矣。

蚩尤二篇

《隋志》：《黃帝蚩尤風后行軍秘術》二卷。《管子・地數篇》："葛盧之山，發而出水，金從之。蚩尤受而制之，以爲劍鎧矛戟。"

孫軫五篇　圖五卷。

《荀子》："臨武君與孫卿子議兵於趙孝成王前。"劉向叙云："至趙，與孫臏議兵趙孝成王前。"按"軫"與"臏"聲近，或後人

---

① "衆"字，四庫本《御覽》作"戰"，於義較勝。

不知而妄改，是此孫軼明矣。據《楚策》"春申君欲使臨武君
將"，又爲楚將。

繇叙二篇

《太白陰經》："秦由余、蜀諸葛亮並有陣圖。"《考證》云："繇
叙當即由余。"

王孫十六篇　　圖五卷。

《太史公自序》："太公、①孫、吴、王子能紹而明之。"徐廣曰王
子成甫。此"王孫"疑是"王子"。《通典》：《孫子注》："王子
曰：將欲内明而外暗，内治而外渾，所以示敵之輕己也。"

尉繚三十一篇

《隋志》雜家《尉繚子》五卷，又云兵家梁有《尉繚子兵書》一
卷。今按其書自《天官》至《兵令》二十四篇，並言兵形勢，不
當入雜家，此蓋誤承《漢志》兩見，不知雜家者先亡耳。其末
篇曰："臣聞古之善用兵者，能殺士卒之半，其次殺其十三，其
下殺其十一。能殺其半者，威加海内。"李靖兵法取之，亦異
乎《六韜》所稱"殺一人而三軍震"之旨矣。

魏公子二十一篇　　圖十卷。

《信陵君傳》："諸侯之客進兵法，公子皆名之，故世俗稱《魏公
子兵法》。"裴駰引《七略》作"圖七卷"。

景子十三篇

《楚策》：②"楚王使景陽將救燕。暮舍，使左右司馬各營壁
地，③已，植表。景陽怒曰：'女所營者，水皆至滅表，此焉可以
舍？'乃令徙。明日大雨，山水大出，所營者，水滅其表，軍吏乃

---

① "太公"原誤作"太史"，據殿本《史記》及文意改。
② 按該引文實在《燕策》。
③ "右"字原脱，據《士禮居叢書》本《戰國策》及上下文意補。

服。"《淮南·氾論》："景陽淫酒被髮而御於婦人，威服諸侯。"

李良三篇

見《張耳陳餘傳》。

丁子一篇

疑即丁固。

項王一篇

按《握奇文》云："望敵，即引其後，以掎角前列，不動。"公孫弘曰："傳項氏陣法依此。"

右兵形勢十一家

太壹兵法一篇　天一兵法三十五篇

《隋志》：《太一兵書》十一卷。梁二十卷。《唐志》：《太一兵法》一卷。王逸《楚辭章句》："太一，星名，天之尊神。"《大象賦》注云："天皇大帝一星在紫微宮內，句陳口中，其神曰耀魄寶，主御羣靈，秉萬機神圖也。太一一星，次天一南，天帝之臣。主使十六龍，知風雨、水旱、兵革、饑饉、疾疫。"

神農兵法一篇

《秦策》"神農伐補遂"。《越絕》風胡子曰："神農以石爲兵。"

黃帝十六篇

《胡建傳》："《黃帝李法》曰：壁壘已定，穿窬不繇路，是謂奸人，奸人者殺。"然此非兵陰陽也。《太白陰經》引黃帝曰："車間容車，隊間容隊，曲間容曲。"又云："黃帝設八陣之形，車廂洞當，金也；車中黃，①土也；烏雲鳥翔，火也；折衝，木也；龍騰卻月，水也；雁行鵝鸛，天也；輪車，地也；飛翼浮阻，巽也。"此則類之矣。《隋志》：《黃帝問玄女兵法》四卷、《黃帝兵法雜要訣》一卷、《黃帝軍出大師年命立成》一卷、《黃帝太一

---

①　《墨海金壺》本《太白陰經》"車"後有"工"字。

兵曆》一卷，又《黄帝兵法孤虚雜記》一卷。《唐志》大略同。《御覽》十五《黄帝玄女戰法》曰："黄帝與蚩尤戰，[1]九戰不勝，黄帝歸於太山，三日三夜，大霧冥冥。有婦人，人首鳥形，黄帝稽首再拜，伏不敢起。婦人曰：'吾，玄女也。子欲何問？'黄帝曰：'小子願萬戰萬勝。'遂得戰法焉。"又三百三十九卷《黄帝出軍決》曰："始立牙之日，喜氣來應，旗旛指敵，或從風舉揮，揮終日繞竿，勇氣奔逸，是謂堂堂之陣，此大勝之徵。"不具録。

封胡五篇

王欽若《先天紀》："黄帝得封胡爲將，作五牙旗及烽火戰攻之具。"《御覽》三百三十九《黄帝出軍決》曰："有所攻伐，[2]作五采牙旗。青牙旗，引住東；赤牙旗，引住南；白牙旗，引住西；黑牙旗，引住北，黄牙旗，引住中。"又三百三十五《黄帝出軍決法》曰："行軍行兵，兩烽相要，地形不便，望見烽火，不得爲客。"《通典》守城法：《衛公兵法》曰：韋孝寬守晋州，羊侃守臺城，皆約封胡子伎巧之術也。"

風后十三篇　圖二卷。

《通考》：《風后握奇經》一卷。本題漢公孫弘解，晋馬隆述讚。按公孫弘曰："人多傳韓信注釋'天或圓布'已下，與此微有差異，而范蠡、樂毅之説相雜。今亦錯綜於其中。其部隊，或三五，或三十，或五十，變通之理，寄之明哲，不復備載。近古以來，其文不滿尺，多憑口訣以相傳授，予今於難解之處，增字發明之耳。"《太白陰經》云："風后演《握奇圖》，天陳居乾爲天門，地陳居坤爲地門，風陳居巽爲風門，雲陳居坎爲雲門，飛龍居震爲飛龍門，武翼居兑爲武翼門，鳥翔居離爲鳥翔門，蛇盤居艮爲蛇盤門。天、地、風、雲爲四正門，龍、虎、鳥、蛇爲四奇門，乾、坤、艮、巽爲闔門，坎、離、震、兑爲開門。"又云："《握

---

① "戰"字原脱，據衍刻卷及四庫本《御覽》補。

② "有所"二字原誤倒，據四庫本《御覽》乙正。

奇圖》以正合，以奇勝，合而爲一，散而爲八，聚散之勢，節制
之度，復置虛實二壘。"唐獨孤及有記。

力牧十五篇

《太白陰經》："力牧亦創《營圖》。"王欽若《先天紀》："黄帝問
張若謀敵之事。張若曰：'不如力牧能於推步之術，著兵法十
三卷，可用之。'"此傅會之說。《路史》注："國朝有《力牧四明經》、《力牧
地户開曆》。"

鵄冶子一篇　　圖一卷。

《抱朴子·極言篇》："黄帝救傷殘，則綴金冶之術。"《路史》：
"鵄冶決法。"

鬼容區三篇

《史記索隱》："《系本》：臾區占星氣。"《素問》有鬼臾區《天元
紀大論》。①

地典六篇

陶潛《羣輔録》："黄帝七輔，地典受州絡。"

孟子一篇

下五行家有《猛子閒昭》，疑此是"猛子"。

東父三十一篇

《續漢·天文志》：星官之書，魏石申父。東父，人無考。疑是
申父。

師曠八篇

《後書》蘇竟遺劉龔書曰："猥以《師曠雜事》，輕自眩惑，說士
作書，亂夫大道。"按師曠有二，《齊民要術》《雜說》："黄帝問師
曠，欲知牛馬貴賤。'秋葵下有小葵生，牛貴；大葵不蟲，牛馬

---

① "紀大"二字原誤倒，據本卷"黄帝内經十八卷"條及《四部叢刊》影印明覆宋刻
本《黄帝内經素問》乙正；本句疑當作"《素問·天元紀大論》有鬼臾區"。

賤'。"《御覽》一百八十九師曠問天老曰："人家忌臘日殺生於堂
上，有血光，一不祥也；井上種桃，花落井，二不祥也。"此黃帝
之師曠矣。《御覽》十三又有《師曠占》。《隋志》：梁有《師曠
占》五卷。《舊唐志》：《師曠占書》一卷。并在五行家。《拾遺
記》云撰兵書萬篇。

萇弘十五篇

《天官書》："昔之傳天數者萇弘。"《封禪書》："周人之言方怪
者，自萇弘始。"《拾遺記》："萇弘能招致神異。"

別成子望軍氣六篇

《隋志》兵家有《鬼谷先生占氣》等。天文家，梁有《雜望氣經》
等。《越絕外傳·記軍氣》云："右子胥相氣，取敵大數，其法
如是。"《初學記》："《望氣經》曰：十月癸巳，霧赤爲兵，青爲殃。"《御覽》二百四
十一又引《黃帝占軍氣訣》。

辟兵威勝方七十篇

《隋志》：梁有《辟兵法》一卷。《抱朴子·雜應篇》："或問辟
五兵之道。抱朴子曰：'吾聞吳大皇帝曾從介先生受要道云，
但知書北斗字及日月字，便不畏白刃。帝以試左右數十人，
常爲先登陷陣，皆終身不傷。'"又《仙藥篇》："木威喜芝，夜視
有光，帶之辟兵。又肉芝者，謂萬歲蟾蜍，以五月五日中時取
之，陰乾百日，以其左足畫地，即爲流水；帶其左手於身，辟五
兵；若敵人射己者，弓弩矢皆反還自向也。"《神仙感應錄》："漢武威
太守劉子南，從道士尹公授務成子熒火丸，佩之隱形，辟疫鬼及五兵白刃、盜賊凶害。
永平閒，與虜戰，矢下如雨，未至子南馬數尺，輒墜地，終不能傷。"

右陰陽十六家

推刑德，隨斗擊，因五勝。

《御覽》三百二十八《玄女兵法》曰："戰鬥之法，當從九天之上擊
九地之下，衆士默默，人無見者。九天者，春在青龍，夏在朱

雀,秋在白虎,冬在玄武。四神爲九天,其衝爲九地。"《尉繚子·天官篇》:"梁惠王問曰:'黃帝刑德可以百勝,有之乎?'對曰:'刑以伐之,德以守之,非所謂天官、時日、陰陽、向背也。'"又《武議篇》:"世將考孤虛、占咸池、合龜兆、觀星辰風雲之變,欲以成勝立功。"《淮南·天文訓》:"北斗之神有雌雄,十一月始建於子,月從一辰,雄左行,雌右行,五月合午謀刑,十一月合子謀德。"《隋志》兵家有《黃石公三奇法》,五行家有《黃石公北斗三奇法》。《御覽》三百四十黃石公《三略》曰:"欲敵形色可勝之符,先戰以二十八騎。角人青衣赤旗,東方七人,徵人赤衣黃旗,南方七人,商人白衣黑旗,西方七人,羽人黑衣青旗,北方七人,凡二十八騎,象二十八宿。"按此文《三略》所無,《隋志》兵家有《黃石公五壘圖》,蓋是此亦五勝之法。而五行家《黃石公北斗三奇法》即兵家《三奇法》耳,重出。

鮑子兵法十篇　圖一卷。

伍子胥十篇　圖一卷。

《舊唐志》:《伍子胥兵法》一卷。《御覽》三百十五《越絕書》:"伍子胥水戰法,大翼一艘,廣丈六尺,長十二丈,容戰士二十六人,櫂五十人,舳艦三人,操長鉤矛斧者四,吏僕射長各一人,凡九十一人,當用長鉤矛長斧各四,弩各三十四,矢三千三百,甲兜鍪各三十二。"《北堂書鈔》亦引之,今本《越絕》失之。《隋志》又有《遯甲訣》、《遯甲文》各一卷,伍子胥撰。

公勝子五篇

苗子五篇

逄門射法二篇

《龜策傳》"羿名善射,不如雄渠、蠭門",注:"劉歆《七略》有《蠭門射法》。"《吳越春秋》陳音曰:"逢蒙傳於楚琴氏。"

陰通成射法十一篇

李將軍射法三篇

《李廣傳》"世世受射"。

魏氏射法六篇

強弩將軍王圍射法五卷

望遠連弩射法具十五篇

《御覽》三百四十八《太公兵法》曰："弩之神名遠望。"《淮南·氾論》"連弩以射"。高誘曰："連車弩通一弦,以牛挽之,以刃著左右爲機開發。"《吳越春秋》："越王謂陳音曰:'願聞望敵儀表,授分飛矢之道。'音曰:'夫射之道,從分望敵,合以參連。弩有斗石,矢有輕重。石取一兩,其數乃平。遠近高下,求之銖分。'"漢南郡有發弩官。《唐書·兵志》："伏遠弩自能弛張,縱矢三百步。"

護軍射師王賀射書五篇[①]

卜式上書"願與臨淄習弩,擊南越"。[②]《後書》"順帝永建元年,調五營弩師,郡與五人,令教習戰射"。此主教五營射師也。

蒲苴子弋法四篇

《列子·湯問篇》詹何曰："臣聞先大夫之言,蒲苴子之弋也,弱弓纖繳,乘風振之,連雙鶬於青雲之際,用心專,動手均也。"按此善弋者著其法,冠蒲苴之名,五營、伏飛積射士所習。

劒道三十八篇

《吳越春秋》："越女曰:'凡手戰之道,內實精神,外示安儀。見之如好婦,奪之似懼虎。布形候氣,與神俱往。杳之若日,偏如騰兔。追形逐影,光若仿佛。呼吸往來,不及法禁。縱橫順逆,直復不聞。斯道者,一人當百,百人當萬。王欲試之,

---

① "賀射"二字原誤倒,據殿本《漢書·藝文志》乙正。
② 《補注》引沈説本句後有"蓋即射師"四字。

其驗即見。'越王乃命五版之墮長高習之，教軍士。"《史記·自序》："司馬氏在趙者，以傳劍論顯。"又《日者傳》："齊張仲、曲成侯以善擊刺學用劍，立名天下。"按曲成侯即蟲達也。

手搏六篇

王逸《楚詞注》："手擊曰抃。"孟康曰："捽胡，若今相僻臥輪之類。"《列子·説符篇》"蘭子能燕戲"者，張湛曰："如今之絶倒投俠。"《賈子·匈奴篇》"倒挈面者更進"，皆手搏之技。

雜家兵法五十七篇

《隋志》：《雜兵書》十卷、《雜兵圖》二卷。《文選注》五十六《雜兵書》曰："八陣者，一曰方陣，二曰圓陣，三曰牝陣，四曰牡陣，五曰衝陣，六曰輪陣，七曰浮沮陣，八曰鴈行陣。"《御覽》亦多引《雜兵書》。七百六"將坐，牀無故自動，下欲害之"。

蹵鞠二十五篇

《文選注》十一《七略》："《蹵鞠》者，傳言黃帝所作。蹋鞠，兵勢，其法律多微意，皆因嬉戲以講練士，至今軍士羽林無事，使得蹋鞠。"按《七錄》在小説家。《史記正義》："按《蹵鞠書》有《域篇》，[①]即今之打毬也。黃帝所作，起戰國時，程武士，知其材力也。"《齊策》"蘇秦説齊宣王臨淄蹋鞠"。《御覽》："《彈棋經序》曰：彈棋者，仙家之戲也。昔漢武平西域，得胡人善蹵鞠者，盡術其便捷跳躍，帝好而爲之。羣臣不能諫，侍臣東方朔因以此藝進之，帝就舍蹵鞠而尚彈棋焉。習之者多在宮禁中，故時人莫得而傳。《西京雜記》以爲劉歆先君進成帝，不同。至王莽末，赤眉凌亂，西京傾覆，此藝宮人所傳，故散落人間。及章帝御宇，好諸技藝，此藝乃盛於當時。"《西京雜記》："許博昌，安陵人。善陸博，竇嬰好之，常與居處。博昌作《太博經》一篇。"

---

①　殿本《史記》"域"字後有"説"字。

右兵技巧十三家

《考證》著《黃石公記》於此,非也。

凡兵書五十三家　　省十家云云。

按王莽徵天下能明兵法六十三家,知此志始省十家。

泰壹雜子星二十八篇

《隋志》五行家有《太一經》。《天文志》、《五行志》並引《星傳》,疑是此。

五殘雜變星二十一卷

《抱朴子・釋滯》:"欑、槍、尤、矢,旬始終繹,四鎮五殘,天狗歸邪,或以示成,或以正敗,明《易》之生,不能論此也。"詳見《天文志》。

黃帝雜子氣三十三篇

劉昭《天文志》注引《黃帝星經》。《晉・曆志》黃帝使車區占星咎。《隋志》天文家:[①]《黃帝五星占》一卷。《御覽》八百七十八,又八百七十九《黃帝占軍氣訣》曰:"攻城有虹,欲敗之應。"又《黃帝占》曰:"日中三足烏見者,大旱,赤地。"《晉書・天文志》:"黃帝創受河圖,始明休咎,[②]故其《星傳》尚有存焉。"[③]

常從日月星氣二十一卷

《説苑・敬慎篇》:"常摐有疾,老子往問之。"不知師古何緣指此人,似當謂常從天子者。

皇公雜子星二十二卷

《尸子・廣澤篇》:"皇子貴衷。"《列子・湯問》:皇子疑鋸鋙劒、火浣布,傳之者妄。按《志》不列於諸子,疑皇公非其人。

---

① "志"字原脱,據衍刻卷補。
② "咎"字原脱,據衍刻卷、殿本《晋書》及《補注》引沈説補。
③ "故其星傳尚有存焉"八字原在"黃帝使車區占星咎"後,作大字,據衍刻卷、《補注》引沈説及殿本《晋書》調正。

《莊子·達生篇》"齊士有皇子告敖"。

淮南雜子星十九卷

泰壹雜子雲雨三十四卷

《繁露·求雨篇》："《神農求雨》第十九曰：戊己不雨，命爲黃
龍，壯者舞之。"《神農書》又曰："開神山神淵，積薪，夜擊鼓，
譟而燔之，爲其旱也。"《御覽》九又有《黃帝風經》。

國章觀霓雲雨三十四卷

《隋志》：《天文占雲氣圖》一卷。《御覽》八有《相雨書》，又引
黃子發《相雨書》。

泰階六符一卷

東方朔陳《泰階六符》，應劭以爲黃帝書。章懷太子注《郎顗
傳》引《黃帝泰階六符經》。《御覽·休徵部》亦引之。

金度玉衡漢五星客流出入八篇

《續天文志》注："《星經》曰：璇璣者，謂北極星也。玉衡者，
謂斗九星也。玉衡第一星主徐州，常以五子日候之。第二星
主益州，常以五亥日候之。第三星主冀州，常以五戌日候之。
第四星主荆州，常以五卯日候之。第五星主兗州，常以五辰
日候之。第六星主揚州，常以五巳日候之。第七星主豫州，
常以五午日候之。第八星主幽州，常以五寅日候之。第九星
主并州，常以五申日候之。"又五星各主五嶽、二十八宿。鎮星
主東井。《隋志》：《黃帝五星占》一卷。《御覽》六《五星占》曰："君薄德
義，懦弱不勝任，則太白失度經天，作變易之象。"

漢五星彗客行事占驗八卷

《隋志》：《五星犯列宿占》六卷、《妖星流星形名占》一卷，[1]又

---

[1] "星"字原脱，據衍刻卷及殿本《隋書》補。

《彗星占》、《流星占》、《彗孛占》並一卷。《御覽》八百七十五《京氏易五星占》蓋此《志》所列。

漢日旁氣行事占驗三卷①

《隋志》：《京氏日占圖》三卷，《夏氏日旁氣》、《魏氏日旁氣圖》一卷。《周官·太卜》注云：“王者於天，日也；夜有夢，則晝視日旁氣，以占其吉凶。凡所占者十煇，每煇九變，此術今亡。”《天文志》引《夏氏日月傳》曰：“日月食盡，主位也；不盡，臣位也。”即《隋志》“《夏氏日旁氣》”。《天文志》：“王朔所候，決於日旁雲氣。”《天官書》“占歲則魏鮮”，即《隋志》“魏氏”。

漢流星行事占驗八卷

《御覽·咎徵部》引《京氏妖占》。《晉書·天文志》：“漢京房著《風角書》，有《集星章》，所載妖星，皆見於月旁，互有五色方雲，以五寅日見，各有五星所生云。”《隋志》：《京氏釋五星災異傳》一卷。②

漢日旁氣行占驗十三卷

《功臣表》：“成帝時，光祿大夫滑堪日旁占驗。”

漢日食月暈雜變行事占驗十三卷

《隋志》：《日月暈》三卷、《日月食暈占》四卷、《日月暈珥雲氣圖占》一卷。其名目甚多，大略采於《天文志》者是矣。

海中星占驗十二卷

《隋志》：《海中星占》、《星圖海中占》並一卷。顧炎武曰：“海中者，中國也。故《天文志》曰：‘甲乙，海外，日月不占。’”愚謂海中混芒，比平地難驗。著“海中”者，言其術精。算法亦有《海島算經》。王氏云：“即張衡所謂‘海人之占’也。”《後·天

---

① “三”字原作“八”，據殿本《漢書·藝文志》改。
② “京”後原衍“房”字，據衍刻卷及殿本《隋書》刪。

文志》注：“張衡《靈憲》曰：中外之官可明者三百二十，[1]爲星二千五百，而海人之占未存焉。”《後志》注：“《海中占》曰：熒惑守參爲旱；太白守參，國有反臣。”唐《封氏見聞記》云：“齊武成帝即位，大赦天下，其日設金鷄。宋孝王不識其義，問於光禄大夫司馬膺之。答曰：‘按《海中星占》：天鷄星動，必當有赦。’”

海中五星經雜事二十二卷

海中五星順逆二十八卷

海中二十八宿國分二十八卷

《晋書·天文志》：“州郡躔次，陳卓、范蠡、鬼谷先生、張良、諸葛亮、譙周、京房、張衡並云：角、亢、氐，鄭，兗州；房、心，宋，豫州；尾、箕，燕，幽州；斗、牽牛、須女，吳、越，揚州；虚、危，齊，青州；營室、東壁，衛，并州；奎、婁、胃，魯，徐州；昂、畢，趙，冀州；觜、參，魏，益州；東井、輿鬼，秦，雍州；柳、七星、張，周，三輔；翼、軫，楚，荆州。”《隋志》：《二十八宿分野圖》一卷。

海中二十八宿臣分二十八卷

王氏《考證》未詳“臣分”。按張衡云：“在野象物，在朝象官，在人象事。”《隋志》：《二十八宿二百八十三官圖》一卷、《天文外官占》，[2]《星官次占》一卷，即臣分也。

海中日月彗虹雜占十八卷

圖書祕記十七篇

《後書》楊厚祖父春卿戒子統曰：“吾綈袠中，有先祖所傳《祕記》，爲漢家用。”又章帝賜東平王蒼以祕書、列仙圖、道術祕方。《抱朴子·至理篇》：“孔安國《祕記》云：張良得黄石公

---

① “明”字，殿本《後漢書》作“名”。
② 按殿本《隋書·經籍志》，《天文外官占》八卷。

不死之法。"《霍光傳》"霍山坐寫祕書"。

巫咸星占 <small>補</small>。

《隋志》:《巫咸五星占》一卷。《天官書》"殷商巫咸",《天
文志》巫咸、甘、石並引之,劉昭注亦引《巫咸占》。《晋志》
云:"巫咸、甘、石之说,後代所宗。"《宋史・天文志》引《巫
咸圖》。

甘氏星占 <small>補</small>。

《史記正義》:"《七録》云:楚人,戰國時作《天文星占》八卷。"
《隋志》:《甘氏四七法》一卷。《天官書》:"甘、石曆五星法,
唯獨熒惑有反逆行。逆行所守,及他星逆行,日月爲薄蝕,皆
以爲占。"《天文志》又引《星傳》,不知其屬誰家。《保章氏》注
"《甘氏歲星經》"。

石氏星占 <small>補</small>。

《隋志》:《石氏星簿經讚》一卷。<small>梁有《石氏》、《甘氏天文占》各八卷。①</small>
《史記正義》:"《七録》云:魏石申,戰國時作《天文》八卷。"今存
《星經》上、下卷,<small>中缺西、南二宫。</small>云是石氏書。《續志》賈逵論引
《石氏星經》。《考證》:"《乾象新書》云:《天文録》并諸家占書
所載石申、甘德、巫咸三家星座,②共二百八十三座,總一千四百
六十四星。石申列舍星二十八座,共一百六十六星赤;中官星
五十四座,共三百一十八星赤;外官星三十八座,共二百七十
一星赤。甘德中官星五十九座,共二百一星黑;外官星三十九
座,共二百九星黑。巫咸中官星九座,共三十一星黄;外官星
二十座,共九十五星黄。石申紫薇垣星一十二座,共五十四
星赤;甘德紫薇垣星二十座,共一百一星黑;巫咸紫薇垣星

---

① "占"字原誤作"志","八"字原誤作"一",據衍刻卷及殿本《隋書》改。
② "咸"字原脱,據衍刻卷、康本《漢志考》及上下文意補。

四座,共一十八星黄。"《宋志》祖沖之云:"甘、石之書,互爲矛楯。"

右天文二十一家

《史記·自序》云:"星氣之書,多作機祥,不經。推其文,考其應,不殊。"

黄帝五家曆三十三卷　顓頊曆二十一卷　顓頊五星曆十四卷

漢以北平侯張蒼言,用《顓頊曆》,比於六曆,疏闊中最爲微近。《史記·自序》:"五家之文佛異,惟太初之元論。"《律曆志》:"太史令張壽王及待詔李信治《黄帝調曆》。"《續漢·律曆志》:"黄帝造曆,元起辛卯,而顓用乙卯,虞用戊午。"《唐·曆志》:《大衍曆·日度議》:"《洪範傳》曰:曆記始於顓帝上元太始閼蒙攝提格之歲畢陬之月,朔日己巳立春,七曜俱在營室五度。"《宋·曆志》:"何承天等校六家之曆,[1]雖六元不同,分章或異,至今所差,或三日,或二日數時。考其遠近,率皆六國及秦時人所造。雖復假稱帝王,祇足以惑時人耳。大明六年,祖沖之議曰:'按《五紀論》,黄帝曆有四法,顓頊、夏、周並有二術,詭異紛然,則孰識其正?此古曆可疑之據一。'又云:'顓頊曆元,歲在乙卯,而《命曆序》云:此術設元,歲在甲寅。此可疑之據四。'"按《大衍·日度議》云:"重黎受職於顓頊,九黎亂德,二官咸廢。帝堯復其子孫,命掌天地四時,以及虞、夏。故本其所由生,命曰顓頊,其實夏曆也。秦《顓頊曆》元起乙卯,[2]漢《太初曆》元起丁丑,推而上之,皆不值甲寅,猶以日月五緯復得上元本星度,故命曰'閼蒙攝提格之歲',而實非甲寅。"

---

　　[1]　《宋書·律曆志》原意乃以《三統曆》與"六家之曆"相較,何承天是在"六家"之中者,原書疑有脱誤。

　　[2]　"元"字原脱,據衍刻卷及殿本《新唐書》補。

日月宿曆十三卷

《續志》賈逵論"願請太史官日月宿簿"。

夏殷周魯曆十四卷

《律曆志》："五伯之末，史官喪紀，疇人子弟分散，或在夷狄。故其所記，有《顓頊》、《夏》、《殷》、《周》及《魯曆》。"《續志》賈逵論曰："《太初曆》冬至日在牽牛初者，牽牛中星也。古黃帝、夏、殷、周、魯冬至日在建星，建星即今斗星也。"①司馬彪論曰："曆元，夏用丙寅，殷用甲寅，周用丁巳，魯用庚子。"《宋志》祖沖之曰："《夏曆》七曜西行，特違衆法，劉向以爲後人所造。《殷曆》日法九百四十，而《乾鑿度》云《殷曆》以八十一爲日法。若《易緯》非差，《殷曆》必妄。《春秋》書食有日朔者凡二十六，其所據曆，非周則魯。以《周曆》考之，檢其朔日，失二十五；《魯曆》校之，又失十三。二曆并乖，則必有一偏。古之六術，并同《四分》；《四分》之法，久則後天。以食檢之，經三百年，輒差一日。以此推之，古術之作，皆在漢初周末，理不得遠。且卻校《春秋》，朔并先天，此則非三代之明徵矣。"《唐志》：《大衍·日度議》云："《夏曆》十二次，立春，日在東壁三度，於《太初》星距壁一度太也。又《夏曆》章蔀紀首，皆在立春，故其課中星，揆斗建與閏餘之所盈縮，皆以十有二節爲損益之中。而《殷》、《周》、《漢曆》，章蔀紀首皆直冬至，故其名察發斂，亦以中氣爲主。此其異也。《甄耀度》及《魯曆》，南方有狼、弧，無東井、鬼；北方有建星，無南斗，井、斗度長，②弧、建度短，故以正昏明。"又《中氣議》曰："《命曆序》以爲孔子修《春秋》用《殷曆》，使其數可傳於後。考其蝕朔，不

---

① "今"字原誤作"金"，據衍刻卷及殿本《後漢書》改。
② "度"後原衍"度"字，據衍刻卷、殿本《新唐書·曆志》及上下文意删。

與《殷曆》合，蓋哀、平閒治甲寅元曆者託之，非古也。"按《書疏》以爲漢之際假託爲之，與祖冲之説同。此云哀、平閒，太近。《詩·十月之交》疏："古之曆書亡。今世有《周曆》、《魯曆》者，蓋漢初爲之。其交無遲疾盈縮考日食之法，而其上年月已往參差，是以漢世通儒，未有以曆考此辛卯日食者。"《晋書》杜預《長曆》云："漢末宋仲子集七曆以考《春秋》，案其夏、周二曆術數，[1]皆與《藝文志》所記不同，故更名爲《真夏》、《真周曆》也。"

天曆大曆十八卷

疑是漢曆。《唐志》：劉歆《三統曆》一卷。

漢元殷周諜曆十七卷

《律曆志》："以前曆上元泰初四千六百一十七歲，至於元封七年，復得閼逢攝提格之歲。"按此以漢元上推殷、周，猶《四分曆》起於孝文皇帝後元三年，歲在庚辰。上四十五歲，歲在乙未，則漢興元年也。又上二百七十五歲，歲在庚申，則孔子獲麟。二百七十六萬歲尋之上行，復得庚申。歲歲相承，從下尋上，其執不誤。

耿昌月行帛圖二百三十二卷　耿昌月行度二卷

《續志》賈逵論曰："案甘露二年，大司農中丞耿壽昌奏，以圖儀度日月行，考驗天運狀，日月行至牽牛、東井，日過度，月行十五度；此言其極疾。至婁、角，日行一度，月行十三度。此言其極遲。赤道使然。"

傅周五星行度三十九卷

《續志》賈逵論曰："臣前上傅安等用黄道度日月弦望多近。"此傅周亦人名。[2]

律曆數法三卷

《律曆志》："唐都分天部，而落下閎運算轉曆。其法以律起

---

① "數"字原誤作"類"，據衍刻卷及殿本《晋書》改。

② 本句《補注》引作"此傅周或世相傳授也"。

曆,曰:'律容一龠,積八十一寸,則一日之分也。'"

自古五星宿紀三十卷

《律曆志》:"劉向總六曆,列是非,作《五紀論》。"《續志》:"《五紀論》:日月循黃道,南至牽牛,北至東井,率日日行一度,月行十三度十九分度七。"又《洪範五紀論》曰:"民閒亦有黃帝諸曆,不如史官紀之明也。"《詩疏》:"劉向《五紀論》載《殷曆》之法,惟有氣朔而已。"

太歲謀日晷二十九卷

《律曆志》:"議造《漢曆》,①乃定東西,立晷儀,下漏刻,以追二十八宿相距於四方。"《易通卦驗》:"冬至之日,立八神,樹八尺之表,日中規其晷之如度者,則歲美、人民和順;晷不如度者,則歲惡、人民爲訛言。"《馮相氏》疏引云:"'神'讀如'引'。"

帝王諸侯世譜二十卷　古來帝王年譜五卷

《隋志》:"漢初,得《世本》,叙黃帝已來祖世所出,而漢又有《帝王年譜》。"《律曆志》:"太史令張壽王言,黃帝至元鳳三年六千餘歲。又移《帝王錄》,舜、禹年歲不合人年。壽王言化益爲天子代禹,驪山女亦爲天子,在殷、周閒,皆不合經術。"《溝洫志》大司空掾王橫言:"《周譜》云:定王五年,河徙。"

日晷書三十四卷

《隋志》:《黃道晷景占》一卷。梁有《晷景記》二卷。② 按《周髀算經》陳子語榮方曰:"夏至日中立竿測影。周髀長八尺,夏至之日晷長一尺六寸。髀者,股也;正晷者,句也。正南千里,句一尺五寸;正北千里,句一尺七寸。日益表南,晷日益長。

---

① "曆"字原誤作"律",據殿本《漢書·律曆志》及《補注》引沈說改。
② "記"字原作"説",據衍刻卷及殿本《隋書》改。

候句六尺，即取竹，空徑一寸，長八尺，捕影而視之，空正掩日，而日應空之孔。由此觀之，率八十寸而得徑一寸。故以句爲首，以髀爲股。從髀至日下六萬里而髀無影，[1]從此以上至日則八萬里。若求邪至日者，以日下爲句，日高爲股，句股各自乘，并而開方除之，得邪至日。從髀所旁至日所十萬里，以率率之，八十里得徑一里，十萬里得徑千二百五十里。故曰：日晷徑千二百五十里。”又陳子曰：“古時天子治周，此數望之從周，故曰周髀。”據彼所説，是追依周公正日景之事，其器數不同，蓋即此《日晷書》之類。其後又引吕氏語，_{趙君卿以爲秦相吕不韋}。知陳子者，漢初人也。

許商算術二十六卷

《溝洫志》：“博士許商善爲算，能度功用。”徐岳《數術記遺》曰：“問曰：‘爲算之體，皆以積爲名，爲復，更有他法乎？’先生曰：‘隸首注術，乃有多種，及余遺忘，記憶數事而已。有積算、_{今之常算，以竹爲之。長四寸，以效四時；方三分，以象三才。} 太乙算、_{刻板橫爲九道，豎以爲柱，柱上一珠，數從下始，去來有道。} 兩儀算、_{刻板橫爲五道，豎爲位。一位兩珠，[2]色青下珠，色黄上珠，其青珠自上而下，其黄珠自下而上。} 三才算、_{刻板橫爲三道，上刻爲天，中刻爲地，下刻爲人；豎爲算位。有三珠：青珠屬天，黄珠屬地，白珠屬人。又其三珠通行三道，若天珠在天爲九，在地主六，在人主三；其地珠在天爲八，在地主五，在人主二；人珠在天主七，在地主四，在人主一，故曰“天地和同，隨物變通”也。} 五行算、_{水，玄，生數一；火，赤，生數二；木，青，生數三；金，白，生數四；土，黄，生數五。今爲五行算，色别九枚，以五行色數相配爲算之位也。} 八卦算、_{算爲之法，位用一，針鋒所指，以定算位數。一從離起，指正南，離爲一，西南坤爲二，正西兑爲三，西北乾爲四，正北坎爲五，東北艮爲六，正東震爲七，東南巽爲八，至九位闕，則中央豎而指天，故曰“位闕從天”也。} 九宮算、_{即二、}

---

① “從髀”二字原脱，據衍刻卷及清孔氏微波榭刻本《周髀算經》補。

② “位”字原作“柱”，據清孔氏微波榭刻本《數術記遺》及上下文意改。

四爲肩，六、八爲足，左三右七，戴九履一，五居中央。**運籌算**、算籌一枚，長五寸，籌上各爲五刻，上頭一刻，近一頭刻之，其下四刻，迭相去一寸，令去下頭亦一寸。人手取四指三間，間有三節。初食指上節間爲一位，第二節間爲十位，第三節間爲百位，至中指上節間爲千位，中節間爲萬位，下節間爲十萬位，無名指上節間爲百萬位，中爲千萬位，下爲億位也。① 至算刻近頭者，一刻主五；其遠頭者，一刻之別從下而起，主一，主二，主三，主四；若一二三四頭則向下於掌中；中若具五，則迴取上頭向掌中，故曰“小往大來，運於指掌”也。② **了知算**、一位爲一了字，其了有三曲，其下股之末，內主一，外主九。下次第一曲，內主二，外主八。當第二曲，內主三，外主七。其第三曲，內主四，外主六。當了字之首則主五。**成數算**、五行各配土爲成數。水，玄，生數一，成數六；火，赤，生數二，成數七；木，青，生數三，成數八；金，白，生數四，成數九。若以首向東及南爲生數，向西及北爲成數。**把頭算**、算二枚，一漫一齒者，一面刻爲一，其一面爲二，一面爲三，其一面爲四。漫者爲把，即當五算。生齒者爲把頭，一目當一算。**龜算**、龜之四面爲十二時，以龜首指寅爲一，指卯爲二，指辰爲三，指巳爲四，指午爲五，指未爲六，指申爲七，指酉爲八，指戌爲九，指亥爲十。龜頭指不以爲數，故曰“調冬則停”。**珠算**、刻板爲三分，其上下二分以停游珠，中間一分以定算位。位各五珠，上一珠與下四珠色別。其上別色之珠當五，其下四珠，珠各當一。至下四珠所領，故云“控帶四時”。**計算**。’”謂不用算籌，宜以心計之。或曰：“今有長竿一枚，不知高下，不用籌算，云何計而知之？”答曰：“取竿之影，任其長短，畫地計之。假令手中有三尺之物，亦豎之，取杖下之影長短以量竿影，得矣。”按曹倉舒以象置大船，刻水痕，同此。**按《漢書》所爲算術，未審其備有此數否？録之廣異聞。**《宋書·曆志》：“吳中書令闞澤受《乾象》法於東萊徐岳字公河。”則徐岳漢末人，受《乾象曆》於劉洪者。

杜忠算術十六卷

《廣韻》：“《說文》曰‘算長六寸，計曆數’者也。又有《九章術》，漢許商、杜忠、吳陳熾、魏王粲并善之。”魏劉徽《九章算經序》：“包犧氏始畫八卦，作九九之術，以合六爻之變。黃帝神而化之，引而伸之，建曆紀，協律呂，記稱‘隸首作數’，其詳

---

① “億”後原衍“萬”字，據衍刻卷、清孔氏微波榭刻本《數術記遺》及上下文意刪。

② “也”字原在“運”字前，據清孔氏微波榭刻本《數術記遺》及上下文意調正。

未之聞也。周公制禮，有九數，《九章》是矣。漢北平侯張蒼、大司農中丞耿壽昌皆以善算命世，蒼等因舊文遺殘，各稱刪補，故校其目，與古或異，而所論多近語。”《保氏》注鄭司農云：“方田、粟米、差分、少廣、商功、均輸、方程、贏不足、旁要。今有重差、夕桀、句股。”疏云：“此漢法增之。”此劉徽所云“校其目與古或異”者也。《禮記疏》：“重差、差分，一也；去旁要，以句股替之，是爲漢之九數。”按此許商、杜忠所爲，即是《九章術》。《志》舉人名以包之，遂令後人疑惑耳。《後書》馬續、鄭氏並善《九章算術》，明許、杜等非別一書也。《隋志》有劉徽注，徐岳、甄鸞等重述。《西京雜記》：“安定嵩真、玄菟曹元理并明算術，皆成帝時人。”

右曆譜十八家

泰一陰陽二十三卷

《隋志》五行家載太一占甚多，今存者《太一龍首式經》一卷。

黃帝陰陽二十五卷

《御覽》八十二《黃帝玄女占法》曰：“禹問於風后曰：‘吾聞黃帝有勝負之圖、[①]六甲陰陽之道，今安在乎？’風后曰：‘黃帝藏會稽之山下。’”《隋志》：《黃帝陰陽遞甲》六卷。

黃帝諸子論陰陽二十五卷

《御覽》五百三十七《黃帝太一密推》師曠曰：“先知巡狩之年，當視太一與天目在四維之歲法爲巡狩；若不然，則遣使者按行風俗。”

諸王子論陰陽二十五卷

《方術傳》注：“須臾，陰陽吉凶立成之法也。今書《七志》有

---

① “吾聞”二字原脱，據衍刻卷、四庫本《御覽》及《補注》引沈說補。

《武王須臾》一卷。"

太元陰陽二十六卷

《後書·方術傳》"風角、遁甲、七政、元氣",注云:"元氣者,書疑此類謂開闢陰陽之書也。《河圖》曰:'元氣闓陽爲天。'"楊由"少習七政、元氣"。

三典陰陽談論二十七卷

《隋志》僅有《雜陰陽婚嫁書》。按《齊民要術》、《御覽》引雜陰陽書猶多。《月令》正義:"《陰陽式法》:正月,亥爲天倉。"《南齊書·禮志》:"《記》稱'元辰',注曰吉亥。"

神農大幽五行二十七卷

《御覽》二十八《神農書》曰:"冬至陰陽合精,天地交讓。《路史》注引作"交遊"。天爲尸溫,地爲不凍,君爲不朝,百官爲不親事。不可出游,必有憂悔。"《隋志》有《神農重卦經》二卷。

四時五行經二十六卷

《齊民要術》所引《雜五行書》言農家種殖,殆此類。又云《雜五行書》曰:"常以正月旦,亦用月半,以麻子二七顆、赤小豆七枚置井中,辟疫病甚神驗。"《御覽》八百四十一《雜五行書》曰:"正月七日,男吞赤豆七枚,女吞十四枚,竟年無病。"

猛子閭昭二十五卷

陰陽五行時令十九卷

亦《易》陰陽、明堂月令之類。

堪輿金匱十四卷

《淮南·天文訓》:"北斗之神雌雄堪輿徐行,雄以音知雌。"《周禮·占夢》疏:《鄭志》答張逸曰:"按《堪輿》黄帝問天老事云:'四月,陽建於巳,破於亥;陰建於未,破於癸。'是爲陽破陰,陰破陽,故四月有癸亥,爲陰陽交會;十月丁巳,爲陰陽交會。"又《保章氏》注"堪輿有郡國所入度"。《占夢》疏:"按《堪輿》，大會有八，小會亦有八。"《公羊疏》："《堪輿》云：九月，日體在大火。"《御覽》八百四十九《風俗通》曰："《堪輿書》云：上朔會客必鬥爭。"《隋志》有《曆頭堪餘》、《地節堪餘》、《大小堪餘》、《四序堪餘》、《八會堪餘》等。《吳越春秋》："伍子胥曰：'竊觀《金匱》第八，其可傷也。'吳王曰：'何謂也？'子胥曰：'今年七月辛亥平旦，十三年。大王以首事。辛，歲位也；亥，陰前之辰也。合壬子歲，前合也，利以行武，武決勝矣。然德在合斗擊丑。丑，辛之本也。大吉爲白虎而臨辛，功曹爲太常白虎，太常十二將也，大吉。功曹，十二月神。所臨亥。① 大吉得辛爲九醜，又與白虎并重。有人若以此首事，前雖小勝，後必大敗。天地行殃，禍不久矣。"又："吳王召太宰嚭，欲赦越王。越王召范蠡告之，蠡曰：'大王安心，事將有意，在《玉門》第一。今年十二月戊寅之日，時加日出。句踐五年。戊，囚日也；寅，陰後之辰也。合庚辰歲後會也。夫以戊寅日聞喜，不以其罪罰日也。時加卯而賊戊，功曹爲騰蛇而臨戊，謀利事在青龍。青龍在勝光而臨酉，勝光，六月神。死氣也。而尅寅，是時尅其日，用又助之。所求之事，上下有憂。此其非天網四張，萬物盡傷者乎！王何喜焉？'"又子胥諫吳王曰："大王初臨政，負《玉門》之第九，誠事之敗，無咎矣。今年三月甲戌，時加雞鳴。甲戌，歲在位之會將也。青龍在西，德在土，刑在金，是日賊其德也。知父將有不順之子，君有逆節之臣。"又："范蠡既去，越王召大夫種曰：'蠡可追乎'？種曰：'不及也。蠡去時，陰畫六，陽畫三。日前之神，莫能制者。玄武天空玄武天空十二將。威行，孰敢止者？度天關，涉天梁，後入天一，前翳神光，言之者死，視之者狂。臣願大王勿復追也。'"又文種語其妻曰："吾見王

① "所臨"二字原脫，據《四部叢刊》影印明刻本《吳越春秋》及上下文意補。

時，正犯《玉門》之第八也。二十五年丙午平旦。辰尅其日，上賊於下，是爲亂醜，必害其良。今日尅其辰，上賊下，止吾命須臾之閒耳。"按所云《金匱》、《玉門》者，是或漢之五行書名，其所占類太乙、六壬之式則，或天一、太一兩家言也。因子胥有《金匱》之目，故附識於此。《隋志》：梁有《伍子胥式經章句》、《起射覆式》、《越相范蠡玉笥式》各二卷。

務成子災異應十四卷[①]

《隋志》：《仙人務脱"成"字。子傳神通黃帝登壇經》一卷。

十二典災異應十二卷

《易通卦驗》："十二月十二日，正八風，二十四氣，相應之驗。"

鍾律災異二十六卷[②]　鍾律消息二十九卷[③]

蓋京房之術。《續律曆志》："京房以六十律分期之日，黃鍾自冬至始，及冬至而復，陰陽寒燠風雨之占生焉。"《風俗通·聲音篇》按劉歆《鍾律書》宮、商、角、徵、羽義云云，亦其事也。詳見樂家。《易通卦驗》："迎日至之禮，人主致八能之士，或調黃鍾，或調六律、五聲，或調五行、陰陽，乃縱八能之士，擊黃鍾之鍾。人敬稱善言以相之。黃鍾之音得，蕤賓之律應，則公卿大夫列士，以德賀於人主。因諸政所請，行五官之府，各受其當聲。諸氣和，則人主以禮賜公卿大夫列士。"

鍾律叢辰日苑二十三卷

《日者列傳》："孝武帝時，聚會占家，問之：'某日可娶婦乎？'五行家曰可，堪輿家曰不可，建除家曰不吉，叢辰家曰大凶，曆家曰小凶，天一家曰小吉，太一家曰大吉。辯訟不決，以狀

---

① "卷"字原脱，據衍刻卷及殿本《漢書·藝文志》補。
② "異"字原誤作"應"，據殿本《漢書·藝文志》改。
③ "鍾律消息二十九卷"於《漢書·藝文志》在"黃鍾七卷"之前。

聞。制曰：'避諸死忌，以五行爲主。'[1]人取於五行者也。"按
此數家雖總名五行，所占又不同若此。今有《玄女三子經》，論婚娶日。
《隋志》"《九天嫁娶圖》"，蓋是也。

黄鍾七卷

《隋志》：《黄鍾律》一卷。《管子·五行篇》："黄帝以政五鍾，
然後立五行。"

天一六卷

《淮南·天文訓》："天神之貴者莫貴於青龍，[2]或曰天一，或曰
太陰。太陰所居，不可背而可向。"李筌《太白陰經》："黄帝征
蚩尤，七十一戰不克。畫夢金人引領長頭玄狐之裘云：'天帝
使授符，得兵符，[3]戰必克。'帝寤，問風后，曰：'此天應也。'乃
於盛水之陽暴壇祭太牢，有玄龜含符致壇，文曰：'天一在前，
太乙在後。'帝再拜授。於是設九宮，置八門，布三奇六儀，制
陰陽二遁，凡千八百局，名曰'天一遁甲式'。"

泰一二十九卷

《乾鑿度》"太一取其數，以行九宮"，注："太一者，北辰之神名
也。居其所曰太一，常行於八卦日辰之間。太一下行八卦之
宮，每四方還於中央。中央者，北辰之所居，故因謂之九宮。
天數大分，以陽出，以陰入，陽起於子，陰起於午，是以太一下
九宮，從坎宮始。自此而從於坤宮。[4]坤，母也。又自此而從
震宮。又自此而從巽宮。所行者半，還息於中央之宮。既又
自此而從乾宮，而兑宮，又從於艮宮，又於離宮。行則周矣，

---

① "五"字原脱，據衍刻卷、殿本《史記》、《補注》引沈説及上下文意補。
② "者莫貴"三字原脱，據衍刻卷、清莊逵吉校刻本《淮南子》及《補注》引沈説補。
③ "得兵符"三字原脱，據衍刻卷及《補注》引沈説補。
④ "宮"字原在下句"坤"字後，據衍刻卷、文淵閣《四庫全書》本《易緯》及上下文意
調正。

而反於紫宮。出從中男，人從中女，亦因陰陽男女之偶爲終始云。"《鶡冠子·泰鴻篇》："中央者，太一之位，百神仰制焉。"張衡奏云："九宮、風角，數有徵效。"《隋志》：《太一式雜占》十卷、《太一九宮雜占》十卷。[①]《後書·高彪傳》注："《太一式》'凡舉事，皆欲發三門，順五將'。三門者，開門、休門、生門。五將，天目、文昌等。"

刑德七卷

《淮南·天文訓》："陰陽刑德有七舍。何謂七舍？室、堂、庭、門、巷、術、野。十二月，德居室，三十日，先日至十五日，後日至十五日，而徙所居各三十日。德在室則刑在野，德在堂則刑在術，德在庭則刑在巷，陰陽相得則刑德合門。八月、二月，陰陽氣均，日夜分平，故曰刑德合門。德南則生，刑南則殺，故曰二月會而萬物生，八月會而草木死。"又曰："太陰在甲子，刑德合東方宮，常徙所不勝，合四歲而離，離十六歲而復合。所以離者，刑不得入中宮，而徙於木。"錢大昕曰："五行家歲月皆有刑德七舍，則月之刑德也。"

風鼓六甲二十四卷

《後書·方術傳》注："遁甲，推六甲之陰而隱遁也，今書《七志》有《遁甲經》。"風鼓，未詳。《困學紀聞》："九天九地之數，乾納甲壬，坤納乙癸，自甲至壬，其數九，故曰九天；自乙至癸，其數九，故曰九地。九天之上，六甲子也；九地之下，六癸酉也。"

風后孤虛二十卷

《隋志》兵家有《孤虛法》十卷、《六甲孤虛雜訣》一卷。裴駰《龜筴傳》注曰："甲乙謂之日，子丑謂之辰。《六甲孤虛法》：甲子旬中無戌亥，戌亥即爲孤，[②]辰巳即爲虛。甲戌旬中無申

---

① "雜占"二字原脱，據衍刻卷、殿本《隋書》及《補注》引沈説補。
② "戌亥"二字原脱，據衍刻卷及殿本《史記》補。

酉，申酉爲孤，寅卯即爲虛。①甲申旬中無午未，午未爲孤，子丑即爲虛。甲午旬中無辰巳，辰巳爲孤，戌亥即爲虛。甲辰旬中無寅卯，寅卯爲孤，申酉即爲虛。甲寅旬中無子丑，子丑爲孤，午未即爲虛。"《後書·方術傳》："宗資將兵討琅邪賊，趙彥爲陳孤虛之法，從孤擊虛以討之。"《御覽》三百二十八《六韜》曰："從孤擊虛，高人無徐，一女子當百夫。"《孟子正義》："孤虛之法，以一畫爲孤，無畫爲虛，二畫爲實。以六十甲子日定東西南北四方，然後占其孤、虛、實而向背之，即知吉凶矣。"

六合隨典二十五卷

《南齊書·禮志》："五行説十二辰爲六合，寅與亥合。"《占夢》注："日月之行及合辰所在。"《淮南·天文訓》："爲奇辰，數從甲子始，子母相求，所合之處爲合。十日十二辰，周六十日，凡八合。合於歲前則死亡，合於歲後則無殃。"《隋志》：《六合婚嫁曆》一卷。《御覽》三百二十八《玄女兵法》曰："三奇六合，主威軍士。"

轉位十二神二十五卷

《淮南·天文訓》："太陰在寅，朱鳥在卯，句陳在子，玄武在戌，白虎在酉，蒼龍在辰。寅爲建，卯爲除，辰爲滿，巳爲平，主生；午爲定，未爲執，主陷；申爲破，主衡；酉爲危，主杓；戌爲成，主少德；亥爲收，主大德；子爲開，主太歲；丑爲閉，主太陰。"《隋志》：梁有《十二屬神圖》一卷。《論衡·難歲篇》："十二神登明、從魁之輩。"《論衡·物勢篇》又言"十二辰禽"，似非此。

羡門式法二十卷　羡門式二十卷

《唐六典·太卜令》："辨三式之同異。一曰雷公式，二曰太乙式，并禁私家畜；三曰六壬式，士庶通用之。用式之法，辨十二將，十二月神。十二將以天一爲首，前一曰螣蛇，二曰朱雀，三六合，四句陳，

---

① "即"字原脱，據衍刻卷及殿本《史記》補。

五青龍；後一曰天后，二太陰，三玄武，四太常，五白獸，六天空。前盡於五，後盡於六。天一立中，爲十二將。又有十二月之神，正月登明，二月天魁，三月從魁，四月傳選，①五月小吉，六月勝光，七月太卜，八月天閨，九月太衝，十月功曹，十一月大吉，十二月神后。"《隋志》有《黄帝式經》、《玄女式經》、《六壬式經》等。《唐志》：《雷公式經》一卷、《太乙式經》二卷。《考證》："梁元帝《洞林序》云：羲門五將，韓終六壬。"按此太一式，起於羲門高也。《通典·兵十三》蕭世誠曰："吾勘太乙中有飛鳥十，精知風雨期，五子元運式也。"

文解六甲十八卷　　文解二十八宿二十八卷

《隋志》：《萬年曆二十八宿人神》一卷、《六甲周天曆》一卷。

五音奇胲用兵二十三卷

《抱朴子·極言篇》："黄帝審攻戰，則納五音之策。"《御覽》三百二十八《玄女兵法》曰："黄帝攻蚩尤，三年城不下。募求術士，乃得伍胥，《路史》作"胥"。與之言曰：'今日余攻蚩尤，三年城不下，與咎安在？'伍胥曰：'此城中之將，爲人必白色商音。帝始攻時，得無以秋之東方行乎？今黄帝爲人蒼色角音，此雄軍也，以戰爲之。'黄帝曰：'善，爲之若何？'伍胥曰：'臣請攻蚩尤，三日城必下。'中黄直曰：'帝積三年攻蚩尤，城不下。今爾欲以三日下之，何以爲明？'伍胥曰：'不如臣言，請以軍法論。'黄帝曰：'子欲何時？'曰：'臣請朱雀之日日正中時，立赤色徵音絳衣之軍於南方，以輔角軍。臣請以青龍之日平旦時，立青色角音青衣之軍於東方，以輔羽軍。臣請以玄武之日人定時，立黑色羽音黑衣之將於北方，以輔商軍。臣請以白虎之日日入時，立白色商音白衣之將於西方，以輔宫軍。四將以立，臣

---

① "選"字，明正德刻本《大唐六典》作"送"。

請爲帝以黃龍之日日中建黃旗於中央，以制四方。'五軍已具，四面攻蚩尤，三日，其城果下。"《周官·太師》注："《兵書》曰：王者行師，出軍之日，授將弓矢，士卒振旅，將張弓大呼，太師吹律合音。商則戰勝，軍士強；角則軍擾多變，失士心；宮則軍和，士卒同心；徵則將急數怒，軍士勞；羽則兵弱，少威明。"按《六韜》亦有《五音篇》，兼以五勝之法制敵是也。

五音奇胲刑德二十一卷

《考證》："《淮南·兵略》'明於星辰日月之運，刑德奇賌之數，背鄉左右之便，此戰之助也'。注："奇賌之數，奇祕之數，非常策。"《史記·倉公傳》'受脈書上下經、五色診、奇咳術'。"[1]按奇胲即奇偶。顧野王云："胲當寅也。"顏籀引《說文》"胲，軍中約"，非此義。

五音定名十五卷

《大戴·保傅篇》："太子生而泣，太師吹銅曰：'聲中某律。'"《白虎通》："聖人吹律定姓。"《通典》一百五呂才《陰陽書序》云："近代師巫，加五姓之說。五姓者，謂宮、商、角、徵、羽。天下萬姓，悉總配之。"《隋志》：《五音相動法》一卷、《風角五音圖》二卷。梁有《風角五音占》五卷，京房撰。

右五行三十一家

《考證》補《翼氏風角》。《隋志》：《風角要候》十一卷，[2]翼奉撰，《翼奉傳》注引其書。翼氏《風角鳥情》一卷、《風角雜占五音圖》五卷，又有京房《風角要占》三卷、《京君明推偷盜書》一卷，皆此志所無。《唐志》五行家有《淮南王萬畢術》一卷。《隋志》云《墨子枕中五行要記》、《淮南萬畢經》、《淮南變化術》、《陶朱變化術》各一卷，[3]《五行變化墨子》五卷，《淮南中經》四卷。按《龜筴傳》褚先生"臣爲郎時，見《萬

---

① "奇"字原脫，據衍刻卷、康本《漢志考》及殿本《史記》補。

② "角"字原脫，據衍刻卷及殿本《隋書》補。

③ "朱"字原誤作"志"，據衍刻卷及殿本《隋書》改。

畢·石朱方傳》"，則漢時古書也。《御覽》多引之。《後書·王景傳》："景以衆書錯糅，吉凶相反，乃參記衆家數術文書、冢宅禁忌、堪輿日相之屬，集爲《大衍玄基》。"

龜書五十二卷

《隋志》：《龜經》一卷，晋掌卜大夫史蘇撰，又史蘇《沈思經》一卷。梁有史蘇《龜經》十卷。《哀九年傳》"晋趙鞅卜救鄭，遇水適火"，疏引服虔云："兆南行適火，卜法：橫者爲土，立者爲木，邪向經者爲金，背經者爲火，因兆而細曲者爲水。"《後書·張衡傳》注"《龜經》有棲鶴兆，言卜得鶴兆也"。《皇后紀》"太史卜，兆得壽房"。《考證》云："《崇文總目》三卷，①而五十二卷之書亡矣。②《史記》褚先生所補，亦其大略也。"

夏龜二十六卷

夏時龜卜之書。《墨翟書·耕柱篇》："夏后開使蜚廉採金於山川，而陶鑄於昆吾，使翁難乙卜於目若之龜，曰：'鼎成三足而方，不炊而自烹，不舉而自臧，不遷而自行，以祭於昆吾之墟，上鄉！'乙又言兆之由曰：'饗矣！逢逢白雲，一南一北，一西一東，九鼎既成，遷於三國。'"

南龜書二十八卷

《周官·龜人》"南龜曰獵屬"。《龜筴傳》："余至江南，觀其行事，問其長老，云龜千歲乃遊蓮葉之上。廬江郡常歲時生龜長尺二寸者二十枚輸太卜官。"《抱朴子·對俗篇》："《玉策記》曰：千歲之龜，浮於蓮葉之上，或在叢蓍之下。"褚先生亦引"《記》曰"，或即《玉策記》也。

---

① "總"字原脱，據衍刻卷、康本《漢志考》及《補注》引沈説補。
② "二"字原作"三"，據衍刻卷及康本《漢志考》改。

巨龜三十六卷　雜龜十六卷

《龜筴傳》："《記》曰：'能得名龜者，財物歸之，家必大富，至千萬。'一曰'北斗龜'，二曰'南辰龜'，三曰'五星龜'，四曰'八風龜'，五曰'二十八宿龜'，六曰'日月龜'，七曰'九州龜'，八曰'玉龜'，凡八名龜，龜文各在腹下云云者，[①]此某之龜也。"

著書二十八卷

《文選·思玄賦》注：《古文周書》云："周穆王姜后晝寢而孕，越姬嬖，竊而育之，斃以玄鳥二七，塗以彘血，實諸姜后，遂以告王。王恐，發書而占之，曰：'蜉蝣之羽，飛集於户。鴻之戾止，弟弗克理。重靈降誅，尚復其所。'問左史氏，史灼曰：'蟲飛集户，是日失所。惟彼小人，弗克以育君子。'史良曰：'是謂闕親，將昌其身。歸於母氏，而後獲寧。册而藏之，厥休將振。'王與令尹册而藏之於檀。居二月，越姬死。七日而復，言其情曰：'爾，夷隸也，胡竊君之子不歸母氏？將實而大戮，及王子於治。'"《續天文志》張衡《靈憲》曰："羿請無死之藥於王母，恆娥竊藥奔月。將往，枚筮之於有黄，有黄占之曰：'吉。翩翩歸妹，獨將西行，逢天晦芒，毋驚毋恐，後且大昌。'"此皆古之著書也。

周易三十八篇

《隋志》五行家列"周易"名甚多，而京房之書悉在此，[②]但云《周易》，恐非諸術家也。杜預《左傳後序》："汲冢古書《周易》上下篇，與今正同。别有《陰陽説》而無《彖》、《象》、《文言》、《繫詞》。"《史記·大宛傳》："天子發書《易》，云：'神馬當從

---

① "龜"字原誤作"之"，據衍刻卷及殿本《史記》改。
② "悉"字原脱，據衍刻卷補。

西北來。'"

周易明堂二十六卷

　　蓋即明堂陰陽之説，類即魏相所采者。《後書·郎顗傳》："於《易雄雌祕曆》，今值困乏。"《隋志》：《易曆》七卷。

周易隨曲射匿五十卷

　　《隋志》：《易射覆》、《易腦經》等。《東方朔傳》："上使諸數家射覆，朔自贊曰：'臣嘗受《易》，請射之。'乃別著布卦而對。"《魏志》："管輅射覆，卦成。"此并先有卦辭，占者以卦推之。

大筮衍易二十八卷　　大次雜易三十卷

　　《隋志》有《雜筮占》、《易三備》等。

鼠序卜黄二十五卷

　　《抱朴子·對俗篇》："鼠壽三百歲，滿百歲則色白。善憑人而卜，名曰仲，能知‥年中吉凶及千里外事。"

於陵欽易吉凶二十三卷　　任良易旗七十一卷

　　《隋志》有費直《易林》二卷、《易内神筮》二卷，梁有費直《周易筮占林》五卷。《隋志》《周易分野星圖》一卷，不著撰人。考《晉·天文志》，亦費直所撰，《隋志》失之。兩參之，或因故書題新名未可知也。

易卦八具

　　《東觀漢記》："永平五年秋，御雲臺，詔尚席取卦具。"《士冠禮》"筮與席所卦"，鄭云："所卦者，所以畫地記爻。"又《少牢禮》"卦以木，卒筮，乃書卦於木"，鄭云："每一爻畫地以識之，六爻備，書於版。"然則《易卦八具》，其版書也。

十二靈棊卜經 　補。

　　《隋志》一卷，不著撰人。《御覽》七百二十六《異苑》曰："《十二棊卜》出自張文成，受法於黄石公。行師用兵，萬不失一。逮至東方朔，密以占衆事，自此以後，秘而不傳。晉寧康初，襄城寺法味道人，忽見一老公，①著黃皮衣，竹筒盛此書，以授法味。無何，失所在，遂復流於世。"《郡齋讀書志》云："《南史》載'客從南來，②遺我良財。寶貨珠璣，金盌玉杯'之繇，則古之遺書也明矣。凡百二十卦，皆有繇詞。"

右蓍龜十五家　《隋志》并入五行家。

黃帝長柳占夢十一卷

《詩箋》："'大人占之'，謂以聖人占夢之法占之。"皇甫謐云"黃帝夢得風后、力牧，因著《占夢經》十一卷"，蓋憑此而傅會。《隋志》《占夢書》下"梁有《黃帝太一雜占》十卷"。

甘德長柳占夢二十卷

即占星之甘公。《隋志》：《雜占夢書》一卷，梁有《師曠占》五卷，《東方朔占》七卷。又京房《占夢書》三卷、《夢書》十卷。《御覽》引夢書甚多，當即隋時著録者也。

武禁相衣器十四卷

《論衡·譏日篇》："裁衣有書，凶日製衣有禍，吉日有福。"《隋志》：梁有《裁衣書》一卷。

嚏耳鳴雜占十六卷

《詩箋》："今俗人嚏，云'人道我'，此古之遺語也。"《西京雜記》陸賈曰："目瞤得酒食，燈火華得錢財，故目瞤則咒之，火華則拜之。"《隋志》：梁有《嚏書》、《耳鳴書》、《目瞤書》各一卷。《論衡·譏日篇》："《沐書》曰：子日沐，令人愛之；卯日沐，令人白頭。"《隋志》《沐浴書》一卷亦當在此類。

禎祥變怪二十一卷

《中庸》疏："本有今異曰禎，本無今有曰祥。"何胤云："國本有雀，今

---

① "見"字原脱，據四庫本《御覽》及上下文意補。

② "來"字原誤作"方"，據清嘉慶汪氏刻本《郡齋讀書志》、殿本《南史》及文意改。

有赤雀來,是禎也。國本無鳳,今有鳳來,是祥也。"

人鬼精物六畜變怪二十一卷

《先天紀》:"黃帝巡狩,東至海,登桓山,於海濱得白澤神獸,能言達於萬物之情,因問天下鬼神之事。自古精氣爲物、遊魂爲變者,凡萬一千五百二十種。白澤言之,帝令以圖寫之,以示天下。帝乃作祝邪之文以祝之。"《抱朴子·極言》:"黃帝窮神姦,則記白澤之辭。"《隋志》:《白澤圖》一卷。《抱朴子·登涉篇》:"或問辟山川廟堂百鬼之法。曰:'道士常帶天水符,及上皇竹使符、老子左契,及守真一思三部將軍者,鬼不敢近人也。① 其次則論鬼錄,知天下鬼之名字,及《白澤圖》、《九鼎記》,則衆鬼自卻。'"又云:"山中見鬼來喚人,求食不止者,以白茅投之即死。山中鬼常迷惑使失徑者,以葦杖投之即死。山中寅日,有自稱虞吏者,虎也。卯日稱丈人者,兔也。辰日稱雨師者,龍也。稱河伯者,魚也。巳日稱寡人者,蛇也。午日稱三公者,馬也。未日稱主人者,羊也。申日稱人君者,猴也。酉日稱將軍者,鷄也。戌日稱人姓字者,犬也。稱成陽公者,狐也。亥日稱神君者,豬也。子日稱社君者,鼠也。丑日稱書生者,牛也。但知其物名,則不能爲害也。"按《管子·水地篇》:"涸澤數百歲,谷之不徙,水之不絶者,生慶忌。慶忌者,其狀若人,其長四寸,衣黃衣,冠黃冠,戴黃蓋,乘小馬,好疾馳。以其名呼之,可使千里外一日反報。此涸澤之精也。涸川之精者生於蟡。蟡者,一頭而兩身,其形若蛇,其長八尺。以其名呼之,可以取魚鼈。此涸川水之精也。"又《小問篇》:②"桓公北伐孤竹,未至卑耳之谿十里。'見人長尺而人物具焉,冠,右袪衣,走馬前疾,事其不濟乎'?管仲對曰:'臣聞登山之神有俞兒者,長尺而人物具焉。霸王之君興而登山之神見。'"又《莊子·達生篇》:"桓公曰:'然則有鬼乎?'曰:'沈有履,竈有髻,戶內之煩壤,雷霆處之;東北方之下者,倍阿、鮭蠪躍之;西北方之下者,則泆陽處之。水有罔

---

① "鬼"後原衍"百"字,據衍刻卷及《平津館叢書》本《抱朴子內篇》删。

② "小"字原脱,據明趙用賢刻本《管子》及《補注》引沈説補。

象，丘有羋，山有夔，野有仿偟，澤有委蛇。委蛇，其大如轂，其長如轅，紫衣而朱冠。惡聞雷車之聲，則奉其首而立。’”然則知鬼神之情狀，固有譜録矣。

變怪誥咎十三卷

《太祝》“六辭”，三曰誥。誥，告於神也。咎，自刻責也。曹子建《誥咎文》序：“五行致災，先史咸以爲應政而作。天地之氣，自有變動，未必政治之所興致也。於時大風發屋拔木，意有感焉。聊解上帝之命，①以誥咎祈福。”袁盎心不樂，家多怪，乃之棓生所問占，亦其事也。道家又別有科儀。《文心雕龍》：“黃帝有祝邪之文，東方朔有罵鬼之書。陳思《誥咎》，裁以正義。”

執不祥劾鬼物八卷

費長房能醫療衆病，鞭笞百鬼，驅使社公。《抱朴子·論仙篇》：“《神仙集》中有召神劾鬼之法。”又《遐覽篇》：“鄭君有《收山鬼老魅治邪精經》三卷。”《御覽》八百九十一《風俗通》曰：“案《黃帝書》，上古之時，有神荼與鬱壘兄弟二人，性能執鬼。度索山上桃園下，簡閱百鬼。鬼無道理，妄干人禍。神荼與鬱壘縛以葦索，執以食虎。於是官常以臘餘，餚桃人，畫虎於門，皆是追效前事，冀以禦鬼。”又《御覽》三百五十六《孝經威嬉拒》曰：“欲去惡鬼，五行具，②五人皆持大斧，著鐵胄，將之。常使去四五十步，不可令近人也。”按此則今畫門神像亦有所本。

請官除訞祥十九卷

《周宮·女祝》“掌以時招、梗、檜、禳之事”，鄭大夫讀“梗”爲“亢”，謂“招善而亢惡去之”；杜子春讀“梗”爲“更”；鄭謂“梗，禦未至也”。按《管子·四時篇》“春除神位，謹禱弊梗”，注：“梗，塞也。時方開通，而有弊敗梗塞，③則禱神以開通

---

① “解”字，《四部叢刊》影印明本《曹子建集》作“假”，於義較勝。

② “行”字，四庫本《御覽》作“刑”，於義較勝。

③ “敗”字原誤作“梗”，據衍刻卷及明趙用賢刻本《管子》改。

之。"亦《男巫》"冬堂贈"、"春招弭"之事也。《説苑・辨物篇》柏常騫禳去梟，築新室，置白茅，梟當陛布翼伏地而死。

禳祀天文十八卷

《晏子・諫篇》："景公睹彗星，召柏常騫，使禳去之。"鄭《女祝》注：①"四禮，惟禳其遺像今存。"《論衡・解除篇》："世間繕治宅舍，鑿地掘土，功成作畢，解謝土神，名曰解土。爲土偶人，以像鬼形，令巫祝延以解土神。"《隋志》：梁有《六甲祀書》二卷。

請禱致福十九卷

《隋志》：梁有《董仲舒請禱圖》。《周禮・太祝》注："董仲舒救日食，祝曰：'炤炤大明，瀐滅無光，奈何以陰侵陽，以卑侵尊。'"②《繁露》《郊祀篇》郊祝曰："皇皇上帝，照臨下土。集地之靈，降甘風雨。庶物羣生，各得其所。靡今靡古，惟予一人。某敬拜皇天之祜。"

請雨止雨二十六卷

《繁露》有《求雨篇》、《止雨篇》。止雨祝曰："嗟！天生五穀以養人，今澇雨太多，五穀不和。敬進肥牲清酒，以請社靈，幸爲止雨，除民所苦，無使陰滅陽。"《御覽》五百二十六《漢舊儀》曰："五鳳元年，儒術奏施行董仲舒請雨事。始令丞相以下求雨雪，曝城南，舞童女禱天神五帝。五年，始令諸官止雨，朱繩縈社，擊鼓助。"又三十五《神農求雨書》："春甲乙不雨，東爲青龍，又爲大龍，東方，老人舞之。壬癸黑。北不雨，命巫祝曝之日；不雨，禱山神，積薪具擊鼓而焚之。"按其文有斷爛，《繁露》亦引《神農》，然則古法如此。

泰壹雜子候歲二十二卷

《天官書》："凡候歲美惡，謹候歲始。冬至日、臘明日、正月旦、立春日。四始者，候之日。漢魏鮮集臘明、正月旦決八風。"按《易

---

① "注"字原脱，據衍刻卷補。
② "侵"字原誤作"請"，據《十三經注疏》本《周禮注疏》及《補注》引沈説改。

通卦驗》亦以卦氣候歲。《御覽》十七《師曠占》曰："黃帝問師曠曰：'吾欲知歲苦樂善惡，可以否？'師曠對曰：'歲欲豐，甘草先生，薺也；歲欲飢，苦草先生，亭歷也；歲欲惡，惡草先生，水藻也；歲欲旱，旱草先生，蒺藜也；歲欲潦，潦草先生，蓬也；歲欲病，病草先生，艾也。'"《齊民要術》《雜說》《師曠占·五穀》曰："正月甲戌日，大風東來折樹者，穀熟。甲寅日，大風西北來者貴。① 庚寅日，風從西來者，皆貴。二月甲戌日，風從南來者，稻熟。乙卯日，不雨晴明，稻上場，不熟。四月四日雨，稻熟；日月珥，天下喜。十五日、十六日雨，晚稻善；日月蝕。"

子贛雜子候歲二十六卷

《越絕·外傳》："夫八穀貴賤之法，必察天之三表。"此《越絕》所本，俗人亦以《越絕》爲子貢作。《論衡·案書篇》："會稽吳君高之《越紐錄》。"《隋志》有《東方朔占候水旱下人善惡》一卷。

五法積貯寶藏二十三卷

《隋志》：《三合紀飢穰》一卷。《越絕·計倪内經》："人之生無幾，必先憂積蓄，以備妖祥。"漢耿壽昌亦精其術。

神農教田相土耕種十四卷

《御覽》七十八《周書》曰："神農之時，天雨之粟，神農耕而種之，陶冶斤斧，② 爲耒、耜、鉏、鎒以墾草莽，然後五穀興。"

昭明子釣種生魚鼈八卷

《文選注》引之。《齊民要術》有《陶朱公養魚經》，或即其書。

種樹藏果相蠶十三卷

《齊民要術·栽樹篇》："凡栽樹，正月爲上時，諺曰"正月可栽樹"，

---

① "北"字原脱，據衍刻卷及《津逮秘書》本《齊民要術》補。
② 四庫本《御覽》"陶"前有"作"字，於義較勝。

言得時易生也。二月爲中時，三月爲下時。棗，鷄口；槐，兔目；桑，蝦蟇眼；榆，負瘤散。自餘雜木：鼠耳、虻趨，各其時。"此等名目，皆是葉生形容之所象似。以此時栽種者，葉皆即生"。以上原注。《食經》曰：種名果法，三月上旬，斫好直枝，如大母指，長五尺，内著芋魁種之。無芋，大蕪菁根亦可用。勝種核，核三四年乃如此大耳。"又《食經》有作乾棗法、蜀中藏梅法、藏乾栗法、藏柿法、藏木瓜法。不具録。按此皆有所本也。《舊唐志》：諸葛穎《種植法》七十七卷。《周官·馬質》注："《蠶書》：蠶爲龍精，月直大火，則浴其種。"《御覽》八百二十一—《氾勝之書》曰："衛尉前上蠶法，民事人所忽略，衛尉勤之，忠國愛民之至。"《唐志》：《蠶經》一卷。《崇文總目》：《淮南王蠶經》三卷，劉安撰。

右雜占十八家

山海經十三篇

《列子·湯問篇》夏革曰："大禹行而見之，伯益知而名之，夷堅聞而志之。"《論衡》："禹主治水，益主記異物。董仲舒覩重常之鳥，劉子政曉貳負之尸。"[1]劉淵林《吳都賦》曰：[2] "漢宣帝時，擊磻石於上郡，陷得石室，其中有反縛械人。[3] 劉向曰：'此貳負之臣也。'以《山海經》對。"《海内西經》郭注："劉子政按此言對之，宣帝大驚，於是人爭學《山海經》。"《吳越春秋》："禹登宛委山，發金簡之書，得通水之理。遂巡行四瀆，與益、夔共謀。行到名山大澤，召其神而問之山川脈理，金玉、草木、鳥獸、昆蟲之類，及八方之民俗、殊國異域土地里數，使益疏而記之，名之曰《山海經》。"劉歆序云："禹定高山大川，蓋與伯翳主驅禽獸，命山川，類草木，别水土。四嶽佐之，

---

① "政"字原誤作"駿"，據《四部叢刊》影印明刻本《論衡》及本條後文改。

② 《吳都賦》乃左思所作，劉氏爲注。

③ "人"字原脱，據清胡克家校刻本《文選》及上下文意補。

以周四方，逮人跡之所希至，及舟輿之所罕到。內別五方之山，外分八方之海，紀其珍寶奇物，異方之所生，水土、草木、禽獸、昆蟲、麟鳳之所止，休祥之所隱，及四海之外，絕域之國，殊類之人，古文之著明者也。孝武時，東方朔言異鳥之名；孝宣時，臣父向對貳負之臣，皆以是書。朝士由是多奇《山海經》者，可以考休祥變怪之物，見遠國異人之謠俗。臣望所校凡三十二篇，①今定爲十八篇。"按十三篇者，劉向于時合《南山經》三篇以爲《南山經》一篇，《西山經》四篇以爲《西山經》一篇，《北山經》三篇以爲《北山經》一篇，《東山經》四篇以爲《東山經》一篇，《中山經》十二篇以爲《中山經》一篇，并《海外經》四篇、《海內經》四篇，凡十三篇。至劉歆增《大荒經》四篇、《海內經》一篇，故爲十八篇。多者十餘簡，少者二三簡。宋人著錄，既不能考其篇第所由，而陳振孫引朱熹言，以爲《山海經》本解《楚辭·天問》而作，殆於庸妄者也。《寰宇記》："《淮陽記》按古《嶽瀆經》云：禹治水，三至桐柏山，乃獲淮渦水神，名曰無支祁。"是又有《嶽瀆經》也。《御覽》九百六十七有《漢舊儀》"《山海經》稱‘東海中度朔山’"，②今本無之。

國朝七卷

《隋志》："劉向略言地域，丞相張禹使屬朱貢條記風俗，班固因之作《地理志》。"《國朝》者，疑此是也。《大司徒》"掌建邦之土地之圖"，注："若今司空郡國輿地圖。"《三王世家》"御史上輿地圖"。《晉書》裴秀曰："漢氏所畫《輿地》及《括地》諸雜圖，各不設分率，又不考正準望，亦不備載名山大川。雖有粗形，皆不精審。"《御覽》一百五十七《周公城名錄》曰："黃帝受命，風后受圖，割地布九州，置十二圖。"《禹貢》釋文引作《周公職錄》，彼誤。按《隋志》："晉世，摯虞依《禹貢》、《周官》

---

① "三十二"三字原誤作"二十三"，據衍刻卷、清畢沅校刻本《山海經》及《補注》引沈說改。

② "九"字原脫，據衍刻卷及四庫本《御覽》補。

作《畿服經》,其州郡分野封略事業,①國邑山陵水泉,鄉亭城道里土田,民物風俗,先賢舊好,靡不具悉,凡一百七十卷,今亡。"此《周公城名録》或在摰虞書所題。

宮宅地形二十卷

《論衡·詰術篇》圖宅術曰:"宅有八術,以六甲之名數而第之,第定名立,宮商殊別。宅有五音,姓有五聲,宅不宜其姓,姓與宅相賊,則疾病死亡,犯罪遇禍。"又曰:"商家門不宜南向,徵家門不宜北向。商金,南方火也;徵火,北方水也。水勝火,火賊金,五行之氣不相得,故五姓之宅門有宜向。嚮得其宜,富貴吉昌;嚮失其宜,貧賤衰耗。"《隋志》:《相宅圖》八卷、《五姓墓圖》一卷,梁有《冢書》、《黃帝葬山圖》今有《宅經》二卷,題黃帝撰,書中又引《黃帝宅經》,則非黃帝可知。各四卷、《五音相墓書》、《五音圖墓書》等書。②《抱朴子·極言》:"黃帝相地理,則書青鳥之説。"《文選注》二十三《青鳥子相冢書》曰:"天子葬高山,諸侯葬連岡。"《初學記》:"《相冢書》曰:凡葬龍耳者,當貴出五侯。"《御覽》五百六十《相冢書》曰:"青鳥子稱,山三重相連名'傘山',葬之出二千石。"③按《後書》:"袁安求葬地,道逢三書生,指一處云:'葬此地,當世爲上公。'"又:"吳雄家貧,喪母,營人所不封土者,擇葬其中,皆言當族滅。"則漢固已有葬法矣。又,葬當擇日,《論衡·譏日篇》:④"《葬曆》曰:葬避九空、地臽及日之剛柔、月之奇耦。日吉無害。剛柔相得,奇耦相應,乃爲吉良。不合此曆,轉爲凶惡。"

相人二十四卷

《隋志》:《相書》四十六卷。樊、許、唐氏《武王相書》一卷。《崇文總目》

---

① "封"字原脱,據衍刻卷及殿本《隋書》補。
② "墓書"二字原脱,衍刻卷脱"書"字,據殿本《隋書》補。
③ "二"字原誤作"三",據衍刻卷及四庫本《御覽》改。
④ "日"字原脱,據衍刻卷補。

有《姑布子卿相法》三卷。袁宏《後漢紀》相工蘇大相鄧后曰：
"此成湯之骨法。"此《相人》所傳也。《御覽》三百七十一《相書》
許負曰："乳閒闊尺，富貴足壽；乳黑如墨，公侯之相。"劉知
幾《史通》："許負《相經》，當時所聖，見傳流俗。"

相寶劍刀二十卷

《玉藻》注："《相玉書》曰：珽玉六寸，明自照。"《御覽》八百五王
逸《正部論》曰："或問玉符。曰：'赤如鷄冠，黃如蒸粟，白如
脂肪，黑如純漆。'"《文選·魏文帝與鍾大理書》引作《玉書》。又《白玉
圖》曰："玉之精名曰委，狀如美女，衣青衣，見之以桃戈刺之
而呼其名，則可得也。夜行，見女子戴燭行者，潛從其所亡則
入石，中有玉。"又《地鏡圖》曰："二月中，草木先生下垂者，下
有美玉。"又曰八百二："夫寶物在城郭丘墻之中，樹木爲之變，
視柯徧有折枯，是其候也。視折枯所向，寶在其方。凡有金
寶，常變作積蛇，見此輩便脫隻履若衣以擲之、溺之，即得。
凡藏寶，忘不知處，以大銅盤盛水，著所疑地行照之，見人影
者，物在下也。"又曰："視屋上瓦獨無霜，①其下有寶藏。"《隋
志》：梁《地鏡圖》六卷。《初學記》："嚴助《相貝經》曰：堯懸貝觳於
撝宮。"②《御覽》八百七《相貝經》："朱仲受之於琴高。"③《越絶》
"客有能相劍者曰薛燭"。《吕覽·別類篇》相劍者曰："白，所
以爲堅也；黃，所以爲牣也。黃白雜則堅且牣，良劍也。"梁陶
弘景作《刀劍録》，皆詭誕不經。

相六畜三十八卷④

《隋志》：梁有《伯樂相馬經》，《御覽》八百九十六《相馬經》云："江淮津有

---

① "視"字原誤作"寶"，據四庫本《御覽》及上下文意改。
② "撝"字，古香齋袖珍本《初學記》作"塙"。
③ "仲"字原脫，據衍刻卷及四庫本《御覽》補。
④ "三"字原作"二"，據衍刻卷及殿本《漢書·藝文志》改。

徐成，今治相馬方。"又云："豫州從事沛國蕭跕方最良。"似漢魏人書也。甯戚、王良《相牛經》，淮南、浮丘《相鶴經》、《相鴨》、《相雞》、《相鵝》等經。按《齊民要術》並有其法僅存者。《史記·日者列傳》："黃直，丈夫也；陳君夫，婦人也，以相馬立名天下。留長孺以相彘立名。滎陽褚氏以相牛立名。"《呂覽·觀表篇》："古之善相馬者，寒風相口齒，麻朝相頰，子女厲相目，衛忌相髭，許鄙相尻，投我褐相胷脅，管青相膹吻，陳悲相股腳，秦牙相前，贊君相後。"《後書》馬援上表曰："近世西河子輿明相馬法，子輿傳西河儀長孺，長孺傳茂陵丁君都，①君都傳成紀楊子阿。臣援嘗師事子阿，受相馬骨法。孝武皇帝時，善相馬者東門京，鑄作銅馬法。"《初學記》二十九《相馬經》伯樂曰："凡相馬之法，先除三羸五駑，乃相其餘。大頭小頸，一羸；弱脊大腹，二羸；小脛大蹄，②三羸；大頸緩耳，③一駑；長頸不折，二駑；短上長下，三駑；大胳短脅，四駑；淺髖薄髀，五駑。"按，《齊民要術》引之尤詳。《隋志》又有《卜式養豬》、《養羊法》。

右形法六家

按《隋志》又有東方朔《神異經》、《十洲記》。

庶得麤觕

《管子·水地》："心之所慮，非特知於麤麤也。"《春秋繁露·俞序》："始於麤觕，終於精微。"辛未歲，舉人宋翔鳳程文用此二字，爲房考湖南人彭浚所抹，云杜撰。附記於此，以資笑噱。觕音才户切，亦作"粗"。《莊子·則陽篇》釋文司馬彪云："鹵莽猶麤粗也。"

黃帝内經十八卷

《隋志》：《黃帝素問》九卷，又《素問》八卷，全元起注。《黃帝鍼

---

① "長孺"二字原脱，據衍刻卷、殿本《後漢書》及《補注》引沈説補。
② "脛"字，古香齋袖珍本《初學記》作"頸"。
③ "頸"字，古香齋袖珍本《初學記》作"頭"。

經》九卷。馬蒔云："《靈樞》，皇甫士安以《鍼經》名之。"《唐志》：《黃帝九靈經》十二卷。《讀書志》：《黃帝素問》二十四卷、王砅注，分爲二十四卷。《靈樞經》九卷。王砅謂此書即《漢志》《黃帝內經》十八卷之九也。馬蒔云："王砅分爲十二卷。"《考證》："王砅云：'第七一卷，師氏藏之。今之奉行惟八卷爾。'楊玄操云：'《黃帝內經》二帙，帙各九卷。'王砅名爲《靈樞》。《素問》第七卷亡已久。唐寶應中，王砅得先師所藏之卷爲注，合八十一篇二十四卷。"《玉海》六十三："張仲景云'撰用《素問》'，則《素問》之名雖著於《隋志》，而已見於漢代。隋全元起注已亡第七卷，皇朝林億等校正，孫兆重改誤。億以《天元紀大論》等七篇所載，與《素問》略不相通，疑是《陰陽大論》之文，砅取以補所亡云。"欽韓按《素問·離合真邪篇》黃帝曰："夫《九鍼》九篇，夫子乃因而九之，九九八十一篇，以起黃鍾數。"① 又《靈樞·九鍼十二原篇》："今先立《鍼經》，願聞其情。"此書本名《鍼經》者是也。兩《唐志》只謂之《九靈經》，尚無《靈樞》之目。②

外經三十七卷

《隋志》：《黃帝甲乙經》十卷、楊玄操云："皇甫謐刺而爲《甲乙》。"《岐伯經》十卷、《黃帝流注脈經》一卷，梁有《黃帝鍼灸經》十二卷。疑皆外經也。《唐志》：《黃帝明堂經》三卷。

扁鵲內經九卷　外經十二卷

《隋志》：《黃帝八十一難》二卷。梁有《黃帝衆難經》一卷，呂博望注。《通考》云吳呂廣注。《舊唐志》：秦越人撰。《新唐志》：全元起注。王勃《黃帝八十一難經序》云："昔者岐伯以授黃帝，黃帝歷九

---

　①　"以起黃鍾數"五字不見於《四部叢刊》影印明覆宋刻本《黃帝內經素問》，而在《四部叢刊》影印明刻本《黃帝素問靈樞經·九鍼論》引岐伯語中。
　②　"尚"字原誤作"書"，據衍刻卷及《補注》引沈説改。

師以授伊尹,伊尹以授湯,[1]湯歷六師以授太公,太公授文王,文王歷九師以授醫和,醫和歷六師以授秦越人,秦越人始定立章句,歷九師以授華佗,華佗歷六師以授黃公,黃公以授曹夫子。夫子諱元,字真道。"《崇文總目》:"秦越人採《黃帝內經》精要之説凡八十一章,編次爲十三類,理趣深遠,非易了,故曰《難經》。"[2]則以秦越人爲扁鵲也。唐楊玄操演序云:"與軒轅時扁鵲相類,[3]仍號之爲扁鵲。"今本所行者,元滑壽注。按《倉公傳》:"陽慶傳黃帝扁鵲之脈書。"又云:"謁受其《脈書》上下經。"此志云《扁鵲內外經》,則非止八十一難也。《宋書·徐文伯傳》:"道士留一瓢蘆與文伯,開之,乃《扁鵲鏡經》一卷,因精心學之。"[4]《考證》:"王勃《八十一難經序》曰:'岐伯以授黃帝,黃帝歷九師以授伊尹,伊尹以授湯,湯歷六師以授太公,太公以授文王,文王歷九師以授醫和,醫和歷六師以授秦越人,秦越人始定立章句,歷九師以授華佗,華佗歷六師以授黃公,黃公以授曹元。'按是秦越人以前,不知誰爲紀述,此夸誕之辭耳。"《御覽》七百二十四《玉匱針經序》:"吕博爲吳太醫令,注《八十一難經》,大行於代。"《御覽》七百二十一《帝王世紀》曰:"黃帝命雷公、岐伯論經脈,傍通問難八十一,爲《難經》。"然則《難經》非《史記》之扁鵲,《唐志》誤。

白氏內經三十八卷　外經三十六卷　旁篇二十五卷

《抱朴子·遐覽》有《白子變化經》,非此。

右醫經七家

《素問·病能論》:[5]"《上經》者,言氣之通天;《下經》者,言病之變化;《金匱》者,決死生也;《揆度》者,切度之也;《奇恒》者,言奇病也。"馬蒔云:"俱古經篇名,今皆失之。"

---

① "伊尹"二字原脱,據衍刻卷、本條後文及《四部叢刊》影印明刻本《王子安集》補。
② "王勃"至"故曰難經"兩段引文,衍刻卷作小字,於義較勝。
③ "時"字原誤作"氏",據衍刻卷及《古今醫統正脈全書》本《難經》改。
④ 按此事出《南史》,《宋書》無徐文伯傳。據《南史》,受《扁鵲鏡經》者爲文伯曾祖熙。
⑤ "能"字原脱,據衍刻卷補。

五藏六府痺十二病方三十卷　　疝十六病方十卷　　熱癉十二病方四十卷① 　風寒熱十六病方二十六卷②

《崇文總目》天一閣鈔本。：《黃帝五藏論》一卷、《神農五藏論》一卷。《素問·金匱真言》：“肝、心、脾、肺、腎五藏爲陰；膽、胃、大小腸、膀胱、三焦六府皆爲陽。”又《五藏生成篇》：“赤，脈之至也，喘而堅，診曰：有積氣在中，時害於食，名曰心痺，得之外疾思慮而心虛，故邪從之。白，脈之至也，喘而浮，上虛下實，驚，有積氣在胷中，喘而虛，名曰肺痺，寒熱，得之醉而使内也。青，脈之至也，長而左右彈，有積氣在心下支胠，名曰肝痺，得之寒濕，與疝同法，腰痛足青，頭脈緊。黃，脈之至也，③大而虛，有積氣在腹中，有厥氣，名曰厥疝，得之疾使四支汗出當風。黑，脈之至也，上堅而大，有積氣在小腹與陰，名曰腎痺，得之沐浴清水而臥。”④《骨空論》：“任脈爲病，男子内結七疝，女子帶下瘕聚。”《倉公傳》：“齊郎中令循病涌疝，臣意飲以火齊湯。齊王太后病風癉客脬，飲以火齊湯齊。曹山跗病肺消癉，加以寒熱，死不治。又公乘項處病，診脈曰：牡疝，在鬲下，上連肺，病得之内。”《素問·奇病論》：“病口甘者名脾癉，病口苦者名膽癉。”《大奇論》：“心脈搏滑急爲心疝，肺脈沉搏爲肺疝。腎脈大急沈，肝脈大急沈，皆爲疝。”⑤

---

① 殿本《漢書·藝文志》無“熱”字。

② “風寒熱”三字原脱，據衍刻卷及殿本《漢書·藝文志》補；“風寒熱十六病方二十六卷”原在“神農五藏論一卷”七字後，據衍刻卷調正。

③ “至”字原誤作“疾”，據衍刻卷、《四部叢刊》影印明覆宋刻本《黃帝内經素問》及上下文意改。

④ “臥”字原誤作“腎”，據衍刻卷及《四部叢刊》影印明覆宋刻本《黃帝内經素問》改。

⑤ “腎脈”、“肝脈”二句，《四部叢刊》影印明覆宋刻本《黃帝内經素問·大奇論》在“心脈”、“肺脈”二句前。

泰始黃帝扁鵲俞拊方二十三卷

《韓詩外傳》+號庶子曰："吾聞上古醫曰弟父。《說苑》作"苗父"。
弟父之爲醫也,以莞爲席,以芻爲狗,北面而祝之,發十言耳,
諸扶輿而來者皆平復如故。中古之爲醫者曰踰跗,搦木爲
腦,芷草爲軀,吹竅定腦,死者復生。"按此無稽之說。《素問》
《移精變氣論》:"上古使僦貸季理色脈而通神明;中古之治,病至
而治之,湯液十日,以去八風五痺之病。"《隋志》:《扁鵲陷冰
丸方》一卷、《扁鵲肘後方》三卷。《宋史·藝文志》:《療黃經》
三卷,扁鵲撰。

五藏傷中十一病方三十一卷　客疾五藏狂顛病方十七卷

《倉公傳》:"齊中郎破石病,臣意診其脈。告曰:'肺傷,不
治。'"《靈樞·癲病篇》:"骨癲疾者,顑齒諸腧分肉皆滿,[①]而
骨居,汗出煩悗。嘔多沃沫,氣下泄,不治。筋癲疾者,身倦
攣,息急,脈大,[②]刺項大經之大杼脈,嘔多沃沫,氣下泄,不
治。脈癲疾者,暴仆,四肢之脈皆脹而縱,氣下泄,不治。"《素
問·繆刺論》:"邪之客於形也,必先舍於皮毛;留而不去,入
舍於孫脈;留而不去,入舍於絡脈;留而不去,入舍於經脈。
內連五藏,散於腸胃,陰陽俱感,五藏乃傷。"

金創瘲瘲方三十卷

《靈樞》注:"瘲瘲者,熱極生風也。"

婦人嬰兒方十九卷

《扁鵲傳》:"過邯鄲,聞貴婦人,即爲帶下醫。入咸陽,聞秦愛
小兒,即爲小兒醫。"《隋志》:《俞氏療小兒方》四卷,梁有《范

---

① "諸"字原脫,據衍刻卷及《四部叢刊》影印明刻本《黃帝素問靈樞經》補。
② "脈"字原脫,據《四部叢刊》影印明刻本《黃帝素問靈樞經》補。

氏療婦人藥方》十一卷。

湯液經法三十二卷

《素問》有《湯液論》。《周禮·疾醫》疏劉向云："扁鵲治趙太子暴病尸蹶之病，使子明炊湯。"《韓詩外傳》："扁鵲取三陽五輸，爲先造軒光之竈，八拭之湯。"《考證》："《事物紀原》：'《湯液經》出於商伊尹。'皇甫謐云：'仲景論《伊尹湯液》爲十數卷。'"

神農黃帝食禁七卷

《抱朴子·仙藥篇》："《神農經》曰：上藥令人身安命延，昇爲天神，遨遊上下，使役萬靈，體生毛羽，行厨立至。中藥養性，下藥除病，能令毒蟲不加，猛獸不犯，惡氣不行，衆妖併辟。"《隋志》：《神農本草》八卷、《桐君藥録》三卷。《本草經》："神農作赭鞭鉤䥥，從六陰與太一外，五嶽四瀆，土地所生，皆鞭問之，得其主治，一日遇七十毒。"《御覽》七百二十一《帝王世紀》曰："黃帝使岐伯嘗味草木，典主醫病，經方、《本草》、《素問》之書咸出焉。"然《本草》即肇於神農，而黃帝修之。《志》但言《食禁》，未足以盡之也。自兵書以下，本非劉向所序論，故舛漏不可考校。《遊俠傳》"樓護少誦醫經、本草"。又"平帝元始五年，舉通知方術、本草者"。《疾醫》注云："治合之齊則存乎神農、子儀之術。"疏云："《中經簿》：《子儀本草經》一卷。"《韓詩外傳》"扁鵲使弟子子儀反神"。皆西京所應有也。《隋志》：《老子禁食經》一卷。

右經方十一家

容成陰道二十六卷

《抱朴子·遐覽篇》道經有《容成經》。《列仙傳》："容成公者，自稱黃帝師，見於周穆王，能善補導之事。"《後書》"甘始、東郭延年、封君達三人，率能行容成御婦人術。"

務成子陰道三十六卷

《雲笈七籤·老君開天經》：“帝堯之時，老君下爲師。號曰務
成子，作《政事經》。”

堯舜陰道二十三卷

湯盤庚陰道二十卷①

《呂覽》：“湯問伊尹曰：‘欲取天下若何？’伊尹對曰：‘凡事之
本，必先治身。嗇其大寶用其新，弃其陳，腠理遂通，精氣日新，
邪氣盡去，及其天年，此之謂真人。’”《抱朴子·極言》：“按《彭
祖經》云，自帝嚳佐堯，歷夏至殷爲大夫，殷王遣采女從問房中
之術，行之有効，欲殺彭祖以絶其道。彭祖覺焉而逃去。”《御
覽》六百六十八：“商王問彭祖延年益壽之道。答曰：‘思神念
真，坐忘鍊液，皆可以令人長壽。若沂流補腦之要，此甚難
行，有懷棘履刃之危。諸經方二千首，②皆示以始涉之門庭
耳。’商王受具諸要行彭祖之永壽，但不能戒其滛慾耳。”按房
中家不及彭祖，而反題堯、舜、湯、盤庚之名，舛詭殊甚，當是妄人所録耳。

天老雜子陰道二十五卷

張衡《同聲歌》：“素女爲我師，儀態盈萬方。衆夫所希見，天老
教軒皇。”按明萬安何不以此事對懷恩？《抱朴子·極言》：“黃帝論道
養，則質玄、素二女。”《遐覽篇》有《玄女經》、《素女經》。《隋志》：《素女祕
道經》一卷、《素女方》一卷。《文選·養生論》注引《天老養生經》。

天一陰道二十四卷

天一即天乙，湯之名，雜錯出之。

黃帝三王養陽方二十卷

《抱朴子·微旨篇》：“俗人聞黃帝以千二百女昇天，便謂黃帝

---

① 　本條原在“天老雜子陰道二十五卷”之後，據殿本《漢書·藝文志》調正。
② 　“方”字，四庫本《御覽》作“萬”。

單以此事致長生。”

三家內房有子方十七卷

《隋志》:《彭祖養性》一卷、《郊子説陰陽經》一卷、“郊”疑“鄖”。《序房内祕術》一卷、《玉房祕決》八卷。

右房中八家

《隋志》道經房中十三部三十八卷,比此志少十之七矣。何休《公羊傳》注:“禮,男子六十閉房。”《白虎通·嫁娶篇》:“男子六十閉房何?所以輔衰也。故重性命也。至七十,大衰,寢非人不煖,故七十復開房也。”《抱朴子·微旨》:“房中之術,玄素喻之水火,水火殺人,而又生人,在於能用與不能耳。大都得其要,御女多多益善;如不知其道而用之,一兩人足以速死爾。彭祖之法,最其要者。”又《釋滯篇》:“房中之術,近有百餘。”《御覽》七百二十《神僊傳》曰:“彭祖云,養壽之道,但莫傷之而已。夫冬溫夏涼,不失四時之和,所以適身也。美色淑姿,安閑性樂,不欣思慾之感,所以通神也。車服威儀,知足無求,所以一志。八音五色,以養視聽之懽,所以導心也。凡此皆以養壽,而不能尌酌之者,反以速患。古之智人,恐不才之子不識事宜,流遁不還,故絕其原。故經有‘上士別牀,中士異被,服藥百過,不如獨臥’。人凡遠思強健,憂過悲哀,喜樂過量,忿怒不解,汲汲所願,戚戚所患,寒煖失節,陰陽不交,俱能傷人。所傷者甚衆,而獨責房室,不亦惑哉?”按此志所論亦頗采其説。

宓戲雜子道二十篇

《莊子·大宗師》:“伏戲得道,以襲氣。”[①]《抱朴子·遐覽》:道經有《三皇內文》。

---

① 　《四部叢刊》影印明刻本《南華真經》“氣”後有“母”字,於義較勝。

上聖雜子道二十六卷　道要雜子十八卷

《抱朴子·辨問篇》："《靈寶經》有《正機》、《平衡》、《飛龜授袟》凡三篇，皆仙術也。"

黃帝雜子步引十二卷

《隋志》：《引氣圖》一卷，《道引圖》三卷。立一、坐一、臥一。《華佗傳》："古之仙者，爲導引之事，熊經鴟顧，引挽腰體，動諸關節，以求難老。"《考證》："梁庸《道引圖序》：'朱少陽得其術於《黃帝外書》，又加以元化五禽之說，乃志其善者，演而圖之。'"

黃帝岐伯按摩十卷

《韓詩外傳》"子游按摩"。趙岐《孟子注》："折枝者，按摩，折手節、解罷枝也。"《抱朴子·退覽》：《按摩經》、《導引經》十卷。《唐六典》：太醫令屬官按摩博士一人，置按摩師、按摩工佐之，教按摩生。《崇文總目》：《軒轅黃帝導引法》一卷。

黃帝雜子芝菌十八卷

《抱朴子·退覽》：《木芝圖》、《菌芝圖》、《肉芝圖》、《石芝圖》、《大魄雜芝圖》，《登真隱訣》。《上元寶經》曰："茅司命大君語二弟，宜服四扇散。昔黃帝受風后卻老還少之道。"《雲笈七籤》："風后傳黃帝四扇散。"《隋志》：《芝草圖》一卷、《種神芝》一卷。《抱朴子·仙藥篇》："五芝者，石芝、木芝、草芝、肉芝、菌芝，各有百許種。非佩老子入山靈寶五符，不能得見此輩也。"《考證》："《黃帝内傳》：'王母授《神芝圖》十二卷。'《水經注》：'黃帝登具茨之山，受《神芝圖》於黃蓋童子。'"按《先天紀》作七十二卷。又云："適中岱見中黃子，受九茄之方。"

黃帝雜子十九家方二十一卷

《抱朴子·對俗》按《玉策記》及《昌宇經》。昌宇者，《莊子》"七聖"之一也。《莊子·在宥》："黃帝聞廣成子在空同之上，故往見之。"

泰壹雜子十五家方二十二卷

《抱朴子·極言》："按《神仙經》,黃帝及老子奉事太乙元君,
以受要訣。"《繹史》五《泰壹雜子》曰："黃帝謁峩眉,見天皇真
人,問三一之道。"

神農雜子技道二十三卷

《抱朴子·極言》神農曰："百病不愈,安得長生?"《莊子·知
北遊》:"婀荷甘與神農同學於老龍吉。"

泰壹雜子黃冶三十一卷

《抱朴子·黃白篇》:"《神仙經》黃白之方二十五卷,千有餘
首。余昔從鄭君受金丹及《金銀液經》,①因復受《黃白中經》
五篇。"②《隋志》:《仙人金銀經并長生方》一卷、《雜神仙黃
白法》十二卷、《練寶法》二十五卷、《陵陽子説黃金秘法》
一卷。

右神僊十家

萬三千二百六十九卷

《論衡·案書篇》:"《六略》之録,萬三千篇。"《隋志》"《七略》
大凡三萬三千九十卷",與此志異。《通考》卷數與《隋志》同。
劉昫《志》亦云:"《漢·藝文志》裁三萬三千九十卷。"則刻本
於上應脱"一"字。歆所撰,雖名《七略》,其《輯略》即其彙別
羣書,標列恉趣,若《志》之小序耳,實止有六略也。《舊唐
志》:"劉歆作《七略》,二紀而方就。"葛洪云:"魏代以來,羣
文滋長,倍於往者。"然兩京經王莽、董卓之亂,並從燔蕩。

---

① "金丹"之"金"字,《平津館叢書》本《抱朴子内篇》作"九"。
② "篇"字,《平津館叢書》本《抱朴子内篇》作"卷"。

魏、晉文士，人撰別集，家著子書，大都剽竊割裂，陳陳相因。其滋長者，既不厭人意，而古書展轉滅没，今則百不及一。宋王應麟號爲博洽，其《考證》適與今所見者同。然則古書之不留種，殆於宋中葉以後，尚空言而薄實事，尊黨類而蔑前修，不能不有慨於《道學傳》中人也。談師吉云："《藝文志》卷數以各種總核，得萬三千三百七十一卷，①與本後總核數差一百二卷。其各種總計數目皆不對，甚者若道家類，多二百餘卷，乃後人所妄改致誤。"欽韓謂《太公》二百三十七篇下《謀》、《言》、《兵》者，即其分注，如儒家劉向、楊雄之例，刊本誤升爲大字，遂複出二百三十七卷之數，而總數又不細核，復不符子目。《考證》："自六經以至陰陽之家，其數或多或少。春秋九百四十八篇，而其數之不及者七十有一。②談師吉云："第一條《古經》，依注作二家。今核止九百十三，其數之不及者三十五。"第一條不作"二家"，算不及者亦止五十八。道家九百十三篇，而其數之衍者四十有四。談師吉云："今《漢志》總數九百九十三，核實止八百一。"蓍龜一家，而卷之溢於目者八十。談師吉云："蓍龜四百一，今核四百八十五，末一條《易卦八具》作八篇算。"欽韓謂《易卦八具》不算。醫經一家，而卷之不登其總者四十有一。談師吉云："算醫家二百十六，今核一百七十七，少三十九。經方二百七十四，今核二百九十五，餘二十一。"或者後世有以私意增損者耶？"

---

① "十"字原作"一"，據衍刻卷改。
② "七"字原誤作"八"，據康本《漢志考》改。

漢書藝文志拾補

清·姚振宗 撰

項永琴 整理

底本：2002 年上海古籍出版社《續修四庫全書》影印《快閣師石山房叢書》本。按此本後附《漢書藝文志拾補勘誤表》一百餘條，經核對無誤，在正文中已作相應改動，未別出校記。《勘誤表》標注底本行款，排印無益，刪棄不録。

漢書藝文志拾補例言

後漢泰山太守汝南應劭仲遠譔《風俗通義》三十二篇，其《氏族》一篇久已亡散，今佚文猶可見。洎隋陸法言《廣韵》、唐林寶《元和姓纂》、宋邵思《姓解》、鄧名世《古今姓氏書辨證》、鄭樵《通志·氏族略》諸書，多稱周秦諸子，如壺丘子、將閭子、纏子、室中周書，並云《漢·藝文志》所有，而今本《漢志》實無之，豈有所佚敚歟？抑併合諸子書中，史文簡略，而未分析言之歟？諸子之書，大抵多亡於董卓、催、汜之亂，唯應仲遠得見之。其著録於《氏族篇》中者，或約略其説，不復詳述其所由，今殆不可攷。陸法言以下諸家輾轉援引，要皆本諸《氏族篇》，今一一據以録存之。

《氏族篇》以下諸氏姓書，又有《根牟子》、《屋廬子》、《相里子》、《鄧陵子》、《立如子》、《坤年子》、《戚子》、《時子》、《公行子》、《室孫子》、《接昕子》、《司鴻苟書》、《須朐氏書》、《白鹿先生書》、《無婁先生書》，凡二十餘家，並云著書，而皆不見於《漢》、《隋》、《唐》之志，或代遠年湮，流亡星散，或附見諸子，未有專書。原其始，則皆是著書立説者也。其附入諸子，後人爲之也，今亦據以録存之。

《汲塚竹書》藏自周代，《金石録》載晋太公碑曰："太康二年，得竹書。"書藏之年，當秦坑儒之前八十六歲，是暴秦所不及焚，漢儒所不及見，皆六國時所有之書。使出於西京明盛之時，劉中壘父子必著於《録》、《略》。《史通·申左篇》引束皙云："若使此書出於漢世，劉歆不作五原太守矣。"蓋歆因爭《左氏傳》，忤執政大臣，求出補吏，由侍中光禄大夫徙守五原也。今據束廣微所次篇目，凡一十四種，分著於篇。

讖緯之書，起於周秦六國，漢時所有而《七略》所無。按《七略》惟録中祕書自温室徙之天禄閣者，乃得以論次之。若夫蘭臺石室之儲，故府録藏之籍，民間傳習之本，博士章句之書，當時不勝枚舉，故皆未嘗徧及也。按王莽奏讖書藏蘭臺，楊彪稱讖書包石室，按范書本傳彪曰：“石包室讖妖邪之書。”石包室即蘭臺之石室也。與夫禮儀律令，舊皆録藏於理官行祠，甘泉宫有其注曰《鹵簿》，張倉作章程，魏相奏故事。民間有費、高二家之《易》，元王之《詩》。博士有大小戴、慶氏之《記》，疎氏之《春秋》。斯皆在中祕書之外，《七略》所未嘗注意者也。《倉頡篇》云：“讖，祕密書也。”以其祕密，故藏於石室。既爲哀、平間所盛行，則自不容略。今據《漢書》、《隋志》所載，及王莽符命之類，并録附於《六藝》之末。

王莽之書，如地理、百官改名，班孟堅嘗附著于史，其《大誥》一篇則載之《翟義傳》中，劉子駿之《鍾律書》亦爲莽作也，則祛其僞辭，譔爲《律志》，蓋實事求是，不惟其人，惟其言。當中興之世，猶不以爲嫌，况在千百年之後，更何所容其避忌。史言劉歆典文章，歆子棻及甄尋、崔發、陳崇，皆以材能幸於莽，皆文學士也，則亦未必盡出其手。其元始中所作《誡》八篇，詔下郡國學官教授，時在篡位之前六年。是書終莽之世行凡廿一年。此六年中，猶是漢家功令，天下吏民得與於選舉者，不知凡幾，是亦漢末之故事，不可略也。此外所作，亦多與漢末相關涉，故充其類，并取其他書，分録各門。

班氏有言曰：“武、宣之世，崇禮官，考文章，言語侍從之臣，若司馬相如、虞邱壽王、東方朔、枚皋、王褒、劉向之屬，朝夕論思，日月獻納；公卿大臣，御史大夫倪寬、太常孔臧、太中大夫董仲舒、宗正劉德、太子太傅蕭望之等，時時間作。”孝成之世,論而録之,蓋奏御者千有餘篇,即《漢志・詩賦略》所載是也。其中無東方朔。皆論定奏御之文,其私家譔述諸篇,皆未之及,如枚皋辭賦已録百二十篇矣,其外又有數十篇。《七略》録揚雄四賦,班氏續入八篇,爲十二篇矣。其外又有《解嘲》、《解難》、《劇秦美新》等諸雜文。以是知《漢志》所録,多非其全。《隋志》載六國以來西漢人詩文集凡二十九家,皆合一人所作爲一集,故《司馬相如集》載有《自序》,《劉向集》載有《誡子書》。此類非一,與《漢志》所録實不相同。既爲別本,自不容略,今并補輯所未備,類從於《詩賦略》中。

《通志・藝文略》以後,諸家簿録載三代秦漢人道家、兵家、術數家、神仙家之書尚多,皆依托,不録。依托之書限以時代,其實出漢人,如《百兩篇》、《東方朔別傳》、《李陵別傳》、《黃石公紀》之類,亦具列之,其他附見各類篇末。亦有見於篇中,如六國儀、秦儀、盎、毛《論語》,劉向稱《外戚傳》,匡衡、王鳳奏《桃左春秋》之類,及孔子之前之書,讖緯家諸書不計焉。

篇卷數目各從其是,舊史所無者則闕。撰人始末各具端倪,無可考見者則闕。諸書見於《釋文・叙録》及《隋》、《唐》、《宋史》志者,詳著之。見於諸簿録家有關考證者,略述之。焦氏《經籍志》勦襲《藝文略》,最無謂,故不取。諸家輯本叙録有資探索者,節存之。輯本行世者頗多,故今所引用不復詳其所出,如劉向《別録》、劉歆《七略》、桓譚《新論》、皇甫謐《帝王世紀》、《世本》之類,皆是也。

六藝略拾補第一

易一十三家一十四部。　　附見二家二部。

書八家八部。　　附見二家四部。

詩七家八部。　　附見二家二部。

禮一十六家一十九部。

樂三家三部。　　附見一家一部。

春秋二十四家二十八部。　　附見四家四部。

論語二家三部。

孝經五家六部。　　附見一家一部。

小學二家二部。　　附見一家一部。

附録讖緯一十一家一十一部。

凡六藝九種八十家九十一部,附録一種十一家十一部,綜九十
　　一家一百二部。　　附見一十三家一十五部。

諸子略拾補第二

儒家者流八家一十一部。　　附見四家四部。

道家者流七家九部。　　附見不具載。

陰陽家者流五家五部。　　附見一家一部。

法家者流八家十部。　　附見一家一部。

名家者流五家五部。

墨家者流三家三部。

從橫家者流一家一部。

雜家者流二十家二十部。　　附見二家二部。

農家者流四家五部。

小説家者流一十三家一十三部。　　附見三家六部。

凡諸子十種七十四家八十二部。　　附見十一家十四部。

詩賦略拾補第三

總集之屬八家八部。

別集之屬三十二家三十二部。　　附見一家一部。

凡詩賦二種四十家四十部。　　附見一家一部。按《詩賦略》舊目凡
　　五,一、二、三皆曰賦,蓋以體分,四曰雜賦,五曰歌詩。其中
　　頗有類乎?總集亦頗有似乎?別集今不可依仿,故變例裁爲
　　二目,曰總集,曰別集。又他類恐涉重複,唯取《漢志》所無。
　　此則根據班書具載,別本凡有相涉,悉采獲,以彙其全,斯又

不得不變通其例者也。

兵書略拾補第四

兵權謀二家三部。

兵形勢一家一部。

兵陰陽二家二部。

兵技巧一家一部。

凡兵書四種六家七部。　　附見三家十一部。按此附見之書，雜糅混
淆，不可分屬，故綜彙於篇末。

數術略拾補第五

天文一十一家一十一部。

曆譜一十六家一十六部。　　　附見一家一部。

五行二家三部。　　附見四家七部。

蓍龜八家一十六部。　　　附見十家十二部。

雜占五家八部。　　附見六家十一部。

形法二十家二十部。　　附見四家六部。

凡數術六種六十二家七十四部。　　　附見二十五家三十七部。

方技略拾補第六

經方五家五部。

神仙七家七部。　　附見十一家十二部。

凡方技二種一十二家一十二部。附見十一家十二部。按《方技略》舊
目凡四，一曰醫經，二曰經方，三曰房中，四曰神仙。今醫經、
房中無所拾補，故止於二種。

**大凡六略拾補三十三種二百七十四家三百六部，附錄讖緯一種
十一家十一部，綜三十四種二百八十五家三百一十七部。**附見
六十四家九十部。按六略本三十八種，今詩賦五種并爲二，方技
四種又僅得其二，故止於三十三。又諸書卷數，惟手校目見
者乃能一一著於錄，今所拾補多是亡書，或有或無，卒難齊

一,故但計其部數而已。光緒戊子歲仲冬之月編輯觕具,越
四歲辛卯,復以續有所得,整齊排比,諸所附按,爲前人所已
言者,輒芟除釐訂一過,録爲定本。自春徂夏而秋,八閲月而
畢,漢以前之典籍,《藝文志》之外,大抵略具於斯。已讎校,
可繕寫。山陰姚振宗。

漢書藝文志拾補卷一

宋禮部尚書給事中慶元王應麟伯厚撰《漢書藝文志考證》，補《漢志》所不著錄者。易三部，曰《連山》，曰《歸藏》，_{今退列數術家}。曰《子夏易傳》。詩一部，曰《元王詩》。禮四部，曰《大戴禮》，曰《小戴禮》，曰《王制》，曰《漢儀》。樂二部，曰《樂經》，曰《樂元語》。春秋一部，曰《冥氏春秋》。道家二部，曰《老子指歸》，曰《素王妙論》。法家二部，曰《漢律》，曰《漢令》。從橫家一部，曰《鬼谷子》。兵書一部，曰《黃石公記》。天文六部，曰《夏氏日月傳》，曰《甘氏歲星經》，曰《石氏星經》，曰《巫咸五星占》，曰《周髀》，曰《星傳》。_{今曰《黃帝五星傳》}。曆譜二部，曰《九章算術》，曰《五紀論》。五行一部，曰《翼氏風角》。經方一部，曰《本草》。綜二十有七部。今攟拾羣書，補所未盡，凡三百一十七部，仍班志舊例，以六藝、諸子、詩賦、兵書、數術、方技六略，次其部居，覈以後史。四部之體，多不可通，比傅而已，名之曰《漢書藝文志拾補》。

易經二篇　汲冢古文

《晋書·束皙傳》皙《竹書叙目》曰：“太康二年，汲郡人不準盜發魏襄王墓，或言安釐王冢，得竹書數十車。其《易經》二篇，與《周易》上下經同。”_{按《西京雜記》，魏襄王冢、哀王冢已爲漢廣川王去疾所發，此當是安釐王冢也。或云不準讀爲彪準。}

晋杜預《春秋左氏經傳集解·後序》曰：“汲縣有發其界內舊冢者，大得古書，所記大凡七十五卷，多雜碎怪妄，不可訓知。《周易》及《紀年》最爲分了。《周易》上下篇與今正同，而無《彖》、《象》、《文言》、《繫辭》。疑于時仲尼造之於魯，尚未播之於遠國也。"

易經十二篇　田氏

《史記·儒林傳》：自魯商瞿受《易》孔子，孔子卒，商瞿傳《易》，六世至齊人田何，字子莊，而漢興。田何傳東武人王同子仲。

《漢書·儒林傳》：自魯商瞿子木受《易》孔子，以授魯橋庇子庸。子庸授江東馯臂子弓。子弓授燕周醜子家。子家授東武孫虞子乘。子乘授齊田何子裝。及秦禁學，《易》爲筮卜之書，獨不禁，故傳授者不絕也。漢興，田何以齊田徙杜陵，號杜田生，授東武王同子中、雒陽周王孫、丁寬、齊服生，皆著《易傳》數篇。言《易》者本之田何。顏師古曰："田生授王同、周王孫、丁寬、服生四人也，四人著《易傳》也。"<small>按四家《易傳》並見《漢書·藝文志》，又《史記·仲尼弟子列傳》載商瞿以後傳授名字，並與此異，今從班書。</small>

晋皇甫謐《高士傳》：田何，字子莊，齊人也。自孔子授《易》，五傳至何。何以《易》授東武王同等，皆顯當世。惠帝時，何年老家貧，守道不仕。帝親幸其廬以受業，終爲《易》者宗。

《藝文類聚·隱逸門》：魏隸《高士傳》曰："田生菅床茅屋，不肯仕宦。惠帝親自往，不出屋。"

《崇文總目》易類叙曰："田何之《易》，卦、象、爻、彖與文言、説卦等離爲十二篇，而説者自爲章句，《易》之本經也。"

秀水朱彝尊《經義考》：晁説之曰："商瞿受《易》，五傳而至田何。漢之《易》書蓋自田何始，何而上未嘗有書。"

　按田生傳經未嘗爲傳，顏氏注已分別言之。《經義考》著錄田何《易傳》，節去《崇文目》"説者"二字，而云"自爲章句"，一似田生實爲章句者，非也。朱氏又引晁説之云漢《易》家著書自王同始，蓋得其實。今錄其所傳之經，是漢《易》家最初之本。《藝文志》首載施、孟、梁邱三家經，即從此出。

易經十二篇　中古文
易經十二篇　費氏

《漢書·藝文志》：漢興，田何傳之。訖於宣、元，有施、孟、梁邱、京氏列於學官，而民間有費、高二家之説。劉向以中《古文易經》校施、孟、梁丘經，或脱去"無咎"、"悔亡"，惟費氏經與古文同。師古曰："中者，天子之書。言中，以别於外耳。"

《隋書·經籍志》：漢初又有東萊費直傳《易》，其本皆古字，號曰《古文易》。以授琅邪王璜，璜授沛人高相。故有費氏之學，行於人間，而未得立。後漢陳元、鄭衆皆傳費氏之學。馬融又爲其傳，以授鄭玄。玄作《易注》，荀爽又作《易傳》。魏代王肅、王弼，並爲之注。自是費氏大興。

宋王應麟《漢書藝文志考證》：吕氏曰："漢興，言《易》者六家，獨費氏傳《古文易》，而不立於學官。《費氏易》在漢諸家中最近古，最見排擯。千載之後，巋然獨存，豈非天哉。"

　　按此中外經各一本，《藝文志》但言及之，不著於録。以上經本。

易傳子夏四卷

《史記·仲尼弟子列傳》：卜商字子夏。少孔子四十四歲。孔子既没，子夏居西河教授，爲魏文侯師。其子死，哭之失明。《索隱》曰："子夏著於四科，序《詩》，傳《易》。又孔子以《春秋》屬商。又傳《禮》，著在《禮志》。而此史並不論，空記《論語》小事，亦其疎也。"

劉向《别録》曰："《易傳子夏》，韓氏嬰也。"劉歆《七略》曰："《子夏易傳》，漢興韓嬰傳。"

《周易正義》曰："初，卜商爲《易傳》，至西漢傳之。"

《釋文·叙録》：子夏《易傳》三卷。卜商，字子夏，衛人，孔子弟子，魏文侯師。《七略》云：漢興，韓嬰傳。《中經簿録》云：丁寬所作。張璠云：或馯臂子弓所作，薛虞記。虞不詳何許人。

《隋書·經籍志》：孔子爲《彖》、《象》、《繫辭》、《文言》、《序卦》、《説卦》、《雜卦》，而子夏爲之傳。又曰："《周易》二卷。魏文侯師卜子夏傳，殘缺。梁六卷。"《唐書·經籍志》：《周易》二卷。卜商傳。《唐·藝文志》：《周易卜商傳》二卷。

王應麟《漢志考證》曰："唐司馬氏曰《七略》有《子夏傳》。《七録》六卷。或云韓嬰，或云丁寬。《中經簿》四卷。"

武威張澍輯本序曰："嘗案《家語》云'孔子讀《易》至《損》、《益》卦，喟然而嘆。子夏避席而問'。知卜氏子好精義，不讓商子木也，審矣。澍溺苦儒，先從事粹會，敢怯璡煩，冀延絶學，是用展翫敷言，省循立意，實孟、京之嚆矢，亦馬、王之濫觴。"

武進張惠言輯本序曰："《漢書·藝文志》《易》有《韓氏》二篇，《丁氏》八篇，而無馯臂子弓，則張瑤之言不足信。丁寬受《易》田何，上及馯臂子弓受之商瞿，非自子夏，則荀勗言丁寬亦非。劉向父子博學近古，以爲韓嬰，當必有據。《儒林傳》稱'韓生亦以《易》授人，推《易》意而爲之傳'，不聞其所受。意者出於子夏，與商瞿之傳異耶。"

平湖孫堂輯本序曰："《子夏易傳》，《隋志》已云殘缺。後人展轉依託，益爲十一卷，是爲今本。舊本之散見者，自唐人所引外，惟朱氏震、晁氏説之、趙氏汝楳、王氏應麟四家之書間取之。兹特輯其與今本異者凡七十條。"

曆城馬國翰輯本序曰："《周易子夏傳》，《漢志》不著録。《唐會要》云開元七年三月十七日詔'《子夏易傳》，近無習者，令儒官詳定'。劉知幾、司馬貞議皆以爲不可。五月五日詔'《子夏傳》逸篇，令帖《易》者停'。孫坦《周易析藴》以爲杜鄴，趙汝楳《周易輯聞》以爲鄧彭祖，二人皆字子夏，懸空臆度，迄非定論，獨洪邁信之。武威張太史澍輯此篇，刻入張氏叢書。今据校録，仍《隋》、《唐志》舊目，分爲二卷。薛虞字里無攷，大抵爲漢、魏間儒生，今就《釋文》、《正義》二書所引得十一節，次《子夏傳》後。"

按《子夏易傳》，《七略》明云"漢興韓嬰傳"，蓋傳於韓嬰之家，猶《春秋左氏》出張倉家，無足異者。惟是《藝文志》之於《七略》有所出入，則必於都凡之下明注"出某人某書"。如樂類"出淮南劉向等《琴頌》七篇"，書類"入劉向《稽疑》一篇"是也。此獨不注，是《七略》但言及其書，非著録其書，猶《別録》言易家有《救氏注》，《藝文志》言民間有費、高二家之説，而皆不見著於録也。或以《漢志》《韓氏》二篇即《子夏易》。今攷《儒林傳》，韓嬰亦以《易》授人，推《易》意而爲之傳，則自爲之説，非《子夏傳》明矣。嬰之傳《易》，史不言其所受，張氏惠言謂出於子夏，與商瞿别爲一派，可謂定論。然則漢人傳《子夏易》者，嬰之後有嬰孫博士商，商之後有待詔韓生、司隸校尉蓋寬饒，而韓氏則家世傳業者也。

又按《經義考》引宋程迥曰"《子夏易傳》，京房爲之箋"，未詳所據。

易論公孫段二篇

晋束皙《竹書叙目》曰："其《易經公孫段》二篇，公孫段與邵陟論《易》。"

《韓非子·顯學篇》曰："孔子之後，儒分爲八，有公孫氏之儒。"

晋陶潛《聖賢羣輔録》曰："公孫氏傳《易》爲道，爲潔清精微之儒。"

《經義考·承師篇》曰："按儒分爲八，其一公孫氏傳《易》者，《羣輔録》有明徵，而未詳其名。攷《汲冢竹書》有公孫段與邵涉論《易》二篇，此則公孫氏《易》矣。"

陽湖洪亮吉《傳經表》曰：“《易》一傳孔子，二傳商瞿，三傳公孫段、橋庇。”

易家候陰陽災變書

《漢書·儒林·孟喜傳》：喜從田王孫受《易》。好自稱譽，得《易》家候陰陽災變書，詐言師田生且死時枕喜㬔，獨傳喜，諸儒以此耀之。同門梁邱賀疏通證明之，曰：“田生絶於施讎手中，時喜歸東海，安得此事？”後博士缺，衆人薦喜。上聞喜改師法，遂不用喜。

《四庫提要》術數占卜類附案曰：“陰陽災異之説始于孟喜，別得書而託之田王孫，焦延壽又別得書而託之孟喜，其源實不出于經師。”

鄞縣全祖望《讀易別録》曰：“《易》家候陰陽災變書見《漢書·儒林傳》，孟喜所得，即魏相采以奏事者，此書《經義考》失載。”

按此疑即《藝文志》“《雜災異》三十五篇”之別本，爲焦贛、京房所傳説，故京房以爲延壽《易》即孟氏學，蓋與孟氏學略相同也。其後高相專説陰陽災異，言出于丁將軍者，亦即此類之書。

易説費氏二篇

《漢書·儒林傳》：費直字長翁，東萊人也。治《易》爲郎，至單父令。長於卦筮，亡章句，徒以《彖》、《象》、《繫辭》十篇文言解説上下經。按宋馮椅《厚齋易學》引作“十篇之言”，此“文”字似“之”字之誤。琅邪王璜平仲能傳之。

宋晁公武《郡齋讀書志》曰：“《易》自商瞿受於孔子，六傳至田何而大興，爲施讎、孟喜、梁邱賀。其後焦贛、費直始顯，而傳受皆不明，由是分爲三家。漢末，田、焦之學微絶，而費氏獨存。其學無章句，惟以《彖》、《象》、《文言》等十篇解上下經，凡以《彖》、《象》、《文言》等參入卦中者，皆祖費氏。”

《經義考》：明錢一本曰“《周易》漢費直本，畫一全卦，繫以彖辭；再畫本卦，繫以爻辭；又畫覆卦，繫以用九、用六之辭；後以一‘傳’字加彖傳之首。鄭康成本省去費本六爻之畫，又省用九、用六覆卦之畫”云云。

明朱睦㮮《授經圖》曰：“費直自爲《易》，以相授受，原無師傳。”

易章句費氏四卷

《釋文·叙録》：《七録》云“《費直易章句》四卷，殘缺”。《隋書·經籍志》：梁有漢單父長費直注《周易》四卷，亡。《唐書·經籍志》：《周易》四卷，費直章句。《唐·藝文志》：《周易費直章句》四卷。

張惠言《易義别録》曰：“費氏《古文易》徒以《彖》、《象》、《繫辭》、《文言》解說上下經，無章句。《七録》有《費氏章句》四卷，蓋僞託，不足信。然陸德明以爲永嘉之亂，鄭注行世，而費氏之《易》無人傳者，豈以僞託之章句爲費氏邪？或者費氏本無訓說，諸儒斟酌各家以通之。”

馬國翰輯本序曰：“《隋志》云梁有費直注《周易》四卷，新、舊《唐志》、《釋文·叙録》並作‘章句’，與本傳所稱亡章句者不合。疑爲費學者附益之。今已佚亡。宋吴仁傑、晁說之考定古《易》，吴録費直《易》乾卦以見例，晁合諸家以訂古文，最爲明晰，茲據輯録。”

易說高氏

《漢書·儒林傳》：高相，沛人也。治《易》，與費公同時，其學亦亡章句，專說陰陽災異，自言出於丁將軍。傳至相，相授子康及蘭陵毋將永，繇是《易》有高氏學。高、費皆未嘗立於學官。

《隋書·經籍志》：費直傳《易》，以授琅邪王璜，璜授沛人高

相,相以授子康及蘭陵毋將永。故有費氏之學。後漢、魏代
費氏大興,高氏遂衰。梁邱、施氏、高氏,亡於西晉。

朱睦㮮《授經圖》曰:"高相《易》自言出於丁將軍寬。寬,景帝
時人。相,平帝時人。相去甚遠,或亦私淑者也。"

按史言高氏與費公同時。《隋志》云云,則爲費氏再傳弟
子。陸元朗無是説,似《隋志》誤也。

易説趙氏

《漢書·儒林·孟喜傳》:蜀人趙賓好小數書,後爲《易》,飾
《易》文,以爲"箕子明夷,陰陽氣亡箕子;箕子者,萬物方荄茲
也"。賓持論巧慧,《易》家不能難,皆曰"非古法也"。云受孟
喜,喜爲名之。後賓死,莫能持其説。喜因不肯仞,以此不見
信。顏師古曰:"此箕子者,謂殷父師説《洪範》者也,而賓妄
爲説耳。荄茲,言其根荄方茲茂也。"

張澍《蜀典》曰:"按若箕子爲荄滋,則文王又何解乎?顏師古
駁正良是。"

長洲宋翔鳳《過庭録》曰:"案陸德明《周易音義》云:箕子之
明夷,蜀才'箕'作'其'。劉向云:今《易》'箕子'作'荄滋'。
鄒湛云:訓'箕'爲'荄',訓'子'爲'滋',漫衍無經,不可致
詰,以譏荀爽。案此,則荀氏注《易》,遠合趙賓。劉向所據,
亦同賓説。賓之所學,實爲有本。《傳》謂'賓持論巧慧,
《易》家不能難'。夫憑肊巧辯,必有時而窮,至於不能難,而
徒以'非古法'厲之,豈信讞乎?案賓以陰陽氣言,即是孟喜
候陰陽之學。讀'箕子'爲'荄滋',當據古文。蜀才,姓范,
名長生,蜀人。其所述當即趙賓之《易》,故與賓同,其學實
合古文。"

易傳彭氏

《漢書》列傳:彭宣字子佩,淮陽陽夏人也。治《易》,事張禹,

舉爲博士，遷東平太傅。禹薦宣經明有威重，可任政事，繇是
爲右扶風、太原太守、大司農、光禄勳、右將軍、左將軍。以關
内侯歸家。元壽元年，召爲光禄大夫，遷御史大夫，轉爲司
空，封長平侯。哀帝崩，王莽爲太司馬，秉政專權。宣上書乞
骸骨。策上印綬，便就國。居國數年，薨，謚曰頃侯。傳子至
孫，王莽敗，迺絶。

《漢書・儒林・施讎傳》：讎授張禹，禹授淮陽彭宣。禹至丞
相，宣大司空，皆有傳。繇是施家有張、彭之學。

《釋文・叙録》：施讎傳《易》，授張禹。禹授淮陽彭宣，字子
佩，大司空、長平侯，作《易傳》。

易傳戴氏

《漢書・儒林・施讎傳》：施讎授張禹，禹授淮陽彭宣、沛戴崇
子平。崇爲九卿。

《漢書・張禹傳》：禹成就子弟尤著者，淮陽彭宣至大司空，沛
郡戴崇至少府九卿。宣爲人恭儉有法度，而崇愷悌多智，二
人異行。禹心親愛崇，敬宣而疏之。崇每候禹，禹將崇入後
堂飲食。而宣之來也，禹見之於便坐，講論經義，未嘗得至後
堂。及兩人皆聞知，各自得也。

《釋文・叙録》：沛戴崇，字子平，少府，作《易傳》。

易注救氏

劉向《别録》曰："《易》家有救氏之注。"

應劭《風俗通・姓氏篇》：漢有諫議大夫救仁。張澍輯本附注
曰："按劉向《别録》，《易》家有救氏。"

　　按《别録》此條見《史記・衡山王列傳》索隱引，或刊誤作
　　"救民之法"。今攷史文以江都人救赫。《漢書》"救"作
　　"枚"，故《索隱》引《别録》救氏之注以證枚赫之誤，決非救
　　民之法也。

右《易》凡經本四家四部，傳注論説等九家十部。今傳子夏《易傳》十一卷僞本不録。《舊唐書·志》有劉向《繫辭義》二卷，今證以《新唐志》，似"劉瓛"之誤。吳縣余蕭客《古經解鉤沈》輯劉向《繫辭義》一條，今考《釋文》諸書，則劉向《洪範五行傳》之文，非《繫辭義》也，今併不録。

《後漢書·章帝本紀》：建初四年十一月壬戌，詔曰："漢承暴秦，褒顯儒術，建立《五經》，爲置博士。其後學者精進，雖曰承師，亦別名家。"章懷太子曰："言雖承一師之業，其後觸類而長，更爲章句，則別爲一家之學。"今攷漢《易》家自田何而後，有王同、周王孫、丁寬、服生、楊何、蔡公、韓嬰及淮南道訓，凡八家。後又有施、孟、梁邱、京四家，而梁邱氏別有五鹿充宗，京氏別有段嘉，其書並見《藝文志》。此外如《儒林傳》云，有費氏《易》，有高氏學，其書見前。又云"施家有張、彭之學"，謂張禹、彭宣也。彭氏書亦見前。《孟喜傳》云"有翟、孟、白之學"，錢氏大昕《三史拾遺》曰："當云'孟家有白、翟之學'，文有脱誤爾。"王氏鳴盛《十七史商搉》亦曰："以上下文例之，此當云'緐是孟有白、翟之學'。"謂東海白光、沛翟牧也。《梁邱賀傳》云"梁邱有士孫、鄧、衡之學"，謂平陵士孫張、沛鄧彭祖、齊衡咸也。而士孫氏家世傳業。張禹、翟牧、白光、士孫張、鄧彭祖、衡咸此六人者，皆以《易》名家。當時亦必有説經之作，今皆不可攷矣。又太中大夫、齊郡太守京房，淄川楊何弟子，梁邱賀所從受《易》者也。"宣帝時，聞京房爲《易》明，求其門人，得賀。賀入説，上善之。賀傳子臨，臨學精熟，專行京房法"。此武帝時京房在元帝時京房之前。時臨爲《易》甚著聞，嘗入説，奉使問石渠，選高材郎十人從受。王吉通五經，善臨説，使其子駿上疏，得與十人從臨受《易》。而皆得之於京房，則此京房亦當有書，并疑元帝時立京氏，即此非彼也。汲冢之公孫段，前人已有所證明。若《別録》之救氏注，則莫詳其所由來。《連山》、《歸藏》，漢時藏於蘭臺、太卜。桓君山《新論》嘗言之。然等於卜筮之書而已,不可謂之六藝。今退列數術之蓍龜家。

漆書古文尚書一卷

《後漢書・杜林傳》:林字伯山,扶風茂陵人也。父鄣,成、哀間爲涼州刺史。林少好學沈深,家既多書,又外氏張竦父子喜文采,林從竦受學,博洽多聞,時稱通儒。光武徵拜侍御史,羣僚知林以名德用,甚尊憚之。京師士大夫,咸推其博洽。河南鄭興、東海衛宏,皆長於古學。興嘗師事劉歆,林既遇之,欣然言曰:"林得興等固諧矣,使宏得林,且有以益之。"及宏見林,闇然而服。濟南徐巡,始師事宏,後皆更受林學。林前于西州得漆書《古文尚書》一卷,常寶愛之,雖遭艱困,握持不離身。出以示宏等曰:"林流離兵亂,常恐斯經將絕。何意東海衛子、濟南徐生復能傳之,是道竟不墜於地也。古文雖不合時務,然顧諸生無悔所學。"宏、巡益重之,於是古文遂行。

《後漢書・儒林傳》:扶風杜林傳《古文尚書》,林同郡賈逵爲之作訓,馬融作傳,鄭玄注解,由是《古文尚書》遂顯於世。

《經義考》曰:"按漆書古文雖不詳其篇數,而馬、鄭所注實依是書,陸氏《釋文》采馬氏注甚多。然惟今文及小序有注,而孔氏增多二十五篇無一語及焉。然則漆書亦止有今文二十九篇而已,孔氏增多之書無之也。"

《經義考》又曰:"西漢之古文,孔安國家獻之,未列於學官者也。東漢之古文,杜林得之西州,賈逵、衛宏、馬融、鄭玄輩爲之作訓、傳、注解者也。當時止有杜林漆書,若孔氏增多之書,終漢之世,下及魏、西晋,莫有見之者。"

尚書歐陽朱氏章句

《漢書・儒林傳》:歐陽生字和伯,事伏生,授倪寬。寬授歐陽生子,世世相傳,至曾孫高爲博士。高孫地餘以中庶子授太子，按即元帝。爲博士。地餘少子政爲王莽講學大夫。由是《尚書》世有歐陽氏學。濟南林尊事歐陽高，爲博士。授平陵平當，當授九江朱普公文，爲博士。徒衆尤盛，知名者也。《釋文·叙録》、《東觀記》云"桓榮事九江朱文"，"文"即普字。今按《漢記》輯本作"朱文剛"，《後漢·桓榮傳》注云："朱普字公文，受業於平當，爲博士，徒衆尤盛。見前書。"則謂字"文"及"文剛"者皆非也。

《後漢書·桓榮傳》：榮習《歐陽尚書》，事博士九江朱普。又《桓郁傳》云：初，榮受朱普學章句四十萬言，按《文心雕龍》云三十萬言。浮辭繁長，多過其實。

按范書云桓榮事朱普，"十五年不窺家園。至王莽篡位乃歸。會普卒，榮奔喪九江，負土成墳，因留教授。莽敗，天下亂。榮抱其經書與弟子逃匿山谷"。是普當王莽時卒於家，又似棄官與榮同歸鄉里者也。

尚書小夏侯張氏章句

《漢書·儒林傳》：夏侯勝，其先夏侯都尉，從濟南張生受《尚書》，伏生教張生及歐陽生。以傳族子始昌。始昌傳勝，勝傳從兄子建。由是《尚書》有大小夏侯之學。平陵張山拊事小夏侯建，爲博士。授山陽張無故子儒，按《李尋傳》作"張孺"，《釋文·叙録》作"子孺"。無故善修章句，爲廣陵太傅，守小夏侯説文。顏師古曰："言小夏侯本所説之文不多。"

尚書小夏侯秦氏説

《漢書·儒林傳》：平陵張山拊事小夏侯建，爲博士。授山陽張無故子儒、信都秦恭延君。無故善修章句，守小夏侯説文。恭增師法至百萬言，爲城陽内史。顏師古曰："言小夏侯本所説之文不多，而秦恭又更增益，故至百萬言也。"

桓譚《新論》曰："秦近君能説《堯典》，篇目兩字之説至十萬餘言，但説'曰若稽古'三萬言。"

梁劉勰《文心雕龍·論説篇》曰："若秦延君之注《堯典》十餘

萬字，朱普之解《尚書》三十萬言，所以通人惡煩，羞學章句。”

按史言恭字延君，官城陽内史。顔注引《新論》作“秦近君”。《説文解字》許君《自序》稱講學大夫秦近亦能言《倉頡篇》文字，即其人也。蓋恭後仕王莽，爲講學大夫，或改名“近”，字近君，《儒林傳》附見其人，但書其故官本名歟？

古文尚書桑氏説

《漢書·儒林傳》：孔氏有《古文尚書》，孔安國以今文字讀之，因以起其家逸《書》，得十餘篇，蓋《尚書》兹多於是矣。遭巫蠱，未列於學官。安國授都尉朝，朝授膠東庸生，庸生授清河胡常，常授虢徐敖，敖授王璜、平陵塗惲子真，子真授河南桑欽君長。王莽時，諸學皆立。劉歆爲國師，璜、惲等皆貴顯。

按《釋文·叙録》曰河南乘欽，一本作桑欽。又《易》家京房弟子有河南乘弘，云一本作桑弘。今考《漢書·地理志》及許氏《説文》皆引作“桑欽”，則“乘”爲字形之誤審矣。弘、欽當是一家。

曲阜桂馥《説文義證》曰：“《説文·水部》‘溺水自張掖删丹西至酒泉合黎，餘波入于流沙，桑欽所説’。馥案欽字君長，見《漢書·儒林傳》。《唐書》以《水經》爲欽作。今《水經》無此文。《儒林傳》孔安國數傳至桑欽，蓋欽説《尚書》之文也。”

按《漢書·地理志》張掖郡删丹下班氏注云：“桑欽以爲道弱水自此，西至酒泉合黎。”蓋少節其文，知溺水古文，弱水今文也。又《説文》引“桑欽云：濕水出平原高唐”。《地理志》平原郡高唐下注云：“桑欽言漯水所出。”知濕水古文，漯水今文也。而班氏引桑欽，並改從今文，此亦桑欽説《禹貢》之文。又《説文》引“桑欽説汶水出泰山萊無，西南入泲”。《地理志》泰山郡萊蕪下注云：“又《禹貢》汶水出西南入泲，桑欽所言。”則明著桑欽《禹貢》説矣。今據桂氏，擬議題曰《古文尚書桑氏説》。

又按《地理志》注數引《禹貢》説，不著姓名，疑亦出桑欽，或

平當。當字子思，平陵人，以經明《禹貢》，使行河爲騎都
尉，領河隄。哀帝時，至丞相。《漢志》平原郡鬲縣下引"平
當以爲鬲津"，止此一語，別無可以證實焉。

禹貢圖

《後漢書·循吏·王景傳》：永平十二年，議修汴渠，賜景《山
海經》、《河渠書》、《禹貢圖》。

按《禹貢圖》，前漢時所當有。哀帝時，丞相平當經明《禹
貢》。《溝洫志》曰"哀帝初，平當使領河隄，奏言'九河今皆
寘滅，按經義治水，有決河深川，而無隄防雍塞之文'"云
云，疑即當所作。

劉歆　洪範五行傳記

《漢書·楚元王》附傳：劉向少子歆，字子駿，少以通《詩》、
《書》能屬文召，見成帝，待詔宦者署，爲黃門郎。向死後，歆
復爲中壘校尉。哀帝初，爲侍中大中大夫、騎都尉、奉車光禄
大夫。因移書責讓太常博士，忤執政大臣，爲衆儒所訕，懼
誅，求出補吏。徙守五原，轉涿郡，歷三郡守。數年，以病免
官，起家復爲安定屬國都尉。會哀帝崩，王莽持政，莽少與歆
俱爲黃門郎，重之，白太后。留歆爲右曹太中大夫，遷中壘校
尉，羲和，京兆尹，封紅休侯。按《王子侯表》，休侯富，楚元王子，孝景元年
封，三年以兄子戊反免，更封紅侯，傳國至曾孫，武帝元朔四年，亡後，絕。又《楚
元王》附傳，富子辟疆，辟疆子德，德子向，向子歆。歆，富之玄孫，封紅休侯者，蓋取
其先世初封休侯，更封紅侯，而一之。初，歆以建平元年改名秀，字穎
叔。及王莽篡位，歆爲國師。又《翟義傳》，居攝二年九月，羲
和紅休侯劉歆爲揚武將軍屯宛，三年正月歸故官。又《王莽
傳》，始建國元年，莽按金匱，輔臣皆封拜。以少阿、羲和、京
兆尹紅休侯劉歆爲國師，嘉新公，後改爲"心"，又改爲"信"。與王
舜、平晏、哀章爲四輔。地皇四年七月，時漢兵起，王邑等已

敗於昆陽，衞將軍王涉、大司馬董忠與歆謀，共刼持莽，東降南陽天子。歆怨莽殺其三子，又畏大禍至，遂與涉、忠謀。欲發，事泄，格殺忠，歆、涉皆自殺。按殺其三子者，歆仲子棻、棻弟泳，始建國二年十二月，以甄豐子尋事被殺。歆女愔，爲莽太子臨妻，地皇二年正月，莽殺臨，愔自殺，並見《莽傳》。

《漢書·五行志》：孝武時，夏侯始昌通《五經》，善推《五行傳》，以傳族子夏侯勝，下及許商，皆以教所賢弟子。其傳與劉向同，唯劉歆傳獨異。又曰：向子歆言《五行傳》，又頗不同。

《隋書·經籍志》曰：濟南伏生之傳，唯劉向父子所著《五行傳》是其本法，而又多乖戾。

　　按《五行志》引劉歆貌傳、言傳、視聽傳、思心傳、皇極傳，其不同者如云庶徵之恆寒，劉向以爲《春秋》無其應，劉歆以爲大雨雪，及未當雨雪而雨雪，及大雨雹隕霜殺叔草，皆常寒之罰也。其説視其父爲長。司馬彪《續漢志》亦數言劉歆傳與舊傳異。

張霸　百兩篇

《漢書·儒林傳》：世所傳《百兩篇》者，出東萊張霸，分析合二十九篇以爲數十，又采《左氏傳》、《書叙》爲作首尾，凡百二篇。篇或數簡，文意淺陋。成帝時求其古文者，霸以能爲《百兩》徵，以中書校之，非是。霸辭受父，父有弟子尉氏樊並。時太中大夫平當、侍御史周敞勸上存之。後樊並謀反，迺黜其書。《釋文·叙錄》云：“成帝時，劉向校之，非是。後遂黜其書。”

王充《論衡·佚文》、《正説篇》曰：“孝成皇帝時，讀百篇《尚書》，博上郎吏莫能曉知，徵天下能爲《尚書》者。東海張霸通《左氏春秋》，案百篇序，以《左氏》訓詁，造作百二篇，具成奏上。成帝出秘《尚書》以考校之，無一字相應者。於是下霸於吏，吏白霸罪當至死。成帝奇霸之才，赦其皋，亦不滅其經，故百二《尚書》傳在民間。”

崑山顧炎武《日知録》曰：“漢時《尚書》今文與古文爲二，而孔氏古文與張霸之書又自分爲二。霸書即所謂《百兩篇》也。但如後人諸所指目，張霸僞書亦以意擬之耳。如今文《太誓》已出於武宣之世，在張霸前，而説者并以入張霸僞書，非也。唯王充《論衡·感類篇》所引《百兩篇》文。① 乃是真本，以其時書猶傳世，充及見之也。”

金谿王謨輯本序録曰：“今鈔取《玉海》所引數條，及僞《太誓》二條，而以《論衡》所引《百兩篇》冠於其首，亦以存此書目云。”

右《書》凡經本一家一部，傳注圖説及僞書七家七部。《隋志》有孔安國《古文尚書傳》十三卷，《今字尚書傳》十四卷，《古文尚書音》一卷，並依託，不録。又《經義考》有牟卿《尚書章句》，據《後漢書·張奐傳》注入録。今攷《張奐傳》所云牟氏《章句》實東漢牟長，非牟卿。詳見余所輯《東漢藝文志》尚書家，今亦不録。

《尚書》家有歐陽、大小夏侯三家，其書並著録。《藝文志》歐陽氏有平、陳之學，大夏侯有孔、許之學，小夏侯有鄭、張、秦、假、李氏之學。蓋平陵平當、梁陳翁生、魯孔霸、霸子光、長安許商、平陵鄭寬中、張山拊、山陽張無故、信都秦恭、陳留假倉、平陵李尋十一人也。而平當、陳翁生家世傳業，許商書見《藝文志》，張無故、秦恭書見前，餘八人書無攷。又御史大夫千乘兒寬受業歐陽和伯、孔安國，武帝謂其説可觀，從寬問一篇。寬於《尚書》家當有書。又騎都尉李尋善説災異，班氏《五行志》采其説，似尋於《洪範》，亦當有書。又劉子駿移書太常博士，云傳聞民間有膠東庸生之遺學，抑而未施。《後漢·儒林傳》云：“孔安國傳《古文尚書》授都尉朝，朝授膠東庸譚，爲《尚書》古文學，未得立。”則庸生亦當有書。并疑西漢實有

---

① “論衡”，原作“衡論”，今乙正。

孔氏傳，乃庸生所爲。平帝時立古文《尚書》博士，傳習必不
止桑君長一家之説，今並泯没無徵焉。

楚元王　詩傳

《漢書》本傳：楚元王交字游，高祖同父少弟也。好書，多材
藝。少時嘗與魯穆生、白生、申公俱受《詩》於浮邱伯。伯者，
孫卿門人也。及秦焚書，各別去。高后時，浮邱伯在長安，元
王遣子郢客與申公俱卒業。文帝時，聞申公爲《詩》最精，以
爲博士。元王好《詩》，諸子皆讀《詩》，申公始爲《詩》傳，號
《魯詩》。元王亦次《詩》傳，號曰《元王詩》，世或有之。

《漢書・儒林傳》：申公，魯人也。少與楚元王交俱事齊人浮
邱伯受《詩》。漢興，高祖過魯，申公以弟子從師入見於魯南
宫。吕太后時，浮邱伯在長安，楚元王遣子郢與申公俱卒學。
元王薨，郢嗣立爲楚王，令申公傅太子戊。

《世系》：劉氏，戰國時爲魏大夫。秦滅魏，徙大梁。生清，徙
居沛。生仁，號豐公。生煓，字執嘉。四子：伯、仲、邦、交。
邦，漢高祖也。<small>按太公名字唯見于此。</small>

《經義考》曰："劉城曰：'楚元王，高祖同父兄弟也。秦漢間，
急攻戰，燔墳籍。一家之内，仲則力田治生産矣，季則好酒及
色，嫚駡儒生矣。交何所見？而早毅然學古，獨與穆生、白
生、申公輩游，同受《詩》於浮丘伯。豈非豪傑之士無待而興
者哉！然則交固漢儒林之首也。'"<small>按劉城，字伯宗，江南貴池人，前明遺
老，有《嶧桐集》，見《感舊集》中。</small>

　按《元王詩》在魯、齊、韓三家未分之前，固與申培公同爲
《魯詩》宗。其後劉向家世《魯詩》，傳學至西京之末，皆元
王一派，亦云盛矣。

魯詩韋君章句

《漢書》本傳：韋賢字長孺，魯國鄒人也。篤志於學，兼通
《禮》、《尚書》，以《詩》教授，號稱鄒魯大儒。徵爲博士，給事
中，進授昭帝《詩》，稍遷光禄大夫詹事，至大鴻臚。以尊立孝
宣帝與謀議，賜爵關内侯，徙爲長信少府。本始三年，代蔡義
爲丞相，封扶陽侯，食邑七百户。時賢七十餘，爲相五歲，地
節三年，以老病乞骸骨，罷歸。丞相致仕自賢始。年八十二
薨，諡曰節侯。

《漢書・儒林・申公傳》：申公以《詩》、《春秋》授瑕邱江公及
魯許生。韋賢治《詩》，事博士大江公晉灼曰：“大江公即瑕邱江公也。”
及許生，又治《禮》，至丞相。傳子玄成，以淮陽中尉論石渠，
後亦至丞相。玄成及兄子賞以《詩》授哀帝，至大司馬車騎將
軍，自有傳。由是《魯詩》有韋氏學。

王應麟《漢志考證》曰：“《魯詩》有韋氏學，後漢執金吾丞武榮
碑云：治《魯詩經韋君章句》。”

《經義攷》曰：“按《魯詩》有韋氏學，而章句不載於《漢志》。攷
執金吾武榮碑云‘治《魯詩經韋君章句》’，則當時韋氏父子亦
有章句授弟子矣。朱倬曰：《魯詩》起於申公而盛於韋賢。”按
許慎《五經異義》今輯本，有治《魯詩》丞相韋玄成説。

按明區大任《百越先賢志》云：“澹臺敬伯，會稽人，受韋氏
《詩》於淮陽薛漢。”則東漢之初，薛氏、澹臺氏皆傳韋氏
《詩》，不僅武氏一家也。漢爲薛廣德玄孫，廣德以《魯詩》
博士論石渠，至御史大夫，見《儒林傳》。按區《志》所據多古書，故
其言皆徵實。

魯詩許氏章句

《漢書・儒林傳》：申公以《詩》授魯許生及免中徐公。又曰王
氏，東平人也，事免中徐公及許生，授山陽張長安。張兄子游

卿爲諫大夫，以《詩》授元帝。其門人瑯琊王扶爲泗水中尉，陳留許晏爲博士。由是張家有許氏學。

《釋文·叙録》曰："張生兄子游卿以《詩》授元帝，傳王扶。扶授許晏。陳留人，爲博士。"

《太平御覽》四百九十六《陳留風俗傳》曰："許晏，字偉君，受《魯詩》於瑯琊王扶，改學曰'許氏章句'，列在儒林，故諺曰'殿上成羣許偉君'。"按《陳留風俗傳》，後漢議郎圈稱撰，凡三卷，見《隋書·經籍志》。

按《後漢書·獨行·李業傳》：業習《魯詩》，師博士許晃。平帝時，舉明經，爲郎。王莽居攝，去官。似即此博士許晏，而誤爲"晃"。

齊詩轅氏内傳
齊詩轅氏外傳

《漢書·儒林傳》：漢興，言《詩》，於魯則申培公，於齊則轅固生。又曰：轅固，齊人也。以治《詩》孝景時爲博士，拜清河太傅，疾免。武帝初即位，復以賢良徵。諸儒多嫉毁曰固老，罷歸之。時固已九十餘矣。公孫弘亦徵，仄目而事固。諸齊以《詩》顯貴，皆固之弟子也。

《漢書·藝文志》：漢興，魯申公爲《詩》訓故，而齊轅固、燕韓生皆爲之傳。或取《春秋》，采雜説，咸非其本義。

荀悦《漢記》曰："齊人轅固生爲景帝博士，作《詩》外、内傳。"按轅固生作《詩外傳》唯見於此。《藝文志》所謂"取《春秋》，采雜説，非其本義"者，似即指兩家外傳而言，則實有其書也。

《釋文·叙録》：齊人轅固生作《詩傳》，號"齊詩"。

元朱倬《詩疑問》曰："《齊詩》始於轅固，而盛於匡衡。"

按《藝文志》言轅固爲之傳，而其書不見，應劭注云："后蒼作《齊詩》。"按蒼爲轅固生再傳弟子，《齊詩》自轅氏始，不始於后蒼也。

齊詩伏氏章句

《漢書·儒林傳》：諸齊以《詩》顯貴，皆轅固弟子也。昌邑太傅夏侯始昌最明。又曰：后蒼，東海人也。事夏侯始昌。授翼奉、蕭望之、匡衡。衡授琅邪師丹、伏理斿君。理爲高密太傅，家世傳業。由是《齊詩》有翼、匡、師、伏之學。

《後漢書·伏湛傳》：湛字惠公，琅邪東武人也。九世祖勝，字子賤，所謂濟南伏生者也。湛高祖父孺，武帝時，客授東武，因家焉。父理，爲當世名儒，以《詩》授成帝，爲高密太傅，別自名學。湛少傳父業，教授數百人。成帝時，以父任爲博弟子。五遷，至王莽時爲繡衣執法，遷後隊屬正。又曰：自伏生已後，世傳經學。

> 按陸璣《詩疏》卷末言四家詩源流，云其後伏黯傳理家學，改定章句，以授嗣子恭云云。與范書《儒林·伏恭傳》所言合。然則伏黯所據爲藍本者，伏理章句也。黯亦理之子，湛之弟。

韓詩薛夫子章句

《漢書·薛廣德傳》：廣德字長卿，沛郡相人也。以《魯詩》教授，爲博士，論石渠。至御史大夫。

《世系》曰：廣德生饒，長沙太守。饒生愿，爲淮陽太守，因徙居焉。生方邱，字夫子。方邱生漢，字公子，後漢千乘太守。

《後漢書·儒林傳》：薛漢字公子，淮陽人也。世習《韓詩》，父子以章句著名。漢少傳父業。當世言《詩》者，推漢爲長。

元和惠棟《後漢書補注》曰：“《隋·經籍志》‘《韓詩》二十二卷，薛氏章句’。棟案唐人所引《韓詩》，其稱薛君者，漢也，稱薛夫子者，乃方邱也。故《馮衍傳》注有《薛夫子章句》是也。傳不載漢父名字，後人以章句專屬諸漢，失之。”按後人，指王氏應麟也。

番禺侯康《補後漢藝文志》曰："按《馮衍傳》注之文，亦見《明帝本紀》注，而彼引作'薛君'。據此，則凡稱薛君者，亦有薛夫子説矣。"

　　按《儒林傳》薛廣德事王式，受《魯詩》。五世至漢，猶以《魯詩韋君章句》授澹臺敬伯，見區大任《百越先賢志》。是薛氏本世以《魯詩》兼習《韓詩》者也。

呂叔玉　詩説

《經義攷》曰："按呂氏於《詩》不知主何家之説。杜子春注《周官》引之，其説曰：'《肆夏》、《繁遏》、《渠》，皆《周頌》也。《肆夏》，《時邁》也。《繁遏》，《執競》也。《渠》，《思文》也。'頗見新義。惜乎其不傳！"

右《詩》凡七家八部。 子貢《詩傳》、申培《詩説》各一卷，明豐坊僞託，不録。

七十子後言《詩》者，有高行子、孟仲子、仲梁子。宋邵思《姓解》云："古之隱者有仲梁子。"其人與其遺説略見《詩》正義及《孟子》趙岐注諸書，其書名則不可得而詳矣。《漢·儒林》詩家自魯、齊、韓三家及大小毛公外，其名家者，《魯詩》有張、唐、褚氏之學，山陽張長安、東平唐長賓、沛褚少孫皆事東平王式，爲博士。張家又有許氏學，陳留許晏也。《齊詩》后氏受業於轅固生之弟子夏侯始昌，有翼、匡、師、伏之學，東海翼奉、匡衡、琅邪師丹、伏理也。伏氏則家世傳業。《韓詩》有王、食、長孫之學，河內王吉、食子公、亦曰"食生"。《風俗通·姓氏篇》云："漢有于公爲博士。""子"當爲"于"。淄川長孫順，皆韓太傅數傳弟子。此十餘人在當時未嘗無書，今得以考見者，唯許氏、伏氏二家而已。又劉向家世《魯詩》，王伯厚《漢志考證》謂《説苑》、《新序》、《列女傳》，及所上封氏事多《魯詩》説。而《説文·草部》"蓁"字下云："四月秀蓁，劉向云此味苦，苦蓁也。"惠氏《讀説文記》曰："向説當在《魯詩》。"則劉氏亦當有書。

劉向校定禮經十七篇

《漢書・楚元王》附傳：向字子政，本名更生。年十二，以父德任爲輦郎。既冠，擢爲諫大夫。以典尚方鑄作事，不驗，下吏，繫當死。得減死論。復拜爲郎中、給事黃門，遷散騎、諫大夫、給事中。元帝即位，擢爲散騎宗正給事中。下獄免官。復爲中郎。又坐免爲庶人。廢十餘年。成帝即位，石顯等伏辜，更生乃復進用，更名向。召拜爲中郎，使領三輔都水。遷光祿大夫。領校中《五經》秘書。爲中壘校尉，居列大夫官前後三十餘年，年七十二卒。

《四庫提要》曰："《儀禮》出殘闕之餘。漢代所傳凡有三本：一曰戴德本，一曰戴聖本，一曰劉向《別錄》本。即鄭氏所注賈公彥疏謂《別錄》尊卑吉凶次第倫序，故鄭用之。二戴尊卑吉凶雜亂，故鄭不從之也。"

按《藝文志》《禮經》七十篇，諸家以爲"十七"之誤。《志》唯載后氏、戴氏，而劉氏校定之本次序不同，爲鄭氏所依據者，《志》未之及。蓋當時別行之本在中秘書之外，猶屈、宋辭賦既録於《詩賦略》中，又集爲《楚辭》十六卷也。

喪服子夏傳一篇

《晋書・禮志》曰："《喪服》本文省略，必待注解事義迺彰，其傳説差詳，世稱子夏所作。"

《隋書・經籍志》曰："《喪服》一篇，子夏先傳之，諸儒多爲注解，今又別行。"

《儀禮疏》曰："其傳内更云傳者，是子夏引他舊傳以證己義。《儀禮》見在一十七篇，餘不爲傳，獨爲《喪服》作傳者，但《喪服》一篇總包天子已下，五服差降，六術精麤，變除之數既繁，出入正殤交互，恐讀者不能悉解其義，是以特爲傳解。"

王應麟《漢志考證》曰："《喪服傳》，子夏所爲。《白虎通》謂之

《禮服傳》。"

按《喪服子夏傳》本自別行，其編入《儀禮》十七篇中者，後人爲之也。

戴德　喪服變除一卷

《漢書·儒林傳》：漢興，魯高堂生傳《士禮》十七篇。而瑕邱蕭奮以《禮》至淮陽太守。東海孟卿事蕭奮，以授后倉。倉授梁戴德延君，號大戴，爲信都太傅。《世系》：漢信都太傅戴德始世居魏郡斥邱。

《唐書·經籍志》：《喪服變除》一卷，戴至德撰。按稱"至德"，誤。

《唐·藝文志》：《大戴德喪服變除》一卷。按《新唐志》史部儀注類有戴至德《喪服變服》一卷，列唐人中，是唐有戴至德，亦撰《喪服變服》之書。《舊唐志》或因此而誤。

王謨輯本叙録曰："《唐志》大戴德《喪服變除》一卷，《隋志》不載此書。今從《通典》鈔出十一條，又《禮記注疏》二條。"

馬國翰輯本序曰："大戴傳《禮》在小戴之前，自小戴學盛而大戴浸微，其記雖存，鮮有肄習。至《喪服變除》，《隋志》且不著目。《唐·藝文志》始以一卷著録。今佚。《禮記》鄭注及正義引數條，杜佑《通典》稱引頗多，摭輯猶可成帙。"

禮桓生説

劉歆《七略》曰："《禮》家先魯有桓生，説經頗異。"

《漢書·劉歆傳》：歆移書大常博士曰："《逸禮》有三十九，《書》十六篇。及《春秋》左氏邱明所修，皆古文舊書，藏於秘府，伏而未發。孝成皇帝閔學殘文缺，稍離其真，乃陳發祕藏，校理舊文，得此三事，以考學官所傳，經或脱簡，傳或間編。師古曰："間編，謂舊編爛絶，就更次之，前後錯亂也。"傳問民間，則有魯國桓公、趙國貫公、膠東庸生之遺學與此同，抑而未施。此乃有識者之所惜閔，士君子之所嗟痛也。"

《漢書·儒林傳》：漢興，魯高堂生傳《士禮》十七篇，而魯徐生善爲頌。師古曰："頌讀與容同。"孝文時，徐生以頌爲禮官大夫，傳子至孫延及徐氏弟子公户滿意、桓生、單次皆爲禮官大夫。

禮大戴記八十五篇　戴德始末見前。

《禮記正義》：鄭康成《六藝論》云："今《禮》行於世者，戴德、戴聖之學也。戴德傳記八十五篇，則《大戴禮》是也。"

《釋文·叙錄》：晋陳邵《周禮論叙》云："戴德删古《禮》二百四篇爲八十五篇，謂之《大戴禮》。"按此稱古《禮》二百四篇者，即《禮》古記，非《禮》古經也。

《隋書·經籍志》：漢初，河間獻王得仲尼弟子及後學者所記一百三十一篇獻之，時亦無傳之者。至劉向考校經籍，檢得一百三十篇，向因第而叙之。而又得《明堂陰陽記》三十三篇、《孔子三朝記》七篇、《王氏史氏記》二十一篇、《樂記》二十三篇，凡五種，合二百十四篇。戴德删其煩重，合而記之，爲八十五篇，謂之《大戴記》。又曰："《大戴禮記》十三卷，漢信都王太傅戴德撰。"

《唐書·經籍志》：《大戴禮記》十三卷，戴德撰。《藝文志》：《大戴德禮記》十三卷。《崇文總目》：《大戴禮記》十卷三十五篇，又一本三十三篇。晁氏《讀書志》：十三卷四十篇。《宋史·藝文志》：《大戴禮記》十三卷，戴德纂。

《四庫提要》曰："《大戴禮記》十三卷，漢戴德撰。原書八十五篇，今闕四十六篇，存三十九篇。書中《夏小正》篇最古，其《諸侯遷廟》、《諸侯釁廟》、《投壺》、《公冠》皆《禮》古經遺文。又《藝文志》《曾子》十八篇，久逸。是書猶存其十篇，自《立事》至《天圓》篇題上悉冠以'曾子'者是也。史繩祖《學齋佔畢》言《大戴記》列之十四經中，其説今不可考。然先王舊制，時有徵焉，固亦《禮經》之羽翼爾。"

嘉定王鳴盛《蛾術編·説録》曰：“大戴篇目起三十九，終八十一，而其中又缺四篇，則其缺者或即聖之所已載。蓋當馬融、盧植、鄭康成諸大儒並注。小戴其書盛行後，人見大戴絶無傳注，而其中有與小戴複出者，不須兩載，遂從而刪去之，存其原第，故起三十九篇耳。”

　　按《隋志》所舉五種並見《漢志》禮、樂、論語三類中，實有二百一十五篇。《釋文》引陳邵稱二百四篇，《隋志》稱二百十四篇，或其中篇第有所分合也。

夏小正戴氏傳一卷

《史·夏本紀》：太史公曰：“孔子正夏時，學者多傳《夏小正》云。”裴駰《集解》：“《禮運》稱孔子曰：‘我欲觀夏道，是故之杞，而不足徵也，吾得夏時焉。’鄭玄曰：‘得夏四時之書，其存者有《小正》。’”

戴德傳曰：“何以謂之小正？以小著名也。曷以小之？掌故失其傳，太史遺其籍，宗國墜其徵，儒宿荒其訓。小之云者，弗詳之云爾，非其微之云也。”

《隋書·經籍志》：《夏小正》一卷，戴德撰。

宋傅崧卿校注序曰：“崧卿少時讀《禮記》著孔子得夏時於杞，鄭氏注曰：‘夏四時之書也，其存者有《小正》。’而鄭注《月令》引《小正》者辭，大抵嚴約，不類秦漢以來文章，信其爲有夏氏之遺書，而王政民事繫焉，蓋夏之《月令》也。”

《四庫提要》曰：“《夏小正》本《大戴禮記》之一篇，《隋志》始於《大戴禮記》外別出《夏小正》一卷，注云戴德撰。傅崧卿序謂隋懸重賞以求逸書，進書者遂多以邀賞帛，故離析篇目而爲此。有司受此，又不加辨，而作志者亦不復考。是於理亦或然。然考吳陸璣《詩疏》曰：‘《大戴禮·夏小正》傳云：繁，游胡。游胡，旁勃也。’則三國時已有傳名。疑《大戴禮記》舊本但有《夏小正》之文,而無其傳,戴德爲之作傳別行,遂自爲一卷,故《隋志》分著於録。後盧辨作《大戴禮注》,始采其傳編入書中,故《唐志》遂不著録耳。又《隋志》根據《七録》,最爲精核,不容不知《夏小正》爲三代之書,漫題戴德撰。疑《夏小正》下當有'傳'字,或'戴德撰'字當作'戴德傳'字。今本譌脱一字,亦未可定。觀《小爾雅》亦《孔叢》之一篇,因有李軌之《注》,遂別著録,是亦旁證矣。崧卿以爲隋代誤分,似不然也。"

禮小戴記四十九篇

《漢書·儒林傳》:后倉授梁戴德延君、戴聖次君。聖號小戴,以博士論石渠,至九江太守。《正義》云:"聖,德從子。"

《漢書·何武傳》:武爲楊州刺史,所舉奏二千石長吏必先露章,服罪者爲虧除,免之而已;不服,極法奏之,抵罪或至死。九江太守戴聖,《禮經》號小戴者也,行治多不法,前刺史以其大儒,優容之。及武爲刺史,行部録囚徒,有所舉以屬郡。聖曰:"後進生何知,迺欲亂人治!"皆無所決。武使從事廉得其罪,聖懼,自免。後爲博士,毀武於朝廷。武聞之,終不揚其惡。而聖子賓客爲羣盗,得,繫盧江,聖自以子必死。武平心決之,卒得不死。自是後,聖慙服。武每奏事至京師,聖未嘗不造門謝恩。

《釋文·叙録》:陳邵《周禮論》序云:"戴聖删《大戴禮》爲四十九篇,爲是《小戴禮》。"

《禮記正義》:孔子没後,七十二子之徒共撰所聞,以爲此記。或録舊禮之義,或録變禮所由,或兼記體履,或雜序得失,故編而録之,以爲《記》也。《中庸》是子思伋所作,《緇衣》公孫尼子所撰,鄭康成云《月令》吕不韋所修,盧植云《王制》謂漢文時博士所録,其餘衆篇皆如此例,但未能盡知所記之人也。

《經義考》曰：“王肅注《禮》以《月令》爲周公所作。羅璧曰：
梁沈約謂《中庸》、《表記》、《坊記》、《緇衣》取子思，《樂記》取
公孫尼子，《學記》出毛生。胡寅曰：《禮運》子游作，《樂記》子
貢作。郝敬曰：《三年問》荀卿所著。”

　　按《釋文·叙録》附注云：“漢劉向《别録》有四十九篇，其篇
次與今《禮記》同，名爲他家書拾撰所取，不可謂之《小戴
禮》。”按小戴與劉光禄同時，豈《别録》中附著其篇目歟？
《七略》唯有古記，原編凡五種二百十五篇，分著禮類、樂類、論語類中。
若大小戴、慶氏諸節本皆所不著也。

　　又按《書録解題》及《宋·藝文志》於鄭注《禮記》之前，別有
戴聖《禮記》二十卷，豈《小戴記》原編至宋猶在耶？似以
《禮記》白文而即謂之《小戴記》，不知鄭本《禮記》與小戴實
有不同者。

禮慶氏記四十九篇

《漢書·儒林·孟卿傳》：孟卿事蕭奮，以授后倉。倉授沛聞
人通漢子方、梁戴德延君、戴聖次君、沛慶普孝公。孝公爲東
平太傅。由是禮有大戴、小戴、慶氏之學。普授魯夏侯敬，又
傳族子咸，爲豫章太守。

《漢書·藝文志》：漢興，魯高堂生傳《士禮》十七篇。訖孝
宣世，后倉最明。戴德、戴聖、慶普皆其弟子，三家立於
學官。

《後漢書·曹褒傳》：褒字叔通，魯國薛人也。父充，持《慶氏
禮》，作章句辨難，於是遂有慶氏學。褒少篤志，結髮傳充業，
博物識古，爲儒者宗。作《通義》及演經雜論，又傳《禮記》四
十九篇，教授諸生千餘人，慶氏學遂行於世。

《隋書·經籍志》：后蒼授梁人戴德，及德從兄子聖、沛人慶
普，於是有大戴、小戴、慶氏，三家並立。後漢唯曹充傳慶氏，

以授其子襃。然三家雖存並微,相傳不絶。

《經義考》曰:"按后氏之《禮》分爲四家,聞人通漢雖未立於學官,而《石渠禮論》其議奏獨多。慶氏亦必有書,顧未詳篇目。東漢之世,曹充父子尚傳其學,竊怪班氏志藝文獨不及之,何歟?"

按《儒林傳》贊言其初《禮》家唯有后氏,至宣帝世,復立大、小戴《禮》。是《漢志》所謂三家立於學官者,后氏及大、小戴也,慶氏不與焉。范書《儒林傳》謂二戴、慶氏三家皆立博士,恐非是。東京亦但有二戴博士,見《續漢·百官志》。

禮小戴記橋氏章句四十九篇

《漢書·儒林傳》:小戴授梁人橋仁季卿、楊榮子孫。仁爲大鴻臚,家世傳業。由是小戴有橋、楊氏之學。按《百官表》孝平元始二年大鴻臚橋仁,而范書言成帝時。

《後漢書·橋玄傳》:玄字公祖,梁國睢陽人也。七世祖仁,從同郡戴德學,著《禮記章句》四十九篇,號曰"橋君學"。成帝時爲大鴻臚。《經義考》曰:"按橋、楊本傳,小戴之學班史序次甚明,此云戴德恐誤。"

戴聖輯羣儒疑義十二卷

《隋書·經籍志》:《石渠禮論》四卷,戴聖撰。梁有《羣儒疑義》十二卷,戴聖撰。《唐書·經籍志》:《禮義》二十卷,戴勝等撰。《舊唐志》"聖"皆作"勝"。《唐·藝文志》:鄭玄注小戴聖《禮記》二十卷,又《禮議》二十卷。

按《石渠禮論》即《石渠議奏》,《藝文志》已著於錄。《羣儒疑義》,《經義考》題曰《禮記羣儒疑義》,《舊唐志》作《禮義》,《新志》作《禮議》。"義"、"議"古通,觀《新志》叙次似二十卷者,爲鄭氏注本,《七錄》十二卷。或《史記·封禪書》文帝使博士諸生刺《六經》中作《王制》,謀議巡狩封禪事。按事在文帝十六年，《漢書·郊祀志》文同。

劉向《七略》曰："文帝所造書有《本制》、《兵制》、《服制》篇。"

王應麟《漢志考證》曰："《史記·封禪書》'文帝使博士諸生刺六經中作《王制》'，《白虎通》引《禮·王制》曰'天子棺槨九重'，今《禮記·王制篇》蓋其略也。"

仁和孫志祖《讀書脞録》曰："《禮記·王制》正義盧植云：'漢孝文皇帝令博士諸生作此《王制》之書。'《釋文》同。案《史記·封禪書》'文帝使博士諸生刺六經作《王制》'，《索隱》引劉向《別録》云'文帝書有《本制》、《兵制》、《服制》篇'，然則文帝之《王制》，非《禮記》之《王制》也，盧植以其書名偶同而誤牽合之爾。鄭康成《答臨碩》云：'孟子當赧王之際，《王制》之作復在其後。'見《正義》。蓋亦不以漢文時之《王制》當之也。"

按《王制》疏引鄭玄《駁許慎五經異義》云："《周禮》是周公之制，《王制》是孔子之後大賢所記先王之事。"又曰："《王制》者，記文、襄之霸制耳。"此亦非漢文時《王制》之一證。

河間獻王書五百餘篇

《漢書·景十三王列傳》：河間獻王德以孝景二年立，修學好古，實事求是。從民間得善書，必爲好寫與之，留其真，加金帛賜以招之。繇是四方道術之人不遠千里，或有先祖舊書，多奉以奏獻王者，故得書多，與漢朝等。是時，淮南王安亦好書，所招致率多浮辨。獻王所得書皆古文先秦舊書，《周官》、《尚書》、《禮》、《禮記》、師古曰："《禮》者，禮經也。《禮記》者，諸儒記禮之説也。"《孟子》、《老子》之屬，皆經傳説記，七十子徒所論。其學舉六藝，立《毛氏詩》、《左氏春秋》博士。或讖於簡端曰：凡經獻王皆立博士，此二者以王朝未立，故特著之也，博士爲毛公、貫公，其言甚覈。脩禮樂，被服儒術，造次必於儒者。山東諸儒者從而游。立二十六年薨。中尉常麗以聞，大行令奏："謐法曰'聰明睿知曰獻'，宜謚曰獻王。"《武帝本紀》元光五年春正月，河間王德薨。

《史記·五宗世家》集解：《漢名臣奏》杜業曰："河間獻王經術通明，積德累行，天下雄俊衆儒皆歸之。孝武帝時，獻王來朝，被服造次必於仁義。問以五策，獻王輒對無窮。孝武帝艴然難之，謂獻王曰：'湯以七十里，文王百里，王其勉之。'王知其意，歸即縱酒聽樂，因以終。"

《史記·禮書》：孝文即位，有司議欲定儀禮，孝文好道家之學，以爲繁禮飾貌，無益於治，故罷去之。今上即位，招致儒術之士，令共定儀，十餘年不就。制詔御史曰："蓋受命而王，各有所由興，殊路而同歸，謂因民而作，追俗爲制也。議者咸稱太古，百姓何望？漢亦一家之事，典法不傳，謂子孫何？可不勉歟？"

《漢書·禮志》曰："今叔孫通所撰禮儀，與律令同録，藏於理官，法家又復不傳。漢典寢而不著，民臣莫有言者。又通没之後，河間獻王采禮樂古事，稍稍增輯，至五百餘篇。今學者不能昭見，但推士禮以及天子，説義又頗謬異，故君臣長幼交接之道寢以不章。"

　　按《禮志》言叔孫通所定儀法未盡備而終，河間獻王是書蓋欲踵其遺緒，譔爲漢禮，證以禮書之言，則其事與後漢曹褒撰禮命意相同。獻王嘗奏進雅樂矣，此書殆亦奏上録，藏於理官，後或亡於王莽之亂，故班氏云"今學者不能昭見"也。

甘泉鹵簿

晉司馬彪《續漢書·輿服志》：乘輿大駕，公卿奉引，太僕御，大將軍參乘。屬車八十一乘，備千乘萬騎。西都行祠天郊，甘泉備之。官有其注，名曰《甘泉鹵簿》。梁劉昭注曰："蔡邕《表志》曰：'《甘泉鹵簿》，國家舊章，而幽僻藏蔽，莫之得見。'"

宋章如愚《山堂攷索》前集曰："漢之甘泉，自古祭天圓丘之處也。本秦林光宫，自文帝時郊五畤，武帝立泰畤，三歲一郊，車駕必幸雍，幸甘泉，故有《甘泉鹵簿》。"

錢唐汪師韓《文選理學權輿》曰："《選注》所引羣書有《甘泉鹵簿》。"按汪氏所輯諸書皆徵實之文，故今援以爲据。

元始婚禮

《漢書·平帝紀》：元始三年春，詔有司爲皇帝納采安漢公莽女。又詔光禄大夫劉歆等雜定婚禮。四輔、公卿、大夫、博士、郎、吏家屬皆以禮娶，親迎立軺併馬。服虔曰："軺音謡，立乘小車也。併馬，驪駕也。"顏師古曰："新定此制也。"

《漢書·王莽傳》：莽既尊重，欲以女配帝爲皇后，以固其權，奏言："皇帝即位三年，長秋宫未建，掖廷尉媵未充。乃者，國家之難，本從亡嗣，配取不正。請考論《五經》，定取禮，正十二女之義，以廣繼嗣。"師古曰："掖與掖同音通用，取皆讀曰娶。"

按莽謀以己女爲后，因令劉歆等考論《五經》，定此婚禮，而兼及於四輔以下之婚禮云。

元始車服制度

《漢書·平帝紀》：元始三年夏，安漢公奏車服制度，吏民養生、送終、嫁娶、奴婢、田宅、器械之品。

按《王莽傳》，元始五年五月，太皇太后臨於前殿，親詔九錫，文曰："輔朕五年，人倫之本正，天地之位定。"張晏曰："定冠婚之儀，徙南北之郊也。"今按冠儀未見，當在此書。又按《莽傳》數言制禮作樂。其禮今可攷見者，唯此兩書。其樂則所立樂經是也。皆爲漢家所制作也。至天鳳二年篡，已七年矣。又云制禮作樂，蓋欲自爲新室建一代之制，其新樂見天鳳六年，其禮殆迄未有成。始建國三年有云，百官改更，職事分移，律令儀法，未及悉定，且因漢律令儀法以從事。其後亦不見言書成就事。

元始南北郊羣祀

《漢書·郊祀志》：平帝元始五年，大司馬王莽奏言：孝武皇帝元鼎四年始立后土祠於汾陰。或曰，五帝，泰一之佐，宜立泰一。五年始立泰一祠於甘泉，三歲一郊，不歲事天，皆未應古制。建始元年，徙甘泉泰畤、河東后土於長安南北郊。永始元年，以未有皇孫，復甘泉、河東祠。綏和二年，以卒不獲祐，復長安南北郊。建平三年，懼孝哀皇帝之疾未瘳，復甘泉、汾陰祠，竟復無福。臣謹與太師孔光、長樂少府平晏、大司農左咸、中壘校尉劉歆等六十七人議，皆曰宜如建始時丞相衡等議，復長安南北郊如故。莽又頗改其祭禮。後又奏言：臣謹與太師光、大司徒宮、羲和歆等八十九人議，皆曰今稱天神曰皇天上帝，宜令墬祇稱皇墬后祇，分羣神以類相從爲五部，於是長安旁諸廟兆畤甚盛矣。莽又言：帝王建立社稷，百王不易。聖漢已有官社，未立官稷。遂於官社後立官稷，以后稷配。臣讚曰："官稷至此始立之。"又曰："中興不立官稷，相承至今。"司馬彪《續漢書·祭祀志》：建武元年，光武即位於鄗。祭告天地，采用元始中郊祭故事。六宗羣神皆從。二年正月，初制郊兆於雒陽城南七里，依鄗。采元始中故事。爲圓壇八陛。建武三十二年二月，登封泰山。禪，祭地於梁陰，以高后配，山川羣臣從，如元始中北郊故事。三十三年正月辛未，郊。別祀地祇。如元始中故事。又曰，采元始中故事。兆五郊於雒陽，以迎時氣。又曰，安帝元初六年，更立六宗，祀於雒陽西北。以元始中故事。謂六宗《易》六子之氣日、月、雷公、風伯、山、澤者爲非是。劉昭曰："黃圖載元始儀最悉。"

按元始諸儀皆劉歆等典領攷論經義，審定從違，至爲詳盡，故中興郊祭羣祀皆采以從事。揚雄《劇秦美新》曰："夫改定神祇，上儀也；欽修百祀，咸秩也。"李善曰："莽奏定南郊,奏定羣神之禮。"

元始明堂制度

《漢書·平帝紀》:元始四年夏,安漢公奏立明堂、辟癰。五年春正月,祫祭明堂。諸侯王二十八人、列侯百二十人、宗室子九百餘人徵助祭。禮畢,皆益户,賜爵及金帛,增秩補吏,各有差。羲和劉歆等四人使治明堂、辟癰,令漢與文王靈臺、周公作洛同符。封爲列侯。歆本傳云:"使治明堂辟雍,封紅休侯。"又《恩澤侯表》:防卿侯平晏、紅休侯劉歆、寧鄉侯孔永、定鄉侯孫遷四人,以治明堂辟雍得萬國驩心,功侯各千户,元始五年閏六月丁酉封。

《漢書·王莽傳》:是歲,莽奏起明堂、辟雍、靈臺,制度甚盛。羣臣奏言:明堂、辟雍,墮廢千載莫能興,公以八月載生魄庚子奉使朝,用書臨賦營築,孟康曰:"賦功役之書。"越若翊辛丑,諸生、庶民大和會,十萬衆並集,平作二旬,大功畢成。唐虞發舉,成周造業,誠亡以加。居攝元年,莽白太后下詔曰:"故太師光雖前薨,功效已列。太保舜、大司空豐、輕車將軍邯、步兵將軍建皆爲誘進單于籌策,又典靈臺、明堂、辟雍、四郊,定制度,開子午道,與宰衡同心説德,合意并力,功德茂著。封舜子及光、豐孫等爲侯,益邯、建户。"

《漢書·禮樂志》:王莽爲宰衡,欲燿衆庶,遂興羣雍,因以篡位,海内畔之。

按范書《張純傳》:純明習故事,自郊廟婚冠喪紀禮儀,多所正定。建武中,請建辟雍,以平帝時議具奏之。按純在哀、平間爲侍中,王莽時至列卿,凡元始中禮儀制度皆親見之,亦備有其書,故得以上之朝廷爲所依据。

右《禮》凡經本一家一部,傳義及儀法十五家十八部。

《禮》家自后倉而後,有大戴、小戴、慶氏之學。而大戴有徐氏,小戴有橋、楊氏之學。徐謂琅邪徐良,橋謂橋仁,楊謂梁人楊榮也。徐良、橋仁家世傳業,並見《儒林傳》。后氏《經》及《曲臺記》、二戴氏《經》,《藝文志》已著録。二戴《記》、慶氏《記》、橋氏《章句》見前。徐、楊二家書無攷。又夏侯勝爲學精熟,所問非一師,善説《禮》服,徵爲博士,是大夏侯於《喪服經傳》亦當有書。孝平之世,政自莽出,莽每有興造,必欲依古得經文。而羲和劉歆爲之典領,凡所作述,皆采摭經典,綜攬羣言,賅貫古今,折中諦當,故中興之初多用以爲程式。《藝文志》有《封禪羣祀》、《封禪議對》諸書。今沿其例,類從於此。又秦有《六國禮儀》,漢初有《秦儀》,已見《漢儀》條下,不别出焉。

河間獻王　樂元語　　獻王始末具禮家。

《漢書・食貨志》:王莽下詔曰:樂語有五均。鄧展曰:"《樂語》,《樂元語》,河間獻王所傳,道五均事。"

王謨輯本序録曰:"《食貨志》鄧展注:'《樂元語》,河間獻王所傳,道五均事。'臣瓚注引其文。《漢書・藝文志》不言獻王著《樂元語》。《隋》、《唐》二志亦不著録。今鈔出《白虎通》二條、《前漢書》注一條。"

馬國翰輯本序曰:"此書《漢》、《隋志》皆無其目。據《漢・食貨志》注云河間獻王所傳,則古《樂記》佚篇之一也。《白虎通》引其言夷狄樂制,《漢書》注載其言五均事,《禮記正義》引《白虎通》與今本互異,並訂正焉。"

　　按《禮樂志》言叔孫通没後,河間獻王采禮樂古事,稍稍增輯,至五百餘篇。今學者不能昭見。此似五百餘篇之僅存者。又疑在《王禹記》二十四篇中,今姑從王氏所補録於此。

　　又按王莽引此,其所立《樂經》亦必引及之矣。

元始樂經

《漢書・王莽傳》:元始四年立《樂經》,益博士員,經各五人。

按《樂經》博士亦五人也。

桓譚《新論》曰："陽城子張名衡，蜀郡人，王翁與吾俱爲講樂祭酒。又別一引云爲典樂大夫。及寢疾，預買棺槨，多下錦繡，立被發冢。"按此稱王翁者，即王莽也。

王充《論衡·超奇篇》：成子長作《樂經》，極窅冥之深，非庶幾之才，不能成也。又《對作篇》云："陽城子張作《樂經》，卓絶驚耳。"

應劭《風俗通·氏姓篇》：漢有諫議大夫陽成公衡。張澍輯注曰："陽成，一作陽城。桓譚《新論》陽城子張名衡，爲講學祭酒，蜀人，即陽成公衡也。"

王應麟《困學記聞》曰："《考工記·磬氏》疏引樂云云，朱文公問蔡季通，不知所謂樂云者是何書。今考《三禮圖》，以爲《樂經》。《尚書大傳》亦引《樂》曰云云。漢元始四年，立《樂經》。《續漢志》鮑鄴引《樂經》。今其書無傳。"

王謨輯本叙錄曰："《隋志》《樂經》四卷，不著撰人姓名。今姑據《論衡》作陽城子長撰。鈔出《書大傳》一條、《周禮疏》二條、《續漢書·志》二條、《白虎通》二條。"

馬國翰輯本序曰："沈約《宋書》云秦代滅樂，《樂經》殘亡。王莽時所立，即陽城衡所著之《樂經》。《隋志》有《樂經》四卷，不著撰人，今佚。從《周禮疏》諸書輯錄云云。"張澍《蜀典》著作類亦輯存七條。

按陽城衡嘗與楊雄、劉歆、褚少孫、史孝山諸人續《太史公書》，綴集太初已後時事，見范書《班彪傳》注。《史通·外篇》誤作衞衡。

劉歆　鍾律書五篇　歆始末具《尚書》家。

歆序有曰："一曰備數，二曰和聲，三曰審度，四曰嘉量，五曰權衡。稽之於古今，効之於氣物，和之於心耳，考之於經傳，咸得其實,靡不協同。"又曰:"今廣延羣儒,博謀講道,修明舊典,云云。"

《漢書·律曆志》:漢興,北平侯張蒼首律曆事,孝武帝時樂官考正。至元始中王莽秉政,欲燿名譽,徵天下通知鍾律者百餘人,使羲和劉歆等典領條奏,言之最詳。

《續漢書·律曆志》:元始中,博徵通知鍾曆者,考其意義,羲和劉歆典領條奏,前史班固取以爲志。

《晋書·律曆志》:王莽之際,考論音律,劉歆條奏,大率有五:一曰備數,一、十、百、千、萬也;二曰和聲,宫、商、角、徵、羽也;三曰審度,分、寸、尺、丈、引也;四曰嘉量,龠、合、升、斗、斛也;五曰權衡,銖、兩、斤、鈞、石也。班固因而志之。

王謨輯本叙録曰:"班氏志律曆,全取劉歆《鍾律説》即《鍾律書》也。其《藝文志》及《隋》、《唐》二志並不著録。若應劭《風俗通》所引劉歆《鍾律書》文已具見本志,而徐景安《樂書》載劉歆説五音較本志及《風俗通》又加詳。《隋書·牛弘傳》又別引劉歆《鍾律書》。疑此書雖逸,而其遺文必尚有流傳於世者,不僅如班志所采也。今姑備録班志,而以徐景安《書》、《牛弘傳》二條附焉。"

右《樂》凡三家三部。<small>宋邵思《姓解》有楚大夫逄公著《樂書》一篇,似據《廣韻》逄公獻《樂書》一條相牽混,逄公所獻《藝文志》已詳言之,今不録。</small>

西京言古樂著於竹帛者,自河間獻王始。獻王傳内史丞王定,定傳常山王禹。《藝文志》所載《樂記》、《王禹記》兩書是也。《七略》有淮南劉向等《琴頌》七篇,班氏出之,未詳厥旨,豈已見於《雅琴趙氏》七篇、《師氏》八篇、《龍氏》九十九篇三書中,以爲重複而削之歟?《王莽傳》天鳳六年初獻《新樂》於明堂、太廟。或聞其樂聲,曰:"清厲而哀,非興國之聲也。"而不言其有《樂記》,或即在所立《樂經》中。又揚雄所序《樂》四篇,班氏與《太玄》、《法言》并入儒家,疑即《隋志》所載之《樂經》四卷也。

張倉　春秋左氏傳訓故

劉向《別録》曰:"左丘明授曾申,申授吳起,起授其子期,期授楚人鐸椒。鐸椒作《抄撮》八卷,授虞卿。虞卿作《抄撮》九卷,授荀卿。荀卿授張蒼。"

《史》、《漢》列傳:張蒼,陽武人也。秦時爲御史,主柱下方書。有罪,亡歸。及沛公略地過陽武,蒼以客從。沛公爲漢王,以爲常山守。爲代相、趙相,復相代。燕王臧荼反,從攻有功,封北平侯,食邑千百户。遷爲計相。漢立皇子長爲淮南王,蒼相之。十四年,遷爲御史大夫。又《任敖傳》云:文帝四年代灌嬰爲丞相。蒼尤好書,無所不觀,無所不通。爲丞相十餘年。文帝後元年病免。孝景五年薨,謚曰文侯,年百餘歲。

《漢書·儒林傳》:漢興,北平侯張蒼修《春秋左氏傳》。

荀悦《漢紀》:漢興,張蒼、賈誼皆爲《左氏》訓。

《崇文總目》曰:"漢張蒼、賈誼皆爲《春秋》訓詁。"

賈誼　春秋左氏傳訓故

《史》、《漢》列傳:賈生名誼,雒陽人也。文帝召以爲博士。是時,賈生年二十餘。超遷,一歲中至太中大夫。天子議以任公卿之位。絳、灌、東陽侯、馮敬之屬盡害之,天子乃以賈生爲長沙王太傅。賈生既辭往行,聞長沙卑濕,自以壽不得長,又以適去,意不自得。後歲餘,文帝思誼,徵之。至,居頃之,拜爲梁懷王太傅。居數年,梁王勝墜馬死,誼自傷爲傅無狀,常哭泣,後歲餘,亦死,年三十三。孝武初立,舉賈生之孫二人至郡守。而賈嘉最好學,世其家。《世系表》:長沙王太傅誼生璠尚書中兵郎,生二子嘉、憚。嘉宜春太守。《史記》傳末云:"嘉與余通書。至孝昭時,列爲九卿。"

《漢書·儒林傳》：漢興，北平侯張蒼及梁太傅賈誼皆修《春秋左氏傳》。誼爲《左氏傳》訓詁，授趙人貫公，爲河間獻王博士。

《隋書·經籍志》：《左氏》，漢初出於張蒼之家，本無傳者。至文帝時，梁太傅賈誼爲訓詁，授趙人貫公。

《釋文·叙録》曰："荀卿傳武威張蒼，蒼傳洛陽賈誼。"

張敞　修春秋左氏傳

《漢書》本傳：敞字子高，本河東平陽人也。祖父孺徙茂陵。敞後隨宣帝徙杜陵。以鄉有秩補太守卒史，爲甘泉倉長、太僕丞、豫州刺史。宣帝徵爲太中大夫，平尚書事。出爲函谷關都尉、山陽太守、膠東相、守京兆尹。免爲庶人。召爲冀州刺史。元帝初即位，敞爲太原太守，使使者徵，欲以爲左馮翊。會病卒。敞本治《春秋》，以經術自輔，其政頗雜儒雅。

《漢書·儒林傳》：漢興，北平侯張蒼及梁太傅賈誼、京兆尹張敞皆修《春秋左氏傳》。

《釋文·叙録》：荀卿傳武威張蒼，蒼傳洛陽賈誼，誼傳至其孫嘉，嘉傳趙人貫公，貫公傳其少子長卿，長卿傳京兆尹張敞。

按此言傳授諸家與《儒林傳》異，似所據爲劉向《別録》。

劉公子　修春秋左氏傳

《漢書·儒林傳》：漢興，北平侯張蒼及梁太傅賈誼、京兆尹張敞、太中大夫劉公子皆修《春秋左氏傳》。

按《劉歆傳》云："初，《左氏傳》多古字古言，學者傳訓故而已。"此四家皆傳訓故者也。諸書不言張敞、劉公子有訓故，故從史文題曰《修春秋左氏傳》。劉公子，史佚其名，亦不詳其始末。

尹咸　春秋左氏傳訓故

《漢書·儒林傳》：賈誼爲《左氏傳》訓故，授趙人貫公。貫公子長卿授清河張禹，禹授汝南尹更始。更始傳子咸及翟方進、胡常。又曰，咸至大司農。

《漢書‧劉歆傳》：及歆校秘書，見古文《春秋左氏傳》，歆大好之。時丞相史尹咸以能治《左氏》，與歆共校經傳。歆略從咸及丞相翟方進受，質問大義。初，《左氏傳》多古字古言，學者傳訓故而已。

《漢書‧藝文志》：成帝時，使謁者陳農求遺書於天下。詔光祿大夫劉向校經傳諸子詩賦，步兵校尉任宏校兵書，太史令尹咸校數術。

《釋文‧叙錄》：賈誼傳至其孫嘉，嘉傳貫公，貫公傳其少子長卿，長卿傳京兆尹張敞及侍御史張禹，禹傳尹更始，更始傳子咸，汝南邵陵人也。

《崇文總目》曰："漢張蒼、賈誼、尹咸皆爲《春秋》訓詁。"

　　按尹咸爲《左氏傳》訓故，唯見《崇文總目》。在《春秋正義》條。今證以《劉歆傳》，則所言良信。咸當成帝時爲太史令，哀帝時爲丞相史，後至大司農，史不著其字。

陳欽　春秋左氏傳　亦稱《陳氏春秋》。

《漢書‧王莽傳》：始建國二年冬十二月，遣厭難將軍陳欽等十二人伐匈奴。分匈奴國土人民以爲十五，立十五單于。遣中郎將藺苞、戴級馳之塞下，召拜當爲單于者。三年，苞、級招誘單于弟咸、咸子登入塞，脅拜咸爲孝單于，遣去；將登至長安，拜爲順單于，留邸。四年二月，厭難將軍陳欽言，虜犯邊者皆孝單于咸子角所爲。莽怒，斬其子登於長安，以視諸蠻夷。天鳳元年，徵還諸將在邊者，免陳欽等十八人。二年二月，單于咸既和親，求其子登屍，莽欲遣人送致，恐咸怨恨害使者，乃收前言當誅侍子者故將軍陳欽，以他辠繫獄。欽曰："是欲以我爲説於匈奴也。"遂自殺。欽事蹟見於《王莽傳》者如此。

《漢書·儒林傳》：尹更始傳子咸及翟方進、胡常。常授黎陽賈護，護授蒼梧陳欽子佚，以《左氏》授王莽，至將軍。

《後漢書·陳元傳》：元，蒼梧廣信人也。父欽，習《左氏春秋》，事黎陽賈護，與劉歆同時而別自名家。王莽從欽受《左氏》學，以欽爲厭難將軍。章懷太子曰："欽以《左氏》授王莽，自名《陳氏春秋》，故曰別也。"

惠棟《後漢書補注》曰："許慎《五經異義》引奉德侯陳欽《春秋説》。"

劉歆　春秋左氏傳章句 歆始末具尚書家。

劉歆　春秋左氏傳條例二十卷

《漢書》本傳：歆校秘書，見古文《春秋左氏傳》，歆大好之。時丞相史尹咸以能治《左氏》，與歆共校經傳。歆略從咸及丞相翟方進受，質問大義。初，《左氏傳》多古字古言，學者傳訓故而已，及歆治《左氏》，引傳文以解經，轉相發明，由是章句義理備焉。

《漢書·儒林傳》：尹更始傳子咸及翟方進、胡常，常授黎陽賈護。而劉歆從尹咸及方進受。由是言《左氏》者本之賈護、劉歆。又《傳》贊曰："平帝時，立《左氏春秋》。"

桓譚《新論》曰："劉子政、子駿、子駿兄弟子伯玉《御覽》九百九十引《新論》云子駿兄子伯玉。俱是通人，尤重《左氏》，教授子孫下至婦女無不讀誦。"

《唐書·經籍志》：《春秋左氏傳條例》二十卷，劉歆撰。

嘉定錢大昕《三史拾遺》曰："劉歆説《春秋》日食各占其分野之國，蓋本《左氏》去魯地如衛地之旨而推衍之。"又曰："經書日食三十有六，并哀十四年一食數之，實三十有七。"按劉歆説日食三十七，見《漢書·五行志》下之下，故錢氏云爾。

馬國翰《春秋左氏傳章句》輯本序曰：“杜預《集解》序云：‘劉子駿創通大義，然則《左氏》之有章句自歆始也。’《隋》、《唐志》皆不著録，按馬氏未考《舊唐志》，故云爾。佚已久。從《正義》、《釋文》輯二十節，其説多與賈逵、潁容、許淑並引，則三家皆祖述劉氏者也。”

　　按《漢書·五行志》引劉歆《春秋説》六十餘條，其間或明著歆《左氏説》，其所不著者亦皆歆説《左氏》之文也。馬氏輯本失采此志，遺漏多矣。范書《鄭興傳》“興善《左氏》，天鳳中，將門人從劉歆講正大義，歆美興才，使撰條例、章句、訓詁”，即此章句、條例，復使興爲之訓詁也。以上《左氏》家學。

胡毋生　春秋公羊傳章句

《漢書·儒林傳》：漢興，言《春秋》，於齊則胡毋生。又曰，胡毋生字子都，齊人也。治《公羊春秋》，爲景帝博士。與董仲舒同業，仲舒著書稱其德。年老，歸教於齊，齊之言《春秋》者宗事之，公孫弘亦頗受焉。

唐本《文館詞林》：見近刻《古佚叢書》。後漢李固《祀胡毋先生教》曰：“自宣尼没七十子亡，經義乖散，秦復火之，然胡毋子都稟天淳和，沈淪大道，深演聖人之旨，始爲《春秋》制造章句，是故嚴、顏有所祖述徵微，後生得以光啓，斯所謂法施於人者也。故宣尼豫表之曰：胡毋生知事情，匿書自藏，不敢有聲。”按《儒林傳》云：“孝文本好刑名之言。及至孝景，不任儒，竇太后又好黃老術，諸博士具官待問，未有進者。”故此云爾。又曰：“太守以不材，嘗學《春秋胡毋章句》，每讀其書，思覩其人，不意千載，來臨此邦。是乃太守之先師，又法施於人，禮宜有祀。”

　　按范書《李固傳》：永和中固以荆州刺史徙爲泰山太守，此下教祀胡毋先生其即爲泰山太守時也。李學胡毋生《公羊章句》，可補范書之缺。而胡毋生，齊之泰山郡人，有《公羊章句》，亦賴以彌縫班書之略。

又按《儒林傳》云：“瑕邱江公受《穀梁春秋》及《詩》於魯申公。武帝時，江公與董仲舒並。上使與仲舒議，不如仲舒。而丞相公孫弘本爲《公羊》學，比輯其義，卒用董生。於是上因尊《公羊》家。由是《公羊》大興。”《藝文志》《公羊章句》三十八篇，不著撰人，疑即董氏書、胡毋氏章句。據李子堅言，當時匿書自藏，殆歸教於齊。齊之學《春秋》者傳之，至後漢猶存，爲何劭公等所祖述。

胡毋生　春秋公羊傳條例

何休《春秋公羊傳解詁》序曰：“往者略依胡毋生《條例》，多得其正。”徐彥曰：“胡毋生雖以《公羊經》傳授董氏，猶自別作《條例》，故何氏取之。”

董仲舒　春秋繁露數十篇

《史記·儒林傳》：董仲舒，廣川人也。以治《春秋》，孝景時爲博士。今上即位，爲江都相。中廢爲中大夫，下吏，當死，詔赦之。相膠西王，恐久獲罪，疾免居家。至卒，以脩學著書爲事。故漢興至於五世之間，唯董仲舒名爲明於《春秋》，其傳公羊氏也。《後漢書·班彪傳》彪論曰：“遷書至廣博也。一人之精，文重思煩，多不齊一。若序司馬相如、蕭、曹、陳平之屬，及董仲舒並時之人，不記其字，或縣而不郡者，蓋不暇也。”

又《十二諸侯年表》曰：“上大夫董仲舒推《春秋》義，頗著文焉。”《索隱》曰：“作《春秋繁露》是。”

《漢書》列傳：武帝即位，舉賢良文學之士前後百數，而仲舒以賢良對策，推明孔子，抑黜百家。立學校之官，州郡舉茂才孝廉，皆自仲舒發之。年老，以壽終於家。家徙茂陵，子及孫皆以學至大官。仲舒所著，皆明經術之意。而説《春秋》事得失，《聞或引作“間”。舉》、《玉杯》、《蕃露》、《清明》、《竹林》之屬，復數十篇，十餘萬言，皆傳於後世。

《隋書‧經籍志》：《春秋繁露》十七卷，漢膠西相董仲舒撰。

《唐書‧經籍志》：《春秋繁露》十七卷，董仲舒撰。《唐‧藝文志》：董仲舒《春秋繁露》十七卷。《宋史‧藝文志》同。

《崇文總目》：其書盡八十二篇，義或宏博，非出近世。然其間篇第亡舛，無以是正。又即用《玉杯》題篇，疑後人取而附著云。

晁氏《讀書志》曰："史稱仲舒舉《玉杯》、《繁露》、《清明》、《竹林》之屬數十篇，今溢而爲八十二篇，又通名《繁露》，皆未詳。"

陳氏《書録解題》曰："非當時本書也。況《通典》、《御覽》所引，皆今書所無者，尤可疑也。"

《四庫提要》曰："繁，或作蕃，古字相通。其立名之義不可解。其書發揮《春秋》之旨，多主《公羊》，而往往及陰陽五行。考本傳，《蕃露》、《玉杯》、《竹林》皆所著書名，而今本《玉杯》、《竹林》乃在此書之中，故《崇文總目》頗疑之，而程大昌攻之尤力。今觀其文，雖未必全出仲舒，然中多根極理要之言，非後人所能依托也。"

江都淩曙注本序曰："《繁露》書皆失次，然就其完善者讀之，識禮義之宗，達經權之用，行仁爲本，正名爲先，測陰陽五行之變，明制禮作樂之原，體大思精，推見至隱，可謂善發微言大義者矣。"

按《漢書》列傳言仲舒諸書，以《藝文志》參考之，至爲明析。《傳》云："仲舒在家，朝廷如有大議，使使者及廷尉張湯就其家而問之，其對皆有明法。"即《志》春秋家《公羊董仲舒治獄》十六篇是也。《傳》云："仲舒所著，皆明經術之意，及上疏條教，凡百二十三篇。"即《志》儒家《董仲舒》百二十三篇是也。

《傳》又云"而說《春秋》事得失"云云者，即此書志所不載者也。《漢志考證》以此書歸之百二十三篇中，恐非是。<small>《藝文志》有《公羊雜記》八十三篇，雜錄諸家之記，故不著撰人名氏，亦非此書也。</small>

董仲舒　春秋災異占一卷

《史記·儒林傳》：仲舒中廢爲中大夫，居舍，著《災異之記》。是時遼東高廟災，主父偃疾之，取其書奏之天子。天子召諸生示其書，有刺譏。董仲舒弟子吕步舒不知其師書，以爲下愚。於是下董仲舒吏，當死，詔赦之。於是仲舒竟不敢復言災異。

《漢書》本傳：先是遼東高廟、長陵高園殿災，仲舒居家推說其意，草藳未上，主父偃候仲舒，私見，嫉之，竊其書而奏焉。

荀悅《漢紀》：孝武皇帝建元六年春三月乙未，遼東高廟災。夏四月壬子，高園便殿災。上素服五日。其後太中大夫董仲舒居家，推其意以高廟不當居遼東，高園便殿不當居陵旁。于禮不當立。廟在外，像諸侯不正者；高園在内，像大臣不正者。天戒若曰：去諸侯大臣貴幸不正者云爾。時太中大夫主父偃素妒嫉仲舒，竊其書奏之，仲舒下獄吏，當死，詔宥之。本志以爲淮南王田蚡之應也。

王充《論衡·對作篇》：董仲舒作道術之書，頗言災異政治所失。書成文具，表在漢室。主父偃嫉之，誣奏其書。

《唐日本國人佐世見在書目》異說家：《春秋災異董仲舒占》一卷。<small>按異説家即讖緯家。</small>

按日本國於唐開寶之後書庫被災，佐世録其見在之書，有此一卷，疑即主父偃奏上之書。自偃奏御之後，不敢復爲，故止一卷。《漢·五行志》引仲舒《春秋災異説》凡六十餘條，又引《高廟高園災異對》。《開元占經》亦引董仲舒《災異占》，又引董仲舒《對災異》，儻亦有取於此書。<small>又似後人録存</small>

本，然實爲董氏書，無可疑也。

張寬　春秋章句

《漢書·循吏·文翁傳》：文翁少好學，通《春秋》。景帝末，爲蜀郡守。見蜀地辟陋，欲誘進之，乃選郡縣小吏開敏有材者張叔等十餘人，遣詣京師，受業博士，或學律令。數歲，皆成就還歸。文翁以爲右職，用次察舉，官有至郡守刺史者。《蜀志》秦宓《與王商書》曰："文翁遣司馬相如東受《七經》，還教吏民。"《地理志》曰："文翁倡其教，相如爲之師。"

晋常璩《華陽國志》曰："孝文帝末年，以廬江文翁爲蜀守。乃立學，遣雋士張叔等十八人，東詣博士受《七經》，還以教授，學徒鱗萃。孝武帝徵入叔爲博士。叔明天文災異，始作《春秋章句》，官至侍中、揚州刺史。"又《蜀郡人士贊》曰："張寬字叔文，成都人，作《春秋章句》十五萬言。"

　　按《漢·儒林傳》無張寬，其學不知主何家。攷景、武之世，京師博士業唯《春秋公羊》一家。若《左氏》，唯河間王國始立博士。《穀梁》至宣帝時始立。由是推尋，大抵主《公羊》家。

孔驩　春秋公羊訓詁

《史記·孔子世家》曰："安國爲今皇帝博士，至臨淮太守，蚤卒。安國生卬，卬生驩。"

曲阜孔繼汾《闕里文獻考》曰："安國孫驩舉博士，官至弘農太守，精《春秋》三傳，著《公羊訓詁》。"又《著述考》曰："孔子十三代孫漢弘農太守驩有《公羊訓詁》，卷佚。"

　　按太史公嘗從孔安國問《古文尚書》。而《世家》叙其世系，至其孫驩而止，是驩與史公同時而稍後者。宋孔傳《東家雜記》亦言孔子十三代孫驩爲博士。《儒林傳》無其人。

嚴彭祖　春秋公羊傳十二卷

《漢書·儒林傳》：董仲舒弟子東平嬴公守學不失師法，授魯

眭孟。又曰,嚴彭祖字公子,東海下邳人也。與顏安樂俱事
眭孟。孟弟子百餘人,唯彭祖、安樂爲明,質問疑誼,各持所
見。孟曰:"《春秋》之意,在二子矣!"孟死,彭祖、安樂各顓門
教授。由是《公羊春秋》有顏、嚴之學。彭祖爲宣帝博士,至
河南、東郡太守。以高第入爲左馮翊,遷太子太傅。又曰,彭
祖竟以太傅官終。

《隋書·經籍志》曰:"初,齊人胡母子都,傳《公羊春秋》,授東
平嬴公。嬴公授東海孟卿,孟卿授魯人眭孟,眭孟授東海嚴
彭祖、魯人顏安樂。故後漢《公羊》有顏氏、嚴氏之學。"按《儒林
傳》載,胡母生弟子唯有公孫弘一人,嬴公乃董仲舒弟子。又嬴公授孟卿及眭孟,眭
孟非受之孟卿。與此言傳授大異。眭孟名弘,有列傳。傳載其自言先師董仲舒,則
嬴公確爲仲舒弟子。又曰:"《春秋公羊傳》十二卷,嚴彭祖撰。"
《唐·經籍志》:《春秋公羊傳》五卷,公羊高撰,嚴彭祖述。
《藝文志》:《春秋公羊傳》五卷,嚴彭祖述。《唐日本國人佐世
見在書目》:《春秋公羊傳》十二卷,嚴彭祖注。

馬國翰輯本序曰:"《公羊嚴氏春秋》唯孔穎達《左傳正義》、徐
彥《公羊疏》各引一節,杜佑《通典》兼引馮君《嚴氏春秋章
句》,合輯並附錄本傳爲卷。"

　　按洪氏《隸釋》,漢嚴訢碑政和中出於下邳。云訢字少通,
　　治《嚴氏春秋馮君章句》。訢蓋彭祖之後,後漢安、順時人。
　　別詳《後漢藝文志》。

嚴彭祖　春秋盟會地圖一卷

《隋書·經籍志》:梁有漢太子太傅嚴彭祖撰《古今春秋盟會
地圖》一卷,亡。《通志·藝文略》:《春秋盟會地圖》一卷,漢
嚴彭祖撰。無"古今"二字。《唐·經籍志》:《春秋圖》七卷,嚴彭
祖撰。《藝文志》:嚴彭祖《春秋圖》七卷。

朱彝尊《曝書亭集·春秋地名考序》曰:"如嚴彭祖之圖專紀

會盟，則圍伐滅取土地之見遺者多矣。"

王謨輯本叙録曰："羅泌《路史·國名紀》引《盟會圖》十五，引《盟會圖》疏八，引《春秋圖》四。内唯平邱與清二條涉盟會，餘皆地名、國名。又多唐以後州名，或即嚴氏本書而唐以後人疏之也。今仍其目鈔出二十七條。"

疎廣　春秋公羊傳　亦名《疎氏春秋》。

《漢書》本傳：廣字仲翁，東海蘭陵人也。少好學，明《春秋》，家居教授，學者自遠方至。徵爲博士太中大夫。地節三年，爲太子少傅。數月，徙爲太傅，廣兄子受以賢良舉爲太子家令。宣帝拜受爲太子少傅。父子並爲師傅，朝廷以爲榮。父子俱移病，乞骸骨。歸鄉里，以壽終。又《傳》贊曰："疏廣行止足之計，免辱殆之絫。"

《漢書·儒林·孟喜傳》：喜父號孟卿，善爲《禮》、《春秋》，授后倉、疎廣。世所傳《后氏禮》、《疎氏春秋》，皆出孟卿。又《顏安樂傳》云："疎廣事孟卿，至太子太傅。廣授琅邪筦路，爲御史中丞。"

冥都　春秋公羊傳　亦稱《冥氏春秋》。

《漢書·儒林·顏安樂傳》：始貢禹事嬴公，成於眭孟，至御史大夫。疎廣事孟卿，授琅邪筦路。禹授潁川堂溪惠，惠授泰山冥都，都爲丞相史。都與路又事顏安樂，故顏氏復有筦、冥之學。

王應麟《玉海·藝文》曰："《禮·秋官·冥氏》注，鄭司農云：'冥讀爲《冥氏春秋》之冥。'疏：《冥氏春秋》者，冥氏作《春秋》，書名若《晏子》、《吕氏春秋》之類。"又《漢志考證》曰："按《儒林傳》，堂谿惠授泰山冥都，顏氏有筦、冥之樂，《疏》謂若《晏子》、《吕氏春秋》之類，恐非。"

按疎氏、冥氏爲董仲舒三、四傳弟子。後漢博士張玄傳冥

氏學，范書《儒林傳》云："諸生上言玄兼説《嚴氏》、《宣氏》，
不宜爲《顏氏》博士。"惠氏補注曰："宣氏乃冥氏之寫誤。"
以上《公羊》學家。

孔驩　春秋穀梁傳訓詁　驩始末見前。

孔繼汾《闕里文獻考》：安國孫驩精《春秋》三傳，著《公羊》、
《穀梁》訓詁。又《著述考》曰："驩有《公羊訓詁》、《穀梁訓
詁》，卷並佚。"

按《隋志》於孔衍集解之外，别有《春秋穀梁傳》五卷，注云：
"孔君指訓，殘闕。梁十四卷。"次漢人段肅之後，晋人范寗
之前，疑即驩書。

尹更始　春秋穀梁傳章句十五卷

《漢書·儒林傳》：瑕邱江公受《穀梁春秋》及《詩》於魯申公。
武帝時，《公羊》大興，《穀梁》浸微，唯魯榮廣、皓星公二人受
焉。沛蔡千秋從廣受。千秋又事皓星公，爲學最篤。汝南尹
更始翁君事千秋。甘露元年，大議殿中，平《公羊》、《穀梁》同
異。時《公羊》博士嚴彭祖、《穀梁》議郎尹更始等十一人，議
三十餘事，多從《穀梁》。由是《穀梁》之學大盛。尹更始爲諫
大夫、長樂户將，又受《左氏傳》，按受之侍御史清河張禹。取其變理
合者以爲章句，傳子咸及翟方進、房鳳。按《玉海》四十二引《儒林傳》
云："尹更始《左氏章句》。"蓋即指此，而誤以爲《左氏》也。

《玉海·藝文》曰："漢儒兼通《穀梁》、《左氏》者，胡常、尹更
始。"按尚有尹咸、翟方進。

《釋文·叙録》："尹更始字翁君，汝南邵陵人，議郎、諫大夫、
長樂户將。"又曰："漢更始《穀梁章句》十五卷。"按"漢"當爲"尹"。

《隋書·經籍志》：梁有《春秋穀梁傳》十五卷，漢諫議大夫尹
更始撰，亡。《唐·經籍志》：《春秋穀梁傳章句》十五卷，穀梁
俶解，尹更始注。《藝文志》：《春秋穀梁傳》十五卷，尹更始注。

馬國翰輯本序曰：“尹更始《穀梁章句》，楊士勛引一節，《禮記正義》、《周禮疏》、《文選注》各引一節，又注疏引《穀梁説》五節，舊説五節，《大戴禮注》引《春秋穀梁説》一節。案漢儒傳《穀梁》學者惟尹及劉向有書，范注於劉説皆明標劉向。‘隕石于宋五’注引劉説，疏引舊説云與劉向合，明非劉氏説矣。且尹在漢爲《穀梁》，名在博士周慶、丁姓之上，又獨有著書，則凡引《穀梁説》及舊説者，皆《尹氏章句》無疑也。並據合輯。”按馬氏取《穀梁説》、舊説以爲即《尹氏章句》，不能無疑。

按漢初爲《穀梁》者自魯申公始，申公傳瑕邱江公，江公傳魯榮廣及皓星公，廣傳沛蔡千秋、梁周慶、丁姓。而江公又傳子至孫，宣帝時爲博士。慶、姓皆宣帝時博士。《藝文志》有《穀梁章句》三十三篇，疑始於江公，武帝使江公與《公羊》家董仲舒議，不勝。丞相公孫弘卒用董生，而《穀梁》微，以是知江公先有其書。而其後諸家各有所説。宣帝立《穀梁》，劉向與其議。及成帝詔向領校經傳，始校錄其書，入中祕，以其出自衆人，故不著名氏。尹氏此書兼取《左氏》，非《穀梁》專業，故知《漢志》所載三十三篇非尹氏書。

劉向　春秋穀梁傳　向始末見禮類。

《漢書》本傳：宣帝初立《穀梁春秋》，徵更生受《穀梁》，講論五經於石渠。又《劉歆傳》云：“歆及向始皆治《易》，宣帝時，詔向受《穀梁春秋》，十餘年，大明習。歆亦湛靖有謀，父子俱好古。歆以爲左邱明好惡與聖人同，親見夫子，而公羊、穀梁在七十子後，傳聞之與親見之，其詳略不同。歆數以難向，向不能非間也，然猶自扶或引作“持”。其《穀梁》義。”

《漢書·儒林傳》：宣帝善《穀梁》説，劉向以故諫大夫通達待詔，受《穀梁》，欲令助之。自元康中始講，至甘露元年，積十餘歲，皆明習。迺召五經名儒太子太傅蕭望之等大議殿中，平《公羊》、《穀梁》同異，各以經處是非。時《穀梁》議郎尹更始、待詔劉向等，與《公羊》家各五人，議三十餘事，多從《穀梁》。由是《穀梁》之學大盛。

《漢書・五行志》：景、武之世，董仲舒治《公羊春秋》，始推陰陽，爲儒者宗。宣、元之後，劉向治《穀梁春秋》，數其禍福，傳以《洪範》，與仲舒錯。顏師古曰："傳或作傅，讀曰附，謂附著。"

馬國翰輯本叙曰："劉向《穀梁傳》，《漢・儒林傳》不言撰作，《隋》、《唐志》皆不著錄。惟《晋書・五行志》引劉向《春秋説》。范《注》、揚《疏》亦並引劉向，則劉氏實有書矣。蒐輯一十六節，其説多明災異，與所記《洪範五行》相表裏云。"

按《漢書・五行志》又云："是以攬仲舒，別向、歆。"謂取仲舒之《公羊》説、劉向之《穀梁》説及《洪範五行傳》、劉歆之《左氏》説、《五行傳》五書。其中明引劉向《穀梁》説十餘條，又引劉向《春秋》説百餘條，蓋亦《穀梁》説也。其引劉向説《春秋》前後事四十餘條，則《五行傳》之文。王氏《漢魏遺書鈔》概以爲《五行傳》，非是，馬氏沿其誤，據馬氏序，亦有《五行傳》輯本，今未見。故不取《漢志》，僅從《晋書》注疏輯存十餘條，皆由未嘗詳審《漢志》序文之誤也。以上《穀梁》家學。

世本王侯大夫譜二卷

《隋書・經籍志》史部譜系篇：《世本王侯大夫譜》二卷。

會稽章宗源《隋志考證》：《史通》外篇曰："楚漢之際有好事者，録自古帝王、公侯、卿大夫之世，終乎秦末，號曰《世本》十五篇。"此言楚漢之際所録，與劉向言古史官所紀不合，且事終秦末，當有燕王喜、漢高祖。据《隋志》載《世本王侯大夫譜》二卷，無撰人名，又《世本》二卷，劉向撰。是自有兩本，一在周代，一在楚漢之際，皆十五篇，故同爲二卷。

按《隋志》此書在劉向《世本》二卷之前，①是確有此別本。
向所校錄者見《藝文志》，事終春秋，與此不同。

紀年十三篇　汲冢竹書。

束晳《竹書叙目》曰："《紀年》十三篇，記夏以來至周幽王爲犬
戎所滅，以事接之，三家分，仍述魏事至安釐之二十年。按杜征
南云"魏哀王二十年"，此疑哀王之誤。蓋魏國之史書，大略與《春秋》皆
多相應。其中經傳大異，則云夏年多殷；益干啓位，啓殺之；
太甲殺伊尹；文丁殺季曆；自周受命至穆王百年，非穆王壽
百歲也；幽王既亡，有共伯和者攝行天子事，非二相共和也。"
杜預《春秋左氏經傳集解・後序》曰："其《紀年》篇起自夏、
殷、周，皆三代王事，無諸國别也。唯特記晉國，起自殤叔，次
文候、昭候，以至曲沃莊伯之十一年十一月，魯隱公之元年正
月也，皆用夏正建寅之月爲歲首，編年相次。晉國滅，獨記魏
事，下至魏哀王之二十年，蓋魏國之史記也。推校哀王二十
年，太歲在壬戌，上去孔子卒百八十一歲，下去今太康三年五
百八十一歲。哀王二十三年乃卒，故特不稱諡，謂之今王。
其書文意大似《春秋經》，推此足見古者國史、策書之常也。
諸所記多與《左傳》符同，異於《公羊》、《穀梁》，知此二書近世
穿鑿，非《春秋》本意，審矣。雖不皆與《史記》、《尚書》同，然
參而求之，可以端正學者。爲其粗有益於《左氏》，故略
記之。"
《隋志》史部古史篇：《紀年》十二卷，汲冢書。《唐・經籍志》
編年類：《紀年》十四卷。《藝文志》：《紀年》十四卷，汲冢書。
《宋史・藝文志》：《竹書》三卷，荀勖、和嶠編。
《玉海・藝文》曰："《竹書紀年》，《崇文目》不著錄，《中興書

---

① "本""二"原誤倒，據清乾隆武英殿本（以下簡稱"武英殿本"）《隋書》及文意乙正。

目》止有第四、第六及雜事三卷，下皆標云荀氏《叙錄》一紀
年、二紀令應、三雜事，皆殘缺。”

《四庫提要》曰：“《竹書紀年》二卷，題沈約注。反覆推勘，似
非束晢、杜預、郭璞及隋時所見本，又非酈道原、劉知幾、李
善、瞿曇悉達、司馬貞、揚士勛、王存、羅泌、羅萃、鮑彪、董適
所見本，豈亦明人抄合諸書爲之歟？沈約注外又有小字夾行
之注，不知誰作。約注唯五帝三王最詳，而皆全抄《宋書·符
瑞志》語。約不應既著於史，又不易一字移而爲此本之注，然
則此注亦依託耳。”

　　按《竹書紀年》宋時僅存殘本三卷，《玉海》引《中興目》及
《宋志》所載者是也。此外如晁氏《志》、趙氏《附志》、陳
《錄》、《通考》皆無其目。明《文淵閣書目》、《世善堂書目》
亦無此書，知明代并此三卷亦亡矣。而獨見於范氏《天一
閣書目》，云《竹書記年》二卷，梁沈約附注，明司馬公訂，刊
版藏閣中。司馬公者，謂其遠祖范欽。欽字堯卿，嘉靖十
一年進士，官兵部右侍郎，即天一閣主人也。乃知今本二
卷稱沈約注者，爲欽所輯錄，其小字夾行之注，亦欽所爲
也。欽嘗刊入《二十種奇書》，吳琯、趙標輩紛紛傳刻，世遂有
此一本。其後孫之騄之考定、徐文靖之統箋、洪頤煊之校正、
林春浦之補證、陳詩之集注、雷學淇之考訂、張宗泰、趙紹祖
之校補、韓怡之辨正、陳逢衡之集證、鄭環之考證，遞相篡述，
皆未嘗以爲汲冢原書，亦未嘗不取范本而勘訂之，而不知即
出於范氏也。《梁書》、《南史》、《隋》、《唐志》俱無沈約注《紀
年》明文，不知范何據而羼入其語，蓋惟欲以奇書炫俗耳。

璅語十一篇　汲冢竹書。

束晢《竹書叙目》曰：“《璅語》十一篇，諸國卜夢妖怪相書也。”
唐劉知幾《史通·六家篇》曰：“汲冢《璅語》記太丁時事，目爲

《夏殷春秋》。《璅語》又有《晋春秋》，記獻公十七年事。"又
《惑經篇》云："《璅語》、《春秋》載魯國閔公時事，言之甚詳。"
又《申左篇》云："汲冢所得書尋亦亡逸，今惟《紀年》、《瑣語》、
《師春》在焉。"又自注云："《紀年》、《瑣語》載春秋時事，多與
《左氏》同，故束晢云：'若使此書出於漢世，劉歆不作五原太守
矣。'"按其事見《漢書》本傳及《儒林傳》，又《藝文類聚》二十七引劉歆《遂初賦序》云
"歆好《左氏春秋》，欲立於學官。時諸儒不聽，歆乃移書太常，責讓深切，爲朝廷大臣所
非，求出補吏，後徙五原太守。志意不得，經歷故晋之域，感今思古，遂作此賦"云云。
《隋志》史部雜史篇：《古文璅語》四卷，汲冢書。《唐·經籍
志》：《古文瑣語》四卷。《藝文志》同。

烏程嚴可均輯本序曰："汲冢《瑣語》，《隋志》四卷，舊、新《唐
志》同。宋以後不著錄。今輯羣書引見，省併複重得二十五
事，彙爲一篇。"

馬國翰輯本序曰："《古文瑣語》見《晋書·束晢傳》。其書久
佚，搜緝爲卷，書中記周、晋、齊、宋佚事，有足備史考者。"

國語三篇　汲冢竹書。

束晢《竹書叙目》曰："《國語》三篇，言楚、晋事。"

秦紀

《史·秦本紀》：秦文公十三年，初有史以紀事。又《始皇本
紀》：始皇三十四年，丞相李斯曰："臣請史官非秦紀皆燒
之。"按秦文公十三年當周平王之十八年，後三十歲始入春秋魯隱公元年、周平王
之四十九年也。

《史·六國表》曰："秦燒天下《詩》、《書》，諸侯史記尤甚，爲其
有所刺譏也。《詩》、《書》所以復見者，多藏人家，而史記獨藏
周室，以故滅。惜哉，惜哉！獨有《秦紀》，又不載日月，其文
略不具。然戰國之權變亦有頗可采者，何必上古。"又曰："余
於是因《秦紀》，表六國時事。"

按《始皇本紀》卷末附載班固《秦紀論》云:"吾讀《秦紀》,至於子嬰車裂趙高。"《御覽》六百八十引摯虞《決疑録要注》,晋侍中彭權稱《秦紀》以對武帝旄頭之問,《華陽國志·蜀志》亦云《秦紀》言僰童之富,然則《秦紀》至魏晋時猶傳。

褚少孫　補太史公書

《史記·三王世家》褚先生曰:"臣幸得以文學爲侍郎,好覽觀太史公之列傳。"又《龜策傳》曰:"臣以通經術,受業博士,治《春秋》,以高第爲郎,得宿衛,出入宮殿中十有餘年。竊好《太史公傳》。"按《漢書·儒林·王式傳》,沛褚少孫亦來事式,應博士弟子選。又曰:"褚生爲博士,由是《魯詩》有褚氏學。"與此自言治《春秋》高第爲郎、宿衛者異。

《史·武帝本紀》索隱:張晏云"褚先生潁川人,仕元、成間"。韋稜云"《褚顗家傳》褚少孫,梁相褚大弟之孫,宣帝時爲博士,寓居沛,事大儒王式,故號'先生',續《太史公書》"。

《漢書·司馬遷傳》:遷著十二本紀,作十表、八書、三十世家、七十列傳,凡百三十篇。而十篇缺,有録無書。張晏曰:"遷没之後,亡《景紀》、《武紀》、《禮書》、《樂書》、《兵書》、《漢興已來將相年表》、《日者列傳》、《三王世家》、《龜策列傳》、《傅靳列傳》。元、成之間褚先生補缺,作《武紀》、《三王世家》、《龜策》、《日者傳》,言辭鄙陋,非遷本意也。"師古曰:"序目本無《兵書》,張云亡失,此説非也。"

《玉海·藝文》曰:"東萊吕氏曰:'以張晏所列亡篇之目校之《史記》,或其篇具在,或草具而未成,非皆無書也。唯《武紀》終不見。'"

殿本《史記考證》尚書臣張照曰:"班固作史時,十篇雖亡,而或後人得之,若河内女子《舜典》二十八字之類,亦屬事之所有。至《孝武本紀》更與餘篇不同,自叙目内並不云《孝武本紀》也。遷死於武帝之前，安得有'孝武'？目云作《今上本紀》，夫既曰《今上本紀》，則自當有目無書。且遷作本紀，自黃帝以至武帝，則自當無書而有其目。班固云十篇缺，並不載何十篇缺，則固意數《今上本紀》與否，尚未可知。後人奮起補之，補之而又全錄《封禪書》以爲《孝武本紀》，愚陋妄謬極矣。恐褚先生亦不至於此。張晏所爲褚先生補者，亦臆説也。"嘉定王鳴盛《十七史商榷》曰："《漢書》所謂十篇有録無書者，今惟《武紀》灼然全亡，《三王世家》、《日者》、《龜策傳》爲未成之筆，但可云闕，不可云亡。其餘皆不見所亡何篇。"

按今本《史記》固非史公原本，亦非褚少孫所補之原本。十篇之内，有史公原文，不盡出少孫所補。而少孫所補有見于十篇之外者，少孫之外亦有後人竄入者，陽湖趙翼《廿二史劄記》言之詳矣。

又按少孫所補今可攷見者，爲《武帝本紀》、《三代世表》贊、《建元以來侯者年表》、《禮書》、《樂書》、《曆書》、《陳涉世家》贊、《外戚世家》、《梁孝王世家》、《三王世家》、《張丞相列傳》、《田叔列傳》、《滑稽列傳》、《日者列傳》、《龜策列傳》，凡十五篇。又《匈奴傳》末張晏云："自狐鹿姑單于以下，皆劉向、褚先生所録，班彪又撰而次之，所以《漢書・匈奴傳》有上、下二卷。"則褚所補且有在《漢書》者，其篇數終不可攷也。

劉歆　續太史公書　歆始末具尚書家。

《後漢書・班彪傳》：武帝時，司馬遷著《史記》，自太初以後，闕而不録，後好事者頗或綴集時事，然多鄙俗，不足以踵繼其書。章懷太子曰："好事者謂揚雄、劉歆、陽城衡、褚少孫、史孝山之徒也。"

《論衡・須頌篇》曰："司馬子長紀黃帝以至孝武，揚子雲録宣帝以至哀、平。"

《史通·史官篇》：“司馬遷既没，後之續《史記》者，若褚先生、劉向、馮商、揚雄之徒，並以别職來知史務。”又《正史篇》云：“《史記》所書年止漢武，太初已後闕而不録。其後劉向、向子歆及諸好事者若馮商、衛衡、揚雄、史岑、梁審、肆仁、晋馮、段肅、金丹、馮衍、韋融、蕭奮、劉恂等，相次撰續，迄於哀、平間，猶名《史記》。至建武中，司徒掾班彪以爲其言鄙俗，不足以踵前史。又雄、歆褒美僞新，誤後惑衆，不當垂之後代者也。”又《辨職篇》云：“精勤不懈若揚子雲。”按衛衡即陽城衡之誤。

晋葛洪《西京雜記》序曰：“洪家世有劉子駿《漢書》按《御覽·文部》引作《漢言》。一百卷，無首尾題目，但以甲乙丙丁記其卷數。先公傳云：歆欲撰《漢書》，《御覽》引無“漢”字。編録漢事，不得締構而亡。故書無宗本，止雜記而已，失前後之次，無事類之辨。後好事者以意次第之，始甲終癸，爲十秩，秩十卷，合爲百卷。按以上皆洪述其父語，一本作“先父傳之”。《書録解題》云：“所謂先父者，歆之於向也。《館閣書目》以爲洪父傳之，非是。”今按《館閣書目》之言是也。洪家具有其書，試以此記考校班固所作，殆是全取劉書，有小異同耳。并固所不取不過二萬許言，今鈔出爲二卷，名曰《西京雜記》，以裨《漢書》之闕。”

按《劉歆傳》云“典儒林史卜之官”，則凡褚少孫以下十五家所補續，至劉歆時皆典領之。《論衡》言揚子雲録宣帝至哀、平，《史通》亦謂其精勤不懈，則子雲所續者特多。又雄、歆褒美僞新云云，似班叔皮史論中語，范書本傳節去其文，而劉知幾述之頗詳，蓋其時叔皮之集未亡也。叔皮備有諸家之書，合而編之，謂之《别録》，《藝文志》韋昭注曰：“馮商受詔續《太史公》十餘篇，在班彪《别録》。”可類推也。商，劉向弟子也。欲据以作後傳者，此列朝史官相傳之國史。葛稚川家所藏，似劉歆史稿草具未成之本也。又按葛稚川深於三史之學，有《史記兩漢書抄》七十四卷，見

《隋》、《唐志》。故能融會貫通，抄節班書之所無者，爲《西京雜記》二卷。書中載趙飛燕女弟居昭陽殿一條，亦見班書《外戚趙皇后傳》。而刊除不盡者，此外亦有數條見《漢書》。武帝欲殺乳母一條，見褚少孫補《史記·滑稽列傳》。後人或以爲稚川僞託，或謂梁吳均僞撰。盧紹弓學士校刊序辨之詳矣。《書録解題》又以爲向、歆父子不聞作史。按《地理志》言成帝時，劉向略言其域分，此向欲譔《地理志》之權輿也。《史記·匈奴傳》末索隱引張晏云：“狐鹿姑單于已下，皆劉向、褚先生所録。”此向作《匈奴傳》之明證也。向、歆本傳雖未有作史明文，而范書《班彪傳》注及《史通》所言章章，若此非向、歆父子作史之確據乎？

又按《西京雜記》書中一條云：“揚子雲好事，常懷鉛提槧，從諸計吏，訪殊方絶域四方之語，以爲裨補輶軒所載，亦洪意也。”孫氏志祖《讀書脞録》以爲此條直著其名是葛洪語。今按此“洪意”乃“洪纖”之“洪”，非稚川自謂。即如所云，其文法亦不當如是。此是歆從雄取《方言》時所記，當以“載”字讀爲句。

右《春秋》凡二十四家二十八部。荀卿《帝皇曆紀譜》二卷，見《崇文總目》。晉《史乘》、楚《檮杌》、《左逸短長》各一卷，見《四庫全書存目》。並依托，不録。班書《儒林傳》贊曰：“初，《春秋》唯有公羊。至孝宣世，復立《穀梁》。平帝時，又立《左氏春秋》。”按《公羊》家有顏、嚴之學，顏家有冷、任之學，復有筦、冥之學。《穀梁》家有尹、胡、申章、房氏之學。顏、嚴者，薛人顏安樂、下邳嚴彭祖。冷、任者，淮陽冷豐、淄川任公。筦、冥者，琅邪筦路、泰山冥都。尹、胡、申章、房氏者，汝南尹更始、清河胡常、楚申章昌、不其房鳳也。顏氏書已見《藝文志》。嚴氏、冥氏書見前。冷氏、任氏、筦氏、胡氏、申章氏、房氏六家書，無攷。又劉歆《移書太常博士》言民間有趙國貫公之遺學，貫公故爲河間國《左氏》博士。《儒林傳》云：“言《左氏》者本之賈護、劉歆。”又嚴

彭祖授琅邪王中,家世傳業。又《王吉傳》云:"吉兼通五經,
能爲《騶氏春秋》。"貫氏、賈氏、二王氏亦當有書。《七略》有
《太史公》四篇,班氏省之,即馮商書。

孔鮒 論語義疏三卷

《史記·孔子世家》:鮒年五十七,爲陳王涉博士,死於陳下。
又《儒林傳》云:"陳涉之王也,魯諸儒持孔氏之禮器往歸之。
於是孔甲爲陳涉博士,卒與涉俱死。"徐廣曰:"孔子八世孫,
名鮒字甲也。"

孔繼汾《闕里文獻考》:鮒,一名鮒甲,字子魚。或謂之子鮒,
或稱孔甲。爲博士,凡六旬,言既不用,託目疾,老於陳,年五
十七卒。

《册府元龜·學校部》:漢孔鮒爲陳勝博士,撰《論語義疏》
三卷。

　　按孔鮒是書唯見《册府元龜》,《經義考》取之,今亦從而錄
　　之。然《闕里文獻考》不載,甚可疑也。鮒實秦人,《册府元
　　龜》稱漢人,亦非是。

孔安國 古論語傳二十一篇

《史記·孔子世家》:鮒弟子襄,爲孝惠皇帝博士。子襄生忠,忠
生武,武生延年及安國。安國爲今皇帝博士,至臨淮太守,蚤卒。

孔繼汾《闕里文獻考》:安國字子國,孔子十代孫,博士,子貞
次子。少學《詩》於魯申公,受《尚書》於伏生,以文學政事名。
年四十爲諫議大夫。事漢武帝,爲侍中。後自博士遷臨淮太
守,六年以病免,年六十卒。

魏何晏《論語集解》序曰:"《古論》唯博士孔安國爲之訓解,而
世不傳。"

《隋書·經籍志》曰:"《古論語》與《古文尚書》同出,章句煩

省，與《魯論》不異，唯分《子張》爲二篇，故有二十一篇。孔安國爲之傳。"

馬國翰輯本序曰："案《孔子家語》後序云：'天漢後，魯恭王壞夫子故宅，得壁中《詩》、《書》，悉以歸子國。子國乃考論古今文字，撰衆師之義，爲《古文論語訓解》十一篇。'《隋》、《唐志》皆不著録，僅見何晏《集解》所引。輯其散佚，並以皇侃疏本、高麗本與邢昺疏本文字異者參定，以復其舊。《史記》、《説文》引稱皆古文，亦据采入，仍其篇目爲十一卷。"

按何晏《集解》首列孔安國一家，則其書魏、晋時尚存。其云"世不傳"者，謂世未傳習，時盛行《張候論》故也。嘉興沈濤作《論語孔注辨僞》，謂《論語訓》、《孝經傳》識者皆疑其僞，因從而掊擊之。然自漢、魏以來相傳，未可與梅賾《僞孔傳》比，故仍從舊文録之。

孔氏古文弟子籍

《史記·仲尼弟子列傳》：太史公曰："弟子籍，出孔氏古文近是。"

王鳴盛《十七史商榷》曰："太史公曰《弟子籍》出孔氏古文，然則亦是孔安國所得壁中書也。鄭康成曾注之。"又曰："《弟子籍》所云'少孔子若干歲'云云，的確可信。"

按此孔氏相傳之本，史公本之作《弟子列傳》者。《藝文志》有《孔子徒人圖法》二卷，蓋圖繪其像，非此書也。李石《續博物志》云："孔安國撰孔子弟子七十二人。"以爲安國所撰，未詳所据。

又按《七録》有鄭注《古文論語》十卷，《隋志》有鄭注《孔氏弟子目録》一卷，蓋孔氏注本以《論語》篇目及弟子籍合爲一卷附於後，故十一卷。鄭氏注本亦十一卷。至隋惟存最後一卷，故兩《唐志》云《論語篇目弟子》，此亦古書篇目在後之一證。

右《論語》凡二家三部。

陸元朗曰："漢興，《論語》傳者有三家：《魯論語》者，魯人所傳。常山都尉龔奮、長信少府夏侯勝、丞相韋賢及子玄成、魯扶卿、太子少傅夏侯建、前將軍蕭望之並傳之，各自名家。《齊論語》者，齊人所傳。昌邑中尉王吉、少府宋畸、琅邪王卿、御史大夫貢禹、尚書令五鹿充宗、膠東庸生並傳之，唯王陽名家。按王陽即王吉。《古論語》者，孔安國爲傳。安昌侯張禹受《魯論》於夏侯建，又從庸生、王吉受《齊論》，擇善而從，號曰《張侯論》，最後而行於漢世。禹以《論》授成帝。"其言視《漢書·藝文志》爲備。名家凡十人，見於《藝文志》者唯《魯夏侯説》、《王駿説》、《安昌侯説》三家。又有《魯傳》、《齊説》、《燕傳説》三家，不著名氏。按夏侯勝受詔撰《論語説》，王吉以《論語》教授，並見本傳。知所謂《夏侯説》者，勝也，非建也。駿爲吉之子，或即傳其父説。此外唯孔安國書見前。若龔氏、韋氏父子、扶卿、小夏侯、蕭氏六家書，無攷。又《張禹傳》云："始魯扶卿、蕭望之、韋玄成皆説《論語》，篇第或異。禹後從庸生，采獲所安。"庸生，《後漢·儒林傳》作庸譚，譚於《齊論》亦當有書。又蔡邕《石經論語》言盍、毛、包、周，則包咸之前有盍氏、毛氏書，今皆莫得而詳矣。

孔安國古文孝經傳一卷　安國始末見論語類。

《釋文·叙錄》曰："《孝經》古文出於孔氏壁中，別有《閨門》一章，分析十八章，總爲二十二章。孔安國作《傳》。"又曰："孔安國注《孝經》。"

《唐會要》：左庶子劉知幾議曰："《古文孝經孔傳》本出孔氏壁中，語其詳正，無俟商榷，而曠代亡逸，不復流行。"國子祭酒司馬貞議曰："古文二十二章，元出孔壁。先是安國作

《傳》，緣遭巫蠱，代未之行。荀昶集注之時，尚有《孔傳》，中朝遂亡其本。”

《隋書·經籍志》：“《古文孝經》一卷，孔安國傳，梁末亡逸。”又曰：“梁代，安國及鄭氏二家，並立國學，而安國之本，亡於梁亂。至隋，秘書監王劭于京師訪得《孔傳》，送至河間劉炫。炫因序其得喪，述其義疏，講於人間，漸聞朝廷，後遂著令，與鄭氏並立。儒者諠諠，皆云炫自作之，非孔舊本。”

　按舊、新《唐書志》載《孝經孔傳》並劉炫偽本。又今所行日本國相傳《古文孝經孔氏傳》一卷，亦劉炫偽本。

劉向　五經通義九卷　向始末見禮類。

《隋書·經籍志》：《五經通義》八卷，梁九卷。不著撰人。《唐書·經籍志》：《五經通義》九卷，劉向撰。《藝文志》：劉向《五經通義》九卷。

王應麟《玉海·藝文·擬序》曰：“劉向辨章舊聞，則有《五經通義》。通義者，漢五經課試之學也。”又曰：“永元十四年，司空徐防建言開五十難，解釋多者爲上第，演文明者爲高説。所謂博文明事，雖軼不傳。按趙岐《孟子題辭》有曰：‘迄今諸經得引《孟子》以明事謂之博文。’然建武中太子諸王欲爲通義，而聘鄭眾、曹褒傳《慶氏禮》，亦篹《通義》十二篇。按並見范書本傳。觀其名，可求其略矣。”

《經義考》曰：“《五經通義》，《唐志》尚存。觀王伯厚《擬序》，宋季已無傳矣。今就羣書所引者，次於後。餘見《正義》者，不具録。”

王謨輯本叙録曰：“《隋志》《五經通義》不言何人所撰，諸書俱引作劉向。《唐志》因之。《經義考》云‘見《正義》者不具録’，實則《正義》中並未嘗引《通義》也。今共鈔出《後漢書注》三條、《北史》一條、《隋志》一條、《文選注》二條、《類聚》十條、

《初學記》六條、《書鈔》八條、《通典》七條、《白帖》二條、《御覽》十三條、《事類賦注》一條、《玉海》二條、《説郛》一條。"

馬國翰輯本序曰："朱氏《經義考》以前漢無緯説,因取諸書引《通義》載緯説者屬之曹褒,餘皆屬之劉向,固具特識。然《隋》、《唐志》不言曹褒,未若依《唐志》並入劉向書爲有據也。"按曹褒實未嘗爲《五經通義》,朱氏誤以爲《五經》,詳見《後漢·藝文志》經部。

劉向　五經要義五卷

《隋書·經籍志》:《五經要義》五卷。不著撰人。《唐書·經籍志》:《五經要義》五卷,劉向撰。《藝文志》:劉向《五經要義》五卷。

王應麟《玉海·藝文》曰:"《文選注》引《五經要義》,《北史》劉芳引《要義》,《世説注》、《隋·禮儀志》引《要義》。"

《經義考》曰:"按《藝文類聚》、《初學記》、杜氏《通典》、《太平御覽》並引《要義》文。"

按《通義》、《要義》似皆劉中壘譔集諸家之説。《隋志》載《五經要義》五卷,注云:"梁十七卷。雷氏譔。"兩《唐志》分析甚明。知十七卷者,雷氏書;五卷者,劉氏書也。

王莽　省定五經章句

《漢書·平帝本紀》:元始五年,徵天下通知逸經、古記、天文、曆算、鍾律、小學、史篇、方術、《本草》及以五經、《論語》、《孝經》、《爾雅》教授者,在所爲駕一封軺傳,遣詣京師。至者數千人。

《漢書·王莽傳》:元始四年,莽奏起明堂、辟雍、靈臺,爲學者築舍萬區,作市、常滿倉,制度甚盛。立樂經,益博士員,經各五人。按《三輔黃圖》,王莽爲宰衡,起國學中央爲射宮,選士肄射於此。爲常滿倉,倉之北爲槐市,列槐樹數百行。諸生朔、望會此市,各持其郡所出物及經書相與買賣,雍容揖讓,或論議槐下。五博士領弟子員三百六十,六經三十博士,弟子萬八百人，主事高弟侍講及二十四人。學生同舍，行無遠近，皆隨檐，雨不塗足，暑不暴首。《古文苑·揚雄元后誄》云：“起常盈倉五十萬斛爲諸生儲，以勸好學。”徵天下通一藝教授十一人以上，及有《逸禮》、古《書》、《毛詩》、《周官》、《爾雅》、天文、圖讖、鍾律、月令、兵法、史篇文字，通知其意者，皆詣公車。網羅天下異能之士，至者千數，皆令記説廷中，將令正乖繆，壹異説云。又《翟義傳》云“莽下詔曰‘太皇大后惟經藝分析，博徵儒士，大興典制’”云云，似即謂此事及其他制作也。

《論衡·效力篇》曰：“王莽之時，省五經章句皆爲二十萬，博士弟子郭路夜定舊説，死於燭下，精思不任，絕脈氣滅也。”《太平御覽》三百七十五引云：“王莽時，省五經，平章句，弟子郭路夜定舊記，死於燈下，精思不任，脈絕氣滅。”

揚雄《劇秦美新》曰：“制成六經洪業也。”李善曰：“《漢書》莽奏立樂經，經有五，而又立樂，故云六經也。”

　按班氏《儒林傳》贊言，平帝時，又立《左氏春秋》、《毛詩》、《逸禮》、古文《尚書》。是時諸學皆立，又徵天下章句之儒通一藝教授十一人以上雲集京師，聚於槐市。莽自以爲應制作，以章句繁多，如朱氏《尚書》三四十萬言，秦時至百萬言之類。於是定五經，經各省爲二十萬言。劉歆時爲羲和，典儒林史卜之官，後爲國師，皆所典領也。其書始事於平帝元始四年，不知成於何時。觀《劇秦美新》文，則大抵訖事於居攝、始建國之間。《王莽傳》：地皇二年，故左將軍公孫禄議曰：“國師嘉信公顛倒五經，毀師法，令學士疑惑。”其即謂此章句歟？

爾雅犍爲文學注三卷

《史·滑稽列傳》：褚先生曰：“武帝時有所幸倡郭舍人者，發言陳辭雖不合大道，然令人主和説。”

《漢書·東方朔傳》：時有幸倡郭舍人，滑稽不窮，常侍左右。又曰：“朔後嘗爲郎，與枚皋、郭舍人俱在左右，詼啁而已。”

《西京雜記》曰：“武帝時，郭舍人善投壺，以竹爲矢，不用棘

也。古之投壺，取中而不求還，故實小豆於中，惡其矢躍而出
也。郭舍人則激矢令還，一矢百餘反，謂之爲驍。言如博之擊
梟於掌中，爲驍傑也。每爲武帝投壺，輒賜金帛。”

《釋文·叙録》曰：“《爾雅》犍爲郡文學三卷，一云犍爲郡文學
卒史臣舍人，漢武帝時待詔。闕中卷。”《隋書·經籍志》：梁
有漢犍爲文學《爾雅》三卷，亡。

《經義考》曰：“按舍人待詔在漢武時，此釋經之最古者。其書
雖不傳，閒采於邢氏之疏，疏所未載字義可考者，猶若干條，
見之陸氏《釋文》。”

張澍《蜀典》輯本序曰：“按犍爲文學即與東方朔同時待詔詔
爲隱語被榜呼譽之郭舍人也。按見《東方朔傳》。《西京雜記》言其
善投壺，犍爲郡文學卒史臣舍人，當是初爲郡文學，後補太守
卒史，以能詼諧善投壺入爲待詔舍人也。陸德明言所注《爾
雅》闕中卷，故自《釋訓》以下《釋草》以上，並無一語見《釋文》
及諸疏。惟《齊民要術》引《釋器》一條、《水經》引《釋水》二
條。賈、酈二人著書在前，必見全本也。”

王謨輯本叙録曰：“今鈔出邢《疏》八十四條、《釋文》四十三
條、《毛詩釋文》二條、《尚書疏》五條、《毛詩疏》十六條、《禮記
疏》一條、《左傳疏》七條、《公羊疏》一條、《齊民要術》二條、
《水經注》三條、陸璣《詩疏》二條、《文選注》二條。”

馬國翰輯本序曰：“《七録》有犍爲文學《爾雅注》三卷，《釋文》
云‘闕中卷’，故自《釋宮》至《釋水》不及引舍人注。而《齊民
要術》、《水經注》、《太平御覽》諸書所引，猶足撫拾成卷。今
仍釐爲三卷云。”又甘泉黄奭《漢學堂·爾雅古義》中輯本一卷。

　按《藝文類聚·雜文部》引漢武帝《柏梁臺詩》末二人曰郭
舍人、東方朔，蓋亦能爲七言詩者，其名字則終莫能詳。似舍
人者即其名也。

爾雅劉歆注三卷 歆始末見尚書家。

《西京雜記》：劉歆曰："郭威字文偉，茂陵人也。好讀書，以謂《爾雅》周公所制。而《爾雅》有'張仲孝友'，張仲宣王時人，非周公之制，明矣。余嘗以問揚子雲，子雲曰：'孔子門徒游、夏之儔所記，以解釋六藝者也。'家君以爲：《外戚傳》稱'史佚教其子以《爾雅》'，《爾雅》，小學也。又《記》言：'孔子教魯哀公學《爾雅》。'《爾雅》之出遠矣。舊傳學者皆云周公所記也。'張仲孝友'之類，後人所足耳。"按此言《外戚傳》非《史記·外戚世家》，當別是一書，今不可攷矣。

《釋文·叙録》：《爾雅劉歆注》三卷，與李巡《注》正同，疑非歆注。《隋書·經籍志》：梁有漢劉歆、犍爲文學《爾雅》各三卷，亡。

馬國翰輯本序曰："《爾雅劉氏注》，《唐志》不著目，佚已久。惟陸氏《釋文》及唐徐景安《樂書》、陸璣《詩疏》、許慎《説文》各引其説，輯録爲卷。《釋文·叙録》云與李巡正同，疑非歆注。考李氏本劉爲注，大指不殊，其間亦不無少異。"黃氏《漢學堂》亦輯之。

按孝文立《爾雅》博士。至武帝時，終軍以《爾雅》辨豹文䑕鼠，由是犍爲文學因時尚而爲注。元始中，徵天下通知鍾律、小學及以《五經》、《論語》、《孝經》、《爾雅》教授者詣京師。及其至也，通小學者以百數，揚雄取以作《訓纂篇》。知鍾律者亦百餘，劉歆據以爲《鍾律書》。其深於《爾雅》者，不知若干人。歆又以時尚而爲是注，其事固可想見也。《西京雜記》所録其即注是書時所記，茂陵郭威豈亦以知《爾雅》徵來者歟？近刻《古佚叢書》有《玉燭寶典》、《大藏音義》並引劉歆《爾雅注》。

右《孝經》并五經、《爾雅》凡五家六部。 孔繼汾《闕里文獻考》云："十四代孫漢太師博山侯光注《孝經》一卷。"今按《釋文·叙録》注《孝經》之孔光字文泰，東莞人，次宋人苟昶、何承天之間，非漢孔光，今不録。

趙臺卿《孟子題辭》曰："漢興，孝文皇帝欲廣游學之路，《論語》、《孝經》、《孟子》、《爾雅》皆置博士。後罷傳記博士，獨立五經而已。"劉子駿《移書太常博士》曰："孝惠之世，除挾書之律。至孝文皇帝，天下衆書往往頗出，皆諸子傳説，猶廣立於學官，爲置博士。"觀子駿之言，證臺卿之説，有若重規疊矩，信而有徵矣。班氏次《儒林》依功令列五經名家，至《春秋》家而止。《論語》、《孝經》、小學則附見於《藝文志》。《志》云："《孝經》長孫氏、博士江翁、少府后倉、諫大夫翼奉、安昌侯張禹傳之，各自名家。"而《釋文》、《隋志》又引伸其説，曰："古文《孝經》，孔安國爲之傳。"長孫氏等五家書並見《漢志》。孔氏書見前。《西京雜記》載劉子駿述其父語云"《爾雅》，小學也"，乃《七略》附之《孝經》，蓋以爲傳記之類云。

甄豐　校定六書

范書《彭寵傳》：豐字長伯，中山無極人。亦見《魏志·后妃傳》。

《漢書·王莽傳》：哀帝崩，莽爲大司馬。甄豐、劉歆、王舜爲莽腹心，倡導在位，襃揚功德。平帝即位，豐以左將軍光禄勳爲少傅，授四輔之職，封廣陽侯。居攝元年，爲太阿、右拂、大司空、衞將軍。始建國元年，加更始將軍，封廣新公，爲四將。二年十二月，豐子尋初以有材能幸於莽。時爲侍中京兆大尹茂德侯，即作符命，言新室當分陝，立二伯，如周、召故事。莽從之，即拜豐爲右伯。當西出，未行，尋復作符命，言故漢平帝后黃皇室主即莽女也。爲尋之妻。莽以詐立，心疑大臣怨謗，欲震威以懼下，因是發怒曰："黃皇室主天下母，此何謂也！"收捕尋。尋亡，豐自殺。又《揚雄傳》王莽時劉歆、甄豐皆爲上公，莽既以符命自立，即位之後欲絕其原以神前事，而豐子尋、歆子棻復獻之。莽誅豐父子，投棻四裔。《莽傳》云："驛車載其屍傳致幽州。"

許君《説文》序曰："及亡新居攝，使大司空甄豐等校文書之部，自以爲應制作，頗改定古文。時有六書：一曰古文，孔子壁中書也；二曰奇字，即古文而異者也；三曰篆書，即小篆；四曰左書，即秦隸書；五曰繆篆，所以摹印也；六曰鳥蟲書，所以書幡信也。"段玉裁曰："頗者，間見之詞，於古文間有改定，如'疊'字下，亡新以爲'疊'從三日，大盛，改爲三田，是其一也。"按劉歆子疊封伊休侯，奉堯後，見《王莽傳》。莽改此字，殆亦因其名而發歟？

按《漢志》有《八體六技》，不著撰人篇數，或以爲《六技》即亡新所定六體書。今攷本志注云"入揚雄、杜林二家三篇"，則《七略》之外班氏所新入者，唯此二家。《六技》爲《七略》中所有，可知非亡新居攝時所定。亦從可知《藝文志》云"元始中，徵天下通小學者以百數，各令記字於庭中"。《王莽傳》云"將令正乖繆，壹異説"，於是甄豐等乃有是作。其時其事在《七略》奏進後數年，各不相及也。

又按《藝文志》曰："漢興，蕭何草律，亦著其法，曰：'太史試學童，又以六體試之。'"許氏《説文》序云："以八體試之，當是漢初試以八體。其後重定尉律，乃以六體。"許言其始，班要其終，各存其是，不必牽合。或謂六體書亡新時所立，竊謂莽之前已有六體書，故《七略》有《六技》之目，班氏有"六體試之"之言。甄豐等所校定者，特因六體中舊文而有所改易耳。許序言時有六書者，不必定在居攝之時也。其後衞宏《詔定古文官書》，未必不因莽而蠲除其繆，如光武詔尹敏校讖書，使蠲去崔發爲王莽著録之文也。

揚雄　輶軒使者絕代語釋別國方言十五篇

《漢書》本傳：雄字子雲，蜀郡成都人也。年四十餘，來游京

師，大司馬王音奇其文雅，召爲門下史，薦雄待詔，歲餘，奏
《羽獵賦》。除爲郎，給事黃門，與王莽、劉歆並。哀帝之初，
又與董賢同官。當成、哀、平間，莽、賢皆爲三公，而雄三世不
徙官。及莽篡位，談説之士用符命稱功德獲封爵者甚衆，雄
復不侯，以耆老久次轉爲大夫，恬於埶利迺如是。實好古而
樂道，其意欲求文章成名於後世。用心於內，不求於外，於時
人皆忽之；唯劉歆及范逡敬焉，范逡事跡略見《後漢·杜林傳》。而桓
譚以爲絕倫。鉅鹿侯芭常從雄居，按此“芭”下敚“子”字，子常，芭字也。
受其《太玄》、《法言》焉。年七十一，天鳳五年卒，侯芭爲起
墳，喪之三年。

《西京雜記》：劉歆曰：“揚子雲好事，常懷鉛提槧，從諸計吏，
訪殊方絕域四方之語，以爲裨補輶軒所載，亦洪意也。”

應劭《風俗通義序》曰：“周、秦常以歲八月遣輶軒之使，求異
代方言，還奏籍之，藏於秘室。及嬴氏之亡，遺脱漏棄，無見
之者。蜀人嚴君平有千餘言，林閭翁孺才有梗概之法。揚雄
好之，天下孝廉、衛卒交會，周章質問，以次注續，二十七年，
爾乃治正，凡九千字。其所發明，猶未若《爾雅》之閎麗也，張
竦以爲縣諸日月不刊之書。”按張竦字伯松，茂陵張敞之孫，吉之子，深於
小學，同縣杜林師之。又林之中表父友也，王莽時至丹陽太守，封淑德侯，免官，以列
侯歸長安。莽敗，客於池陽，爲賊兵所殺，見《張敞》、《杜鄴傳》及《游俠·陳遵傳》。
竦博雅文學，過於敞。親見其書而稱之如此。應氏序本之揚雄《答劉歆書》。《華
陽國志》曰：“雄以典莫正於《爾雅》，故作《方言》。”又曰：“林
閭字公孺，臨邛人也，休甯戴震《方言校語》云：“案《廣韻》林閭氏出自嬴姓，
《華陽國志》乃云林閭字公孺，誤也。”善古學。古者，天子有輶車之使，
自漢興以來，劉向之徒但聞其官，不詳其職，職惟閭與嚴君平
知之，曰：‘此使考八方之風雅，通九州之異同，主海內之音
韻，使人主居高堂知天下風俗也。’揚雄聞而師之，因此作《方

言》。"按《蜀志》云"林公孺訓詁玄遠"，似林閭氏別有其書，抑即謂《方言》梗概之法也。

《隋書·經籍志》：《方言》十三卷，漢揚雄撰，郭璞注。《唐日本國見在書目》《論語》家：《方言》十卷，漢揚雄撰，郭璞注。《唐·經籍志》：《別國方言》十三卷。失注撰人。《藝文志》：揚雄《別國方言》十三卷。《宋史·藝文志》：揚雄《方言》十四卷。

《四庫提要》曰："《漢書·揚雄傳》備列所著之書，不及《方言》。《藝文志》亦無《方言》。東漢一百九十年中，亦無稱雄作《方言》者。至漢末應劭《風俗通義序》始稱雄作《方言》。又劭注《漢書》亦引揚雄《方言》一條。按見《司馬遷傳》。然劭稱《方言》九千字，而今本乃一萬一千九百餘字。雄與劉歆往返書皆稱《方言》十五卷，郭璞序亦稱三五之篇，而《隋》、《唐志》乃並十三卷，與今本同，或侯芭之流轉輾附益，故字多於前，後人併爲一十三卷，故卷減於昔歟？"

按《藝文志》有《訓纂》一篇，注云"揚雄作"，或以爲即是《方言》，非也。《文心雕龍·練字篇》云："張敞以正讀傳業，揚雄以奇字纂訓，並貫練《雅》、《頌》，總閲音義。"按正讀者，正《倉頡篇》中古字之讀；纂訓者，纂《倉頡篇》中奇字之訓；奇字者，六體之一，《説文》序所謂古文之異者。雄本傳云"劉歆子棻從雄學奇字"，此其證也。若《方言》則嚴、林二家得周秦殘牒，雄受之，從計吏孝廉衛卒質問，以次注續，閲二十七年，猶未治正。當時聞之者劉歆，見之者張竦。其後應劭言之鑿鑿，又引以注《漢書》。其別爲一書，非《訓纂》明矣。又《藝文志》云"元始中，徵天下通小學者以百數，各令記字於庭中。揚雄取其有用者以作《訓纂篇》，順續《倉頡》"云云，是《訓纂》乃續《倉頡篇》，體裁與《方言》大異，其非《方言》尤可信。

又按《藝文志》有《別字》十三篇，或以爲即是《方言》，亦非也。《別字》不著撰人，何由知其爲雄作。後漢東平憲王蒼有《別字》，惠棟補注：“《續漢志》曰：‘凡《別字》之體皆從上起，左右離合。’見《五行志》童謡。《藝文志》小學家有《別字》十三篇，或曰《別字》辨俗字。尹敏曰：‘讖書多近鄙，《別字》是也。’未知孰是。”按惠氏所解雖未證實，然亦足以知《別字》爲字書之屬矣，《藝文志》小學十家皆字書之屬。若《方言》乃訓詁之流。劉歆書云“屬聞子雲獨采集先代絶言異國殊語以爲十五卷”，雄還書自稱《殊言》十五卷，其非《別字》十三篇明甚。《方言》本十五篇，《隋》、《唐志》及今本並十三卷者，杭東里人盧文弨校刊曰：“併合與遺脱不可知。”

右小學凡二家二部。按謝氏《小學考》有汲冢書《楚晉事名》三篇。今按《晉書》云：“《國語》三篇，言楚、晉事。《名》三篇，似《禮記》，又似《爾雅》、《論語》。”其云“言楚晉事”者，謂《國語》三篇之文也。謝氏似誤會。今未敢從，別詳諸子雜家。

許君《説文》序曰：“孝宣皇帝時，召通《倉頡》讀者，張敞從受之，涼州刺史杜業、沛人爰禮、講學大夫秦近，亦能言之。孝平皇帝時，徵禮等百餘人，令説文字未央廷中，以禮爲小學元士。”按京兆尹張敞、敞子吉、吉子竦，三世傳業，似皆有説《倉頡篇》文字之書。杜業，《漢書》作“鄴”，杜林之父也。爰禮則《説文》亏部“平”字下引其説。秦近即秦恭，見尚書家。此三人於《倉頡篇》亦當有書。又《説文》所謂博采通人而所引未詳其始末者，有尹彤、譚長、張林、黃顥、官溥、莊都、周盛、甯嚴、逯安、張徹、歐陽喬。或云喬即高。張徹，錢宮詹云漢人不當以武帝諱爲名，疑是張敞。按莊都亦明帝諱，而未改爲“嚴”。是皆後人竄改，非許君本文。又有引博士説者不著姓名，稱復説者不著姓，皆不知爲何書。《方言》體似《爾雅》。《七略》以《爾雅》附《孝經》者，以其解釋六藝，又所從來者遠也。《方言》則非其倫，故列於此。

右六藝九種凡八十家九十二部。太史公曰："孔子論述六藝。"
又曰："中國言六藝者，折中於夫子。"然則非孔子所論述，概
無當於六藝矣。生孔子之後，凡所造作而得引於六藝者，大
都祖述憲章，範圍不過。雖王莽亦誦六藝文，奸言故例得隨
類附見。若夫孔子之前之書，如《尚書》叙云："伏羲、神農、黃
帝之書，謂之《三墳》，言大道也。少昊、顓頊、高辛、唐虞之
書，謂之《五典》，言常道也。八卦之説，謂之《八索》，求其義
也。九州之志，謂之《九丘》。丘，聚也，言九州所有土地所生
風氣所宜皆聚此書也。"《家語》子夏稱《山書》曰云云，疑即《九丘》之類，又
疑是《山海經》佚篇。《禮記》言五帝時有《惇史》，《孟子》言《晋乘》、
《楚檮杌》，《墨子》言《百國春秋》，汲冢《瑣語》稱《夏殷春秋》，
《公羊傳》引《不脩春秋》，劉歆與揚雄書亦云《不脩春秋》，又
云《百二十國寶書》。凡斯之類，皆無與於六藝之列。且亦荒
遠難稽，故概不取。至若宋人之僞《三墳》，鄭漁仲尊爲三皇
太古書者，更無論矣。

附録

河圖九篇
洛書六篇

《隋書·經籍志》曰："河洛紀易代之徵，其理幽昧，究極神道。
先王恐其惑人，秘而不傳。説者又云，孔子既叙六經，以明天
人之道，知後世不能稽同其意，故別立緯及讖，以遺來世。其
書出於前漢，有《河圖》九篇，《洛書》六篇，云自黃帝至周文王
所受本文。"

《春秋命曆序》曰："《河圖》，帝王之階圖，載江河、山川、州界
之分野。"

《經義考・毖緯篇》曰：“蔡邕曰：‘《洛書》皆言存亡之事，覽之以驗禍福也。’”

河圖洛書三十篇

《隋書・經籍志》曰：“又別有三十篇，云自初起至於孔子，九聖之所增演，以廣其意。”又曰：“梁有《河圖洛書》二十四卷，目録一卷，亡。”

按《經義考・毖緯篇》輯《河圖》篇目之散見諸書者，有《括地象》等凡三十二，《洛書》篇目有《甄曜度》等六。明孫瑴《古微書》輯《河圖》十篇，《洛書》五篇。

七經緯三十六篇

《隋書・經籍志》曰：“又有《七經緯》三十六篇，並云孔子所作，并前合爲八十一篇。”

《後漢書・樊英傳》注曰：“七經緯者，《易稽覽圖》、《乾鑿度》、《坤靈圖》、《通卦驗》、《是類謀》、《辨終備》也；《書緯》《璇璣鈐》、《考靈曜》、《刑德放》、《帝命驗》、《運期授》也；《詩緯》《推度災》、《氾曆樞》、《含神霧》也；《禮緯》《含文嘉》、《稽命徵》、《斗威儀》也；《樂緯》《動聲儀》、《稽耀嘉》、《叶圖徵》也；《孝經緯》《援神契》、《鉤命決》也；《春秋緯》《演孔圖》、《元命包》、《文耀鉤》、《運斗樞》、《感精符》、《合誠圖》、《考異郵》、《保乾圖》、《漢含孳》、《佑助期》、《握誠圖》、《潛潭巴》、《説題辭》。”

按《七經緯》三十六篇，章懷太子所舉止於三十五，尚闕其一。又范書《黨錮・魏朗傳》注云：“孔子作《春秋緯》十二篇。”此乃十三篇，亦彼此不相合。蓋殘闕之餘，約略紀載，皆非漢時之舊矣。《經義考》所載篇目，凡《易緯》二十八種，《書緯》九種，《詩緯》五種，《禮緯》八種，《樂緯》五種，《春秋緯》二十九種，《孝經緯》二十七種，並出章懷所舉之外。或是三十六篇中篇目，或後人輾轉附託，無以詳知。

明孫轂《古微書》輯《七緯》四十五篇。國朝趙在翰輯三十七篇。馬氏玉函山房輯《書》、《詩》、《禮》、《樂》、《春秋》、《孝經》六緯三十八篇。四庫館輯《易緯》八篇。

河洛讖十篇

《後漢書·光武本紀》：王莽地皇三年，宛人李通等以圖讖説光武。注：“圖，《河圖》也。讖，符命之書。讖，驗也。言爲王者受命之徵驗也。”

《後漢書·張衡傳》：衡上疏曰：“圖讖成於哀、平之際。且《河洛》、《六藝》篇録已定，後人皮傅，無所容篡。”注：“《衡集》上事云：‘《河洛》五九，《六藝》四九，謂八十一篇也。’”惠棟《補注》：“《郊祀志》曰：‘上使梁松等案《河洛讖》文，以章句細微相況八十一卷明者爲驗，又其十卷皆不昭晳。’是當日《河洛讖》文八十一卷皆有章句，故張衡云篇録已定。其餘皆不昭晰，故云無所容篡也。”按惠氏引《郊祀志》疑《祭祀志》之誤，然《續漢志》所載與惠氏引文又不同，未詳所据。

七經讖

《後漢書·張純傳》：純以聖王之建辟雍，所以崇尊禮義，既富而教者也。乃案七經讖、明堂圖，欲具奏之。章懷太子曰：“《七經讖》謂《詩》、《書》、《禮》、《樂》、《易》、《春秋》及《論語》也。”

桓譚《新論》曰：“讖出《河圖》、《洛書》，但有兆朕而不可知。後人妄復增加依託，稱是孔丘，誤之甚也。”

《論衡·實知篇》：孔子將死，遺讖書，曰：“不知何一男子，自謂秦始皇，上我之堂，踞我之牀，顛倒我衣裳，至沙丘而亡。”又曰：“董仲舒亂我書。”又書曰：“亡秦者，胡也。”又曰：“孔子生不知其父，若母匿之，吹律自知殷宋大夫子氏之世也。”曰：“此皆虛也。”案神怪之言，皆在讖記，讖記所表，皆效

《圖》、《書》。“亡秦者胡”，《河圖》之文也。

按張純哀、平間爲侍中，王莽時至列卿，其所案《七經讖》爲前漢時所有，可知章懷所舉有《論語》無《孝經》，與《七經緯》不同。然考《白虎通》、《開元占經》並引《孝經讖》，《魏志·文紀》注引《孝經中黄讖》，光武泰山刻石文引圖讖有《孝經鉤命决》，《光武本紀》李通引圖讖，章懷以爲《易坤靈圖》文。然則《七經讖》亦有《孝經》，而讖書中篇目，亦有與緯書相同者。范書《儒林·尹敏傳》，帝令敏校圖讖，使蠲去崔發所爲王莽著録次比。疑發爲莽著録者，即在《河洛讖》、《七經讖》之内。《隋志》於《七緯》之外，别有《尚書洛罪級》、《五行傳》、《詩推度災》、《氾曆樞》、《含神霧》、《孝經鉤命决》、《援神契》、《雜讖》等書，又有《論語讖》八卷。魏宋均注疑皆是《河》、《洛》、《七經讖》篇目之散佚者。而《經義考》及諸家所輯緯書篇目，亦或有讖書在其間也。《古微書》輯存《論語讖》五篇，馬氏《玉函山房》亦輯存八篇。

尚書中候十八篇

《書緯璇璣鈐》曰：“孔子求書，得黄帝玄孫帝魁之書。迄於秦穆公，凡三千二百四十篇，斷遠取近，定可以爲世法者百二十篇，以百二篇爲《尚書》，十八篇爲《中候》。”王應麟《漢志考證》曰：“張霸僞造《百二篇》，而爲緯者傅以此説。”

《後漢書·方術傳》序曰：“緯候之部。”注：“緯，《七經緯》也。候，《尚書中候》也。”

《隋書·經籍志》曰：“前漢有《河圖》九篇，《洛書》六篇。又别有三十篇。又有《七經緯》三十六篇。并前合爲八十一篇。而又有《尚書中候》。”又曰：“《尚書中候》五卷，鄭玄注。梁有八卷，今殘缺。”

《經義考》曰：“按《中候》專言符命，當是新莽時所出之書。”

曲阜孔廣林輯本序曰："《中候》者，緯之流也。凡十八篇，今亡，賴《詩》、《禮》正義猶得備識十八篇名。而《中候》文及鄭君注散見羣籍，亦尚可闚其大略，唯是篇次先後不可復攷。每篇之中，文亦不能次第。聊取殘文賸句薈萃錄之，以《宋書·符瑞志》參校，略爲比次其文。蓋《宋志》説堯、舜、禹、湯、文、武符命，皆取諸《中候》也。其篇第則以時代序焉，曰《敕省圖》，曰《握河紀》，曰《運衡》，曰《考河命》，曰《題期》，曰《立象》，曰《義明》，曰《苗興》，曰《契握》，曰《洛予命》，曰《稷起》，曰《我應》，曰《雒師謀》，曰《合符后》，曰《摘雒戒》，曰《霸免》，曰《準纖哲》，曰《覬期》。"孫氏《古微書》輯存五篇，馬氏《玉函山房》輯存十八篇，王氏《漢魏遺書鈔》輯一卷。

劉向讖二卷　向始末具禮類。

《隋書·經籍志》：梁有劉向讖二卷，亡。

  按劉中壘有《洪範五行傳記》十一卷，見《漢志》尚書家。《隋志》言讖緯諸書有《五行傳》，疑即中壘書，讖緯家趨時又改題爲劉向讖歟？

甘忠可　天官曆　包元太平經十二卷

《漢書·李尋傳》：初，成帝時，齊人甘忠可詐造《天官曆》、《包元太平經》十二卷，以言"漢家逢天地之大終，當更受命於天，天帝使真人赤精子下教我此道"。忠可以教重平夏賀良、容邱丁廣世、東郡郭昌等，中壘校尉劉向奏忠可假鬼神罔上惑衆，下獄治服，未斷病死。賀良等坐挾學忠可書以不敬論，後賀良等復私以相教。哀帝初立，司隸校尉解光亦以明經通災異得幸，白賀良等所挾忠可書。事下奉車都尉劉歆，歆以爲不合《五經》，不可施行。而李尋亦好之。光曰："前歆父向奏忠可下獄，歆安肯通此道？"時郭昌爲長安令，勸尋宜助賀良等。尋遂白賀良等皆待詔黃門，數召見，陳説："漢曆中衰，當更受命。成帝不應天命，故絕嗣。今陛下久疾，變異屢數，天所以譴告人也。宜急改元易號，乃得延年益壽，皇子生，災異息矣。”哀帝久寢疾，幾其有益，遂從賀良等議。大赦天下，以建平二年爲太初元將元年，號曰陳聖劉太平皇帝。漏刻以百二十爲度。後月餘，上疾自若。賀良等復欲妄變政事，大臣爭以爲不可許。賀良等奏言大臣皆不知天命，宜退丞相御史，以解光、李尋輔政。上以其言亡驗，遂下賀良等吏。光祿勳平當、光祿大夫毛莫如與御史中丞、廷尉雜治，當賀良等執左道，亂朝政，傾覆國家，誣罔主上，不道。賀良等皆伏誅。尋及解光減死一等，徙敦煌郡。

《漢書·王莽傳》：居攝三年十一月甲子，莽上奏太后曰：“前孝哀皇帝建平二年六月甲子下詔書，更爲太初元將元年，案其本事，甘忠可、夏賀良讖書藏蘭臺。臣莽以爲元將元年者，大將居攝改元之文也，於今信矣。”

　　按《天官曆》、《包元太平經》亦稱讖書。莽言曾藏之蘭臺，則莽時又重其書。後漢有《太平經》百七十卷，見范書《襄楷傳》，亦見《文獻·經籍考》及《道藏》目録，或亦因此書而增演者。

王莽　符命四十二篇

《漢書·王莽傳》：始建國元年秋，遣五威將王奇等十二人班《符命》於天下。德祥五事，符命二十五，福應十二，凡四十二篇。其德祥言文、宣之世黃龍見於成紀、新都，高祖考王伯墓門梓柱生枝葉之屬。符命言井石、金匱之屬。福應言雌雞化爲雄之屬。其文爾雅依託，皆爲作説，師古曰：“爾雅，近正也。謂近於正經，依古義而爲之説。”大歸言莽當代漢有天下云。總而説之曰“帝王受命必有德祥之符瑞，協成五命，申以福應，然後能立巍巍之功，傳於子孫，永享無窮之祚”云云。五威將各置左右前後中帥，凡五帥。二年二月，五威將帥七十二人還奏事，漢諸侯王爲公者，悉上璽綬爲民，無違命者。封將爲子，帥爲男。是時争爲符命封侯，其不爲者相戲曰："獨無天帝除書乎?"司命陳崇白莽曰："此開姦臣作福之路而亂天命，宜絶其原。"莽亦厭之，遂使尚書大夫驗治，非五威將率所班，皆下獄。

《漢書·諸侯王表》曰："王莽分遣五威之吏，馳傳天下，班行符命。漢諸侯王厥角稽首，奉上璽韍，唯恐在後，或迺稱美頌德，以求容媚，豈不哀哉!"

《後漢書·隗囂傳》：囂移檄告郡國曰："故新都侯王莽，慢侮天地，悖道逆理。鴆殺孝平皇帝，篡奪其位。矯託天命，僞作符書，欺惑衆庶。"注："莽遣五威將軍王奇等班符命四十二篇於天下，言當代漢之意。"

王況　讖書十餘萬言

《漢書·王莽傳》：地皇二年，魏成大尹李焉與卜者王況謀，況謂焉曰："新室即位以來，民田奴婢不得賣買，數改錢貨，徵發煩數，軍旅騷動，四夷並侵，百姓怨恨，盜賊並起，漢家當復興。君姓李，李者徵，徵火也，當爲漢輔。"因爲焉作讖書，言"文帝發忿，居地下趣軍，北告匈奴，南告越人。江中劉信，執敵報怨，復續古先，四年當發軍。江湖有盜，自稱樊王，姓爲劉氏，萬人成行，不受赦令，欲動秦、雒陽。十一年當相攻，太白揚光，歲星入東井，其號當行"。又言莽大臣吉凶，各有日期。會合十餘萬言。焉令吏寫其書，吏亡告之。莽遣使者即捕焉，獄治皆死。又曰："莽以王況讖言荊楚當興，李氏爲輔，欲厭之，迺拜侍中掌牧大夫李棽爲大將軍、揚州牧，賜名聖，使將兵奮擊。"

　按范書《光武本紀》，宛人李通等以圖讖説光武云："劉氏復起，李氏爲輔。"時在地皇三年，即王況作讖書之後一年。其引讖與況所云"荊楚當興，李氏爲輔"之言相合，豈即況

　　書歟？抑解釋讖文，故彼此皆有是言而大同小異也？

右讖緯凡一十一家一十一部。

　　《四庫提要》曰：“考劉向《七略》不著緯書，然民間私相傳習，則自秦以來有之，非惟盧生所上，見《史記·秦本紀》。即呂不韋《十二月紀》稱‘某令失則某災至’，伏生《尚書洪範五行傳》稱‘某事失則某徵見’，皆讖緯之説也。《漢書·儒林傳》稱孟喜‘得《易》家候陰陽災變書’，尤其明證。荀爽謂‘起自哀、平’，據其盛行之日言之耳。”又曰：“儒者多稱讖緯，其實讖自讖，緯自緯，非一類也。讖者，詭爲隱語，預決吉凶。緯者，經之支流，衍及旁義。蓋秦漢以來，去聖日遠，儒者推闡論説，各自成書，與經原不相比附。其後私相撰述，漸雜以術數之言，既不知作者爲誰，因託諸孔子，附會以神其説。迨彌傳彌失，又益以妖妄之詞，遂與讖合而爲一。”今據史文録其出於前漢及王莽時者如右。《七録》又有《孔老讖》十二卷、《老子河洛讖》一卷、《堯戒舜禹》一卷、《孔子王明鏡》一卷。不知是否出於前漢。又《太平御覽》九百三十一引京房《易緯》，似京氏有《易緯注》，今皆不可攷。按《七録》又有《孝經雌雄圖》三卷，《孝經異本雌雄圖》二卷。洪氏《容齋三筆》云：“予家有故書一種，曰《孝經雌雄圖》，云出京房《易傳》，亦《日星占相書》也。”今按《御覽》所引京房《易緯》，似即京房《易傳》，如《雌雄圖》之類，後人別稱爲《易緯》耳，非實有其書也。

漢書藝文志拾補卷二

諸子略第二

窈窕　德象　女師篇

《漢書·外戚傳》：孝成班倢伃誦《詩》及《窈窕》、《德象》、《女師》之篇。師古曰：“《詩》謂《關雎》以下也。《窈窕》、《德象》、《女師》之篇，皆古箴戒之書也。故傳云誦《詩》及《窈窕》以下諸篇，明《詩》外別有此篇耳。而説者便謂《窈窕》等即是《詩》篇，蓋失之矣。”

根牟子七篇

應劭《風俗通義·姓氏篇》：根牟氏，魯邑名以爲氏。根牟子，古賢者，著書。宋邵思《姓解》：“《風俗通》曰：‘古賢者根牟子著書七篇。’”

吳陸璣《詩疏》曰：“卜商爲《詩序》，授魯人曾申，申授魏人李克，克授魯人孟仲子，仲子授根牟子，根牟子授趙人荀卿。”

《經義考·承師篇》曰：“孟仲子弟子根牟子，《漢書·古今人表》居第六等。”錢氏大昕《三史拾遺》曰：“根牟子受《詩》於孟仲子。案高子、仲良子皆傳《詩》者，而在第四等。根牟子何以獨列第六？亦必刊本之譌。”

張澍《風俗通姓氏篇輯注》曰：“澍按鄧名世《辨證》引云‘六國根牟子’，無‘古賢者’三字。《姓苑》云：‘根牟子，周人。’又按根牟曹姓子，魯宣公取之。《左·定王七年》杜注：‘琅邪陽都東之牟鄉城。’樂史云：‘根牟國即蜜之安丘。’”“又按”以下云云，文似有敓誤。按《風俗通》以爲魯邑名者，《左氏·宣九年》“秋取根牟”杜注：“根牟，東夷國也。今琅邪陽都東有牟鄉。”按牟鄉，春秋時曰根牟，魯取以爲邑始此，根牟子蓋其後人，又以國爲氏者。《釋文·敘錄》引徐整亦云“根牟子傳孫卿子”，是爲荀卿之師，六國時説《詩》之家。然《風俗通》但云“著書”，不云“説《詩》”，故列之儒家。《廣韻》、《姓纂》諸書引《風俗通》不著篇數，唯邵思《姓解》引云著書七篇。

成公　政事十二篇

皇甫謐《高士傳》：成公者，成帝時自隱姓名，常誦經，不交世利，時人號曰成公。成帝時出游問之，成公不屈節。上曰：“朕能富貴人，能殺人，子何逆朕哉？”成公曰：“陛下能貴人，臣能不受陛下之官。陛下能富人，臣能不受陛下之禄。陛下能殺人，臣能不犯陛下之法。”上不能折，使郎二人就受《政事》十二篇。

劉向　孝子圖傳　　向始末具《六藝》禮類。

章宗源《隋志考證》曰：“《文苑英華》許南容、李令琛對策並言劉向修《孝子圖》。《法宛珠林·忠孝篇》引郭巨、丁蘭、董永、大舜四事，並云劉向《孝子傳》。《太平御覽·人事部》引郭巨、董永二事，作劉向《孝子圖》。洪氏《隸續》載武梁祠畫像中有董永事。”

高郵茆泮林《古孝子傳》輯本題記曰：“劉向《孝子傳》，《隋》、《唐志》皆不著錄。惟《玉海》引唐許南容策稱劉向修孝子之圖。”

按《日本國見在書目》雜傳家有《孝子傳圖》一卷，不著撰人，疑即是書。諸家《孝子傳》不言有圖，此獨有圖，與《列女傳》相似類也。

劉向　列士傳二卷

《隋志·史部·雜傳篇》曰：“漢時阮倉作《列仙圖》，劉向典校經籍，始作《列仙》、《列士》、《列女》之傳。”又曰：“《列士傳》二卷，劉向撰。"《唐書·藝文志》：劉向《列士傳》二卷。

《玉海·藝文》曰："《後漢書》注、《水經》注、《文選》注引《列士傳》。"

章宗源《隋志考證》曰："《後漢書·申屠剛傳》注、《文選·盧子諒古詩》注、《鄒陽獄中上書》注、《藝文類聚》天部、人部、服飾部、木部、鳥部、《北堂書鈔》武功部、衣冠部、《太平御覽》居處部、兵部、人事部並引《列士傳》，或作《烈士》。"

　按《論衡·須頌篇》有曰："宣帝之時，畫圖漢列士。或不在於畫上者，子孫恥之。"又《初學記·職官部》引蔡質《漢官典職》曰："尚書奏事於明光殿省中，畫古列士，重行書贊。"或因此畫圖而爲之傳未可知也。《初學記》卷二及《珊玉集》亦引《列士傳》。

劉歆　列女傳頌一卷　歆始末具《六藝》尚書家。

《顏氏家訓·書證篇》曰："《列女傳》劉向所造，其子歆又作《頌》，終於趙悼后。"

《隋志·史部·雜傳篇》：《列女傳頌》一卷，劉歆撰。《唐日本國人佐世見在書目》同，《通志·藝文略》同。

宋王回序曰："頌如《詩》之四言，世所行向書併頌爲十五卷，通題向撰，題其頌曰向子歆撰。"

　按《漢志》注云《列女傳頌圖》，是《頌》亦劉向撰。《隋志》別出劉歆《頌》一卷，與《日本國書目》所載同。《文選·思玄賦》引劉歆《列女傳頌》曰："材女脩身，廣觀善惡。"今本無此文，知別爲一書，已久亡矣。梁任昉《文章緣起》云漢劉歆作《列女傳贊》，贊、頌本相通也。

揚雄　自序　雄始末具《六藝》小學家。

《藝文類聚·人部》：揚雄《自序》曰："雄爲人簡易佚蕩，默而好深湛之思，清净無爲，少嗜欲，不汲汲於富貴，不戚戚於貧賤，不修廉隅以邀名當世。無擔石之儲，晏如也。自有大度，非聖哲之書不好也；非其意，雖富貴不事也。"

《文選·運命論》注：揚雄《自序》曰："雄家代素貧，嗜酒，人希至其門。"

《隋書·儒林·劉炫傳》：炫自爲贊曰："通人司馬相如、揚子雲、馬季長、鄭康成等，皆自叙風徽，傳芳來葉。"

　　按《類聚》、《選注》所引《自叙》之文，並見本傳。傳末云："雄之自叙云爾。"《史通·雜説篇》云："班氏於司馬遷、揚雄皆録其《自叙》以爲列傳也。"

子雲家諜

《藝文類聚》冢墓門《揚雄家諜》曰："子雲以天鳳五年卒，葬安陵阪上。所厚沛郡桓君山、平陵如子禮，弟子鉅鹿侯芭，共爲治喪。諸公遣世子朝臣郎吏行事者會送。桓君山爲歛賻，起祠塋，侯芭負土作墳，號曰玄冢。"

《史通·雜述篇》：高門華胄，弈世載德，才子承家，思顯父母。由是紀其先烈，貽厥後來，若揚雄《家諜》、殷敬《世傳》之類，此之謂家史者也。

嚴可均《全漢文編》附識曰："《文選·王文憲集序》注、《藝文類聚》四十、《太平御覽》五百五十八並引揚雄《家牒》。案《家牒》不知何人何時所撰。"

　　按《文選·任彦昇序》注引《七略》曰"《子雲家諜》言以甘露元年生"，則同時劉子駿已見及之，大抵侯芭諸人所作歟？《漢志》揚雄所序三十八篇，《太玄》十九，《法言》十三，《樂》四，《箴》二，正合三十八篇之數，知《自序》、《家諜》皆在其外者也。

王莽　誡八篇

《漢書·王莽傳》：平帝元始三年，初，莽欲擅權，白太后遣甄豐奉璽綬，拜帝母衛姬爲中山孝王后，賜帝舅衛寶、寶弟玄爵關内侯，皆留中山，不得至京師。莽子宇，非莽隔絶衞氏，恐帝長大後見怨。宇即私遣人與寶等通書，教令帝母上書求入。莽不聽。宇與師吳章及婦兄吕寬議其故，章以爲莽不可諫，而好鬼神，可爲變怪以驚懼之，章因推類説令歸政於衞氏。宇即使寬夜持血灑莽第，門吏發覺之，莽執宇送獄，飲藥死。大司馬護軍褒奏言：“安漢公遭子宇陷於管、蔡之辜，子愛至深，爲帝室故不敢顧私。惟宇遭辠，暗然憤發作書八篇，以戒子孫。宜班郡國，令學官以教授。”事下羣公，請令天下吏能誦公戒者，以著官簿，比《孝經》。師古曰：“著官簿，言用之得選舉也。”

《後漢書・荀爽傳》注曰：“平帝時，王莽作書八篇戒子孫，令學官以教授，吏能誦者比《孝經》。《音義》云：‘言用之得選舉之也。’”按此則顔注《莽傳》乃他家音義之文，非己説也。

王莽　誥一篇

《漢書・王莽傳》：地皇四年秋，莽自知敗，迺率羣臣至南郊，陳其符命本末。又作告天策，自陳功勞千餘言。能誦策文者除以爲郎，至五千餘人。羣憚將領之。

《後漢書・隗囂傳》注：“莽作告天策，自陳功勞千餘言。能誦策文者除以爲郎，至五千餘人。”劉攽曰：“案本傳作五千餘人。”

按班氏有言曰：“昔秦燔《詩》、《書》以立私議，莽誦六藝以文姦言，同歸殊塗，俱用滅亡。”又曰：“觀其文辭，方外百蠻，無思不服。”蓋其文有可觀，雖班氏亦稱之。所謂僞稽黄虞繆稱典文者，固不失爲儒家言也。無可類附，故列於此。

右儒家者流，凡八家一十一部。《孔叢子》，魏人附托。揚雄《孟子注》，宋人附托。又《文選・琴賦》注引劉向《孟子注》云“樓牽也”，似劉熙，非劉向。《選》注引劉熙《孟子注》二十餘條，此一條誤“熙”爲“向”也。又《日本國人見在書目》有班倢伃

《女孝經》一卷，似即唐鄭氏之書，或又以爲班昭所撰。今並不錄。

屋廬子

《廣韵》十一模"廬"字注：《孟子》有屋廬子，著書。

唐林寶《元和姓纂》曰："屋廬子，晋賢人，著書，言彭、聃之法。"《通志·氏族略》引云"晋賢人屋廬子"，下並同。

《經義考·承師篇》：趙岐曰："屋廬連，孟子弟子，宋贈奉符伯。"

 按屋廬子既爲孟子弟子，則其書當爲儒家言。乃《開元姓纂》及《氏族略》並云述彭、聃之法，則道家之書審矣。疑別是一人，非孟子弟子。

壺丘子五篇

《世本》曰："狐丘氏，晋大夫狐丘林之後。"張澍輯注曰："《英賢傳》云：'出自狐丘，封人之裔。'又按狐丘，一作壺丘，又作瓠丘。"

皇甫謐《高士傳》："壺丘子林者，鄭人也。道德甚優，列禦寇師事之。"林寶《元和姓纂》曰："列子師壺丘子林，鄆人。《漢書》壺丘子著書五篇，今下邳有壺丘氏。"

錢塘梁玉繩《古今人表考》曰："壺丘子林始見《呂覽·下賢》，《列子·天瑞》諸篇亦曰壺子，亦曰壺丘子，亦曰壺子林。名林，鄭人也。"案表依《呂覽》以壺子爲子產之師，故叙於魯昭公時。而《列子》言列子師之，豈寓言耶？狐、壺古通。

 按林寶所述，疑亦得之《風俗通·姓氏篇》，其云《漢書》，未詳所據。

老子河上丈人注二卷

皇甫謐《高士傳》：河上丈人者，不知何國人也。明老子之術，自匿姓名，居河之湄，著《老子章句》，故世號曰河上丈人。當戰國之末，諸侯交争，馳説之士咸以權勢相傾，唯丈人隱身修道，老而不齝，傳業於安期生，爲道家之宗焉。

《隋志》子部道家：梁有戰國時河上丈人注《老子經》二卷，亡。

按《史記·樂毅列傳》云："樂氏之族有樂瑕公、樂臣公，趙且爲秦所滅，亡之齊高密。樂臣公善修黄帝、老子之言，顯聞於齊，稱賢師。"又曰："樂臣公學黄帝、老子，其本師號曰河上丈人，不知其所出。河上丈人教安期生，安期生教毛翕公，毛翕公教樂瑕公，樂瑕公教樂臣公，樂臣公教蓋公。蓋公教於齊高密、膠西，爲曹相國師。"《隋·經籍志》云："漢時，曹參始薦蓋公能言黄老，文帝宗之。"蓋河上丈人五傳而至蓋公。

老子河上公章句四卷

《太平御覽》五百十引魏稽康《聖賢高士傳》曰："河上公不知何許人也，謂之丈人。隱德無言，無德而稱焉，安邱先生等從之，修其黄老業。"

《釋文·叙録》："漢文帝、竇皇后好黄老言，有河上公者居河之湄，結草爲菴，以《老子》教授。文帝徵之不至，自詣河上責之。河上公乃踊身空中，文帝改容謝之，於是作《老子章句》四篇，以授文帝，言治身治國之要。"又曰："《河上公章句》四卷，不詳名氏。又《節解》二卷，不詳作者，或云老子所作，一云河上公作。"

《隋志》子部道家：《老子道德經》二卷，周柱下史李耳撰。漢文帝時，河上公注。《唐·經籍志》：《老子》二卷，河上公注。《藝文志》：河上公注《老子道德經》二卷。《宋史·藝文志》：河上公《老子道德經注》一卷。

晁氏《讀書志》曰："晋葛洪曰：'河上公者，莫知其姓名。漢文帝時，居河之濱，侍郎裴楷言其通《老子》。孝文詣問之，即授《素書》、《道經章句》。'其書頗言吐故納新按摩導引之術，

近神仙家。劉子玄稱其非真,殆以此歟?傅奕謂'常善救人,故
無棄人;常善救物,故無棄物'四句,古本無有,獨得於公耳。"

《四庫提要》曰:"《老子注》二卷,舊本題河上公撰。《唐書·
劉子玄傳》稱《老子》無河上公注,欲廢之而立王弼。前此,陸
德明作《經典釋文》,雖《叙錄》之中采葛洪《神仙傳》之説,而
所釋之本則不用此注而用王弼注。二人皆一代通儒,必非無
據。詳其詞旨,不類漢人,殆道流之所依託歟?相傳已久,所
言亦頗有發明,姑存以備一家可耳。"

老子母丘望之章句二卷

《後漢書·耿弇傳》注引嵇康《聖賢高士傳》曰:"安丘望之
字仲都,京兆長陵人。少持《老子經》,恬浄不求進宦,號曰
安丘丈人。成帝聞,欲見之,望之辭不肯見,爲巫醫於人
間也。"

皇甫謐《高士傳》:安丘望之少持《老子經》,號曰安邱丈人。
成帝聞,欲見之,辭不肯見。上以其道德深重,常宗師焉。望
之不以見敬爲高,愈日損退,爲巫醫於民間。著《老子章句》,
故老氏有安丘之學。扶風耿況、王汲等皆師事之,從受《老
子》,終身不仕,道家宗焉。范書《耿弇傳》:弇父況與王莽從弟伋共學《老
子》於安丘先生。

《釋文·叙錄》:母丘望之《章句》二卷。字仲都,京兆人,漢長
陵三老。《隋志》子部道家:梁有漢長陵三老母丘望之注《老
子》二卷,亡。《唐·經籍志》:《老子章句》二卷,安丘望之撰。
《藝文志》:安丘望之《老子章句》二卷。

母丘望之　老子指趣三卷

《隋志》子部道家:《老子指趣》三卷,母丘望之撰。《唐·經籍
志》:《老子道德經指趣》四卷,安丘望之撰。《藝文志》:安丘
望之《道德經指趣》三卷。

老子嚴遵注二卷

《漢書·王貢兩龔鮑傳》序：漢興，有園公、綺里季、夏黄公、角里先生。其後谷口有鄭子真，蜀有嚴君平。師古曰："《三輔決録》云君平名尊。"君平卜筮於成都市，以爲"卜筮者賤業，而可以惠衆人。有邪惡非正之問，則依蓍龜爲言利害。與人子言依於孝，與人弟言依於順，與人臣言依於忠，各因勢導之以善，從吾言者，已過半矣"。裁日閲數人，得百錢足自養，則閉肆下簾而授《老子》。博覽亡不通，依老子、嚴周之指著書十萬餘言。揚雄少時從游學，已而仕京師，數爲朝廷在位賢者稱君平德。君平年九十餘，遂以其業終，蜀人愛敬，至今稱焉。自園公、綺里季、夏黄公、角里先生、鄭子真、嚴君平，皆未嘗仕，然其風聲足以激貪厲俗，近古之逸民也。

《釋文·叙録》：《老子》嚴遵注二卷。字君平，蜀都人，漢徵士。《隋志》子部道家：梁有漢隱士嚴遵注《老子》二卷，亡。

張澍《蜀典》曰："按君平注如'益我貨者損我神，生我名者殺我生'，又言'爲禍匠默，爲害工進，爲妖式退，爲孽容理'，甚淵微。"

按唐岷山道士張君相集三十家《老子注》，其首兩家曰河上公、嚴遵。晁氏《讀書志》有之，張氏《蜀典》著作類有莊遵《老子注》序、座右銘各一篇。

嚴遵　老子指歸十四卷

《華陽國志》：嚴遵字君平，成都人也。雅性澹泊，學業加妙，專精大易，耽於老莊，著《指歸》爲道書之宗。

唐殷敬順《列子釋文》曰："嚴遵字君平，作《指歸》十四篇，演解五千文。"

《釋文·叙録》又作《老子指歸》十四卷。《隋志》子部道家：《老子指歸》十一卷，嚴遵注。《唐·經籍志》：《老子指歸》十四卷,嚴遵志。《藝文志》:嚴遵《指歸》十四卷。《唐日本國見在書目》:《老子指歸》十三卷,後漢嚴遵撰。按稱後漢非。《宋史·藝文志》:嚴遵《老子指歸》十三卷。

晁氏《讀書志》:"《老子指歸》十三卷,漢嚴遵撰,谷神子注。本理國修身清浄無爲之説。"又曰:"其章句頗與諸本不同,如以曲則全章末十七字爲後章首之類。按《唐志》有十四卷,又馮廓注十三卷,此本卷數與廓注同,而題谷神子,不顯姓名,疑即廓也。"

《四庫提要》曰:"此本僅存説《德經》者六卷。案晁氏稱其章句頗與諸本不同,則是書原有經文。《陸游集》有是書跋,稱爲《道德經古文指歸》,亦以經文爲言。此本乃不載經文,體例互異。"

海寧吴壽暘《拜經樓藏書題跋記》曰:"《真經道德指歸》十三卷,題蜀郡嚴遵字君平撰,谷神子注。卷首爲總序,並元德纂疏。晁氏所云十三卷,谷神子注,今《道藏》尚有之,原未嘗佚闕。"

太史公素王妙論二卷

《史記·自叙》曰:"太史公有子曰遷。遷生龍門,仕爲郎中、太史令,遭李陵之禍,幽於縲絏。"《漢書》本傳:"遷既被刑之後,爲中書令,尊寵任職。"張守節曰:"字子長,左馮翊人也。"徐廣曰:龍門"在馮翊夏陽縣"。

《西京雜記》曰:"漢承周史官,至武帝置太史公。太史公司馬談世爲太史,談死,子遷以世官復爲太史公,作《景帝本紀》,極言其短及武帝之過,帝怒而削去之。後坐舉李陵,陵降匈奴,故下遷蠶室,有怨言,下獄死。宣帝以其官爲令,行太史公文書事而已,不復用其子孫。"《隋志》子部五行家:梁有《太史公素王妙議》二卷,亡。

《玉海·藝文》曰："《史記·越世家》注引《太史公素王妙論》，《正義》云二卷，《七略》云司馬遷撰。"按此引《七略》似《七錄》之誤。

嚴可均《全漢文編》曰："《素王妙論》見《太平御覽》四百四，又四百七十二，《困學紀聞》二十引凡二條。"

馬國翰輯本序曰："今從王充《論衡》采得太史公一節，從《太平御覽》得《素王妙論》三節，合録爲卷。書題'素王'，蓋以孔子爲嚮往，而推詳貧富，有取於計然、范蠡諸人，則亦發憤著書，與作《史記·貨殖列傳》同一微意。"

　　按是書《七錄》入五行家，王伯厚《漢志考證》補入道家。按《殷本紀》伊尹從湯言素王及九主之事。《索隱》曰："太素上皇其道質素，故稱素王。"素王之義蓋如此，自當入之道家。又按《越世家》集解引云"太史公曰《素王妙論》曰"，是太史公引《素王妙論》，非太史公自撰也，不可得而詳矣。

右道家者流，凡七家九部。漢以後道家依託黄帝、素女、彭祖、老子、尹喜、鬼谷先生、黄石公、赤松子、四皓、河上公等書，見於《通志·藝文略》、《道藏》目録者甚多，亦多屬神仙家言，非《漢志》所謂道也，今概置不録。

計然萬物録

《意林》引《范子》曰："計然者，葵丘濮上人。姓辛，字文子，其先晋國亡公子也。爲人有内而無外，狀兒似不及人，少而明，學陰陽，見微知著。其行浩浩，其志沈沈，不肯自顯，天下莫知，故稱曰計然。時遨遊海澤，號曰漁父。范蠡請見越王，計然曰：'越王爲人鳥喙，不可與同利也。'"

《漢書·貨殖·范蠡傳》注：孟康曰："姓計名然，越臣也。"顏師古曰："《古今人表》計然列在第四等。計然者，一號計研，濮上人也，博學無所不通，尤喜計算，嘗南遊越，范蠡卑身事之。其書則有《萬物録》，著五方所出，皆直述之。事見《皇

覽》及《晋中經簿》。又《吳越春秋》及《越絶書》並作計倪，此
則倪、研及然聲皆相近，實一人耳。"《玉海》五十八又引《史記正義》云
《方物録》，亦甚有義，莫能詳。

梁玉繩《人表考》曰："計然名研，又作計硯，又作計碗，又作𡹭
研。姓辛，字文子，亦曰辛文。高似孫《子略》謂計然姓章名文
子，《通志略》四謂姓宰，並非也。"按《氏族略》謂姓宰氏氏，以宰氏爲複姓。

范子計然十二卷

《史記・越世家》：范蠡事越王句踐，既苦身戮力，與句踐深謀
二十餘年，竟滅吳，報會稽之恥。句踐以霸，而范蠡稱上將
軍。還反國，范蠡以爲大名之下，難以久居，且句踐爲人可與
同患，難與處安，爲書辭句踐。裝其輕寶珠玉，自與其私徒屬
乘舟浮海以行，終不反。於是句踐表會稽山以爲范蠡奉邑。
范蠡浮海出齊，變姓名，自謂鴟夷子皮，耕於海畔，苦身戮力，
父子治產。居無幾何，致產數千萬。齊人聞其賢，以爲相。
范蠡喟然歎曰："居家則致千金，居官則至卿相，此布衣之極
也。久受尊名，不祥。"乃歸相印，盡散其財，以分與知友鄉
黨，而懷其重寶，閒行以去，止於陶，以爲此天下之中，交易有
無之路通，爲生可以致富矣。於是自謂陶朱公。復約要父子
耕畜，廢居，候時轉物，逐什一之利。居無何，則致資累巨萬。
故范蠡三徙，成名於天下。卒老死於陶，故世傳曰陶朱公。
《史記・越世家》集解：太史公曰《素王妙論》曰："蠡，南陽
人。"《列仙傳》云："蠡，徐人。"《正義》曰："《吳越春秋》云：
'蠡字少伯，楚宛三戶人。'《越絶》云：'在越爲范蠡，在齊爲鴟
夷子皮，在陶爲朱公。'又云：'居楚曰范伯。'"《會稽典録》云：
"范蠡本是楚宛三戶人，佯狂倜儻負俗。文種爲宛令，遣吏謁
奉，與文種俱入越。"
《唐・經籍志》子部五行家：《范子問計然》十五卷，范蠡問，計

然答。《藝文志》農家：《范子計然》十五卷，范蠡問，計然答。
唐馬總《意林》曰：“《范子》十二卷，並是陰陽曆數也。”

宋高似孫《子略》曰：“此編卷十有二，往往極陰陽之變，窮曆
數之微。其言之妙者，有曰聖人之變如水隨形，蠡之所以俟
時而動見幾而作者，其亦有得乎此。”

馬國翰輯本序曰：“案鄭樵《通志・氏族略》云‘越有范蠡，著
書曰《計然》’。又‘宰氏’注引《范蠡傳》‘范蠡師事計然，姓宰
氏，字文子’。意者‘辛’爲‘宰’字之誤。《漢志》農家《宰氏》
十七篇，或即計然歟？賈思勰《齊民要術》嘗引之，《越絶書》
載計硯《内經》是本書之一篇。《吳越春秋》、《史記》、《藝文類
聚》、《初學記》、《太平御覽》等書亦多引之，輯爲三卷。書於
物之出皆用郡縣，後人羼入者有之。至其熟悉物情而善觀時
變，其真自不可掩也。”

按《藝文志》農家《宰氏》十七篇，班氏自注云：“不知何世。”
若計然，班氏著於《人表》，不容不知。馬竹吾疑計然爲宰
氏，非也。《氏族略》引《范蠡傳》云云，今覆按《史》、《漢》，
實無計然姓宰氏之文，不知所據。《皇覽》及《中經簿》有計
然《萬物録》，《意林》云《范子》十二卷，兩《唐志》作《范子計
然》乃十五卷。今按《御覽》諸書所引《范子》其文多似《萬物
録》，疑唐時合爲一書，故多出三卷也。歙縣程景沂輯《計倪
子》一卷，高郵茆泮林輯《范子》一卷，改題《計然萬物録》。

大曆二篇　汲冢竹書。

束晳《竹書叙目》曰：“《大曆》二篇，鄒子談天類也。”

按《漢志》數術曆譜家有《天曆大曆》十八卷，《大曆》書名與
此同。鄒子書見《漢志》及《史記》列傳。

公孫臣等　土德時曆制度

《史・封禪書》：魯人公孫臣上書曰：“始秦得水德，今漢受

之，推終始傳，則漢當土德，土德之應黃龍見。宜改正朔，易服色，色尚黃。"是時丞相張蒼好律曆，以爲漢乃水德之始，故河決金隄，其符也。年始冬十月，色外黑內赤，與德相應。如公孫臣言，非也。罷之。後三歲，黃龍見成紀。文帝乃召公孫臣，拜爲博士，與諸生草改曆服色事。又《曆書》云："新垣平以望氣見，頗言正曆服色事。"又略見《文紀》及《張蒼傳》。

《漢書·郊祀志》：文帝召公孫臣，拜爲博士，與諸生申明土德，草改曆服色事。又《張蒼傳》：魯人公孫臣上書，陳終始五德傳，當改正朔，易服色。事下蒼，蒼以爲非是，罷之。其後黃龍見成紀，於是文帝召公孫臣以爲博士，草立土德時曆制度，更元年。蒼由此自絀，謝病稱老。

《論衡·知實篇》：魯人公孫臣，孝文皇帝時上書，言漢土德，其符黃龍當見。後黃龍見成紀。然則公孫臣知黃龍將出，案律曆以處之也。

王鳴盛《十七史商榷》曰："五運相代，取相生，不取相剋。周，木德也，木生火，秦人應以火德王，乃秦自以爲水德。張蒼推漢爲水德，是承秦而不改。公孫臣謂漢當用土德，是亦承秦而言之，以秦人應火德故耳，無如秦已誤用水矣！奈何漢又用土乎！"又曰："漢繼周不繼秦，當用火德尚赤，張蒼固非，而公孫臣亦非。"按《宋書·曆志》史臣按五德更王，唯有二家之説，鄒衍以相勝立體，劉向以相生爲義，據以爲言，不得出此二家者。又按漢當火德，劉向父子嘗言之，見《郊祀志》。

寶應王懋竑《白田雜著》曰："漢用赤帝子之祥，旗幟尚赤。而自有天下後，仍襲秦舊，故張蒼以爲水德。孝文帝時，公孫臣言當改用土德，色尚黃，其事未行。至孝武帝，改正朔，色尚黃，印章以五字，則用公孫臣之説也。"

　　按此作於文帝十五年，明年乃使博士諸生作《王制》。《王制》有《服制篇》，而此有改服色事。尋《封禪書》、《郊祀志》

前後本末，似此即《王制》之所緣起，非別一事。此制度亦即《王制》之異名，非別一書。然《王制》刺取六經，其《服制》或言禮服，似又不然，故兩存之。

黃帝終始傳

《史記·三代世表》褚少孫曰："《黃帝終始傳》曰：'漢興百有餘年，有人不短不長，出白燕之鄉，持天下之政，時有嬰兒主，卻行車。'霍將軍者，本居平陽白燕。臣爲郎時，與方士考功會旗亭下，爲臣言。豈不偉哉！"《索隱》曰："《黃帝終始傳》蓋謂五行纖緯之説也。嬰兒主，謂昭帝也。卻行車，言霍光持政擅權，過帝令如卻行車，使不前也。"

按此必是昭、宣時方士所作，而托之黃帝。褚嘗言好觀外家傳記，此即外家傳記之一歟？

右陰陽家者流，凡五家五部。按張澍《風俗通·姓氏篇》輯注引《陳留風俗傳》云："漢暢曾著《水德經》一卷。"尋諸類書及氏姓書皆不見，未詳所出，今附於此。

張倉　程品

亦曰《章程》，亦曰《工用程數》。蒼始末具《六藝》春秋家。

《史記·太史公自序》：漢興，蕭何次律令，韓信申軍法，張倉爲章程。如淳曰："章，曆數之章術也。程者，權衡丈尺斛斗之平法也。"瓚曰："《茂陵書》'丞相爲工用程數其中'，言百工用材多少之量及制度之程品者是也。"亦見《漢書·高帝紀》注。

《漢書》本傳：倉爲計相時，緒正律曆。以高祖十月始至霸上，故因秦時本十月爲歲首，不革。推五德之運，以爲漢當水德之時，上黑如故。吹律調樂，入之音聲，及以比定律令。若百工，天下作程品。至於爲丞相，卒就之。如淳曰："百工爲器物皆有尺寸斤兩斛斗輕重之宜，使得其法。"師古曰："言吹律調音以定法令，及百工程品，皆取則也。"鄭樵《通志·校讐略》曰："按蕭何律令、張蒼章程，漢之大典也。劉氏《七略》、班固《漢志》全不收。兵家一類任宏所編，有《韓信軍法》三

篇、《廣武》一篇。豈有《韓信軍法》猶在，而蕭何律令、張蒼章
程則無之？此劉氏、班氏之過也。"

　　按是書《六藝》之中固無可位置，九流之内亦難得部居。今
以其典守在官將作大匠所有事，漢家最初之程法也，於法
家爲近之。《玉海》亦入《律令門》中，故列於此。

漢尚書故事

　　《漢書・魏相傳》：相好觀漢故事及便宜章奏，以爲古今異制，
方今務在奉行故事而已。數條漢興以來國家便宜行事，及賢
臣賈誼、晁錯、董仲舒所言，奏請施行之，曰："先帝聖德仁恩
之厚，所以慰安元元，便利百姓之道甚備。昧死奏故事詔書
凡二十三事。"按此二十三事皆從故事中録出者也。

　　《漢書・孔光傳》：光爲尚書，觀故事品式，數歲明習漢制及法令。
按此言故事品式者，品式謂叔孫通《儀品》、張蒼《程品》之
類，故事則尚書諸曹所纂録也。凡便宜章奏皆編入故事，
諸書引漢故事至多，大抵皆中興之初伏湛、侯霸諸人所蒐
集，漢末應劭著書稱《尚書舊事》者是也。若夫西京故府之
藏，皆毀於王莽、赤眉之亂，掃地無餘矣。《隋志》總集篇云："梁有
漢丞相匡衡、大司馬王鳳奏五卷，亡。"疑即故事中佚本，附識於此，不别出。

漢律六十篇

　　《漢書・刑法志》：漢興，高祖初入關，約法三章曰："殺人者
死，傷人及盜抵罪。"蠲削煩苛，兆民大説。其後四夷未附，兵
革未息，三章之法不足以禦姦，於是相國蕭何攟摭秦法，取其
宜於時者，作律九章。又《禮樂志》曰："律令録藏於理官。"《太
平御覽》六百三十八引《傅子》曰："律是咎繇遺訓，漢命蕭何廣之。"

　　《晋書・刑法志》：秦漢舊律，其文起自魏文侯師李悝撰次諸
國法，著《法經》六篇而已。商君受之以相秦。漢承秦制，蕭
何定律，益事律興、廐、户三篇，合爲九篇。叔孫通益律所不

及,《傍章》十八篇,張湯《越官律》二十七篇,趙禹《朝律》六篇,合六十篇。《漢·張湯傳》:湯與趙禹共定諸律令,務在深文拘守職之吏。《酷吏傳》:禹與張湯論定律令。《公孫弘傳》贊曰:"定令則趙禹、張湯。"晋張斐《律序》曰"張湯制《越官律》,趙禹作《朝會正見律》"。官,或作宮。

《唐六典》刑部注:律,法也。魏文侯師李悝造《法經》六篇,商鞅傳之,改法爲律,以相秦。至漢,蕭何加悝所造戶、興、廐三篇,謂之九章九律。至武帝時,張湯、趙禹增律令科條,大辟四百九條。宣帝時,于定國又删定律令科條。成帝時,令煩多百有餘萬言,大辟之罪千有餘條。

王應麟《漢志考證》曰:"律令藏於理官,故《志》不著録。《隋志》曰:'漢律久亡。'"

按《宣帝紀》注文穎曰:"蕭何承秦法所作爲律令律經。"據此則漢律亦稱《律經》,又曰《律本》,應劭稱《律本章句》是也。

杜周　律章句　亦名《大杜律》。

杜延年　律章句　亦名《小杜律》。

《漢書》本傳:杜周,南陽杜衍人也。義縱爲南陽太守,以周爲爪牙,薦之張湯,爲廷尉史。更爲中丞,爲廷尉。其治大抵放張湯,而善候司。上所欲擠者,因而陷之;上所欲釋,久繫待問而微見其冤狀。客有謂周曰:"君爲天下決平,不循三尺法,專以人主意指爲獄,獄者固如是乎?"周曰:"三尺安出哉?前主所是著爲律,後主所是疏爲令;當時爲是,何古之法乎!"周中廢,後爲執金吾,遷御史大夫。兩子夾河爲郡守,治皆酷暴,唯少子延年行寬厚云。

延年字幼公,亦明法律。大將軍霍光以延年補軍司空,爲諫大夫。上官桀父子與蓋主、燕王謀爲逆亂,延年以聞,封建平侯。擢太僕右曹給事中。免官。後爲北地西河太守。五鳳中,徵入爲御史大夫。視事三歲,以老病乞骸骨。罷就第。

後數月薨,謐曰敬侯。

《後漢書·郭躬傳》:躬父弘習《小杜律》。章懷太子曰:"前書,杜周武帝時爲廷尉、御史大夫,斷獄深刻。少子延年亦明法律,宣帝時又爲御史大夫。對父故言小。"惠棟《補注》曰:"案周所定者爲《大杜律》,荆州從事苑鎮碑云'韜律大杜'是也。其延年所定者爲《小杜律》,丹陽太守郭旻碑云'治律小杜'是也。"

按《晋書·刑法志》云:"叔孫宣、郭令卿、馬融、鄭玄諸儒章句,十有餘家,家數十萬言。天子指魏明帝。於是下詔,但用鄭氏章句,不得雜用餘家。"又曰:"文帝爲晋王,患前代律令本注煩雜,又叔孫、郭、馬、杜諸儒章句,但取鄭氏,又爲偏黨,未可承用。"按此言馬、杜諸儒章句,則杜氏有章句,可知東京律學之士多從事於大杜、小杜。車騎將軍馮緄碑云"治律大杜"亦一證也。此在十餘家中之最著者,應劭《律本章句》即此類之書。

漢令三百餘篇

《漢書·宣帝本紀》:地節四年九月,詔曰:"令甲,死者不可生,形者不可息。"文穎曰:"天子詔所增損,不在律上者爲令。令甲者,前帝第一令也。"如淳曰:"令有先後,故有令甲、令乙、令丙。"師古曰:"甲乙者,若今之第一、第二篇耳。"按宣帝引令甲文,蓋即文帝十三年除肉刑之詔,事見《刑法志》及《史記·倉公傳》。

《晋書·刑法志》:漢時決事,集爲《令甲》以下三百餘篇。

《唐六典》刑部注曰:"令,教也,命也。漢時決事,集爲《令甲》以下三百餘篇。漢初,蕭何定律令,其後張湯、趙禹、于定國、黄霸,皆繼定律令。"

王應麟《漢志考證》曰:"漢令有令甲、令乙、令丙,秩禄令、宮衛令、金布令、品令、祠令、祀令、齋令、公令、功令、廷尉挈令、光禄挈令、樂浪挈令、廷尉板令、田令、水令。"《後漢·安帝紀》注曰：“漢令今亡。”

京房　考功課吏法

《漢書》本傳：房字君明，東郡頓邱人也。治《易》，事梁人焦延壽。延壽常曰：“得我道以亡身者，必京生也。”初元四年以孝廉爲郎。數召見問房，對曰：“古帝王以功舉賢，宜令百官各試其功。”詔使房作其事，房奏考功課吏法。上令公卿朝臣與房會議溫室，皆以房言煩碎，令上下相司，不可許。上意鄉之。時部刺史奏事京師，上召見諸刺史，令房曉以課事，刺史復以爲不可行。後上令房上弟子曉知考功課吏事者，欲試用之。房上中郎任良、姚平，“願以爲刺史，試考功法，臣得通籍殿中，爲奏事，以防雍塞”。石顯、五鹿充宗皆疾房，欲遠之，建言宜試以房爲郡守。元帝於是以房爲魏郡太守，秩八百石，居得以考功法治郡。房去月餘，顯告房非謗政治，歸惡天子，註誤諸侯王。徵下獄，棄市。房本姓李，推律自定爲京氏，死時年四十一。又《儒林傳》云：“房以明災異得幸，爲石顯所譖誅。”《元帝本紀》：建昭二年冬十一月，淮陽王舅張博、魏郡太守京房坐窺道諸侯王以邪意，漏泄省中語，博要斬，房棄市。

晋灼曰：“考功課吏法，令丞尉治一縣，崇教化亡犯法者輒遷。有盜賊，滿三日不覺者則尉事也。令覺之，自除，二《玉海》引無“二”字。尉負其罪。率相准如此法。”

《潛夫論・賢難篇》曰：“京房數與元帝論難，使制考功而選守。”又《考績篇》云：“先師京君科察考功以遺賢俊，太平之基必自此始，無爲之化必自此成也。”

《魏志・杜恕傳》：太和中，大議考課之制，以考內外衆官。恕上疏曰：“今奏考功者，陳周、漢之法爲，綴京房之本旨，可謂明考課之要矣。”議久不決，事竟不行。

《晋書・杜預傳》：預上奏曰：“魏氏考課即京房之遺意，失於苛細，以遺大體，故曆代莫能通。”

王莽法五十條

《漢書·王莽傳》：平帝元始五年，莽又奏爲市無二賈，官無獄訟，邑無盜賊，野無飢民，道不拾遺，男女異路之制，犯法者象刑。又曰：莽既致太平，北化匈奴，東致海外，南懷黄支，唯西方未有加。迺遣中郎將平憲等多持金幣誘塞外羌，使獻地，願内屬。莽奏曰："太后秉統數年，恩澤洋溢，和氣四塞，絶域殊俗，靡不慕義。越裳氏重譯獻白雉，黄支自三萬里貢生犀，東夷王度大海奉國珍，匈奴單于順制作，去二名，今西域羌豪良願等復舉地爲臣妾，昔唐堯横被四表，亦亡以加之。今謹案已有東海、南海、北海郡，未有西海郡，請受良願等所獻地爲西海郡。"奏可。又增法五十條，犯者徙之西海。徙者以千萬數，民始怨矣。

王莽　六筦令

《漢書·王莽傳》：始建國二年二月，初設六筦之令。命縣官酤酒，賣鹽鐵器，鑄錢，諸采取名山大澤衆物者税之。天鳳四年，復明六筦之令。每一筦下，爲設科條防禁，犯者罪至死，吏民抵罪者寖衆。納言馮常以六筦諫，莽大怒，免常官。地皇二年，故左將軍公孫禄議曰："犧和魯匡設六筦，以窮工商。"

《後漢書·隗囂傳》：囂移檄告郡國曰："故新都侯王莽，規錮山澤，奪民本業，設爲六管。"注："管，主也。莽設六管之令，謂酤酒、賣鹽、鐵器、鑄錢、名山、大澤，此謂六也。皆令縣官主税收其利。"

王莽　吏禄制度

《漢書·王莽傳》：天鳳三年五月，莽下吏禄制度，曰："予遭陽九之厄，百六之會，國用不足，民人騷動，自公卿以下，一月之禄卜緤布二匹，或帛一匹。予每念之，未嘗不戚焉。今厄會已度,府帑雖未能充,略頗稍給,其以六月朔庚寅始,賦吏祿皆如制度。"四輔公卿大夫士,下至輿僚,凡十五等。僚祿一歲六十六斛,稍以次增,上至四輔而爲萬斛云。

右法家者流,凡八家十部。《元和姓纂》孫氏平津館輯本有《補祿子》一篇,言法家事。今攷《氏族略》乃與《游棣子》一條先後相亂,《游棣子》已見《藝文志》,今不錄。

彭蒙書數篇

《莊子・天下篇》曰:"彭蒙、田駢、慎到聞其風而悦之。"成玄英疏曰:"姓彭名蒙,姓田名駢,姓慎名到,並齊之隱士,俱游稷下,各著書數篇。"

德清俞樾《莊子人名攷》曰:"彭蒙,《釋文》無説,據下文是田駢之師。《意林》引《尹文子》有彭蒙曰:'雉兔在野,衆皆逐之,分未定也。雞豕滿市,莫有志者,分定故也。'"

《玉海・藝文》:《中興書目》曰:"尹文子齊人,劉向以其學本於黄老,居稷下,與宋鈃、彭蒙、田駢等同學於公孫龍。"

　按《藝文志》《尹文子》條,顏師古曰:"劉向云與宋鈃俱游稷下。"蓋節引《別録》文。《中興目》引劉向較詳,亦《別録》文也。尹文子、公孫龍子並在名家,《意林》引尹文述彭蒙語,亦名家言,知彭蒙書當屬名家。

生封一篇　汲冢竹書。

束晳《竹書篇目》曰:"《生封》一篇,帝王所封。"

　按此不知言封建,言封爵,言封禪,或是升封,因音聲相近而誤歟?

漢功臣列侯位次名籍

《漢書・高后紀》:二年春詔曰:"高皇帝匡飭天下,諸有功者皆受分地爲列侯,萬民大安,莫不受休德。朕思念至於久遠而功名不著,亡以尊大誼,施後世。今欲差次列侯功以定朝位，藏於高廟，世世勿絕，嗣子各襲其功位。其與列侯議定奏之。"丞相臣平言："謹與絳侯臣勃、曲周侯臣商、潁陰侯臣嬰、安國侯臣陵等議，列侯幸得賜餐錢奉邑，陛下加惠，以功次定朝位，臣請藏高廟。"奏可。師古曰："陳平、周勃、酈商、灌嬰、王陵也。餐錢，四時所賜廚膳錢也。奉邑，本所食邑也。"

《漢書·功臣表》曰："漢興自秦二世元年之秋，楚陳之歲，初以沛公總帥雄俊，三年然後西滅秦，立漢王之號，五年東克項羽，即皇帝位，八載而天下迺平，始論功而定封。訖十二年，侯者百四十有三人。時大城名都民人散亡，戶口可得而數裁什二三，是以大侯不過萬家，小者五六百戶。封爵之誓曰：'使黃河如帶，泰山若厲，國以永存，爰及苗裔。'於是申以丹書之信，重以白馬之盟，又作十八侯之位次。按《漢紀》作八十侯。高后二年，復詔丞相陳平盡差列侯之功，錄第下竟，藏諸宗廟，副在有司。"孟康曰："高帝時唯作元功蕭、曹等十八人位次耳。高后乃詔作位次下竟。"師古曰："列侯功籍已藏於宗廟，副貳之本又在有司。"

按《表》又云："孝宣皇帝開廟藏，覽舊籍。"師古曰："籍，謂名錄也。蓋封爵必著於籍錄，有司掌之。"班氏所敘異姓諸侯王、同姓諸侯王、王子侯及宰相、外戚恩澤侯諸表亦各有之，特以史無明文，故悉從其略。惟此言之最詳，乃著於錄焉。光武賜竇融外屬圖，似即"外戚恩澤"之世系圖，班氏據以作表者。

班固　百官公卿表

《漢書·敘傳》：始皇之末，班壹避地于樓煩。當孝惠、高后時，以財雄邊。壹生孺，孺生長，官至上谷守。長生回，以茂材爲長子令。回生況。況三子：伯、游、穉。穉生彪，彪有子曰固云云。

《續漢書·百官志》序曰"惟班固著《百官公卿表》，記漢承秦置官本末，訖于王莽，差有條貫；然皆孝武奢廣之事，又職分未悉"云云。

　　按班固爲班孟堅之高祖，其人當在武、宣時，其表記及王莽者，則大抵班氏後人所續也。

王莽　百官名秩

《漢書·平帝紀》：元始四年，分京師置前輝光、後丞烈二郡。更公卿、大夫、八十一元士官名位次。

《漢書·王莽傳》：始建國元年，置大司馬司允，大司徒司直，大司空司若，位皆孤卿。更名大司農曰羲和，後更爲納言，大理曰作士，太常曰秩宗，大鴻臚曰典樂，少府曰共工，水衡都尉曰子虞，與三公司卿凡九卿，分屬三公。① 每一卿置大夫三人，一大夫置元士三人，凡三十七大夫，八十一元士，分主中都官諸職。更名光祿勳曰司中，太僕曰太御，衞尉曰太衞，執金吾曰奮武，中尉曰軍正，又置大贅官，主乘輿服御物，後又典兵秩，位皆上卿，號曰六監。改郡太守曰太尹，都尉曰太尉，縣令長曰宰，御史曰執法，公車司馬曰王路四門，長樂宮曰常樂室，未央宮曰壽成室，前殿曰王路堂，長安曰常安。更名秩百石曰庶士，三百石曰下士，四百石曰中士，五百石曰命士，六百石曰元士，千石曰下大夫，②比二千石曰中大夫，二千石曰上大夫，中二千石曰卿。車服黻冕各有差品。

《漢書·百官公卿表》：秦兼天下，建皇帝之號，立百官之職。漢因循而不革，明簡易，隨時宜也。其後頗有所改。王莽篡位，慕從古官，而吏民弗安，亦多虐政，遂以亂亡。

《漢書·食貨志》：莽性躁擾，不能無爲，陋小漢家制度，以爲疏闊。又動欲慕古，不度時宜，分裂州郡，改職作官。

---

　①　"公"，原作"分"，據武英殿本《漢書》改。
　②　"大夫"，原作"夫大"，據武英殿本《漢書》改。

按王莽更易官名始見於平帝四年《本紀》，而《王莽傳》繫之始建國元年，蓋至是而大定。其後數有更易，隗囂檄文所謂政令日變，官名月易，吏民昏亂，不知所從者是也。劉向《別錄》云"名家者流，出於禮官"，古者名位不同，禮亦異數，則是書及《百官公卿表》、《功臣位次》、《生封》於名家爲近。

右名家者流，凡五家五部。

相里子七篇

林寶《元和姓纂》曰："咎繇之後爲理氏，殷末理微或作"徵"。孫仲師遭難，去'王'姓'里'。至晋大夫里克，惠公所滅，克妻司成氏攜少子季連逃居相城，因爲相里氏。季連玄孫相里勤見《莊子》。《韓子》云：'相里子，古賢人也，著書七篇。'"《通志·氏族略》同。

《莊子·天下篇》："相里勤之弟子，五侯之徒，南方之墨者。"成玄英疏曰："姓相里名勤，南方之墨師也。"

陶淵明《羣輔錄》載三墨曰："裘褐爲衣，跂蹻爲服，日夜不休。以自苦爲極者，相里勤、五侯子之墨。"

鄧陵子

《莊子·天下篇》曰："相里勤之弟子，五侯之徒，南方之墨者苦獲、己齒、鄧陵子之屬，俱誦《墨經》，而倍譎不同，相謂別墨。"成玄英疏曰："苦獲、五侯之屬，並是學墨人也。譎，異也。俱誦《墨經》，而更相倍異，相呼爲別墨。"

《韓非子·顯學篇》：世之顯學，儒、墨也。墨之所至，墨翟也。自墨子之死也，有相里氏之墨、相夫氏之墨、鄧陵氏之墨，故孔、墨之後，墨離爲三。

陶淵明《羣輔錄》載三墨曰："俱誦經而倍譎不同，相爲別墨，以堅白，此苦獲、己齒、鄧陵子之墨。"

林寶《元和姓纂》曰："鄧陵氏,楚公子食邑鄧陵,因氏焉。鄧陵子著書見《韓子》。"《氏族略》引文亦同。

纏子一卷

王充《論衡·福虛篇》曰："儒家之徒董無心,墨家之徒纏子,相見講道。纏子稱墨家右鬼神,是引秦穆公有明德,上帝賜之九十年。"

馬總《意林》曰："《纏子》一卷,纏子修墨氏之業,以教於世。"

《廣韻》纏字注云："纏,又姓,《漢書·藝文志》有纏子著書。"

《唐日本國人佐世見在書目》墨家:《纏子》一卷。

孫志祖《讀書脞錄》曰："《文選·文賦》、陶淵明《雜詩》注、《答賓戲》注引《纏子》凡三條,胡元瑞《經籍會通》云:《纏子》,《漢志》不載,而《意林》引用二條,皆與董無心論難語。無心,戰國人,著書闢墨子。纏子,蓋戰國墨之徒也。又《廣韻》注云:《漢書·藝文志》有纏子著書,不知所據。"

馬國翰輯本序曰："纏子,不詳何人,《漢》、《隋》、《唐志》皆不著。馬總《意林》始載《纏子》一卷,《論衡》亦載董無心難纏子,《文選》注亦引《纏子》,搜采爲卷。"

按邵思《姓解》亦云《漢書·藝文志》有纏子書,與《廣韻》同,而《漢志》實無此文,故孫氏云不知所據。《日本書目》明著《纏子》一卷,與《意林》所載合,則是書唐時尚存,且流傳外洋,今不知彼國官庫中尚有存焉否也。

又按《漢志》儒家《董子》一篇注云:"名無心,難墨子。"尋其佚文,蓋董子、纏子相詰難儒、墨二家,各著爲書,各尊其學。

至明代而《纏子》亡,惟存《董子》,見陳第《世善堂書目》。

右墨家者流,凡三家三部。

鬼谷子三卷

《史記》：張儀者，始嘗與蘇秦俱事鬼谷先生學術。又曰：蘇秦東事師于齊，而習之於鬼谷先生。徐廣曰："潁川陽城有鬼谷，蓋是其人所居，因以爲號。"裴駰案：《風俗通義》曰："鬼谷先生，六國時從橫家。"

《藝文類聚‧隱逸門》：袁淑《真隱傳》曰："鬼谷先生，不知何許人也。隱居韜志，居鬼谷山，因以爲稱。蘇秦、張儀師之，遂立功名，先生遺書責之。"

《隋書‧經籍志》：《鬼谷子》三卷，皇甫謐注。鬼谷子，周世隱於鬼谷。《唐‧經籍志》：《鬼谷子》二卷，蘇秦撰。《藝文志》：《鬼谷子》三卷，蘇秦。《宋史‧藝文志》：《鬼谷子》三卷。

唐柳宗元《辨鬼谷子》曰："漢時劉向、班固《錄》、《書》無《鬼谷子》。《鬼谷子》後出，而險盩峭薄，恐其妄言亂世，難信，學者宜其不道。而世之言從橫者，時葆其書。尤者，晚乃益出七術，怪謬異甚，不可考校。其言益奇，而道益陋，使人狂狙失守，而易於陷墜。"

晁氏《讀書志》：《鬼谷子》三卷，鬼谷先生撰。按《史記》戰國時隱居潁川陽城之鬼谷，因以自號。長於養性治身，蘇秦、張儀師之。陸龜蒙詩謂鬼谷先生名詡，《通考》引作"訓"。不詳所從出。來鵠曰："鬼谷子教人詭紿激訐，揣測憸滑之術，六國時得之者，惟儀、秦而已。如捭闔、飛箝，實今之常態。"是知漸漓之後，不讀鬼谷子書者，其行事皆若自然符合也。昔倉頡造字，鬼爲之哭，不知鬼谷子作是書，鬼復何爲耶？按《道藏目錄》云鬼谷子姓王名詡，晉平公時人，并謂受道於老君。宋人僞《子華子》又言鬼谷子姓劉名務滋，楚人。

陳氏《書錄解題》曰："戰國時蘇秦、張儀所師事者，號鬼谷先生，其地在潁川陽城，名氏不傳於世。此書《漢志》亦無有，《隋》、《唐志》始見之，《唐志》則直以爲蘇秦撰，不可攷也。"

王應麟《漢志考證》曰：“尹知章叙謂此書即授秦、儀者。《揣闔》之術十三章，_{一云十二章}。《本經》、《持樞》、《中經》三篇。_{一云}《受》、《轉丸》、《胠篋》三章。秦、儀復往見，先生乃正席而坐，嚴顏而言，告二子以全身之道。”　又曰：“《説苑》引《鬼谷子》曰‘人之不善而能矯之者，難矣’。”

《玉海·藝文》、《中興書目》：三卷，周時高士，無鄉里族姓名字，以其所隱自號鬼谷先生。蘇秦、張儀事之，授以《揣闔》下至《符言》等十有二篇，及《轉圓本經》、《持樞中經》等篇，亦以告儀、秦者也。

《四庫提要》曰：“張守節《史記正義》曰：鬼谷在雒州陽城縣北五里。《七録》有《蘇秦書》，樂壹注云：‘秦欲神秘其道，故假名鬼谷。’此《唐志》之所本也。胡應麟《筆叢》謂《漢志》有《蘇秦》三十篇、《張儀》十篇，必東漢人本二書之言，薈粹爲此，而託於鬼谷，若子虚、亡是之屬。其言頗爲近理，然亦終無確據。《隋志》稱皇甫謐注，則爲魏晋以來書，固無疑耳。《説苑》引《鬼谷子》有‘人之不善而能矯之者難矣’一語，今本不載，疑非其舊。然今本已佚其《轉丸》、《胠篋》二篇，惟存《揣闔》至《符言》十二篇。劉向所引或在佚篇之内，不足以致疑也。高似孫《子略》稱其一闔一闢，爲《易》之神，一翕一張，爲老氏之術，出於戰國諸人之表，誠爲過當。宋濂《潛溪集》詆爲‘蛇鼠之智’，又謂‘其文淺近，不類戰國時人’，又抑之太甚。柳宗元《辨鬼谷子》以爲‘言益奇而道益隘’，差得其真。蓋其術雖不足道，其文之奇變詭偉，要非後世所能爲也。”

《四庫全書簡明目録》曰：“《唐志》以爲蘇秦撰，莫能詳也。其書爲縱橫家之祖。原本十四篇，今佚其二。舊有樂壹等四家注，今並不傳。”

　按劉向《説苑·善説篇》引《鬼谷子》，則漢時有其書審矣。注

其書者，有皇甫謐、樂壹、陶弘景、尹知章四家。今惟陶《注》
三卷在《道藏》，江都秦恩復刻之。上卷四篇，曰：《捭闔篇》
第一，《反應篇》第二，《内揵篇》第三，《抵巇篇》第四。中卷八
篇，曰：《飛箝篇》第五，《忤合》第六，《揣篇》第七，《摩篇》第八，
《權篇》第九，《謀篇》第十，《決篇》第十一，《符言篇》第十二。其
《轉丸》十三、《胠篋》十四兩篇亡。或曰《轉丸》、《胠篋》即下卷《本經》、《中
經》。下卷爲《本經陰符》七篇，及《持樞》、《中經》，凡二十一篇。

右從橫家者流，凡一家一部。

雜書十九篇　　汲冢竹書。

束晳《竹書叙目》曰："又《雜書》十九篇，《周食田法》、《周書》、
《論楚事》、《周穆王美人盛姬死事》。"按荀勗所校以盛姬死事編入《穆
天子傳》第六卷。

晋衛恆《四體書勢》曰："太康元年，汲縣人盜發魏襄王冢，得
策書十餘萬言。古書亦有數種，其一卷《論楚事》者最爲工
妙，恆竊悦之，故竭愚思以贊其美。"按《四體書勢》其首一體即汲冢古
文，衛黃門爲之贊也。

嚴可均《全上古三代文編》曰："按古文《周書》亦汲冢所得，今
僅《文選·思玄賦》注、《赭白馬賦》注引有二條，或以《逸周
書》當之，非也。"按《御覽》數引汲冢《周書·王會篇》，蓋沿《隋志》之誤，以《逸
周書》爲汲冢《周書》也。

口名三篇　　汲冢竹書。

束晳《竹書篇目》曰："《口名》三篇，似《禮記》，又似《爾雅》、
《論語》。"

按是書初以爲名家言，及觀謝氏《小學攷》，乃以《楚晋事
名》標目。今按《晋書·束晳傳》"楚晋事"三字指上《國語》
三篇而言，非屬下文。又無錫浦起龍《史通通釋》引《束晳

傳》云："《國語》三篇，言楚晉事。《囗名》三篇，似《禮記》，又似《爾雅》、《論語》。"見《申左篇》後。蓋所見《晉書》"名"上敓一字。今本去"囗"，遂不知上有敓文，以其名書曰"名"，故始以爲名家之書。然則是書大抵言名物，如《釋名》事始、物始之流，今入雜家，而從浦氏所見標其目。

淳于髡書

《史·孟荀列傳》：自騶衍與齊之稷下先生，如淳于髡、慎到、環淵、接子、田駢、騶奭之徒，各著書言治亂之事，以干世主，豈可勝道哉！又曰：淳于髡，齊人也。博聞彊記，學無所主。其陳說，慕晏嬰之爲人也，然而承意觀色爲務。客有見髡於梁惠王，壹語連三日三夜無倦。惠王欲以卿相位待之，髡因謝去。於是送以安車駕駟，束帛加璧，黃金百鎰。終身不仕。又《騶奭傳》曰：齊王自淳于髡以下，皆命曰列大夫，爲開第康莊之衢，高門大屋，尊寵之。又《荀卿傳》曰：荀卿年五十始來游學於齊。騶衍之術迂大而閎辯；奭也文具難施；淳于髡久與處，時有得善言。故齊人頌曰："談天衍，雕龍奭，炙轂過髡。"《集解》引劉向《別錄》曰："過字作輠。輠者，車之盛膏器也。炙之難盡，猶有餘流者。言淳于髡智不盡如炙輠也。"

《史·滑稽列傳》：淳于髡者，齊之贅壻也。長不滿七尺，滑稽多辯，數使諸侯，未嘗屈辱。齊威王以髡爲諸侯主客。

應劭《風俗通義》曰："齊威、宣王之時，聚天下賢士於稷下，尊寵若騶衍、田駢、淳于髡之屬甚衆，號曰列大夫，皆世所稱，咸作書刺世。是時，孫卿有秀才，善爲《詩》、《禮》、《易》、《春秋》，年五十始來游學，諸子之事皆以爲非先王之法也。"

趙岐《孟子注》曰："淳于，姓。髡，名也。齊之辯士。"

按裴駰《集解》引劉向《別錄》文，或爲淳于髡書，或爲騶衍、騶奭書，無以詳知。特是《史記》、《風俗通》並言其著書，荀卿稱其時有善言，則當日必有所作。今見於《史記》、《孟子》者，或出是書。《戰國策》言一日而見七士於宣王云云，其說亦當出是書。

子華子

《玉海·藝文》曰："《莊子·讓王篇》稱子華子見韓昭侯，陸德明以爲魏人。《吕氏春秋》引'子華子曰'，注'子華子，體道人也'。"《通志·氏族略》曰："以諸國人字爲氏者，有子華氏。韓有子華子，因以爲氏焉。"

《四庫提要》僞本《子華子》條：子華子之名見於《列子》，又《吕氏春秋》引子華子者凡三見，高誘以爲古體道人，是秦以前原有《子華子》。

嚴可均《全上古三代文編》曰："《吕氏春秋·貴生篇》、《先己篇》、《誣徒篇》、《知度篇》、《審爲篇》引子華子五事，則《子華子》先秦古書也。"

時子

趙岐《孟子注》曰："時子，齊臣也。"

宋鄧名世《古今姓氏書辨證》曰："齊大夫時子與孟子同時，王嘗使留孟子。"

林寶《元和姓纂》曰："齊有賢人時子著書，見《孟子》。"《通志·氏族略》同，又云《新論》有時農。

公行子

趙岐《孟子注》曰："公行子，齊大夫也。"

《廣韻》一束"公"字注：公，又複姓。孟子爲公行子著書，《左傳》晉成公以卿之庶子爲公行大夫，其後氏焉。

白鹿先生書

《風俗通·姓氏篇》：白鹿氏，白鹿先生，古賢人，著書。《元和姓纂》、《氏族略》引文並同。

立如子

《風俗通·姓氏篇》：立如氏，魯有賢人立如子，著書。《氏族略》引文同。

《廣韻》二十六緝“立”字注：立，又複姓。魯有賢人立如子。

宋邵思《姓解》引《姓苑》云：“古有賢人立如子”。按《姓苑》，劉宋何承天撰。

坤年子

《風俗通·姓氏篇》：坤年子，六國時，著書。《元和姓纂》引文同。

司鴻苟書

《風俗通·姓氏篇》：司鴻氏，古有司鴻苟，著書。《古今姓氏書辨證》、《氏族略》引文並同。

戚子

林寶《元和姓纂》曰：“戚氏，衞大夫食采於戚，因氏焉。先賢戚子，著書。”

鄭樵《氏族略》曰：“戚氏，衞大夫食采於戚，因氏焉。其地在衞州頓邱。昔賢有戚子，著書。”

按《古今人表》戚子列第六等，與根牟子、申子、慎子、嚴周、惠施、公孫龍、魏公子牟相類從，皆著書傳世者。

須胊書　疑“須朐”之譌。

林寶《元和姓纂》曰：“須胊，楚賢人，著書。”

按《氏族略》云：“須句氏，子爵，風姓，太昊之後也。鄆州壽張縣西須朐城是其國，子孫即以國爲氏。或省‘句’爲須氏，或省‘須’爲句氏。又有須國，姞姓。又商有密須國，其後亦爲須氏，今涇州靈臺是其國也。”此須胊當是姓須名胊，然孫氏編入複姓，是爲須胊氏。攷須胊氏不見於氏姓諸書，殆須朐之譌。然則著書者爲須朐氏，失其名。

無婁先生書

林寶《元和姓纂》曰：“無婁氏，莒大夫無婁務胡之後。又無婁先生著書。今瑯琊有此姓。”務胡，或作“修胡”。

鄭樵《氏族略》曰：“無婁氏，嬴姓，莒公子無婁之後。無，亦作務。又無婁先生著書。”

將閭子

《廣韵》九魚“閭”字注：閭，又複姓。《藝文志》云“古有將閭子，名菀，好學著書”。

林寶《元和姓纂》曰：“將閭氏，《漢書·藝文志》云將閭子名菀，著書，見《莊子》。”《氏族略》無末句。

邵思《姓解》曰：“《藝文志》古有將閭菀著書。”

　　按《莊子·天地篇》作“蔣閭葂”。俞樾《莊子人名考》曰：“蔣，一作將。葂，亦作菀。將閭，複姓。《廣韵》古有將閭子名菀，即其人也。”今檢《漢書·藝文志》實無是書，不知諸家何以云爾。

室中周書十篇

《廣韵》一東“中”字注：中，又複姓。《漢書·藝文志》有室中周著書十篇。林寶《元和姓纂》曰：“《漢書·藝文志》有室中周著書十篇。王莽時，室中公避地漢中。《漢功臣表》清簡侯室中同。”《氏族略》云“傳封四代”。

　　按邵思《姓解》及《氏族略》並云《漢·藝文志》有室中周書，張澍《風俗通·姓氏篇》輯注云“室中”亦作“室中”，亦言《藝文志》有《室中周書》十篇，而《漢志》實無是書。

室孫子

邵思《姓解》曰：“室孫氏出《姓苑》，古有室孫子，著書。”

鄭樵《氏族略》曰：“室孫氏，王室之孫也。古有室孫子著書。《姓纂》云今棣州有室孫氏。”

　　按室孫子著書，出宋何承天《姓苑》。鄧名世《古今姓氏書

辨證》云："《漢·藝文志》有宮孫子著書,或云室孫氏,'宮'
訛爲'室'。"據此則室孫子即《漢志》道家之宮孫子。然《氏
族略》引《元和姓纂》云棣州有室孫氏,則室孫子其先也,與
宮孫子別爲一人。《姓苑》之言必有所自來,疑亦本之《風
俗通》。

接子十篇

趙岐《三輔決録》曰："接子名昕,著書十卷。"張澍輯注曰:
"按《廣韵》引'接昕子'三字,《氏族略》引'卷'作'篇'。又按
接子武帝時人,與齊接子是二人。"

按《元和姓纂》引《三輔決録》云："接子昕著書十篇。"邵思
《姓解》云《三輔決録》有接昕子。惟鄭樵《氏族略》、鄧名世
《辨證》並引接子名昕,始末亦未詳。

右自淳于髡書至此凡一十五家,皆不知其書當何屬,今併
列之雜家。雜家固兼儒、墨,合名、法者也。又《元和姓纂》
孫輯本引《風俗通》云："遾到,韓大夫,著《遾子》三十篇。"
似與慎到一條相亂。又"匠麗氏,鄭穆公時匠麗寇之後,著
書八篇"。似與《列禦寇》一條相亂,今並不取。

茂陵書

《史記集解》序索隱曰："臣瓚注《漢書》有引《秩禄令》及《茂陵
書》,彼二書亡於西晋。"

《漢書叙例》宋祁曰:景祐余靖校本云："臣瓚所采衆家音義,
自服虔、孟康以外,並因晋亂湮滅,不傳江左。"而《高紀》中
"瓚案《茂陵書》",《文紀》中"案漢《秩禄》",今此二書亦復亡
失,不得過江,明此瓚是晋中朝人,未喪亂之前,故得見其先
輩音義及《茂陵書》、《漢令》等耳。

《玉海·藝文》曰："漢《茂陵書》,《高紀》、《文紀》、《食貨志》注

臣瓚引之，《史記索隱》云亡於西晉。"

按《茂陵書》今見於《漢書》臣瓚注所引者，凡《高紀》、《文紀》、《武紀》、《百官公卿表》、《禮樂志》、《食貨志》、《衛青傳》、《公孫賀傳》，綜十餘條。裴駰《史記集解》中引瓚説亦間有《茂陵書》數條。《唐六典》卷十九注又別出一條。知今本《漢書》刊落臣瓚音義不少矣。所言多制度、地理之事，亦稱《茂陵中書》。按武帝葬茂陵，《王莽傳》末言赤眉入長安，園陵皆發掘，唯霸陵、杜陵完。<small>文帝、宣帝陵也。</small>是茂陵亦遭發掘，茂陵中書豈出於斯時歟？《秩禄令》見法家漢令條。

劉向　七略別録二十卷　<small>向始末具《六藝》禮類。</small>

《漢書》本傳：成帝方精於《詩》、《書》，觀古文，詔向領校中五經秘書。書數十上，以助觀覽，補遺闕。又傳贊曰："《七略》剖判藝文，總百家之緒，有意其推本之也。"師古曰："言其究極根本，深有意也。"

《漢書·藝文志》：至成帝時，以書頗散亡，使謁者陳農求遺書於天下。詔光禄大夫劉向校經傳諸子詩賦，步兵校尉任宏校兵書，太史令尹咸校數術，侍醫李柱國校方技。每一書已，向輒條其篇目，撮其指意，録而奏之。

梁阮孝緒《七録·叙目》曰："至孝成之世，命光禄大夫劉向及子俊、歆等讎校篇籍。<small>孫星衍《續古文苑校文》曰："案'俊'當作'伋'。《漢書》向本傳云長子伋，以《易》教授，官至郡守，不云曾受詔校書。阮此言疑出《別録》《七略》也。"</small>每一篇已，輒録而奏之。"又曰："昔劉向校書，輒爲一録，論其指歸，辨其訛謬，隨竟奏上，皆載在本書。時又別集衆録，謂之《別録》，即今之《別録》是也。"

《隋志》史部簿録篇曰："古者史官既司典籍，蓋有目録以爲綱紀，體制堙滅，不可復知。漢時劉向《別録》、劉歆《七略》，剖析條流，各有其部，推尋事迹，疑則古之制也。"又曰："《七略別録》二十卷，劉向撰。"《唐·經籍志》雜四部書目類同。《藝文志》目録類劉向《七略別録》二十卷。

嚴可均《全漢文編》輯本曰："劉向有《七略別録》二十卷。各書所引《別録》、《七略》多同，今以題劉向者俱入於《別録》，凡一百一條，又附録一條。"馬氏《玉函山房》亦輯一卷。漢州張氏《受經堂叢書》亦刻一卷，即馬氏輯本。

劉歆　七略七卷　歆始末具《六藝》尚書家。

《漢書》本傳：河平中，受詔與父向領校秘書，講六藝傳記，諸子、詩賦、數術、方技，無所不究。向死後，哀帝初即位，大司馬王莽舉歆宗室有材行，貴幸。復領五經，卒父前業。歆乃集六藝羣書，種別爲《七略》。

《漢書·藝文志》：會向卒，哀帝復使向子侍中奉車都尉歆卒父業。歆於是總羣書而奏其《七略》，故有《輯略》，有《六藝略》，有《諸子略》，有《詩賦略》，有《兵書略》，有《術數略》，有《方技略》。師古曰："輯與集同，謂諸書之總要。"

阮孝緒《七録·叙目》曰："會向亡，哀帝使歆嗣其前業。乃徙溫室中書於天禄閣上，歆遂總括羣篇，奏其《七略》。"又曰："向子歆撮其指要，著爲《七略》。其一篇即六篇之總最，故以《輯略》爲名，次《六藝略》，次《諸子略》，次《詩賦略》，次《兵書略》，次《數術略》，次《方技略》。"又曰："向、歆雖云《七略》，實有六條。劉氏之世，史書甚寡，附見《春秋》，誠得其例。詩賦不從《六藝》詩部，蓋由其書既多，所以別爲一略。"又《古今書最》曰："《七略》書三十八種，六百三家，一萬三千二百一十九卷。五百七十二家亡，三十一家存。"今本《藝文志》大凡書六略三十八種，五百九十六家，萬三千二百六十九卷，與此大異。

《唐六典》集賢殿書院注：漢劉歆總羣書而爲《七略》，凡三萬三千九十卷。《隋·經籍志》亦云大凡三萬三千九十卷，與本志及《七録》所載卷數大異。

《隋志》史部簿録篇：《七略》七卷，劉歆撰。《唐·經籍志》雜四部書目類同。《藝文志》目録類：劉歆《七略》七卷。

嚴可均《全漢文編》輯本曰："劉歆有《七略》七卷，今所輯凡五十三條，其後四條不類《七略》，今姑附此。"

> 按《藝文志》曰"雜家者流，蓋出於議官。兼儒、墨，合名、法"。《隋·經籍志》云"雜者，通衆家之意，蓋史官之職"。此兩書實史官、議官所有事，通衆家之意者也，則列之雜家，於義爲允。然舉其重而言，亦可入之儒家。

右雜家者流，凡二十家二十部。程本《子華子》二卷，宋人僞託。《於陵子》一卷，明人僞託。不録。

陶朱公 養魚法一卷 范蠡始末見前陰陽家。

《文選·張景陽七命》注：陶朱公《養魚經》曰："威王聘朱公，問之曰：'公家累億金，何術乎？'朱公曰：'夫爲生之法五，水畜第一。所謂水畜者，魚池也。以六畝地爲池，池中有九洲，即求懷子鯉魚，以二月上旬庚日内池中。養鯉者，鯉不相食，易長又貴也。'"亦見《太平御覽》九百三十六，引文小異。

《隋志》子部農家：梁有陶朱公《養魚法》一卷，亡。《唐·經籍志》：《養魚經》一卷，范蠡撰。《藝文志》：范蠡《養魚經》一卷。《宋志》：陶朱公《養魚經》一卷。

馬國翰輯本序曰："書言威王者，齊威王也。今惟《齊民要術》引之，陶宗儀《説郛》弓第一百七有此書，蓋亦從《要術》録出。而《要術》所引又有《作魚池法》，兹據訂正。賈思勰謂'如朱公收利，未可頓求。然依法爲池，養魚必大豐足，終天靡窮，斯以無資之利也'。余甚韙乎其言。"

> 按《世説·任誕篇》注：《襄陽記》曰："漢侍中習郁於峴山南，依范蠡《養魚法》作魚池。"又《藝文類聚》四十九引習鑿

齒《襄陽耆舊傳》："習郁，光武時爲侍中，拜大鴻臚，封襄陽
侯。"是此書爲先漢時所有，故郁得見之，非後人僞託從可
知矣。唐段公路《北戶錄》亦引之。

商丘子　養豬法

劉向《列仙傳》：商丘子胥者，高邑人也，按《世説》注引作"子晉，商
邑人"。好牧豕吹竽。年七十不娶婦而不老，邑人多奇之，從
受道，問其要，言但食术菖蒲根，飲水，不飢不老如此。傳世
見之三百餘年。貴戚富室聞之，取而服之，不能終歲輒止墮
慢矣，謂將復有匿術也。贊曰：商丘幽棲，韞櫝妙術。渴飲
寒泉，飢茹蒲术。吹竽收豕，卓犖奇出。道足無求，樂兹
永日。

《世説新語・輕詆篇》：孫綽作《列仙商丘子》贊曰："所牧何
物，殆非真豬，儻過風雲，爲我龍攄。"

《太平御覽》九百三引《博物志》曰："商丘子有《養豬法》。"

按商丘子不知何時人，今本《列仙傳》叙次不可憑，據《博物
志》當在卜式之前。

卜式　養羊法一卷　養豬法一卷

《漢書》本傳：卜式，河南人也。以田畜爲事。畜羊百餘，入山
牧，十餘年，羊致千餘頭，買田宅。時漢方事匈奴，式上書，願輸
家財半助邊。不報。數歲，復持錢二十萬與河南太守，以給徙
民。上乃賜式外繇四百人，式又盡復與官。是時富豪皆爭匿
財，唯式尤欲助費。上於是以式終長者，乃召拜爲中郎，賜爵左
庶長，田十頃，布告天下，尊顯以風百姓。初，式不願爲郎，上曰：
"吾有羊在上林中，欲令子牧之。"式既爲郎，布衣草蹻而牧羊。歲
餘，羊肥息。上過其羊所，善之。式曰："非獨羊也，治民亦猶是
矣。以時起居，惡者輒去，毋令敗羣。"上奇其言，欲試治民。拜式
緱氏令，遷成皋令。上以式樸忠，拜爲齊王太傅，轉爲相。會呂

嘉反，式上書請行。上賢之，下詔布告天下，賜式爵關內侯。元鼎中，徵式代石慶爲御史大夫。貶秩爲太子太傅，以壽終。

《太平御覽》九百三引《博物志》曰：“商邱子有《養豬法》，卜式有《養豬羊法》。”按今本張華《博物志》無此文。

《隋志》子部農家：梁有卜式《養羊法》、《養豬法》各一卷，亡。按本文云：“梁有卜式《養羊法》、《養豬法》、《月政畜牧裁種法》，各一卷，亡。”今據《博物志》知《養豬法》亦卜式書，其《月政畜牧裁種法》一卷或非卜式，故不錄。

馬國翰《養羊法》輯本序曰：“史稱式不習文章，未必能著書傳世，而梁《七錄》有卜式《養羊法》一卷，疑出依托。賈思勰《齊民要術·養羊篇》中亦引卜式，兹據以輯錄。”

王莽　井田制度

《漢書·王莽傳》：始建國元年，莽曰：“古者，設廬井八家，一夫一婦田百畝，什一而稅，則國給民富而頌聲作。此唐虞之道，三代所遵行也。秦爲無道，厚賦稅以自供奉，罷民力以極欲，壞聖制，廢井田，是以兼并起，貪鄙生，強者規田以千數，弱者曾無立錐之居。又置奴婢之市，與牛馬同蘭，制於民臣，顓斷其命。姦虐之人因緣爲利，至略賣人妻子，逆天心，悖人倫，繆於‘天地之性人爲貴’之義。予前在大麓，始令天下公田口井，時則有嘉禾之祥，遭反虜逆賊且止。今更名天下田曰‘王田’，奴婢曰‘私屬’，皆不得賣買。其男口不盈八，而田過一井者，分餘田予九族鄰里鄉黨。故無田，今當受田者，如制度。敢有非井田聖制，無法惑眾者，投諸四裔，以禦魑魅，如皇始祖考虞帝故事。”於是坐賣買田宅奴婢，自諸侯卿大夫至於庶民，抵罪者不可勝數。四年，中郎區博諫曰：“井田雖聖王法，其廢久矣。周道既衰，而民不從。秦知順民之心，可以獲大利也，故滅廬井而置阡陌，遂王諸夏，訖今海內未厭其敝。今欲違民心，追復千載絕迹，雖堯、舜復起，而無百年之漸，弗能行也。天下初定，萬民新附，誠未可施行。"莽知民怨，迺下書曰："諸名食王田，皆得賣之，勿拘以法。犯私買賣庶人者，且一切勿治。"地皇二年，故左將軍公孫禄徵來與議，禄曰："明學男張邯、地理侯孫陽造井田，使民棄土業。"王莽知天下潰畔，事窮計迫，迺議除井田、奴婢、山澤、六筦之禁，待見未發。

　　按《莽傳》地皇二、三年所載，則井田、奴婢、六筦之令底於滅亡，終不復除，其前下書所謂勿拘以法、一切勿治者，亦除而未除也。六筦作於魯匡，井田作於張邯、孫陽。

右農家者流，凡四家五部。

周王遊行記五篇　　汲冢竹書束皙本。

《春秋正義》：王隱《晋書·束皙傳》曰："《周王遊行》五卷，説周穆王遊行天下之事。今謂之《穆天子傳》。"

唐修《晋書·束皙傳》曰："《穆天子傳》五篇，言周穆王遊行四海，見帝臺西王母。"

《玉海》五十八：《拾遺記》曰："穆王三十二年巡行天下，有書史十人記其所行之地。"

　　按晁氏《讀書志》言郭璞注荀勖六卷本謂之《周王遊行記》，與王隱所次《束皙傳》同，知束氏原目題此名。今本《晋書》乃曰《穆天子傳》，唐人所改也。此本"程姬死事"一篇，編入《雜書》十九篇中，見前雜家。故止於五卷。

穆天子傳六卷　　汲冢竹書荀勖本。

晋荀勖校上序曰："古文《穆天子傳》者，其書言周穆王遊行之事。《春秋左氏傳》曰：'穆王欲肆其心周行於天下，將皆使有車轍馬跡焉。'此書所載則其事也。王好巡守，得駿驪、騄耳之乘，造父爲御，以觀四荒，北絶流沙，西登昆侖，見西王母，與太史公記同。汲郡收書不謹，多毀落殘缺。雖其言不典，皆是古書，頗有可觀覽。"

《隋志》史部起居注篇：《穆天子傳》六卷，汲冢書，郭璞注。又曰："晋時，又得汲冢書，有《穆天子傳》，體制與今起居注正同，蓋周時内史所記王命之副也。"《唐·經籍志》：《穆天子傳》六卷，郭璞注。《藝文志》：郭璞《穆天子傳》六卷。《宋史·志》别史類：郭璞注《穆天子傳》六卷。

晁氏《讀書志》曰："《穆天子傳》六卷。晋太康二年，汲縣民盜發古冢所得，凡六卷八千五百一十四字，詔荀勗、和嶠等以隸字寫之。郭璞注本謂之《周王遊行記》。勗之時，古文已不能盡識，時有缺者，又轉寫益誤，殆不可讀。"

《四庫提要》曰："按《束皙傳》云'《穆天子傳》五篇，又《雜書》十九篇，《周食田法》、《周書》、《論楚事》、《周穆王美人盛姬死事》'。按今盛姬載《穆天子傳》第六卷，蓋即束皙所謂《雜書》之一篇也。尋其文義，應歸此傳。《束皙傳》别出之，非也。此書記事，有月日而無年，又文多斷缺。所紀雖多夸言寡實，然所謂西王母，不過西方一國君。所謂縣圃者，不過爲飛鳥百獸之所飲食，爲大荒之圃澤，無所謂神仙怪異之事。所謂河宗氏者，亦僅國名，無所謂魚龍變見之説，較《山海經》、《淮南子》猶爲近實。《列子·周穆王篇》所載，與此傳相出入，蓋當時流俗有此載記，如後世小説野乘之類，故列禦寇得捃拾其文耳。世所傳汲冢書、《師春》之類，久已亡佚。《逸周書》又屬誤入《紀年》，僞妄顯然，其真存於今者，惟此傳矣。"

臨海洪頤煊校刊序曰："案《史記》穆王在位五十五年，此書所載，尋其甲子，不過四、五年間事耳。雖殘篇斷簡，其文字古雅，信非周秦以下人所能作，尤足與經史相證。據晁《志》云，書凡六卷八千五百一十四字，今本僅六千六百二十二字，則又非晁氏所見之本矣。”

宋玉子一卷　錄一卷

梁玉繩《人表考》曰：“宋玉見《人表》第五等，玉始見《史·屈原傳》。鄢人，一云宜城人。屈原弟子，體兒閑麗，楚襄王稱爲先生，冢在唐州北陽縣。”

嚴可均《全上古三代文編》曰：“宋玉，郢人，師事屈平，爲頃襄王大夫。”

《隋志》子部小説家：梁有《宋玉子》一卷，錄一卷，楚大夫宋玉撰，亡。

燕丹子一卷

《史記·燕召公世家》：今王喜二十三年，太子丹質於秦，亡歸燕。燕見秦且滅六國，秦兵臨易水，禍且至。太子丹陰養壯士二十人，使荆軻獻督亢地圖於秦，因襲刺秦王。秦王覺，殺軻，使將軍王翦擊燕。二十九年，秦攻拔我薊，燕王亡，徙居遼東，斬丹以獻秦。三十三年，秦拔遼東，虜燕王喜，卒滅燕。

又《荆卿列傳》：燕太子丹者，故嘗質於趙，而秦王政生於趙，其少時與丹驩。及政立爲秦王，而丹質於秦。秦王之遇太子丹不善，故丹怨而亡歸。歸而求爲報秦王者。

《隋志》子部小説家：《燕丹子》一卷。丹，燕王喜太子。《唐·經籍志》：《燕丹子》三卷，燕太子撰。《藝文志》：《燕丹子》一卷，燕丹子。《宋史·志》：《燕丹子》三卷。

孫氏《平津館》、《岱南閣》兩本校刊序曰：“《燕丹子》三卷，世無傳本，惟見《永樂大典》。紀相國昀既錄入《四庫書》子部小説類存目中，乃以抄本見付。《燕丹子》之著錄，始自《隋·經籍志》。然裴駰注《史記》引劉向《別錄》云‘督亢，膏腴之地’，司馬貞《索隱》引劉向云‘丹，燕王熹之太子’，則劉向《七略》

有此書,不可以《藝文志》不載而疑其後出。《藝文志》法家有《燕十事》十篇,雜家有《荆軻論》五篇,据注言司馬相如等論荆軻事,則俱非《燕丹子》也。古之愛士者,率有傳書,由身没之後,賓客紀録遺事,報其知遇。如《管》、《晏》、《吕氏春秋》,皆不必其人自著,則此書題燕太子丹撰者,《舊唐書》之誣,亦不得以此疑其僞也。其書長於叙事,嫻於詞令,審是先秦古書,亦略與《左氏》、《國策》相似,學在從横、小説兩家之間,且多古字古義。《國策》、《史記》取此爲文,削其烏白頭、馬生角及聽秦聲之事,而增徐夫人匕首、夏無且藥囊,足證此書作在史遷、劉向之前,或以爲後人割裂諸書雜綴成之,未必然矣。"

陸賈　南越行紀

《史》、《漢》列傳:陸賈者,楚人也。以客從高祖定天下,名有口辯,居左右,常使諸侯。時中國初定,尉佗平南越,因王之。高祖使賈賜佗印爲南越王。賈至,令稱臣奉漢約。歸報,高帝大悦,拜賈爲太中大夫。孝惠時,吕太后用事,賈自度不能争,迺病免。以好畤田地善,往家焉。爲陳平畫吕氏數事,游漢廷公卿閒,名聲籍甚。及誅吕氏,立孝文,賈頗有力。孝文即位,欲使人之南越。丞相平乃言賈爲太中大夫,往使尉佗,去黄屋稱制,令比諸侯,皆如意指。陸生竟以壽終。

晋嵇含《南方草木狀》曰:"耶悉茗花、末利花,皆胡人自西國移植於南海,南人憐其芳香,競植之。陸賈《南遊行紀》曰:'南越之境,五穀無味,百花不香。'此二花特芳香,緣是别國移至,不隨水土而變與?夫橘化爲枳,異矣。彼中女子以綵絲穿花心以爲首飾。又陸賈《南越行紀》曰:'羅浮山頂有胡楊梅、山桃,繞其際海,人時登採拾,止得于上飽噉,不得持下。'"

明楊慎《丹鉛總録》：古書不知名者，如《水經》引《南中行紀》，亦不出姓氏。考嵇含《南方草木狀》，始知陸賈作《南中行紀》，乃知前人或略，後或有考焉，未可遽付之不知也。

按陸大夫兩使南越，宜有此作。嵇含生於魏末，距漢未遠，所見當得其真。南越，楊氏誤爲南中，蓋率由記憶，不求甚碻，其所作往往如此，前人亦嘗言之。

許博昌　六博經一篇

《西京雜記》：許博昌，安陵人也，善陸博。竇嬰好之，常與居處。其術曰："方畔揭道張，張畔揭道方，張究屈玄高，高玄屈究張。"又曰："張道揭畔方，方畔揭道張，張究屈玄高，高玄屈究張。"三輔兒童皆誦之。法用六箸，或謂之究，以竹爲之長，六分。或用二箸。博昌又作《六博經》一篇，今世傳之。

按《王莽傳》平原女子遲昭平能説經博以八投。服虔曰："《博弈經》以八箭投之。"意即《六博經》之類。

上林禽獸簿

《漢書·張釋之傳》：上登虎圈，問上林尉禽獸簿，十餘問，尉左右視，盡不能對。虎圈嗇夫從旁代尉對上所問禽獸簿甚悉。文帝曰："吏不當如是耶？"師古曰："圈養，獸之所也。簿謂簿書也。"

按漢初即有上林，設令尉等官掌其簿籍。至武帝擴而大之，至三百餘里。

上林草木名

《西京雜記》曰"初修上林，羣臣遠方各獻名果異樹，亦有製爲美名，以標奇麗。余就上林令虞淵得朝臣所上草木名二千餘種。鄰人石瓊就余求借，一皆遺棄。今以所記憶，列於篇右"云云。

按劉子駿所記自梨訖楓凡若干種，有云琅邪太守王唐所獻者，嶧陽都尉曹龍所獻者，東郡都尉于吉所獻者，蓋當時上林令有簿籍典守也。

漢武帝禁中起居注一卷
漢武故事二卷

葛洪《西京雜記序》曰："洪家復有《漢武帝禁中起居注》一卷，《漢武故事》二卷，世人希有之者。今并爲五卷一袟，庶免淪沒焉。"并《西京雜記》、《起居注》、《故事》三種爲一袟五卷焉。

《隋志》史部起居注篇：漢武帝有《禁中起居注》，後漢明德馬后撰《明帝起居注》。然則漢時起居似在宮中爲女史之職，然皆零落不可復知。又舊事篇《漢武帝故事》二卷，《唐·經籍志》故事類著録同，《藝文志》同。

《史通·史官篇》：古者人君，外朝則有國史，内朝則有女史，内之與外，其任皆同。故晉獻惑亂，驪姬夜泣，床第之私，房中之事，不得掩焉。楚昭王譙游，蔡姬對以其願，王顧謂史："書之，蔡姬許從孤死矣。"夫宴私而有書事之册，蓋受命者即女史之流乎？至漢武帝時，有《禁中起居注》，明德馬皇后撰《明帝起居注》。凡斯著述，似出宮中，求其職司，未聞位號。

按《御覽》六百六十四引《漢起居注》曰："李少君之將去也，武帝夢共登高山，見使者稱太一之命召請。既覺，語左右曰：'少君將去。'數日，果病死解去。"當即此《禁中起居注》。亦見《抱朴子·論仙篇》。又按《漢起居注》大抵皆備於《漢著記》百九十卷中，見《漢志》春秋家。《故事》則録在尚書。此兩書皆當時别行之本，大都小説家言爲多，故列於此。又按《隋志》所載，當出葛稚川所傳。兩《唐志》唯有《故事》二卷。今傳《漢武故事》一卷，題班固撰者，唐張柬之《洞冥記》跋云"出齊王儉"，非稚川所見明矣。《宋志》有班固《漢武故事》五卷，似即王儉書，今本又非其全帙。

方士傳

《史記·封禪書》：騶衍以陰陽主運顯於諸侯，而燕、齊海上之方士傳其術不能通，然則怪迂阿諛苟合之徒自此興，不可勝數也。《漢書·郊祀志》同。

劉向《別錄》曰："《方士傳》言騶衍在燕，燕有谷地美而寒，不生五穀。騶子居之，吹律而溫氣至，五穀生，今名黍谷。"

劉歆《七略》曰："《方士傳》言騶子在燕，其遊諸侯畏之，皆郊迎而擁篲。"

按《史記·孟荀列傳》云："齊有三騶子。其前騶忌，先孟子。其次騶衍，後孟子。騶子適梁，梁惠王郊迎，執賓主之禮。適趙，平原君側行撇席。如燕，昭王擁篲先驅，請列弟子之座而受業，築碣石宮，身親往師之。其游諸侯見尊禮如此。"與《七略》所言《方士傳》語同。然則《方士傳》當作於戰國時，史公亦据以采撫歟？《北堂書鈔》引《騶衍別傳》亦當出是書。

李陵別傳

《御覽》四百八十九引《李陵別傳》曰："陵與蘇武書曰：'男兒生不成名，死必葬蠻夷中耳。誰復能屈伸稽顙還向北闕，使刀筆吏弄其文墨耶？願足下勿復望陵。嗟乎！子卿知復何言？相去萬里，人絕路殊，生爲離別之人，死爲異域之鬼。'"

按《李陵別傳》當是前漢人作。陵既不得已降匈奴，漢朝人士頗有憫惜之者，故爲是傳，志悲感焉。《隋志》有梁任昉《雜傳》一百四十七卷，賀蹤《雜傳》七十卷，陸澄《雜傳》十九卷，無名氏《雜傳》十一卷，皆篹集先代別傳彙爲一袠者。此傳當在其內，故不別著錄。陵與蘇武書見《文選》，或以爲魏晉六朝人擬作，亦無碻證。

東方朔別傳八卷

《漢書》本傳：凡劉向所録朔書具是矣。世所傳他事皆非也。

又曰："朔之詼諧,逢占射覆,其事浮淺,行於衆庶,童兒牧豎莫不眩耀。而後世好事者因取奇言怪語附著之朔,故詳錄焉。"顏師古曰："謂如《東方朔別傳》及俗用五行時日之書,皆非實事也。"又曰："言此傳所以詳錄朔之辭語者,爲俗人多以奇異妄附於朔故耳。欲明傳所不記,皆非其實也。"

章宗源《隋志考證》曰："《漢書‧東方朔傳》注謂如《朔別傳》皆非實事。愚按《藝文類聚》諸書引《朔別傳》,類皆奇言謔語。惟《文選‧報任少卿書》注引朔對武帝'刑不上大夫'之言,最爲莊論。《御覽》兵部引朔上書,人事部朔形容公孫丞相、倪大夫等語,與《漢書》本傳同。《世說‧規箴篇》注引朔南陽步廣里人,本傳稱平原厭次人,此可考異。"

按《史記‧滑稽列傳》附褚少孫語六事中,有東方朔事,與史傳互有同異,似即采之《別傳》。少孫自言爲郎時好讀外家傳語。按外家傳語即《別傳》之流,然則此《別傳》漢時所有,褚少孫所見者歟?

右小說家者流,凡一十三家一十三部。晉嵇含《南方草木狀》引東方朔《瑰語》、東方朔《林邑記》。按林邑在漢爲日南郡象林縣地。漢末大亂,有殺縣令自立爲王者,林邑國之名始此。西漢初立,郡縣未有此名。蓋魏晉時人所託也。又有東方朔《神異經》、《十洲記》、《伶元飛燕外傳》、師曠《禽經》各一卷,並後人依託,不錄。

右諸子十種,凡七十四家八十二部。太史公司馬談《論六家要旨》曰陰陽、儒、墨、名、法、道德,而歸本於老氏。劉中壘父子纂《錄》、《略》,知六家不足以盡其派別也,於是益以從橫家、雜家、農家爲九流,而小說家不與焉。故曰："諸子十家,其可觀者九家而已。"十家之書亡於周秦之際者多矣。《韓非子‧備內篇》引《桃左春秋》,《顯學篇》言孔、墨之後,儒分爲八,墨離爲三。八儒中自七十子後,有仲梁氏之儒、邵思《姓解》云"古之隱者有仲梁子"。樂正氏之儒。三墨中有相夫氏之墨、五侯子、苦獲、己齒之墨。《荀子・非十二子篇》有它囂、陳仲、史鰌。《韓詩外傳》論十子有范雎、田文、尸子。《廣澤篇》稱皇子貴衷，料子貴別。《吕覽・不二篇》謂陽生貴己，按即楊朱。王廖貴先。此十餘家尤顯見者也，而皆不見於《藝文志》。意《志》所載諸子皆已略見及之矣，然其初未必非各自爲書，今並不可攷。

漢書藝文志拾補卷三

詩賦略第三

楚辭十六篇

王逸《楚辭章句序》曰："孝武帝恢廓道訓，使淮南王安作《離騷經章句》，則大義粲然。後世雄俊，莫不瞻慕，舒肆妙慮，纘述其詞。逮至劉向，典校經書，分爲十六卷。"

《隋書·經籍志》：楚有賢臣屈原，被讒放逐，乃著《離騷》八篇，言己離別愁思，申抒其心，自明無罪，因以諷諫，冀君覺悟，卒不省察，遂赴汩羅死焉。弟子宋玉，痛惜其師，傷而和之。其後，賈誼、東方朔、劉向，嘉其文采，擬之而作。蓋以原楚人也，謂之楚辭。按此以景差《大招》一篇爲屈原作，故云八篇。

晁氏《讀書志》曰："平自傷忠而被謗，乃作《離騷經》以諷，不見省納。及頃襄王立，又放之江南，復作《九歌》、《天問》、《九章》、《遠游》、《卜居》、《漁父》、《大招》，自沈汩羅以死。其後，楚宋玉作《九辨》、《招魂》，漢賈誼作《惜誓》，淮南小山作《招隱士》，東方朔作《七諫》，嚴忌作《哀時命》，褒作《九懷》，劉向作《九歎》，皆儗其文，而哀平之死於忠。向典校經書，分爲十六卷。"

《四庫提要》曰："哀屈、宋諸賦定名'楚辭'，自劉向始也。初向集屈原《離騷》、《九歌》、《天問》、《九章》、《遠遊》、《卜居》、《漁父》，宋玉《九辨》、《招魂》，景差《大招》，而以賈誼《惜誓》、淮南小山《招隱士》、東方朔《七諫》、嚴忌《哀時命》、王褒《九懷》及向所作《九歌》，共爲《楚辭》十六篇，是爲總集之祖。"

嚴可均《三代文編》曰："王逸曰《大招》屈原之所作也，或曰景差，疑不能明也。洪興祖以爲非屈原作。今案《漢志》屈原賦二十五篇，謂《離騷》一篇，《九歌》十一篇，《天問》一篇，《九章》九篇，《遠遊》、《卜居》、《漁父》各一篇，洪説是也。"

淮南王安　離騷傳

《漢書》列傳：淮南厲王長，高帝少子也。十一年，淮南王布反，上自將擊滅布，立子長爲淮南王。文帝六年，以謀反廢，徙蜀，不食而死。八年，封王子安爲阜陵侯。十六年，立爲淮南王。爲人好書，鼓琴，不喜弋獵狗馬馳騁，亦欲以行陰德拊循百姓，流名譽。時武帝方好藝文，以安屬爲諸父，辯博善爲文辭，甚尊重之。初，安入朝，上使爲《離騷傳》，旦受詔，日食時上。後謀反，自殺，國除爲九江郡。又《武帝本紀》：元狩元年十一月，淮南王安、衡山王賜謀反，誅。黨與死者數萬人。班固《離騷經章句》序曰："昔在孝武，博覽古文。淮南王安叙《離騷傳》，以爲'《國風》好色而不淫，《小雅》怨誹而不亂。若《離騷》者，可謂兼之。蟬蜕濁穢之中，浮游塵埃之外，皭然泥而不滓。推此志，雖與日月爭光可也'。斯論似過其真。又説五子以失家巷，謂五子胥也。及至羿、澆、少康、貳姚、有娀佚女，皆各以所識有所增損，然猶未得其正也。"

《隋志》集部楚辭篇曰："始漢武帝命淮南王爲之章句，旦受詔，日食時而奏之，其書今亡。"

劉向　天問解　向始末具《六藝》禮家。

揚雄　天問解　雄始末具《六藝》小學家。

王逸《楚辭章句·天問篇》叙曰："昔屈原所作，凡二十五篇，世相教傳。而莫能説《天問》，以其文義不次，又多奇怪之事。自太史公口論道之，多所不逮。至于劉向、揚雄，援引傳記以解説之，亦不能詳悉。所闕者衆，日無聞焉。既有解詞，乃復多連蹇其文,濛凘其説,故厥義不昭,微指不晢,自游覽者,靡不苦之,而不能照也。”

梁孝王 羣臣賦

《漢書·文三王傳》:孝文皇帝四男:竇皇后生孝景帝、梁孝王武。武以孝文十二年王梁。梁最親,又爲大國,居天下膏腴地,四十餘城,多大縣。孝王,太后少子,賞賜不可勝道。於是孝王築東苑,方三百餘里,廣睢陽城七十里,大治宮室,爲復道,自宮連屬於平臺三十餘里。得賜天子旌旗,從千乘萬騎,出稱警,入言趯,儗於天子。招延四方豪桀,自山東游士莫不至:齊人羊勝、公孫詭、鄒陽之屬。詭官至中尉,號公孫將軍。

《漢書·司馬相如傳》:相如事孝景帝,爲武騎常侍。景帝不好辭賦,是時梁孝王來朝,從游説之士齊人鄒陽、淮陰枚乘、吳嚴忌夫子之徒,相如見而説之,因病免,客游梁,得與諸侯游士居,數歲,孝王薨,相如歸。

《西京雜記》曰:“梁孝王游於忘憂之館,集諸游士,各使爲賦。枚乘爲《柳賦》,路喬如爲《鶴賦》,公孫詭爲《文鹿賦》,鄒陽爲《酒賦》,公孫乘爲《月賦》,羊勝爲《屏風賦》,韓安國作《几賦》不成,鄒陽代作。鄒陽、安國罰酒三升,賜枚乘、路喬如絹,人五匹。”

按此必劉子駿目見其書,故載其事,而並録其辭。意當日所作,似不止此數人,或有所略歟?

圖詩一篇 汲冢竹書。

束皙《竹書叙目》曰:“《圖詩》一篇,畫贊之屬也。”

孝武皇帝 柏梁臺詩

《漢書》本紀:元鼎二年春,起柏梁臺。服虔曰:“用百頭梁作臺,因名焉。”師古曰:“《三輔舊事》云以香柏爲之。今書字皆作‘柏’,服説非也。”又《本紀》太初元年十月乙酉,柏梁臺災。

《藝文類聚·雜文部》：漢孝武帝元封三年，作柏梁臺，詔羣臣二千石有能爲七言者，乃得上坐。皇帝曰：日月星長和四時。梁王曰：驂駕駟馬從梁來。大司馬曰：郡國士馬羽林材。丞相曰：總領天下誠難治。大將軍曰：和撫四夷不易哉。御史大夫曰：刀筆之吏臣執之。太常曰：撞鐘伐鼓聲中詩。宗正曰：宗室廣大日益滋。衞尉曰：周衞交戟禁不時。光禄勳曰：總領從官柏梁臺。廷尉曰：平理請讞決嫌疑。太僕曰：脩飾輿馬待駕來。大鴻臚曰：郡國吏功差次之。少府曰：乘輿御物主持之。大司農曰：陳粟萬石揚以箕。執金吾曰：徼道宮下隨討治。左馮翊曰：三輔盜賊天下先。右扶風曰：盜阻南山爲民災。京兆尹曰：外家公主不可治。詹事曰：椒房率更領其材。典屬國曰：蠻夷朝賀常會期。大匠曰：柱枅薄櫨相枝持。太官令曰：枇杷橘栗桃李梅。上林令曰：走狗逐兔張罝罘。郭舍人曰：齧妃女脣甘如飴。東方朔曰：迫窘詰屈幾窮哉。亦見《古文苑》，疑皆非其全。

《文心雕龍·明詩篇》曰：“孝武愛文，柏梁列韵。”又曰：“聯句共韻，則柏梁餘製。”

風俗使者陳崇等詐爲郡國造歌謠

《漢書·平帝本紀》：元始四年二月，遣太僕王惲等八人置副，假節，分行天下，覽觀風俗。五年，太僕王惲等八人使行風俗，宣明德化，萬國齊同。皆封爲列侯。

《漢書·王莽傳》：元始四年，遣大司徒司直陳崇等八人分行天下，覽觀風俗。五年秋，風俗使者八人還，言天下風俗齊同，詐爲郡國造歌謠，頌功德，凡三萬言。莽奏定著令。

《漢書·恩澤侯表》：常鄉侯王惲、望鄉侯閻遷、南鄉侯陳崇、邑鄉侯李翕、亭鄉侯郝黨、章鄉侯謝殷、蒙鄉侯逯普、盧鄉侯陳鳳等八人使行風俗，齊同萬國，功侯，各千户。元始五年閏六月丁酉封。

按史言詐爲郡國造歌謠者,似皆此八人爲之也。

右總集之屬,凡八家八部。

楚蘭陵令荀況集二卷 此以下卷數多非漢以來相傳之舊,今既不可攷見,姑從《隋》、《唐志》錄之。

《史·孟荀列傳》:荀卿,趙人。年五十始來游學於齊。齊襄王時,荀卿最爲老師。齊尚脩列大夫之缺,而荀卿三爲祭酒焉。齊人或讒荀卿,荀卿乃適楚,而春申君以爲蘭陵令。春申君死而荀卿廢,因家蘭陵,卒。《索隱》曰:"荀卿名況,時人相尊而號爲卿。後亦謂之孫卿子者,避漢宣帝諱也。"嚴可均曰:"方音改易稱孫卿。"應劭《風俗通義》曰:"孫卿有秀才,善爲《詩》、《禮》、《易》、《春秋》。"

《漢書·藝文志》:孫卿賦十篇。又曰:"春秋之後,周道寖壞,聘問歌詠不行於列國,學《詩》之士逸在布衣,而賢人失志之賦作矣。大儒孫卿及楚臣屈原離讒憂國,皆作賦以風,咸有惻隱古詩之義。"

《隋志》集部別集篇:《楚蘭陵令荀況集》一卷,殘缺,梁二卷。

《唐·經籍志》:《趙荀況集》二卷。《藝文志》同。

《太平御覽·文部》:摯虞《文章流別論》曰:"賦者,敷陳之稱,古詩之流也。前世爲賦者,有孫卿、屈原,尚頗有古之詩義。"

《文心雕龍·詮賦篇》曰:"賦也者,受命於詩人,拓宇於《楚辭》也。於是荀況《禮》、《智》,宋玉《風》、《釣》,爰錫名號,與《詩》畫境,六義附庸,蔚成大國。遂客主以首引,極聲貌以窮文,斯蓋別詩之原始,命賦之厥初也。"又曰:"至於草區禽族,庶品雜類,則觸興致情,因變取會:擬諸形容,則言務纖密;象其物宜,則理貴側附;斯又小制之區畛,奇巧之機要也。觀夫荀結隱語,事數自環,宋發巧談,實始淫麗。"《諧隱篇》云:

"魏代以來,嘲隱化爲謎語。謎也者,迴護其辭,使昏迷也。荀卿《蠶賦》,已兆其體。"《才略篇》云:"荀況學宗,而象物名賦,文質相稱,固巨儒之情也。"

王應麟《漢志考證》曰:"荀子賦篇《禮》、《知》、《雲》、《蠶》、《箴》,又有佹詩。"

嚴可均《全三代文編》:荀卿有集二卷。荀子有《禮賦》、《知賦》、《雲賦》、《蠶賦》、《箴賦》。《國策》及《韓詩外傳》有《爲書謝春申君》,凡六篇。

楚大夫宋玉集三卷　玉始末具《諸子》小説家。

《史·屈原列傳》:屈原既死之後,楚有宋玉、唐勒、景差之徒者,皆好辭而以賦見稱。

《漢書·藝文志》:宋玉賦十六篇,楚人,與唐勒並時,在屈原後也。又曰:"孫卿、屈原咸有惻隱古詩之義。其後宋玉、唐勒,漢興枚乘、司馬相如,下及揚子雲,競爲侈麗閎衍之詞,没其風諭之義。"

《隋書·經籍志》:《楚大夫宋玉集》三卷。《唐·經籍志》:《楚宋玉集》二卷。《藝文志》同。

晉摯虞《文章流別論》曰:"孫卿、屈原頗有古之詩義,至宋玉則多淫浮之病矣。"

沈約《宋書·謝靈運傳》論曰:"周室既衰,風流彌著,屈平、宋玉導清源於前。"

《文心雕龍·雜文篇》曰:"宋玉含才,頗亦負俗,始造對問,以申其志。放懷寥廓,氣實使之。"《夸飾篇》云:"文辭所被,夸飾恆存。自宋玉、景差,夸飾始盛。"《才略篇》云:"戰代任武,而文士不絕;諸子以道術取資,屈宋以楚辭發采。"

陳氏《書録解題》曰:"《宋玉集》一卷,楚大夫宋玉撰。《史記·屈原傳》言楚人宋玉、唐勒、景差之徒,蓋皆原之弟子也。

而玉之辭賦獨傳，至以屈宋並稱於後世，餘人皆莫能及。案
《隋志》集三卷，《唐志》二卷。今書乃《文選》及《古文苑》中錄
出者，未必當時本也。"

嚴可均《三代文編》曰："宋玉有集三卷。案《漢·藝文志》宋
玉賦十六篇，今存者《風賦》、《大言賦》、《小言賦》、《諷賦》、
《高唐賦》、《神女賦》、《登徒子好色賦》、《釣賦》、《笛賦》、《九
辯》、《招魂》，凡十一篇，《對楚王問》、《高唐對》不在此數。如
《九辯》爲九篇，則多出《漢志》三篇，所未審也。或曰《笛賦》
有宋意送荆卿之語，非宋玉作。又《北堂書鈔》原本三十三引
《宋玉集》序。"

漢孝武皇帝集二卷

《漢書》本紀：元狩元年冬十月，行幸雍，祠五畤。獲白麟，作
《白麟之歌》。六年夏四月乙巳，廟立皇子閎爲齊王，旦爲燕
王，胥爲廣陵王。初作誥。《史記·三王世家》索隱曰："武帝策此三王皆
自手製。"太史公曰："文辭爛然，甚可觀也。"元鼎四年六月，得寶鼎后土
祠旁。秋，馬生渥洼水中。作《寶鼎》、《天馬之歌》。元封元
年夏四月，祠泰山。至瓠子，臨決河，命從臣將軍以下皆負薪
塞河隄，作《瓠子之歌》。六月，甘泉宮內中産芝，九莖連葉，
作《芝房之歌》。五年冬，行南巡狩，至於盛唐，自尋陽浮江，
親射蛟江中，獲之。舳艫千里，薄樅陽而出，作《盛唐樅陽之
歌》。太初四年春，貳師將軍廣利斬大宛王首，獲汗血馬來。
作《西極天馬之歌》。太始三年二月，行幸東海，獲赤鴈，作
《朱鴈之歌》。四年四月，幸不其，祠神人於交門宮，若有鄉坐
拜者，作《交門之歌》。又《外戚傳》：上思念李夫人不已，爲作
詩。又自爲賦傷悼。又《本紀》贊曰："號令文章，焕焉可述。"
《儒林傳》：太常孔臧等議曰："臣謹按詔書律令下者，明天人
分際，通古今之誼，文章爾雅，訓辭深厚。"王子年《拾遺記》云："武帝

思懷李夫人，不可復得，因賦《落葉哀蟬之曲》。”

《漢武故事》：帝行幸河東，祠后土，作《秋風辭》。又曰：“上好辭賦，每行幸及奇獸異物，輒命相如等賦之，上亦自作詩賦數百篇，下筆即成，初不留思。”

《漢書·藝文志》：上所自造賦二篇。師古曰：“武帝也。”《隋書·經籍志》：《漢武帝集》一卷，梁二卷。《唐·經籍志》：《漢武帝集》二卷。《藝文志》同。

《初學記·職官部》：《漢武帝集》曰：“武帝作柏梁臺，詔羣臣二千石有能爲七言者，乃得上坐。”

《藝文類聚·雜文部》：《漢武帝集》曰：“奉車子侯暴病，一日死。上甚悼之，乃自爲歌詩。”《漢·郊祀志》注服虔曰：“子侯，霍去病子也。”

《文心雕龍·詔策篇》曰：“兩漢詔誥，職在尚書。王言之大，動入史策，其出如綍，不反若汗。是以淮南有英才，武帝使相如視草。”又曰：“武帝崇儒，選言弘奧。策封三王，文同訓典；勸戒淵雅，垂範後代；及制誥嚴助，即云厭承明廬，蓋寵才之恩也。”《哀弔篇》云：“漢武封禪，而霍子侯暴亡，帝傷而作詩，亦哀辭之類也。”

《玉海·聖文·御集篇》：“西都號令文章，煥焉可述，史氏稱焉。故武帝之文，則以集著。”又曰：“孝武右文，紀述至富，哀爲鉅集，乃出後代。”

嚴可均《全漢文編》曰：“漢武帝有集二卷。凡賦、辭、制、詔、册書、策書、勅書、璽書、報書及雜文，綜一百篇，編爲二卷。明馮惟訥《詩紀》輯存《瓠子歌》、《秋風辭》、《天馬歌》、《李夫人歌》、《落葉哀禪曲》、《柏梁詩》，凡六篇。”按《山堂攷索》載《文章緣起》云：“漢武帝有《公孫弘誄》。”

漢淮南王集二卷 淮南王安具總集中。

劉向《別錄》曰：“淮南王有《熏籠賦》。”

《漢書》本傳：武帝方好藝文，以安辯博善爲文辭。每爲報書及賜，常召司馬相如等視草迺遣。初，安入朝，獻《頌德》及《長安都國頌》。每宴見，談説得失及方技賦頌，昏暮然後罷。

《漢書·藝文志》：淮南王賦八十二篇。《隋·經籍志》：漢《淮南王集》一卷，梁二卷。《唐·經籍志》：漢《淮南王集》二卷。《藝文志》：《淮南王安集》二卷。

嚴可均《全漢文編》曰：“淮南王安有集二卷。《藝文類聚》、《初學記》、《御覽》有《屏風賦》，《嚴助傳》有《上書諫伐南越》凡二篇。馮氏《詩紀》輯存《八公操》一篇。”按《文章緣起》載淮南王有《謝羣公令》。

漢楚王傅韋孟詩二篇

《漢書·韋賢傳》：賢，魯國鄒人也。其先韋孟，家本彭城，爲楚元王傅。傅子夷王及孫王戊。戊荒淫不遵道，孟作詩風諫。後遂去位，徙家於鄒，又作一篇。孟卒於鄒。或曰其子孫好事，述先人之志而作是詩也。自孟至賢凡五世云。

《文心雕龍·明詩篇》曰：“漢初四言，韋孟首唱。匡諫之義，繼軌周人。”

漢梁太傅賈誼集四卷　錄一卷　誼始末具《六藝》春秋家。

《史》、《漢》本傳：賈生年十八，以能誦詩書屬文稱於郡中。及爲博士，年二十餘，最爲少。每詔令議下，諸老先生未能言，誼盡爲之對，人人各如其意所出。諸生於是以爲能。後爲長沙王太傅。既以適去，意不自得。及度湘水，爲賦以弔屈原。爲傅三年，有服飛入誼舍，止於坐隅。服似鴞，不祥鳥也。誼自傷悼，以爲壽不得長，迺爲賦以自廣。數上疏陳政事，多所匡諫。又曰：“劉向稱‘賈誼言三代與秦治亂之意，其論甚美，通達國體，雖古之伊、管未能遠過也。使時見用，功化必盛。爲庸臣所害，甚可悼痛’。”又曰：“凡所著述五十八篇。”

《漢書·藝文志》：賈誼賦七篇。《隋·經籍志》：梁又有《賈誼集》四卷，録一卷，亡。《唐·經籍志》：《前漢賈誼集》二卷。《藝文志》同。

《太平御覽·文部》：魏文帝《典論》曰："余觀賈誼《過秦論》，發周秦之得失，通古今之滯義，洽以三代之風，潤以聖人之化，斯可謂作者矣。"

摯虞《文章流別論》曰："楚辭之賦，賦之善者也。賈誼之作，則屈原儔也。"

《文心雕龍·詮賦篇》曰："秦世不文，頗有雜賦。漢初詞人，順流而作，陸賈扣其端，賈誼振其緒。"又曰："賈誼《鵬鳥》，致辨於情理。"《哀弔篇》云："自賈誼浮湘，發憤弔屈，體同而事覈，辭清而理哀，蓋首出之作也。"《奏啓篇》云："若夫賈誼之務農，可謂識大體矣。"《議對篇》云："若賈誼之遍代諸生，可謂捷於議也。"《體性篇》云："吐納英華，莫非情性。是以賈生俊發，故文潔而體清。"《事類篇》云："觀夫屈宋屬篇，號依詩人，雖引古事而莫取舊辭。唯賈誼《鵩賦》，始用鶡冠之説。"《才略篇》云："賈誼才穎，陵軼飛兔，議愜而賦清，豈虛至哉！"

明張溥《漢魏六朝百三家·賈長沙集》輯本一卷，凡賦四篇，騷一篇，疏六篇，《過秦論》上、中、下三篇。

嚴可均《全漢文編》曰："賈誼有集四卷。案賈生諸疏散在《新書》者十六篇，小有異同，見存不録。録其所無者，曰：《旱雲賦》、《虡賦》、《鵩鳥賦》、《惜誓》、《上疏陳政事》、《上疏請封建子弟》、《上疏諫封淮南諸子》、《説積儲》、《諫除盜鑄錢令使民放鑄》、《過秦論》、《弔屈原文》，凡十一篇。"又曰："《過秦論》，《文選》分上、中、下三篇，《史記·秦始皇本紀》但爲一篇，不分上、中、下，而次第全異，文亦小異，最爲古本，今據録之。"又曰："《弔屈原文》，《史》、《漢》本傳並以爲賦。今據《文選》

編入,並録其序,蓋本集所題如此。"

漢御史大夫鼂錯集三卷　　録一卷

《史》、《漢》列傳：鼂錯,颍川人也。學申、商刑名於軹張恢所,以文學爲太常掌故,太子舍人,門大夫,遷博士,太子家令。詔奉賢良高第,選中大夫。錯言宜削諸侯事,及法令可更定者,書凡三十篇。孝文雖不盡聽,然奇其材。景帝即位,以爲内史。數請間言事,法令多所更定。遷御史大夫,請諸侯之罪過,削其支郡。所更令三十章,諸侯讙譁。吳、楚七國俱反,以誅錯爲名。袁盎請斬錯,錯衣朝衣斬東市。又曰："錯鋭於爲國遠慮,而不見身害。悲夫! 錯雖不終,世哀其忠。"按史言其書三十篇者,即《藝文志》法家《鼂錯》三十一篇,録一篇,故三十一於是集無與也。

《文心雕龍‧奏啓篇》曰："自漢以來,奏事或稱上疏,儒雅繼踵,殊采可觀。若夫賈誼之務農,鼂錯之兵事,理既切至,辭亦通暢,可謂識大體矣。"《議對篇》云："漢文中年,始舉賢良,鼂錯對策,蔚爲舉首。觀鼂氏之對,證驗古今,辭裁以辨,事通而贍,超升高第,信有徵矣。"

《隋書‧經籍志》：梁有《鼂錯集》三卷,録一卷,亡。

嚴可均《全漢文編》曰："鼂錯有集三卷。《漢書》本傳、《食貨志》、《吳王濞傳》、《藝文類聚》諸書有《賢良文學對策》。又上書言皇太子宜知術數,又上書言兵事,又言守邊備塞,務農力本,當世急務二事,又復言募民徙塞下,又説文帝令民入粟受爵,又復奏勿收農民租,又説景帝削吳,又請誅楚王,凡九篇。"

漢弘農都尉枚乘集二卷　　録一卷

《漢書》本傳：枚乘字叔,淮陰人也,爲吳王濞郎中。吳王之初怨望謀爲逆也,乘奏書諫,吳王不納。乘等去而之梁,從孝王游。吳與六國反,乘復説吳王,由是知名。景帝召拜爲弘農都尉。乘久爲大國上賓，與英俊並游，得其所好，不樂郡吏，以病去官。復游梁，梁客皆善屬辭賦，乘尤高。孝王薨，乘歸淮陰。武帝自爲太子聞乘名，及即位，乘年老，迺以安車蒲輪徵乘，道死。

《漢書·藝文志》：枚乘賦九篇。《隋·經籍志》：梁有漢弘農都尉《枚乘集》二卷，録一卷，亡。《唐·經籍志》：《枚乘集》二卷。《藝文志》一卷。《宋史·志》一卷。

摯虞《文章流別論》曰：“《七發》造於枚乘，借吳、楚以爲客主，此因膏粱之常疾以爲匡勸。雖有甚泰之辭，而不没其諷諭之義也。其流遂廣，其義遂變，率有辭人淫麗之尤矣。”

《文心雕龍·明詩篇》曰：“古詩佳麗，或稱枚叔。按謂《古詩十九首》也。觀其結體散文，直而不野，婉轉附物，怊悵切情，實五言之冠冕也。”《詮賦篇》云：“枚乘《菟園》，舉要以會新。”《雜文篇》云：“枚乘摛豔，首製《七發》，腴辭雲搆，夸麗風駭。蓋七竅所發，發乎嗜欲，始邪末正，所以戒膏粱之子也。”又曰：“自《七發》以下，作者繼踵。觀枚氏首唱，信獨拔而偉麗矣。”《才略篇》云：“枚乘之《七發》、鄒陽之《上書》，膏潤於筆，氣形於言矣。”《章句篇》云：“若乃改韻從調，所以節文辭氣。賈誼、枚乘，兩韻輒易，亦各有其志也。然兩韻輒易，則聲韻微躁。”

陳氏《書録解題》曰：“《枚叔集》一卷，漢宏農都尉淮陰枚乘撰。叔，其字也。《隋志》梁時有二卷，亡。《唐志》復著録。今本乃於《漢書》及《文選》諸書鈔出者。”

嚴可均《全漢文編》曰：“枚乘有集二卷。案《漢志》枚乘賦九篇，《文選·謝眺休沐重還道中詩》注引《枚乘集》有《臨灞池遠訣賦》，今亡。本傳及《説苑》、《西京雜記》、《初學記》、《類聚》、《文選》、《古文苑》諸書，有《梁王菟園賦》、《柳賦》、《上書諫吳王》、《上書重諫吳王》、《七發》，凡五篇。”《文選·西京賦》注、

《謝元暉詩》注引枚乘《樂府詩》。

漢太常孔臧集二卷

《漢書·功臣表》：蓼夷侯孔聚，以執盾前元年從起碭，以左司馬入漢，爲將軍，三以都尉擊項籍，屬韓信。高帝六年正月丙午封，三十年薨。孝文九年，侯臧嗣，四十五年，元朔三年，坐爲太常衣冠道橋壞不得度，免。師古曰：“前元年謂初起之年，即秦胡亥元年也。”

《文選·兩都賦序》注：《孔臧集》曰：“臧，仲尼之後，少以才博知名。稍遷御史大夫。辭曰：‘臣代以經學爲宗，乞爲太常，專脩家業。’武帝遂用之。”

《漢書·藝文志》：太常蓼侯孔臧賦二十篇。《隋·經籍志》：梁有《漢太常孔臧集》二卷，亡。《唐·經籍志》：《孔臧集》二卷。《藝文志》同。

《孔叢子》曰：“臧嘗爲賦二十四篇，四篇別不在集，似其幼時之作也。”

嚴可均《全漢文編》曰：“孔臧，孔鮒從曾孫。文帝九年，嗣父聚爵蓼侯。元朔二年，拜太常。五年，坐事免。《連叢子》有《諫格虎賦》、《楊柳賦》、《鴞賦》、《蓼蟲賦》、《與侍中從弟安國書》、《與子琳書》，凡六篇。”

漢膠西相董仲舒集二卷　仲舒始末具《六藝》春秋家。

《漢書》本傳：仲舒以賢良對策，相江都、膠西兩國，輒事驕王。數上疏諫争，教令國中，所居而治。及去位歸居，終不問家産業，以脩學著書爲事。

《文心雕龍·議對篇》曰：“仲舒對策，祖述《春秋》，陰陽之化，究列代之變，煩而不恩者，事理明也。”《才略篇》云：“仲舒專儒，子長純史，而麗縟成文，亦詩人之告哀焉。”

《隋書·經籍志》：《漢膠西相董仲舒集》一卷，梁二卷。《唐·經籍志》：《董仲舒集》二卷。《藝文志》同。《宋史·志》一卷。

陳氏《書録解題》曰："《董仲舒集》一卷,漢膠西相廣川董仲舒撰。案《隋》、《唐志》皆二卷,今惟録本傳中三策,及《古文苑》所載《士不遇賦》、《詣公孫弘記室書》二篇而已。其叙篇略本傳語,亦載《古文苑》。"

《四庫提要存目》曰："《董子文集》一卷,漢董仲舒撰。《隋志》載《仲舒集》一卷,注云'梁二卷,亡'。舊、新《唐志》仍載二卷。《宋志》一卷。後兩本並佚。明正德己亥,巡按御史盧雍行部至景州,爲仲舒故里,因修復廣川書院,祀仲舒,並裒其遺文,成是集。然自采録本傳外,僅益以《西京雜記》、《古文苑》所載數篇。"按明汪士賢刻《漢魏六朝二十名家集》,有《董仲舒集》一卷,蓋即此本,凡九篇,李東陽爲之序。

明張溥《百三家·董膠西集》輯本一卷,凡賦一篇,策三篇,章一篇,書一篇,對三篇,頌一篇,《春秋陰陽》一篇。凡七十條,從《漢書·五行志》録出者,蓋其説《春秋》之文,不當輯入本集。

嚴可均《全漢文編》:董仲舒有集二卷。案《文選·北山移文》注引《董仲舒集》有七言琴歌二首,今亡。本傳、《食貨志》、《五行志》、《匈奴傳》贊、《春秋繁露》、《抱朴子》、《古文苑》諸書,有《士不遇賦》、《舉賢良對策》、《郊祀對》、《説武帝使關中民種麥》,又《言限民名田》、《廟毀火災對》、《雨雹對》、《粤有三仁對》、《奏江都王求雨請雨書》、《詣公孫弘記室書》、《論禦匈奴》、《山川頌》、《救日食祝》、《請雨祝》、《止雨祝》、《李少君家録》,凡十七篇。按《家録》似即家傳之流。《御覽》七百廿四《神仙傳》曰"李少君與議郎董仲舒相親,見仲舒宿有固疾,體枯氣少,少君乃與其成藥二劑"云云,此仲舒爲撰《家録》之來由歟?

漢孝文園令司馬相如集二卷

《史》、《漢》列傳:司馬相如者,蜀郡成都人也。字長卿,以貲爲郎,事孝景帝,爲武騎常侍。病免,客游梁,著《子虚之賦》。上讀而善之,召問相如。相如曰:"此乃諸侯之事,未足觀,請爲天子游獵之賦。"上令尚書給筆札，賦奏，天子大悦。又奉使諭告巴蜀民，難蜀父老。嘗從上至長楊獵。天子好自擊熊豕，馳逐壄獸，因上疏諫。上善之。還過宜春宮，奏賦以哀二世。見上好僊，因爲《大人賦》。既病免，居茂陵。天子曰："司馬相如病甚，可往從悉取其書。"使所忠往，而相如已死，家無遺書。問其妻，對曰："長卿時時著書，人又取去。長卿未死時，爲一卷書，曰有使來求書，奏之。"其遺札書言封禪事，所忠奏焉，天子異之。相如它所著，若《遺平陵侯書》、《與五公子相難》、《草木書篇》，不采，采其尤著公卿者云。又曰："相如雖多虚辭濫説，然要其歸引之於節儉，此與《詩》之風諫何異?"①

《漢書·藝文志》：司馬相如賦二十九篇。《隋·經籍志》：《漢文園令司馬相如集》一卷。《唐·經籍志》：《司馬相如集》二卷，又總集類《上林賦》一卷。《藝文志》並同。

《西京雜記》曰："長卿素有消渴疾，及返成都，悦文君之色，遂以發痼疾，乃作《美人賦》欲以自刺，而終不能改，卒以此疾至死。文君爲誄，傳於世。"又曰："相如將聘茂陵人女爲妾，卓文君作《白頭吟》以自絶，相如乃止。"

揚子《法言·吾子篇》：或問："景差、唐勒、宋玉、枚乘之徒也，益乎?"曰："必也淫。""淫則奈何?"曰："詩人之賦麗以則，辭人之賦麗以淫。如孔氏之門用賦也，則賈誼登堂，相如入室矣。如其不用何?"

《蜀志·秦宓傳》：宓與治中同郡王商書，請立司馬相如祠堂，□："蜀本無學士，文翁遣相如東受七經，還教吏民，於是蜀學比於齊、魯。《地理志》曰：'文翁倡其教，相如爲之師。'漢家得士，盛於其世。仲舒之徒，不達封禪，相如制其禮。夫能制

---

① "與"，原作"亦"，據武英殿本《史記》改。

禮造樂，移風易俗，非禮所稱有益於世者乎！按據宓所言，則長卿所奏《封禪書》并附有《禮儀》，疑編入《漢志》禮家《封禪議對》十九篇中。

《御覽》文部：李充《翰林論》曰：“盟檄發於師旅，相如喻蜀父老，可謂德音矣。”

《宋書·謝靈運傳》論曰：“屈平、宋玉導清源於前，賈誼、相如振芳塵於後。英辭潤金石，高義薄雲天。”又曰：“相如巧爲形似之言。”

《文心雕龍·詮賦篇》曰：“相如《上林》，繁類以成艷。”《頌贊篇》云：“相如屬筆，始讚荆軻。”按《漢志》雜家《荆軻論》五篇，軻爲燕刺秦王，不成而死，司馬相如等論之。《哀弔篇》云：“相如之弔二世全爲賦體，桓譚以爲其言惻愴，讀者歎息。及卒章要切，斷而能悲也。”《檄移篇》云：“相如之《難蜀老》，文曉而喻博，有移檄之骨焉。”《封禪篇》云：“相如《封禪》，蔚爲唱首。爾其表權輿，序皇王，炳元符，鏡鴻業，馳前古於當今之下，騰休明於列聖之上，歌之以禎瑞，讚之以介邱，絶筆茲文，固維新之作也。”《風骨篇》云：“相如賦仙，氣號凌雲，蔚爲辭宗，迺其風力遒也。”《才略篇》云：“相如好書，師範屈宋，洞入夸艷，致名辭宗；然覆取精意，理不勝辭，故揚子以爲文麗用寡者長卿，誠哉是言也！”

《史通·序傳篇》曰：“司馬相如始以自叙爲傳。然其所叙者，但記自少及長，立身行事而已。逮於祖先所出，則蔑爾無聞。”又曰：“相如自序，乃記其客游臨卭，竊妻卓氏，以《春秋》所諱，持爲美談。雖事或非虛，而理無可取，載之於傳，不其愧乎！”又《雜説篇》云：“馬卿爲自叙傳，具在其集中。子長因録斯篇，即爲列傳，班氏仍舊，曾無改奪。尋固於馬、揚傳末皆云‘遷、雄之自叙如此’。至於相如篇下，獨無此言。蓋止憑太史之書，未見文園之集，故使言無畫一，其例不純。”

明汪士賢《二十名家集》輯本一卷，凡賦六篇，琴歌二篇，書二篇，檄一篇，難一篇，附《白頭吟》。張溥《百三家集》輯本一卷，凡賦、書、檄、難、封禪文、琴歌，綜十二篇。

嚴可均《全漢文編》曰：“司馬相如有集二卷。案相如有《遺平陵侯書》、《與五公子相難》、《草木書》，並見本傳，云不采，今亡。史傳及諸書所載，有《子虛》、《上林賦》、《秦二世賦》、《大人賦》、《美人賦》、《長門賦》、《黎賦》、《魚葅賦》、《上書諫獵》、《喻巴蜀檄》、《報卓文君書》、《答盛擎問》、《難蜀父老》、《封禪文》、《題市門》，凡十五篇。附《凡將篇》佚文五條。”近見新彫《鐵橋漫稿》中，又有是集輯本序文。

漢中書令司馬遷集一卷　遷始末具《諸子》道家。

《漢書》本傳：遷既被刑之後，爲中書令，尊寵任職。故人益州刺史任安予遷書，責以古賢臣之義。教以慎於接物，推賢進士爲務，遷報之。

《漢書·東方朔傳》：是時，朝廷多賢才。上復問朔：“方今公孫丞相、兒大夫、董仲舒、夏侯始昌、司馬相如、吾邱壽王、主父偃、朱買臣、嚴助、汲黯、膠倉、終軍、嚴安、徐樂、司馬遷之倫，皆辨知閎達，溢於文辭，先生自視，何與比哉？”又公孫弘等傳贊曰：“漢之得人，於茲爲盛。儒雅則公孫弘、董仲舒、兒寬，文章則司馬遷、相如。”

《漢書·藝文志》：司馬遷賦八篇。《隋·經籍志》：《漢中書令司馬遷集》一卷。《唐·經籍志》：《司馬遷集》二卷。《藝文志》同。

《文心雕龍·書記篇》曰：“漢來筆札，辭氣紛紜。觀史遷之報任安，東方朔之難公孫，楊惲之酬會宗，子雲之答劉歆，志氣槃桓，各含殊采，並杼軸乎尺素，抑揚乎寸心。”

嚴可均《全漢文編》曰：“司馬遷有集一卷。今見諸書有《悲志不遇賦》、《報任少卿書》、《與摯伯陵書》，凡三篇，附《素王妙論》二條。"

漢光禄大夫吾丘壽王集二卷

《漢書》本傳：壽王字子贛，趙人也。年少，以善格五召待詔。詔使從中大夫董仲舒受《春秋》，高材通明。遷侍中中郎，坐法免。上書謝罪，願養馬黄門，上不許。後願守塞捍寇難，復不許。久之，上疏願擊匈奴，詔問狀，壽王對良善，復召爲郎。稍遷，拜爲東郡都尉。後徵入爲光禄大夫侍中。丞相公孫弘奏言："民不得挾弓弩。"上下其議。壽王對以爲不便。書奏上，以難丞相弘。弘詘服焉。後坐事誅。又《劉向傳》：向使其外親上變事曰："孝武帝時，按道侯韓説諫曰：'前吾丘壽王死，陛下至今恨之。'"

《漢書·藝文志》：吾丘壽王賦十五篇。《隋·經籍志》：梁有《漢光禄大夫吾丘壽王集》二卷，亡。

《文心雕龍·議對篇》曰："迄至有漢，始立駁議。駁者，雜也。雜議不純，故曰駁也。至如吾丘之駁挾弓，得事要矣。"

嚴可均《全漢文編》曰："吾丘壽王有集二卷。今見諸書有《議禁民不得挾弓弩》、《對驃騎論功論》、《雜文》，凡三篇。"

漢太中大夫東方朔集二卷

《漢書》本傳：朔字曼倩，平原厭次人也。武帝初即位，徵天下舉方正賢良文學材力之士。朔初來，上書文辭不遜，高自稱譽，上偉之，令待詔公車。久之，使待詔金馬門，稍得親近。又以爲常侍郎，遂得愛幸。以諫起上林，陳《太階六符》，見《漢志·數術》天文家。拜太中大夫、給事中。嘗醉入殿中，小遺殿上，劾不敬。詔免爲庶人，待詔宦者署，復爲中郎。與枚皋、郭舍人俱在左右，詼啁而已。久之，上書陳農戰彊國之計，因自訟不得大官，欲求試用。辭數萬言，終不見用。因著論，設客難以自慰論。又設非有先生之論。朔之文辭，此二篇最善。其餘有《封泰山》、《責和氏璧》及《皇太子生禖》、《屏風》、《殿上柏柱》、《平樂觀賦獵》，八言、七言上下，《從公孫弘借車》，凡劉向所錄朔書具是矣。師古曰："劉向《別錄》所載。"世所言他事皆非也。按《文選·蜀都賦》注引東方朔六言詩，此"八言"似"六言"之寫誤。其上書陳農戰數萬言者，即《藝文志》雜家《東方朔》二十篇也。又曰："劉向言少時數問長老賢人通於事及朔時者，皆曰朔口諧倡辯，不能持論，喜爲庸人誦說，故今後世多傳聞者。"按傳言劉向所錄，此又引其言，必是敘錄中語，知是集爲劉中壘所編輯，在《七略》之外者也。

《文心雕龍·詮賦篇》曰："賈誼振其緒，枚、馬同其風。皋、朔以下，品物畢圖。"《雜文篇》云："自宋玉對問以後，東方朔效而廣之，名爲客難。託古慰志，疎而有辯。"《諧隱篇》云："昔楚莊、齊威，性好隱語。至東方曼倩，尤巧辭述。但謬辭詆戲，無益規補。"《詔策篇》云："戒者，慎也。君父至尊，在三罔極。漢高祖之敕太子，按見《古文苑》。東方朔之戒子，亦顧命之作也。"

《隋書·經籍志》：《漢太中大夫東方朔集》二卷。《唐·經籍志》：《東方朔集》二卷。《藝文志》同。

《史通·雜說篇》曰："《漢書·東方朔傳》委瑣煩碎，不類諸篇。且不述其亡歿歲時，及子孫繼嗣，正與《司馬相如》、《司馬遷》、《揚雄傳》相類。尋其傳體，必曼倩之自敘也。但班氏脫略，故世莫之知。"

明呂兆禧輯本一卷，凡《七諫》、《據地歌》、《戒子詩》、《柏梁詩》、《應詔上書》、《諫起上林苑》、《諫止董偃入宣室》、《臨終諫天子》、《劾董偃罪狀》、《與公孫弘書》、《與公孫弘借車馬書》、《與友人書》、《侏儒對》、《化民有道對》、《劇武帝對》、《劇羣臣對》、《伯夷叔齊對》、《善哉瞿所對》、《上天子壽》、《上壽謝過》、《割肉自責》、《答客難》、《答驃騎難》、《旱頌》、《非有先生論》、《逸句》，綜二十六篇。張溥《百三家集》輯本一卷，凡《七諫》、疏、書、序、論、設難、頌、銘、詩，綜十五篇。

嚴可均《全漢文編》：東方朔有集二卷，今存《七諫》、《嗟伯夷》、《上書自薦》、《諫除上林苑》、《化民有道對》、《對詔》、《臨終諫天子》、《與公孫弘借車書》、《與友人書》、《非有先生論》、《隱真論》、《答客難》、《答驃騎難》、《十洲記序》、《旱頌》、《寶甕銘》、《誡子》凡十七篇，附《東方朔占》九條。

漢郎中枚皋辭賦一百數十篇

《漢書·枚乘傳》：武帝以安車蒲輪徵乘，道死。詔問乘子，無能爲文者，後迺得其孽子皋。皋字少孺。乘在梁時，取皋母爲小妻。乘之東歸也，留與母居。年十七，上書梁共王，得召爲郎。遇罪，亡至長安。上書自陳枚乘之子。上大喜，召入見待詔，皋因賦殿中。詔使賦平樂館，善之。拜爲郎，使匈奴。皋不通經術，詼笑類俳倡，爲賦頌，好嫚戲，以故得媟黷貴幸，比東方朔、郭舍人等。武帝春秋二十九迺得皇子，羣臣喜，故皋與東方朔作《皇太子生賦》及《立皇子禖祝》。初，衛皇后立，皋奏賦以戒終。從行至甘泉、雍、河東，東巡狩，封泰山，塞決河宣房，游觀三輔離宮館，臨山澤，弋獵射馭狗馬蹵鞠刻鏤，上有所感，輒使賦之。爲文疾，受詔輒成，故所賦者多。司馬相如善爲文而遲，故所作少而善於皋。皋賦辭中自言爲賦不如相如，又言爲賦迺俳，見視如倡，自悔類倡也。故其賦有詆娸東方朔，又自詆娸。其文骫骳，曲隨其事，皆得其意，頗詼笑，不甚閑靡。凡可讀者百二十篇，其尤嫚戲不可讀者尚數十篇。又《嚴助傳》：其尤親幸者，東方朔、枚皋、嚴助、吾邱壽王、司馬相如。相如常稱疾避事。朔、皋不根持論，上頗俳優畜之。又《藝文志》曰："枚皋賦百二十篇。"

《西京雜記》曰："枚皋文章敏疾，長卿制作淹遲，皆盡一時之譽。而長卿首尾溫麗,枚皋時有累句,故知疾行無善迹矣。揚子雲曰:'軍旅之際,戎馬之間,飛書馳檄,用枚皋。廊廟之下,朝廷之中,高文典册,用相如。'"

《文心雕龍·神思篇》曰:"人之稟才,遲速異分。淮南崇朝而賦騷,枚皋應詔而成賦,亦思之速也。"《諧隱篇》云:"子長編史,列傳滑稽,以其辭雖傾囘,意歸義正也。但本體不雅,其流易弊。於是東方、枚皋,餔糟啜醨,無所匡正,而詆嫚媟弄,故其自稱爲賦,迺亦俳也,見視如倡,亦有悔矣。"按《文章緣起》載枚皋作《麗人歌詩》。

漢騎都尉李陵集二卷

《漢書·李廣傳》:廣,隴西成紀人也。廣子當户蚤死。有遺腹子陵,字少卿,少爲侍中建章監。善騎射,愛人,謙讓下士,其得名譽。武帝以爲有廣之風,拜爲騎都尉。天漢二年,將步兵五千人出居延,北行三十日,至浚稽山,與單于相直。兵敗降匈奴,單于以女妻之,立爲右校王。陵在匈奴二十餘年,昭帝元平元年病死。《世系》:漢騎都尉陵降匈奴,裔孫歸魏,見于丙殿,賜氏曰丙。

梁鍾嶸《詩品》曰:"夏歌曰'鬱陶乎予心',楚謠曰'名予曰正則',雖詩體未全,然是五言之濫觴也。逮漢李陵,始著五言之目。"又曰:"漢都尉李陵詩,其源出於《楚辭》,文多悽怨者之流。陵,名家子,有殊才,生命不諧,聲頹身喪。使陵不遭辛苦,其文亦何能至此。"

《御覽》文部:顏延之《庭誥》曰:"李陵衆作,摠襍不類,是假托,非盡陵製。至其善篇,有足悲者。"

《史通·雜説篇》:《李陵集》有《與蘇武書》,詞采壯麗,音句流靡。觀其文體,不類西漢人,殆後來所爲,假稱陵作也。遷史缺而不載,良有以焉。編於《李集》中,斯爲謬矣。

《隋書·經籍志》：《漢騎都尉李陵集》二卷。《唐·經籍志》：
《李陵集》二卷。《藝文志》同。

嚴可均《全漢文編》：李陵有集二卷。今存《令》、《表》、《與蘇
武書》、《重報蘇武書》四篇。《文選》有李少卿與蘇武詩三篇。
馮氏《詩紀》輯存《別蘇武歌》一篇。

漢諫議大夫王襃集五卷

《漢書》本傳：襃字子淵，蜀人也。宣帝時，益州刺史王襄欲宣
風化於衆庶，使襃作《中和》、《樂職》、《宣布詩》。襃既爲刺史
作頌，又作其傳。上徵襃。詔數從放獵，所幸宮館，輒爲歌
頌，第其高下，以差賜帛。議者多以爲淫靡不急，上曰：“‘不
有博弈者乎，爲之猶賢乎已！’辭賦大者與古詩同義，小者辯
麗可喜。辟如女工有綺縠，音樂有鄭衛，今世俗猶皆以此虞
說耳目，辭賦比之，尚有仁義風諭，鳥獸草木多聞之觀，賢于
倡優博弈遠矣。”頃之，擢襃爲諫大夫。其後太子體不安，苦
忽忽善忘，不樂。詔使襃等皆之太子宮虞侍太子，朝夕誦讀
奇文及所自造作。疾平復，迺歸。太子喜襃所爲《甘泉》及
《洞簫頌》，令後宮貴人左右皆誦讀之。後方士言益州有金馬
碧雞之寶，可祭祀致也，宣帝使襃往祀焉，於道病死，上閔惜
之。按《碧雞頌》佚文，知其死於歸道中。

《漢書·藝文志》：王襃賦十六篇。《隋·經籍志》：《漢諫議
大夫王襃集》五卷。《唐·經籍志》：《王襃集》五卷。《藝文
志》同。《宋史·志》同。

《文心雕龍·詮賦篇》曰：“子淵《洞簫》，窮變於聲兒。”《書記
篇》云：“古有鐵券，以堅信誓，王襃髯奴，則券之楷也。”《才略
篇》云：“王襃構采，以密巧爲致，附聲測兒，泠然可觀。”

張溥《百三家·王諫議集》輯本一卷，凡賦、騷、論、頌、移、約、
文，綜八篇。嚴可均《全漢文編》：王襃有集五卷，今存《洞簫

賦》、《九懷》、《四子講德論》、《聖主得賢臣頌》、《甘泉宮頌》、
《碧雞頌》、《僮約》、《責髯奴辭》，凡八篇。《責髯奴辭》，《古文
苑》以爲後漢黃香作。

漢丞相魏相集二卷　　録一卷

《漢書》本傳：相字弱翁，濟陰定陶人也，徙平陵。少學《易》，
爲郡卒史，舉賢良，對策高第，爲茂陵令。遷河南太守。下廷
尉獄，會赦出。復有詔守茂陵令，遷揚州刺史。徵爲諫大夫，
復爲河南太守。宣帝即位，徵爲大司農，遷御史大夫。代韋
賢爲丞相，封高平侯。數奏便宜封事。及郡國災變，輒奏言
之。視事九歲，神爵三年薨，謚曰憲侯。又《藝文志》：《雅琴
趙氏》七篇。宣帝時，丞相魏相所奏。《雅琴龍氏》九十九篇。
劉向《別録》曰：“亦魏相所奏也。”

《隋書・經籍志》：梁有《漢丞相魏相集》二卷，録一卷，亡。
《唐・經籍志》：《魏相集》二卷。《藝文志》同。

嚴可均《全漢文編》：魏相有集二卷。今存《賢良對策》、《上封
事薦張安世》、《上封事奪霍氏權》、《上書諫擊匈奴右地》、《上
書自陳》、《條奏便宜》、《表奏采易陰陽明堂月令》，凡七篇。

漢左馮翊張敞集一卷　　録一卷　　敞始末具《六藝》春秋家。

《漢書》本傳：始敞以諫昌邑王，超遷爲京兆。九歲數上事，有
忠言。本始《春秋》，以經術自輔。朝廷每有大議，引古今，處
便宜，公卿皆服，天子數從之。

《文心雕龍・書記篇》曰：“戰國以前，君臣同書；秦漢立儀，
始有表奏；王公國内，亦稱奏書；張敞奏書於膠后，其義
美矣。”

《隋書・經籍志》：梁有《左馮翊張敞集》一卷，録一卷，亡。
《唐・經籍志》：《張敞集》二卷。《藝文志》同。

嚴可均《全漢文編》：張敞有集二卷。今存《告絜舜教》、《上書

諫昌邑王》、《上書自請治膠東渤海盜賊》、《奏書諫膠東王太后數出游獵》、《詣公車上書》、《上書請令入穀贖罪》、《爲霍后上封事》、《上疏諫用方術》、《奏劾黃霸》、《條奏故昌邑王居處狀》、《美陽鼎不宜薦見議》、《答兩府入穀贖罪難問》、《爲膠東相與朱邑書》、《與嚴延年書》、《答宋登遺蟹醬書》，凡一十五篇。

漢丞相韋玄成集二卷

《漢書》本傳：玄成字少翁，以父任爲郎，常侍騎。少好學，修父業。以明經擢爲諫大夫，遷大河都尉。父賢病薨，受扶陽侯爵。宣帝以爲河南守，徵爲未央衛尉，遷太常。坐與故平通侯楊惲厚善，惲誅，黨友皆免官。後以列侯侍祀孝惠廟，當晨入廟，天雨淖，不駕駟馬車而騎至廟下。有司劾奏，等輩數人皆削爵爲關內侯。玄成自傷貶黜父爵，作詩自劾責。久之，召拜爲淮陽中尉。受詔，與太子太傅蕭望之及五經諸儒雜論同異於石渠閣，條奏其對。及元帝即位，以玄成爲少府，遷太子太傅，至御史大夫。永光中，代于定國爲丞相。貶黜十年之間，遂繼父相位，封侯故國，榮當世焉。玄成復作詩，自著復玷缺之囏難，因以戒示子孫。爲相七年，守正持重不及父賢，而文采過之。建昭三年薨，謚曰共侯。

《隋書·經籍志》：梁有《漢丞相韋玄成集》二卷，亡。《唐·經籍志》：《韋玄成集》二卷。《藝文志》同。

嚴可均《全漢文編》：韋玄成有集二卷。今存《劾劉更生奏》、《奏發陳咸朱雲事》、《罷郡國廟議》、《毀廟議》、《毀廟遷主議》、《復言罷文昭太后寢祠園》，凡六篇。

漢諫議大夫劉向集八卷　向始末具《六藝》禮家。

《漢書·楚元王》附傳：宣帝循武帝故事，招選名儒俊材置左右。更生以通達能屬文辭，與王褒、張子僑等並進對，獻賦頌凡數十篇。成帝即位，更生乃復進用，數奏封事。數上疏言得失,陳法戒。時上無繼嗣,政由王氏,災異寖甚。向獨謂陳湯曰:"災異如此,而外家日盛,其漸必危劉氏。"遂上封事極諫。每召見,數言權在外家。常譏刺王氏,其言多痛切,發於至誠。年七十二卒。卒後十三歲而王氏代漢。又曰:"仲尼"稱'材難不其然與'!自孔子後,綴文之士多矣,唯孟軻、孫況、董仲舒、司馬遷、劉向、揚雄,此數公者,皆博物洽聞,通達古今,其言有補於世。傳'聖人不出,其間必有命世者焉',豈近是乎?嗚呼!向言山陵之戒,於今察之,哀哉!指明梓柱以推廢興,昭矣!"

劉向《別録》曰:"向有《芳松枕賦》,有《合賦》,有《麒麟角杖賦》,有《行過江上弋雁賦》、《行弋賦》、《弋雌得雄賦》。"《七略》曰:"劉向賦三十三篇。"

《宋書·謝靈運傳》論曰:"屈平、宋玉,導清源於前,賈誼、相如,振芳塵於後。自茲以降,情志愈廣。王褒、劉向、揚、班、崔、蔡之徒,異軌同奔,遞相師祖。雖清辭麗曲,時發乎篇,而蕪音累氣,固亦多矣。"

《文心雕龍·徵聖篇》曰:"徵之周孔,則文有師矣。是以子政論文,必徵於聖。"《體性篇》云:"子政簡易,故趣昭而事博。"《才略篇》云:"劉向之奏議,旨切而調緩。"又曰:"自卿、淵以前,多俊才而不可學;雄、向以後,頗引書以助文。"

《隋書·經籍志》:《漢諫議大夫劉向集》六卷。《唐·經籍志》:《劉向集》五卷。《藝文志》同。《宋史·志》同。

《玉海·藝文》曰:"《中興書目》《劉向集》五卷。集者云晉八卷,隋本六卷,今所有十八篇。"

陳氏《書録解題》曰:"《劉中壘集》五卷,漢中壘校尉劉向子政撰。前四卷封事,並見《漢書》,《九歎》見《楚辭》末,《請雨華山賦》見《古文苑》。"

張溥《百三家·劉子政集》輯本一卷，凡賦、疏、上書、封事、議、對、頌、銘、序、騷，綜二十二篇，附以《洪範五行傳》。

嚴可均《全漢文編》輯本五卷。第一卷曰：《請雨華山賦》、《雅琴賦》、《圍棋賦》、《九歎》，凡四篇。第二卷曰：《使外親上變事》、《條災異封事》、《極諫用外戚封事》、《理甘延壽陳湯疏》、《諫營昌陵疏》、《復上奏災異》、《奏劾甘忠可》、《對成帝甘泉泰時問》、《日食對》、《說成帝定禮樂》、《誡子歆書》，凡十一篇。第三卷曰：《戰國策》、《管子》、《晏子》、《孫卿書》、《韓非子》、《列子》、《鄧析書》、《關尹子》、《子華子》、《說苑》叙錄、《高祖頌》、《杖銘》、《薰鑪銘》、《五紀說》、《五紀論》，凡十五篇。注云："《關尹子》、《子華子》，疑皆是宋人僞托。今姑錄之。"第四卷：《別錄》佚文。按《戰國策》以下叙錄八篇，當編入《別錄》中。第五卷：《新序》佚文、《說苑》佚文。

漢射聲校尉陳湯集二卷

《漢書》本傳：湯字子公，山陽瑕邱人也。少好書，博達善屬文。西至長安，爲太官獻食丞。數歲，舉茂材。復以薦爲郎，數求使外國。久之，遷西域副校尉，與甘延壽俱出。建昭三年，矯制發城郭諸國兵，斬郅支單于、閼氏、太子、名王以下千五百一十八級，生虜百四十五人，降虜千餘人。封關內侯，拜射聲校尉。後奪爵爲士伍。數歲，大將軍王鳳奏以爲從事中郎。又免爲庶人，卒。王莽秉政，追諡湯曰破胡壯侯。又《劉向傳》云："向雅奇湯知謀，與相親友。"

《隋書·經籍志》：梁有漢射聲校尉《陳湯集》二卷，亡。

嚴可均《全漢文編》：陳湯有集二卷。今存《上疏自理》、《上封事請徙初陵》各一篇。

漢諫議大夫谷永集五卷

《漢書》本傳：永字子雲，長安人也。少爲長安小史，後博學經書。建昭中,御史大夫繁延壽,除補屬,舉爲太常丞,數上疏言得失。擢爲光禄大夫,安定太守。病免,補營軍司馬,轉大司馬長史、涼州刺史。徵爲太中大夫,遷光禄大夫給事中,爲北地太守。徵入爲大司農。病卒。永於經書,汎爲疏達,與杜欽、杜鄴略等,不能洽浹如劉向父子及揚雄也。其於天官、《京氏易》最密,故善言災異,前後所上四十餘事,略相反覆,專攻上身與後宫而已。黨於王氏,上亦知之,不甚親信也。本名並,以尉氏樊並反,更名永云。

《漢書·游俠·樓護傳》:護字君卿,與谷永俱爲五侯上客,長安號曰"谷子雲筆札,樓君卿脣舌",言其見信用也。

《論衡·別通篇》曰:"若董仲舒、唐子高、谷子雲、丁伯玉,策既中實,文説美善,博覽膏腴之所生也。"又《効力篇》云:"谷子雲、唐子高章奏百上,筆有餘力,極言不諱,文不折乏,非夫才知之人不能爲也。"

《隋書·經籍志》:《漢諫議大夫谷永集》二卷。《唐·經籍志》:《谷永集》五卷。《藝文志》同。<small>按本傳不言爲諫議大夫。</small>

嚴可均《全漢文編》:谷永有集二卷。今存《舉方正對策》、《復言災異》、《復對》、《又對》、《三月雨雪對》、《黑龍見東萊對》、《日食對》、《星隕對》、《又日食對》、《灾異對》、《門牡自亡對》、《日蝕上書》、《上疏訟陳湯》、《上疏薦薛宣》、《請賜謚鄭寬中》、《上疏理梁王立》、《受降議》、《塞河議》、《諫成帝微行》、《説成帝距絶祭祀方術》、《説王音》、《謝王鳳書》、《與王譚書》、《與王音書》、《戒段會宗書》,凡二十五篇。<small>按《文章緣起》載漢大司農谷永作六言對。</small>

漢涼州刺史杜鄴集五卷

《漢書》本傳:鄴字子夏,本魏郡繁陽人也。武帝時,徙茂陵。鄴少孤,其母張敞女。鄴壯,從敞子吉學問,得其家書。以孝廉爲郎。後以病去。王商爲大司馬，除鄴主簿，舉侍御史。哀帝即位，遷爲凉州刺史。數年，以病免。元壽元年，舉方正對策。未拜，病卒。

《隋書·經籍志》：梁有《漢凉州刺史杜鄴集》二卷，亡。《唐·經籍志》：《杜鄴集》五卷。《藝文志》同。

嚴可均《全漢文編》：杜鄴有集二卷。今存《舉方正直言對》、《災異對》、《説王音》、《説王商》、《臨終作墓石文》，凡五篇。

漢騎都尉李尋集二卷

《漢書》本傳：尋字子長，平陵人也。治《尚書》，與張孺、鄭寬中同師。_{按《儒林傳》同師平陵張山附。}寬中等守師法教授，尋獨好《洪範》災異，又學天文月令陰陽。哀帝初即位，召尋待詔黄門，遷侍郎。以尋言且有水災，故拜尋爲騎都尉，使護河隄。後以助夏賀良事，_{詳見《六藝》附録讖緯中。}下吏，坐誣罔不道，減死一等，徙敦煌郡。

《隋書·經籍志》：梁有《騎都尉李尋集》二卷，亡。

嚴可均《全漢文編》：李尋有集二卷。今存《對詔問災異》、《又對問災異》、《塞河議》、《奏記翟方進》、《説王根》，凡五篇。

漢司空師丹集三卷　録一卷

《漢書》本傳：丹字仲公，琅邪東武人也。治《詩》，事匡衡。舉孝廉爲郎。元帝末，爲博士，免。建始中，州舉茂才，復補博士，出爲東平王太傅。徵爲光禄大夫、丞相司直。數月，復以光禄大夫給事中，由是爲少府、光禄勳、侍中、太子太傅。哀帝即位，爲左將軍，領尚書，代王莽爲大司馬，封高樂侯。徙爲大司空。書數十上，多切直之言。免爲庶人，廢歸鄉里者數年。平帝即位，王莽白太皇太后，封爲義陽侯。月餘薨，諡曰節侯。

《隋書·經籍志》：《漢司空師丹集》一卷，梁三卷，録一卷。

《唐·經籍志》:《師丹集》五卷。《藝文志》同。

嚴可均《全漢文編》:師丹有集三卷。今存《上書言封丁傅》、《建言限民田奴婢》、《劾奏董宏》、《共皇廟議》,凡四篇。

漢光禄大夫息夫躬集五卷

《漢書》本傳:躬字子微,河内河陽人也。少爲博士弟子,受《春秋》,通覽記書。哀帝初即位,上書,召待詔。上變事告東平王雲祠祭祝詛求非望,擢光禄大夫左曹給事中。封宜陵侯,使領護三輔都水。免官,遣就國。以祝盗方事坐祝詛,逮繫洛陽詔獄。欲掠問躬,躬仰天大謼,因僵仆。吏就問,云咽已絶,血從鼻耳出。食頃,死。家屬徙合浦。初,躬待詔,數危言高論,自恐遭害,著絶命辭。後數年乃死,如其文。

《隋書·經籍志》:《漢光禄大夫息夫躬集》一卷。《唐·經籍志》:《息夫躬集》五卷。《藝文志》同。

嚴可均《全漢文編》:息夫躬有集一卷。今存《上疏詆公卿大臣》、《上言開京渠》、《奏開匈奴烏孫》、《建言厭應變異》,凡四篇。

漢太中大夫揚雄集五卷　　雄始末具《六藝》小學家。

雄《答劉歆書》曰:"雄先作《縣邸銘》、《王佴頌》、《階闥銘》及《成都城四隅銘》。蜀人有揚莊者,爲郎,誦之於成帝。成帝好之,以爲似相如。雄遂以此得外見。此數者,皆都水君常見,故不復奏。雄爲郎之歲,自奏少不得學,而心好沈博絶麗之文,願不受三歲之奉,且休脱直事之縣,得肆心廣意,以自克就,有詔可不奪奉。今尚書賜筆墨錢六萬,得觀書於石渠。如是後一歲,作《繡補》、《靈節》、《龍骨》之銘詩三章。成帝好之,遂得盡意。"

《漢書》本傳:雄少而好學,不爲章句,訓詁通而已,博覽無所不見。顧嘗好辭賦。先是蜀有司馬相如,作賦甚弘麗温雅,雄心壯之，每作賦，常擬之以爲式。又怪屈原文過相如，至不容，作《離騷》，投江而死，悲其文，讀之未嘗不流涕也。以爲君子得時則大行，不得時則龍蛇，遇不遇命也，何必湛身哉！迺作書，往往摭《離騷》文而反之，自崏山投諸江流以弔屈原，名曰《反離騷》；又旁《離騷》作重一篇，名曰《廣騷》；又旁《惜誦》以下至《懷沙》一卷，名曰《畔牢愁》。孝成帝時，客有薦雄文似相如者，上方郊祠甘泉泰畤、汾陰后土，以求繼嗣，召雄待詔承明之庭。正月，從上甘泉，還奏《甘泉賦》以風，天子異焉。其三月，將祭后土，還，上《河東賦》以勸。其十二月羽獵，雄從。故聊因《校獵賦》以風。明年，上將大誇胡人以多禽獸，令胡人手搏之，自取其獲，上親臨觀焉。雄從至射熊館，還，上《長楊賦》以風。哀帝時，雄方草《太玄》，有自守，泊如也。或嘲雄，而雄解之，號曰《解嘲》。客有難《玄》太深，衆人之不好也，雄解之，號曰《解難》。其意欲求文章成名於後世，以爲經莫大於《易》，故作《太玄》；傳莫大於《論語》，作《法言》；史篇莫善於《倉頡》，作《訓纂》；箴莫善於《虞箴》，作《州箴》；賦莫深於《離騷》，反而廣之；辭莫麗於相如，作四賦：皆斟酌其本，相與放依而馳騁云。

劉歆《七略》曰："揚雄賦四篇：《甘泉賦》，永始三年待詔臣雄上；《羽獵賦》，永始三年十二月上；《長楊賦》，綏和元年上。"

按《河東賦》永始三年三月上者，《七略》佚其文，故今不具也。

《漢書·藝文志》：揚雄賦十二篇。又注云："入揚雄八篇。"《漢志考證》曰："蓋《七略》所載止四賦：《甘泉》、《河東》、《校獵》、《長揚》也。"《隋書·經籍志》：《漢太中大夫揚雄集》五卷。《唐·經籍志》：《揚雄集》五卷。《藝文志》同。《宋史·志》六卷。

《御覽》文部引崔瑗《叙箴》曰："昔揚子雲讀《春秋傳》、《虞人箴》而善之,於是作九州及二十五官箴,規匡救言君德之所宜,斯乃體國之宗也。"按范書《胡廣傳》云:"雄作十二州、二十五官箴,其九箴亡缺。"此云九州,似誤。

摯虞《文章流別傳》曰:"揚雄、趙充國頌,頌而似雅。"

《文心雕龍·詮賦篇》曰:"子雲《甘泉》,構深瑋之風。"《銘箴篇》云:"揚雄稽古,始範《虞箴》,作卿尹州牧二十五篇。"《誄碑篇》云:"揚雄之誄元后,文實煩穢,沙麓撮其要,而摯疑成篇,注云有脫誤。安有累德述尊,而闕略四句乎?"《哀弔篇》云:"揚雄弔屈,思積功寡,意深文略,故辭韵沈腴。"《雜文篇》云:"揚雄覃思文閣,業深綜述,碎文璅語,肇爲連珠,其辭雖小而明潤矣。"又曰:"揚雄《解嘲》,雜以諧謔,迴環自釋,頗亦爲工。"《封禪篇》云:"揚雄《劇秦》,影寫長卿,詭言遯辭,故兼包神怪。然骨掣靡密,辭貫圓通,自稱極思,無遺力矣。"《書記篇》云:"子雲之答劉歆,志氣槃桓。"《體性篇》云:"子雲沈寂,故志隱而味深。"《才略篇》云:"子雲屬意,辭人最深,觀其涯度幽遠,搜選詭麗,而竭才以鑽思,故能理贍而辭堅矣。"

洪邁《容齋隨筆》曰:"東方朔《答客難》,自是文中傑出,揚雄擬之爲《解嘲》,尚有馳騁自得之妙。"又曰:"揚雄仕漢,親蹈王莽之變,退託其身于列大夫中,不與高位者同其死,抱道没齒,與晏子同科。世儒或以《劇秦美新》貶之,是不然,此雄不得已而作也。夫誦述新莽之德,止能美于暴秦,其深意固可知矣。序所言配五帝、冠三王,開闢以來未之聞,直以戲莽爾。使雄善爲諛佞,撰符命,稱功德,以邀爵位,當與國師公同列,豈固窮如是哉?"

陳氏《書録解題》曰:"《揚子雲集》五卷,漢黃門郎成都揚雄子雲撰。大抵皆録《漢書》及《古文苑》所載。"

《四庫提要》曰:"《隋》、《唐志》皆載《雄集》五卷,其本久佚。

宋譚愈始取《漢書》及《古文苑》所載四十餘篇，仍輯爲五卷，已非舊本。明萬曆中，遂州鄭樸又取雄所撰《太玄》、《法言》、《方言》書及類書所引《蜀王本紀》、《琴清英》諸條，與諸文賦合編之，釐爲六卷，而以逸篇之目附卷末，即此本也。”又汪氏《二十名家集》、張氏《百三家集》亦各有輯本一卷。

嚴可均《全漢文編》輯本四卷。第一卷曰：《蜀都賦》、《甘泉賦》、《河東賦》、《羽獵賦》。第二卷曰：《長楊賦》、《覈靈賦》、《太玄賦》、《逐貧賦》、《酒賦》、《反離騷》、《上書諫勿許單于朝》、《對詔問災異》、《答劉歆書》、《與桓譚書》、《答桓譚書》、《答茂陵郭威書》、《爲益州刺史作箴度》。第三卷曰：《難蓋天八事》、《解嘲》、《解難》、《蜀王本紀》、《趙充國頌》、《劇秦美新》、《連珠》。第四卷曰：《十二州》、《二十一官箴》、《元后誄》、《琴清英》、失題《家諜》。綜凡六十一篇云。案《漢志》揚雄賦十二篇，今蒐輯羣書得完篇九，殘篇一。本傳云作《廣騷》、《畔牢愁》，此二篇亡，僅存篇名。新彫《鐵橋漫稿》中又有是集輯本序。

　　按《文章緣起》載揚雄作《志錄》，《志錄》不知何書。

漢太中大夫劉歆集五卷　歆始末具《六藝》尚書家。

《漢書·楚元王》附傳：向三子，少子歆最知名。少通《詩》、《書》，能屬文，湛靖有謀。父子俱好古，博見彊志，過絕於人。及歆親近，欲建立《左氏春秋》及《毛詩》、《逸禮》、《古文尚書》皆列於學官。哀帝令歆與五經博士講論其義，諸博士或不肯置對，歆因移書太常博士，責讓之，其言甚切。又《王莽傳》：平帝時，莽爲大司馬，以劉歆典文章。按《儒林傳》五官中郎將房鳳、光禄勳王龔、奉車都尉劉歆三人，共移書責讓太常博士。

《傅子》曰：“或問：‘劉歆、劉向孰賢？’傅子曰：‘向才學俗而志忠，歆才學通而行邪。《詩》之雅頌、《書》之典謨，文質足以相副，玩之若近，尋之益遠，陳之若肆，研之若應，浩浩乎其文章之淵府也。'"

《文心雕龍·檄移篇》曰："劉歆之移太常，辭剛而義辨，文移之首也。"《議對篇》云："如吾邱之駁挾弓，劉歆之辨祖宗，雖質文不同，得事要矣。"《事類篇》云："揚雄《百官箴》頗酌於《詩》、《書》，劉歆《遂初賦》曆叙於紀傳。"《章句篇》云："若乃改歆從調，所以節文辭氣：賈誼、枚乘，兩韻輒易；劉歆、桓譚，百句不遷：亦各有其志也。"

《隋書·經籍志》：《漢太中大夫劉歆集》五卷。《唐·經籍志》：《劉歆集》五卷。《藝文志》同。

張溥《百三家·劉子駿集》輯本一卷，凡賦、書、議各三篇，奏、説、論各一篇，附《洪範五行傳》佚文。

嚴可均《全漢文編》輯本二卷，第一卷曰：《遂初賦》、《甘泉宮賦》、《燈賦》、《上山海經表》、《孝武廟不毀議》、《惠景及太上皇寝園議》、《功顯君喪服議》、《移書讓太常博士》、《答文學》、《與揚雄書從取方言》、《新序論》、《斛銘》，凡十二篇。第二卷曰：《三統曆説》、《七略》佚文、《鍾律書》佚文，凡三篇。

王莽保成師友唐林集一卷

《漢書·鮑宣傳》：自成帝至王莽時，清名之士，沛郡則唐林子高、唐尊伯高，皆以明經飭行顯名於世。兩唐皆仕王莽，封侯貴重，曆公卿位。唐林數上疏諫正，有忠直節。

《漢書·王莽傳》：始建國三年，爲太子置師友各四人，以故尚書令唐林爲胥附。按爲四友之一。天鳳四年五月，莽曰："保成師友祭酒唐林，孝弟忠恕，敬上愛下，博通舊聞，德行醇備，至於黃髮，靡有愆失。其封林爲建德侯，位特進，見禮如三公。賜第一區，錢三百萬，授几杖焉。"

《唐書·世系表》：唐厲居沛國，漢封斥邱懿侯。生朝，朝生賢，賢生遵，_{按當爲"尊"。}遵生蒙，中郎將。生臨卬令都，都生倫，倫生林。林尚書令，王莽封建德侯。

《論衡·超奇篇》曰："觀谷永之陳説，唐林之宜言，劉向之切議，以知爲本，筆墨之文，將而送之，豈徒雕文飾辭，苟爲華葉之言哉？精誠由中，故其文語感動人深。"

《隋書·經籍志》：梁有《王莽保成師友唐林集》一卷，亡。

《玉海》六十一《中興書目》曰："《漢名臣奏》二卷：一卷孔光元壽二年八月奏篇，凡三；一卷唐林在新莽時奏篇，凡十。"

嚴可均《全漢文編》：唐林有集一卷。今存《上哀帝疏請復師丹邑爵》，又《奏事》各一篇。

薛方　詩賦數十篇

《漢書·鮑宣傳》：自成帝至王莽時，清名之士，齊則薛方子容。嘗爲郡掾祭酒，嘗徵不至，及莽以安車迎方，方因使者辭謝曰："堯、舜在上，下有巢、由，今明主方隆唐虞之德，小臣欲守箕山之節也。"使者以聞，莽説其言，不强致。方居家以經教授，喜屬文，著詩賦數十篇。世祖即位，徵方，道病卒。

班倢伃集一卷

《漢書·外戚傳》：孝成班倢伃，帝初即位選入後宮。始爲少使，蛾而大幸，爲倢伃，居增成舍，再就館，有男，數月失之。成帝遊於後庭，嘗欲與倢伃同輦載，倢伃辭曰："觀古圖畫，賢聖之君皆有名臣在側，三代末主迺有嬖女，今欲同輦，得無近似之乎？"上善其言而止。太后聞之，喜曰："古有樊姬，今有班倢伃。"其後失寵。求共養太后長信宮，上許焉。倢伃退處東宮，作賦自傷悼。至成帝崩，倢伃充奉園陵，薨，因葬園中。

_{《續列女傳》曰："班倢伃者，左曹越騎校尉班況之女。《成紀》贊曰：'臣之姑充後宮爲倢伃。'晉灼曰：'班彪之姑也。'"}

唐吴競《樂府古題要解》曰："《倢伃怨》者,爲漢成帝班倢伃作也。倢伃,徐令彪之姑,況之女,美而能文。初爲帝所寵愛,後幸趙飛燕姊娣,冠於後宫,倢伃自知恩薄,懼得罪,求供養皇太后於長信宫,因爲賦及《紈扇詩》以自傷。後人傷之,爲《倢伃怨》及擬其詩。"

鍾嶸《詩品》曰："逮漢李陵,始著五言之目。自王、揚、枚、馬之徒,辭賦競爽,而吟詠靡聞。從李都尉迄班倢伃,百年間,有婦人焉,一人而已。詩人之風,頓已缺喪。"又曰:"漢婕妤班姬詩,其源出於李陵。《團扇》短章,辭旨清捷,怨深文綺,得匹婦之致。侏儒一節,可以知其工矣!"

《文心雕龍·明詩篇》曰:"至成帝品録,三百餘篇,按《藝文志》歌詩二十八家,三百一十四篇。朝章國采,亦云周備,而辭人遺翰,莫見五言,所以李陵、班婕妤,見疑於後代也。"

《隋書·經籍志》:《漢成帝班婕妤集》一卷。

嚴可均《全漢文編》:班倢伃有集一卷。今存《自悼賦》、《擣素賦》、《報諸姪書》,凡三篇。《文選》有《怨歌行》一篇。

右別集之屬,凡三十二家三十二部。按張氏《百三家》輯《史記》褚少孫諸篇爲《褚先生集》一卷,杜撰無據,今不録。

右詩賦二種,凡四十家四十部。漢之辭人,大都師範屈、宋,依則賈、馬。詩賦多而雜體寡,故《七略》以詩賦爲目。間有不一其體者,則謂之雜賦、雜歌詩,或總謂之書,如言董仲舒所著書,武帝命取相如所著書是也。至劉中壘典校經籍,録屈、宋等所作《楚辭》,是總集之伊始。終録東方朔所作雜詩文,是別集之濫觴。是時已有集之名,論者謂集始於東漢,蓋約略言之,究無以知爲東漢何時何人也。又集部通例,總集以選家爲主,別集以作者爲斷。漢人之集,即使部部出於東漢，確有主名，亦當從作者時代列之前漢。況未必盡出東漢乎？《藝文志》所載劉氏本奏御之文，從而取去之，班氏又略有所入。其私家相傳見於班書及《七録》所有、《隋志》所載者，荀卿以下凡三十二家。今録之如右。西京人文當不止此，如鄒陽、嚴忌、嚴助、張子僑諸人，亦必有集。自《魏中經》、《晋新簿》、《文章志》、《流別集》、《集林》、《文苑》淪亡，遂無從而知之矣。

漢書藝文志拾補卷四

兵書略第四

黃石公記三卷

《後漢書·臧宮傳》：光武詔報臧宮、馬武曰：“《黃石公記》
曰：‘柔能制剛，弱能制彊。’”章懷太子曰：“即張良于下邳圯
所見老父出一編書者。”

《文選·關中詩》注、《郭有道碑文》注、《運命論》注引《黃石公
記序》曰：“張良慮若源泉，深不可測。”又曰：“黃石者，神人
也，有上略、中略、下略。”

《隋志》子部兵家：梁有《黃石公記》三卷。

按黃石公出一編書授張良者，乃《太公兵法》，《史記·留侯
世家》及《漢書》列傳言之甚明，烏有所謂《黃石公記》者乎？
然光武詔書所引，出於前漢人依托可知。《初學記》、《藝文
類聚》、《文選》注、《御覽》數引《黃石公記》，或是漢以來相
傳本書。

又按《文選·魏李康運命論》曰：“張良受黃石之符，誦《三
略》之説。”注引《黃石公記序》云：“有上略、中略、下略。”則
《黃石公記》即《三略》，而今本《三略》又後人所僞託，《四庫
提要》言之詳矣。

張良經一卷　張氏七篇七卷

《史》、《漢》世家、列傳：良字子房，其先韓人也。《功臣侯表》
曰：“留文成侯張良，以厩將從起下邳，以韓申徒《漢·表》作“申
都”，《漢·傳》作“司徒”。下韓國，入武關，設策降秦王嬰，解上與項

羽之隙，爲漢王請漢中地，常爲計謀，平天下。高帝六年正月
丙午，封萬户。十六年，薨。高后三年，侯不疑嗣。孝文五
年，坐事贖爲城旦，國除。”

《隋志》子部兵家：《七録》云：“《張良經》與《三略》往往同，
亡。”《三略》或譌作《三洛》。《唐·經籍志》：《張良經》一卷，張良
撰。《張氏》七篇七卷，張良撰。《唐·藝文志》：《張良經》一
卷，《張氏》七篇七卷，注云“張良”。

按《通志·藝文略》兵陰陽家有《出軍秘占》五卷，張良撰，似
又從此兩書輾轉附托者。《張良經》見《七録》，或漢以來相傳
舊笈。《張氏》七篇似其別本，無以詳其真偽，姑從而録之。
《晋書·天文志》言州郡躔次，稱張良所云，疑出是書。

右兵權謀，二家三部。

嚴尤　三將軍論三篇

《漢書·王莽傳》：天鳳六年，莽欲遣嚴尤與廉丹擊匈奴，皆賜
姓徵氏，號二徵將軍。未發，尤素有智略，非莽攻伐四夷，數
諫不從，著古名將樂毅、白起不用之意及言邊事凡三篇，奏以
風諫莽。又《匈奴傳》贊曰：“若乃征伐之功，秦漢行事，嚴尤
論之當矣。”

《後漢書·匈奴傳》：熹平六年秋，議郎蔡邕議曰：“守邊之
術，李牧善其略；保塞之論，嚴尤申其要。遺業猶在，文章具
存，循二子之策，守先帝之規，臣曰可矣。”

《文心雕龍·論説篇》曰：“及班彪《王命》、嚴尤《三將》，敷述
昭情，善入史體。”

《唐·經籍志》子部雜家：《三將軍論》一卷，嚴尤撰。《唐·藝
文志》：嚴尤《三將軍論》一卷。

嚴可均《全漢文編》曰：“嚴尤，字伯石。王莽始建國時，爲討

穢將軍，封武建伯。天鳳中，代陳茂爲大司馬。免。後爲納言大將軍。莽誅，走汝南，降於劉聖，《漢紀》作"望"。拜大司馬。聖敗并死。"又曰："《三將軍論》，《世説·言語篇》注引一條，《御覽》四百三十七引一條。"

　　按范書《劉玄傳》，更始元年，前鍾武侯劉望起兵，略有汝南。時，王莽納言將軍嚴尤、秩宗將軍陳茂，既敗於昆陽，往歸之。八月，望遂自立爲天子，以尤爲大司馬，茂爲丞相。十月，奮威大將軍劉信擊殺劉望於汝南，并誅嚴尤、陳茂。尤死事如此。又《光武紀》注引桓譚《新論》曰："莊尤字伯石。"史避明帝諱，改爲"嚴"。

右兵形勢，一家一部。

王朔　雜匈奴占一卷

　　《史記·天官書》曰："夫自漢之爲天數者，星則唐都，氣則王朔。"又曰"王朔所候，決於日旁雲氣，人主象。皆如其形以占。故北夷之氣如羣畜穹閭，南夷之氣類舟船幡旗"云云。《漢書·天文志》同。

　　《隋志》子部兵家：《雜匈奴占》一卷，漢武帝王朔注。按"武帝"下似敓"時"字。《通志略》兵陰陽家：《雜匈奴占》一卷，漢王朔撰。

　　按王朔始末未詳，班書《李廣傳》廣與望氣王朔語，蓋與廣同時。《世説·文學篇》注引《東方朔傳》曰："漢武帝時，未央宮鐘無故自鳴，詔問太史待詔王朔。"按東方朔本傳無此事，蓋別傳也。則武帝時以望氣知術數官待詔者也。史與占星之唐都、占歲之魏鮮並稱，而《天官書》、《天文志》并采其語。《開元占經》七、八兩卷日占類中引"王朔曰"八條，其即是書。

京氏征伐軍候八卷　京房撰。房始末具《諸子》法家。

　　《漢書》本傳：初元四年以孝廉爲郎。永光、建昭間，西羌反，日蝕，又久青亡光，陰霧不精。房數上疏，先言其將然，近數月,遠一歲,所言屢中,天子悦之。數召見問。

《隋志》子部兵家：梁有《京氏征伐軍候》八卷。

　　按《七録》載是書,但稱京氏,不云京房。今以本傳證之,知爲房書。其云西羌反,先言其將然。天子以所言屢中,數召見問。或其門弟子如任良、段嘉、姚平、桑弘輩,哀錄當時奏對之語,及其占候涉於軍事者,爲是編,亦事理所恆有也。《御覽》八百七十七引京房曰："若出軍之日,無雲而雨,此天泣,軍没不還；雨不沾衣,名曰鬼泣,其軍必敗。"頗似此書。又《開元占經》引京房諸占頗及兵戎事者,亦似此書。又疑此亦在《災異孟氏京房》六十六篇中,姑録存之。

右兵陰陽,二家二部。

繳書二篇　　汲冢竹書。

束晢《竹書序目》曰："《繳書》二篇,論弋射法。"

江都陳逢衡《竹書紀年集證》卷末有曰："《文選·勵志詩》注引《汲冢書》云：'蒲且子見雙鳧過之,其不被弋者亦下。'疑是《繳書》二篇之文。《列子》曰：'蒲且子之弋,弱弓纖繳,乘風振之,連雙鶬于青雲之際,用心專,動手均也。'又《淮南子》曰：'蒲且子連鳥千仞之上,弓良也。'案蒲且子,楚人,善弋射。《説苑·説叢篇》：'蒲且修繳,鳧雁哀鳴。'"

　　按《漢志》兵技巧家有《蒲且子弋法》四篇,與《汲冢繳書》略同,陳氏云云或亦近似。

右兵技巧,一家一部。

右兵書四種,凡六家七部。《藝文志》曰："漢興,張良、韓信叙次兵法,凡百八十二家,删取要用,定著三十五家。諸吕用事而盜取之。武帝時,軍政楊僕捃摭遺逸,紀奏《兵録》,猶未能

備。至於孝成，命任宏論次兵書爲四種。"蓋任氏要其成。當
時罔羅放失，其所軼出者蓋寡，故今所得止此。又《七略》兵
權謀有《伊尹》、《太公》、《筦子》、《孫卿子》、《鶡冠子》、《蘇
子》、《蒯通》、《陸賈》、《淮南王》，兵技巧有《墨子》，凡十家二
百七十一篇。班氏以重複省之，又出《司馬法》百五十五篇，
入《蹴鞠》二十五篇，則又非任宏論次之舊矣。《隋志》有《鬼谷先生
占氣》一卷，《黃石公內記敵法》一卷，《三略》三卷，《三奇法》一卷，《兵書》一卷，《五壘
圖》一卷，《陰謀行軍祕法》一卷，《祕經》二卷，及今傳《素書》一卷，暨見於《唐》、《宋
志》、《通志略》所載者，並後人依託。又今傳《漢丞相平津侯公孫弘解握機經》一卷，
經與解並偽託。《黃石公行營妙法》三卷，亦術家偽託。並見《四庫提要》，今概不錄。

漢書藝文志拾補卷五

數術略第五

周髀一卷

《續漢·天文志》注：蔡邕《表志》曰："言天體者有三家，一曰《周髀》，周髀數術具存，考驗天狀，多所違失，故史官不用。"

《晉書·天文志》序曰："古言天者有三家：一曰蓋天，《周髀》者，即蓋天之說也。其本庖犧氏立周天曆度，其所傳則周公受於殷商，周人志之，故曰《周髀》。髀，股也。股者，表也。其言天似蓋笠，地法覆槃，天地各中高外下。三光隱映，以爲晝夜。日所行道，爲七衡六間。每衡周經里數，各依算術，用句股重差，推晷影極游，以爲遠近之數，皆得於表股者也。故曰《周髀》。"

《宋書·天文志》曰："三天之儀，紛紛莫辨，至揚雄方難蓋通渾。雄難其八事。鄭玄又難其二事。爲蓋天之學者不能通也。"

《隋書·天文志》曰："其後桓譚、鄭玄、蔡邕、陸績，各陳《周髀》，考驗天狀，多有所違。逮梁武帝於長春殿講義，別擬天體，全同《周髀》之文，蓋立新意，以排渾天之論而已。"

《禮記·月令》疏曰："天地說有多家，一曰蓋天，文見《周髀》，如蓋在上。"

《隋志》子部天文家：《周髀》一卷，趙嬰注。《唐·經籍志》同。

《藝文志》：趙嬰注《周髀》一卷。《宋史·志》曆算類：趙君卿《周髀算經》二卷。

《四庫提要》曰："《周髀算經》二卷,是書首章周公與商高問答,實句股之鼻祖,故《御製數理精蘊》載在卷首而詳釋之,稱爲成周六藝之遺文。古蓋天之學,此其遺法。蓋渾天如毬,寫星象於外,人自天外觀天。蓋天如笠,寫星象於內,人自天內觀天。笠形半圓,有如張蓋,故稱蓋天。合地上地下兩半圓體,即天體之渾圓矣。其法失傳已久,故自漢以迄元、明,皆主渾天。明萬曆中,歐羅巴人入中國,始別立新法,號爲精密。然其言地圓,即《周髀》所謂地法覆槃、滂沱四隤而下也。其言南北里差,即《周髀》所謂北極左右,夏有不釋之冰,物有朝生暮穫,中衡左右,冬有不死之草,五穀一歲再熟,是爲寒暑推移,隨南北不同之故。及所謂春分至秋分,極下常有日光;秋分至春分,極下常無日光,是爲晝夜永短,隨南北不同之故也。其言東西里差,即《周髀》所謂東方日中,西方夜半,西方日中,東方夜半。晝夜易處如四時相反,是爲節氣合朔,加時早晚,隨東西不同之故也。古者九數惟《九章》、《周髀》二書流傳最古,固術數家之鴻寶也。"

《四庫簡明目錄》曰："是書爲相傳古本,莫知誰作。其算法爲句股之祖,其推步即蓋天之術。歐羅巴法實從此出。"

儀徵阮元《疇人傳》曰："言天者三家,以蓋天爲最古。劉智謂顓頊造渾天,黃帝爲蓋天,蓋先於渾,是其證已。以句股量天,始見於《周髀》,後人踵事增脩,愈推愈密,而乃嗤古率爲牾疏,毋乃既成大輅而棄椎輪。"

宣夜

《續漢·天文志》注:蔡邕《表志》曰："言天體者有三家:一曰《周髀》,二曰《宣夜》。宣夜之學,絕無師法。"

晉虞喜《安天論》曰："言天體者三家,渾、蓋之術具存,而宣夜之法絕滅。"又曰:"宣夜,或人姓名,猶星家有甘石也。"又曰:

"宣,明也。夜,幽之數。其術兼之,故云宣夜。"賀道養《渾天記》曰:"宣夜,夏、殷之法也。"

《晋書·天文志》:《宣夜之書》云,惟漢秘書郎郤萌記先師相傳云:"天了無形質,仰而瞻之,高遠無極,眼瞀精絶,故蒼蒼然也。譬之旁望遠道之黄山而皆青,俯察千仞之深谷而窈黑,夫青非真色,而黑非有體也。日月衆星,自然浮生空虛之中,其行其止皆須氣焉。是以七曜或游或住,或順或逆,伏見無常,進退不同,由乎無所根繫,故各異也。故辰極常居其所,而北斗不與衆星西没也。攝提、填星皆東行,日行一度,月行十三度,遲疾任情,其無所繫著可知矣。若綴附天體,不得爾也。咸康中,會稽虞喜因宣夜之説作《安天論》。

《禮記·月令》疏曰:"三曰宣夜。舊説云殷代之制,其形體事義,無所出以言之。"

阮元《疇人傳》論曰:"宣夜之説,謂七曜不綴附天體。夫既不附天體,則七曜各自有其高下可知。今西人言日月五星各居一天,俱在恆星天之下,即不綴附天體之謂。意其説或出於宣夜與?"

渾天

《續漢·天文志》注:蔡邕《表志》曰:"言天體者有三家:一曰《周髀》,二曰《宣夜》,三曰《渾天》。惟《渾天》近得其情,今史官所用候臺銅儀,則其法也。立八尺圓體之度,而具天地之象,以正黄道,以察發斂,以行日月,以步五緯。精微深妙,萬世不易之道也。官有其器而無本書,前志亦闕而不論。臣求其舊文,連年不得。"

《太平御覽》天部渾儀篇:王蕃《渾天説》曰:"《渾天》之作,由來尚矣。考之於天,信而有徵。舊説天地之體,狀如鳥卵,天苞地外,猶殼之裹黄也。周迴如彈丸,故曰渾天,言其形體渾渾如也。"又曰:"《渾天》遭周秦之亂,師徒斷絕而喪其文。唯渾儀常在候臺,是以不廢,故其揚榷可得而言。至於纖微委曲,闕而不傳。蔡邕以爲精微深妙,百世不易之道。"

《禮記·月令》疏曰:"二曰渾天。形如彈丸,地在其中,天包其外,猶如雞卵白之繞黃。揚雄、桓譚、張衡、蔡邕、陸績、王肅、鄭玄之徒,並所依用。"

按《宣夜》、《渾天》,據諸家之説,則周秦時未嘗無書。《宋書·天文志》云:"一曰《宣夜》,二曰《蓋天》,三曰《渾天》。"以《宣夜》爲第一。《禮疏》以《宣夜》爲第三。今從蔡邕《表志》。

太初員儀

揚子《法言·重黎篇》:或問渾天。曰:"落下閎營之,鮮于妄人度之,耿中丞象之,幾乎! 幾乎! 莫之能違也。"李軌曰:"幾,近也。落下閎爲武帝經營之。鮮于妄人又爲武帝算度之。耿中丞名壽昌,爲宣帝考象之。言乎近其理矣。談天者無能違也。"宋咸曰:"漢落下閎、鮮于妄人、耿壽昌算造圓儀以考曆度。"

《宋書·天文志》曰:揚雄《法言》云:"或人問渾天於雄。雄曰:'落下閎營之,鮮于妄人度之,耿中丞象之,幾幾乎莫之違也。'"若問天形定體,渾儀疎密,則雄應以渾儀答之。而舉此三人以對者,則知此三人製造渾儀,以圖昬緯。問者蓋渾儀之疎密,非問渾儀之淺深也。以此而推,則西漢長安已有其器矣。將由喪亂亡失,故張衡復鑄之乎?

《晉書·天文志》儀象篇曰:"《春秋文曜鉤》云:'唐堯即位,羲和立渾儀。'此則儀象之設,其來遠矣。縣代相傳,史官禁密,學者不覩,故宣、蓋沸騰。暨漢太初,落下閎、鮮于妄人、耿壽昌等造員儀以考曆度。"

《隋書·天文志》曰:"古舊渾象,以二分爲一度,周七尺三寸半,而莫知何代所造。今案虞喜云:‘落下閎爲漢孝武帝於地中轉渾天,定時節,作《泰初曆》。’或其所製也。”又曰:“河間劉焯《論渾天》云:‘璿璣玉衡,正天之器。帝王欽若,世傳其象。漢之孝武,詳考律曆,糾落下閎、鮮于妄人等,共所營定。逮於張衡,又尋述作,亦其體制,不異閎等。’”按衡以四分爲一度,周天一丈四尺六寸一分,其大倍於太初圓儀也。

　按落下閎見後曆譜。鮮于妄人,昭帝時爲主曆使者。元鳳三年,嘗奉詔詰問張壽王曆術,見《漢·曆志》。耿壽昌,宣帝時爲大司農中丞,善爲算,習於商功分株之事。五鳳中,奏起常平倉,賜爵關内侯,見《食貨志》。而《藝文志》有《耿昌月行帛圖》二百三十二卷,《耿昌月行度》二卷。《疇人傳》云耿昌即耿壽昌,《續漢志》賈逵論曆曰“案甘露二年大司農中丞耿壽昌奏,以圖儀度日月行,考驗天運狀”云云,圖儀者,即此圓儀。壽昌用以步日月,別爲彼二書也。

黃帝五星傳

《續漢·天文志》序曰:“星官之書自黃帝始。”

《晋書·天文志》序曰:“黃帝創受《河圖》,始明休咎,故其《星傳》尚有存焉。”

《隋志》子部天文家:《黃帝五星占》一卷。

王應麟《漢志考證》曰:“《天文志》引《星傳》曰:‘日者,德也。月者,刑也。’又曰:‘客星守招搖,蠻夷有亂。’又引‘月南入牽牛,戒月入畢’。《五行志》劉向以爲《星傳》曰‘心大星天王也’,其前星太子,後星庶子也。”

　按王氏《考證》從《漢志》所引題曰《星傳》,今攷《晋志》言《黃帝星傳》,《隋志》有《黃帝五星占》,又《開元占經》卷十救日蝕條引《五星傳》云‘日者,德。月者,刑。日蝕修德,月蝕修刑’,與班《志》引《星傳》語同,知其書名《黃帝五星傳》，稱《星傳》者，省文也。又《續漢·天文志》注引《黃帝星經》、《黃帝經》、《黃帝占》亦即此書。又疑此在《黃帝雜子氣》三十三篇中。然別無碻證，今故從王氏《考證》所補錄之。

夏氏日月傳

王應麟《漢志考證》曰：“《天文志》引《夏氏日月傳》曰：‘日月食盡主位也，不盡臣位也。”又《玉海》天文類曰：“《乾象新書》引《夏氏占》。”

按夏氏不知何人，《開元占經》凡日占、月占、客星占、妖星占，皆引夏氏，凡四十餘條。又引《夏氏日暈圖》，《七錄》有許氏撰《夏氏日旁雲氣》四卷，蓋許氏傳述其占法，知其書亦兼言五星及星氣、雲氣。《七錄》兵家又有《黃帝夏氏占氣》六卷，《通志略》作夏后氏，未詳。

又按張彥遠《歷代名畫記》卷三述古來秘畫珍圖，有《占日雲氣圖》，注云京兆夏氏、魏氏並有，蓋相傳其家素蓄者，又似即此夏氏，京兆人。其云魏氏，似即《天官書》所謂占歲之魏鮮。

巫咸五星占一卷

《史記·封禪書》：湯八世，至帝太戊，有桑穀生於廷，一暮大拱，懼。伊陟曰：“妖不勝德。”太戊脩德，桑穀死。伊陟贊巫咸，巫咸之興自此始。又《天官書》曰：“昔之傳天數者：殷商，巫咸。”張守節曰：“巫咸，殷賢臣也，本吳人，冢在蘇州常熟海隅山上。子賢，亦在此也。”按《古今人表》，巫咸在第二等，列殷太戊之次。師古曰：“太戊之臣也。”巫賢列第三等，河亶甲之次。

《尚書·咸有一德》釋文：馬融曰：“巫，男巫也，名咸，殷之巫也。”

張澍《世本》輯注曰：“《世本》：‘巫咸作筮。’宋衷注：‘巫咸，不知何時人。’澍按：《古史考》：‘殷巫咸善占筮。’《書序》：‘伊陟贊巫咸，作《咸乂》四篇。’《外國圖》云：‘昔殷帝太戊，使巫咸禱於山河。'《説文》：'巫咸初作巫。'王逸《楚辭注》：'巫咸，古神巫也，當殷中宗之時。'又《越絶書》云：'虞山者，巫咸所出也。虞故神出奇怪。'此《史記正義》所本。《隋志》有《巫咸五星占》一卷，是其人善星曆審矣。"又曰："澍按《歸藏易》云：'黄帝將戰，筮於巫咸。'《莊子》逸篇：'黔首多疾，黄帝立巫咸，以通九竅。'《路史》：'神農時有巫咸，主筮。'《太平御覽》引《世本》宋注云：'咸，巫，堯臣也。以鴻術爲帝堯之醫。'郭璞《巫咸山賦序》本之。是神農、黄帝、唐堯、殷商時，皆有巫咸也。"

《晉書·天文志》序曰："至於殷之巫咸，周之史佚，格言遺記，於今不朽。"

《隋書·經籍志》：《巫咸五星占》一卷。

《玉海》天文類：《景祐乾象新書》云："巫咸中官星九座，共三十一星，列肆至虎賁；外官星二十座，共九十五星，陽門至土司空；紫微垣星四座，共一十八星，御女至鈎陳。"亦見《漢志考證》，引文小異。

按《開元占經》引《巫咸占》至多，其中外官星並有讚文，似後人所作。晁氏《讀書志》有《司天考占星通元寶鏡》一卷，題曰巫咸氏，豈即是書之異名歟？

甘氏星經

《史記·天官書》曰："昔之傳天數者：在齊，甘公。"徐廣曰："或云甘公名德也，本是魯人。"張守節曰："《七録》云楚人，戰國時作《天文星占》八卷。"

惠棟《續漢天文志補注》：劉歆《七略》曰："甘公字逢名德。"未詳所據。《史記·陳餘列傳》引《七略》云"公，一名德"。

《隋書·經籍志》：《甘氏四七法》一卷，梁有《甘氏天文占》八卷。《唐·經籍志》：《甘氏四七法》一卷，甘德撰。《藝文志》：《甘氏四七法》一卷，注云甘德。《續漢·曆志》曰："在天成度，在曆成日，居以列宿，終於四七。"阮元《疇人傳》論曰："陰陽之精，散爲五行，日月相會，紀以四七，則星辰是也。"

《玉海》天文類:《乾象新書》曰:"甘德中官星五十九座,共二百一星,平道至謁者;外官星三十九座,共二百九星,大門至青丘;紫微垣星二十座,共一百一星,四輔至八穀。"

按《史記·張耳陳餘傳》云:"張耳敗走,欲之楚。甘公曰:'漢王之入關,五星聚東井。東井者,秦分也。先至必霸。楚雖彊,後必屬漢。'故耳走漢。"是甘公楚漢時人,或是戰國時甘公之後。《漢志考證》據《周禮注》題曰《甘氏歲星經》。今考《説文》女部"婩"字下引《甘氏星經》,知《星經》其總名,《歲星經》其篇目也。《七録》之《天文星占》似《星經》之異名,今從《説文》。《史記·天官書》又稱爲《甘石曆》,則總稱二家星曆之書也。

石氏星經

《史記·天官書》曰:"昔之傳天數者:在齊,甘公;楚,唐昧;趙,尹皋;魏,石申。戰國争於攻取,兵革更起,城邑數屠,因以饑饉疾疫焦苦,臣主共憂患,其察禨祥候星氣尤急。而皋、唐、甘、石因時務論其書傳,故其占驗凌雜米鹽。"張守節曰:"《七録》云石申,魏人,戰國時作《天文》八卷。"

《續漢·天文志》序曰:"魏石申夫,或作石申父,又作甫。因《史記》下文"夫天運,三十歲一小變"之語,遂以此"夫"字誤屬之上,相沿不覺。齊國甘公,皆掌天文之官。仰占俯視,以佐時政,步變擿微,通洞密至,采禍福之原,覩成敗之勢。秦燔《詩》、《書》,以愚百姓,六經典籍,殘爲灰炭,星官之書,全而不毀。"

《晋書·天文志》序曰:"其諸侯之史,則魯有梓慎,晋有卜偃,鄭有裨竈,宋有子韋,齊有甘德,楚有唐昧,趙有尹皋,魏有石申夫,皆掌著天文,各論圖驗。其巫咸、甘、石之説,後代所宗。"

《隋書·天文志》序曰:"三國時,吴太史令陳卓,始列甘氏、石氏、巫咸三家星官，著於圖録。并注占贊，總有二百五十四官，一千二百八十三星，并二十八宿及輔官附坐一百八十二星，總二百八十三官，一千五百六十五星。"

《隋書・經籍志》：《石氏渾天圖》一卷。《石氏星簿經讚》一卷。梁有《石氏》、《甘氏天文占》各八卷。《唐・經籍志》：《石氏星經簿讚》一卷，石申甫撰。《藝文志》：《石氏星經簿讚》一卷，注云石申。《唐日本國見在書目》：《石氏中官占》三卷，上、中、下。《石氏星經簿讚》二卷。《星經流占》二卷，石氏撰。

《玉海》天文類：《乾象新書》云："石申列舍星二十八座，共一百六十六星，角至軫；中官星五十四座，共三百一十八星，招搖至郎將；外官星三十八座，共二百七十一星，平星至長沙；紫微垣星一十二座，共五十四星，紫微垣至文昌。"

《漢志考證》曰："《史記・天官書》索隱曰：'歲星在寅，正月晨見東方之名。已下皆出《石氏星經》。《天文志》兼載《甘氏》。'《後漢・郎顗傳》引《石氏經》。《周禮疏》、《月令正義》引《石氏星經》。"

　　按《御覽》二百三十五引應劭《漢官儀》曰："當春秋時，魯梓慎、晋卜偃、宋子韋、鄭裨竈，觀乎天文，以察時變，其言屢中，有備無害。漢興，甘、石、唐都、司馬父子，抑亦次焉。"據此，則甘、石二家並漢初人。《史記》亦載張耳以甘公之言歸漢，似甘、石皆生於六國，至漢初猶存。張蒼亦生於六國，並爲同時人歟？此二家書《開元占經》引之尤夥，并及其讚文。今有《甘石星經》二卷，乃唐宋人輯録，嘗編入《道藏》，號曰《通占大象曆星經》。

唐昧稱星經

《史記・天官書》曰："昔之傳天數者：在齊，甘公；楚，唐昧。"
又曰："皋、唐、甘、石因時務論其書傳，故其占驗凌雜米鹽。"
《續漢志》作"唐蔑"。

《崇文總目》曆數類《稱星經》一卷，唐昧撰。《通志・略》曆數
雜星曆門：《秤星經》一卷，唐昧撰。

按唐昧始末未詳，《世系》魯定公五年，楚滅唐，子孫以國爲
氏，分仕晋、楚。《史記・楚世家》懷王二十八年，秦與齊、
韓、魏共攻楚，殺楚將唐昧，不知即此唐昧否也。《天官書》
又云漢之爲天數者，星則唐都。都或昧之後，世傳其學者
歟？史言皋、唐、甘、石因時務論書傳，則昧有書可知。此
或昧書之殘臆。前史不載，始見於《崇文目》，真僞不可攷，
姑從而録之。晁氏《志》五行家、《宋志》天文家別有《秤星
經》三卷，乃星命之術，非此書也。

劉歆曜曆　歆始末具《六藝》尚書家。

《文選・齊敬皇后哀策文》"軒曜懷光"注引《淮南子》曰："軒
轅者，帝妃之舍。"高誘曰："軒轅，星也。"劉歆有《曜曆》。

按《淮南子》此語見《天文訓》，今本無高誘此注。劉歆有
《曜曆》當是李善語。善在唐初多見古書，所言當得其實，
因據以著録。《曜曆》即《七曜曆》之類。

又按《劉向傳》云："向夜觀星宿，或不寐達旦。"《王莽傳》：
歆爲王涉言天文人事，東方必成。乃謀共刦持莽，東降南
陽天子。歆曰："當待太白星出，乃可。"歆死後，"秋，太白星流入
太微，燭地如月光"。《續漢志》曰："太白爲兵，太微爲天庭，是大兵將入天子庭
也。"又莽子臨妻愔，國師公女，能爲星，語臨宮中且有白衣
會。是劉氏父子並善天文，歆女亦知星，蓋得之於父。歆
有《曜曆》之書，於是乎益信。

右天文，凡一十一家一十一部。

京房律術　房始末具《諸子》法家。

《漢書》本傳：房好鍾律，知音聲。又曰：“房本姓李，推律自定爲京氏。”

《續漢書·律志》：漢興，北平侯張蒼首治律曆。孝武正樂，置協律之官。至元始中，博徵通知鍾律者，考其意義，羲和劉歆典領條奏，前史班固取以爲志。而元帝時，郎中京房字君明，知五聲之音，六律之數。上使太子太傅韋玄成、諫議大夫章，雜試問房於樂府。房對：“受學故小黃令焦延壽，六十律相生之法。”房又曰：“竹聲不可以度調，故作準以定數。準之狀如瑟，長丈而十三絃，隱間九尺，以應黃鍾之律九寸；中央一絃，下有畫分寸，以爲六十律清濁之節。”房言律詳於歆所奏，其術施行於史官，候部用之。又曰：“截管爲律，吹以考聲。術家以其聲微而體難知，其分數不明，故作準以代之。準之聲，明暢易達，分寸又麤。然弦以緩急清濁，非管無以正也。均其中弦，令與黃鍾相得，案畫以求諸律，無不如數而應者矣。音聲精微，綜之者鮮。元和元年，待招候鍾律殷肜上言：“官無曉六十律以準調音者。”熹平六年，東觀召典律者太子舍人張光等問準意。光等不知，歸閱舊藏，乃得其器，形制如房書，猶不能定其弦緩急，音不可書以時人，知之者欲教而無從，心達者體知而無師，故史官能辨清濁者遂絕。其可以相傳者，唯大推常數及候氣而已。

《晉書·律志》：京房始創六十律。至章帝時，其法已絕，蔡邕雖追紀其言，亦曰今無能爲者。又曰：《續漢志》具載其六十律準度數，其相生之次與《呂覽》、《淮南》同。

《隋書·律志》：開皇時，故陳山陽太守毛爽著《律譜》，云“至

於元帝，自曉音律，郎官京房，亦達其妙，因使韋玄成等雜試
問房。房自叙云：'學焦延壽，用六十律相生之法。以上生
下，皆三生二，以下生上，皆三生四。陽下生陰，陰上生陽，乃
還相爲宫之正法也。'於後劉歆典領條奏，著其始末，理漸研
精。班氏《漢志》，盡歆所出也。司馬彪《志》，並房所出也。"

《玉海》律曆篇曰："陳毛爽受京房律法，布管飛灰，順月皆驗。
爽兄喜陳武帝時以十二管衍爲六十律，私候氣序，並有徵應。
隋開皇九年，遣爽及太樂令蔡子元等候節氣，令爽草定其法，
名曰《律譜》，而牛弘論六十律不可行。"

　　按京房造律法，并作律準，自後漢以迄六朝，律曆家並述其
法。《續漢・律志》載其書，而《漢》、《隋》、《唐》藝文、經籍
志皆不著録。今据《續漢志》所稱，題曰《律術》。《太平御覽》諸
書引京房《律術對》，《漢志》有《律曆數法》三卷，不著撰人。蓋兼言曆法，似非
房書。

顓頊甲寅元曆

《宋書・曆志》祖沖之曰："按《五紀論》，顓頊、夏、周並有二
曆。"又曰："《顓頊曆》元歲在乙卯，而《命曆序》云此術設元歲
在甲寅，此可疑也。"

烏程汪曰楨《古今推步諸術考》曰："《顓頊甲寅元術》積年無
考，《新唐書・志》顓頊術上元甲寅歲正月甲寅晨初合朔立
春，七曜皆直艮維之，首命曰顓頊，其實夏術也。其後，吕不
韋得之以爲秦法，更攺中星斷取近距，以乙卯歲正月己巳朔
立春爲上元。按祖沖之曰：'《顓頊曆》元歲在乙卯，而《命曆
序》云此術設元歲在甲寅。'則此術與殷術甲寅元並出《命曆
序》也。沖之又曰'案《五紀論》，顓頊、夏、周，並有二術'，當
即指此及真夏、真周術也。"

　　按此曆及真夏、真周二曆並在《漢志》所載《六曆》之外。

虞曆

《續漢書·曆志論》曰："黄帝造曆，元起辛卯，而顓頊用乙卯，虞用戊午，夏用丙寅，殷用甲寅，周用丁巳，魯用庚子。漢興承秦，初用乙卯，至武帝元封，作《太初曆》，元以丁丑。劉歆作《三統》，元以庚戌。"

汪曰楨《古今推步諸術考》："《虞術》上元戊午積年無攷。按《續漢志》云'虞用戊午'，是六術之外更有虞術矣。然《漢·藝文志》尹咸所校《曆譜》十八家中無虞術，殆以《大戴禮記》虞夏之曆建正於孟春，故於夏術之外又託爲虞術歟？"

真夏曆

真周曆

《晋書·曆志》：當陽侯杜預著《春秋長曆》説云："仲尼、邱明每於朔閏發文，盖矯正得失，因以宣明曆數也。自古已來，諸論《春秋》者多述謬誤，或造家術，或用黄帝已來諸曆，以推經傳朔日，皆不諧合。《春秋》三十七日蝕，夏曆得十四蝕，真夏曆得一蝕，周曆得十三蝕，真周曆得一蝕。漢末，宋仲子集七曆以考《春秋》，案其夏、周二曆術數，皆與《藝文志》所記不同，故更名爲真夏、真周曆也。"

汪曰楨《推步諸術考》：真夏術、真周術並見杜氏《春秋釋例》。真夏術上元丙寅積年無攷。按《續漢志》謂"夏用丙寅"，知此術以丙寅爲元。又或疑即顓頊甲寅元術，無可攷矣。真周術上元積年並無攷。

張蒼曆術　蒼始末具《六藝》春秋家。

《史》、《漢》本傳：蒼自秦時爲柱下御史，明習天下圖書計籍，又善用算律曆。爲計相時，緒正律曆。以高祖十月始至霸上，故因秦時本十月爲歲首，不革。推五德之運，以爲漢當水德之時，上黑如故。故漢家言律曆者本張蒼。蒼尤好書，無所不觀,無所不通,而尤邃律曆。贊曰:"張蒼文好律曆,爲漢名相,而專遵用秦之顓頊曆,何哉?"

《漢書·曆志》:漢興,方綱紀大基,庶事草創,襲秦正朔。以北平侯張蒼言,用顓頊曆,比於六曆,疏闊中最爲微近。然正朔服色,未覩其真,而朔晦月見,弦望滿虧,多非是。

阮元《疇人傳》論曰:"《漢志》云'漢興,庶事草創,襲秦正朔,以蒼言,用顓頊術'。其術今已失傳。《續漢志》云顓頊元用乙卯,蔡邕《命論》按當是《月令論》。曰:'顓頊術大元正月己巳朔旦立春,俱以日月起於天廟營室五度。'祖沖之曰:'古之六術並同四分。'六術謂黃帝、顓頊、夏、殷、周、魯,然則顓頊章蔀紀元之數,並與四分同也。《開元占經》曰:'顓頊術上元乙卯,至今開元二年甲寅二百七十六萬一千一十九算外,然則顓頊上元乙卯,至漢元年乙未,二百七十六萬一百算外也。顓頊之術其大略如此。"

汪曰楨《推步諸術攷》:漢初承秦制,用顓頊術,或云用殷術。劉氏《長術》兩存之。自漢高帝元年乙未,至武帝元封七年丁丑,凡行用一百二年四月。按此疑即《漢志》之《天曆》,然無確證,姑存之。

太史官上元太初曆 亦稱《史記·曆書》術。

汪曰楨《推步諸術考》:《史記·曆書》術:上元丁丑天正甲子朔旦冬至。至漢武帝太初元年丁丑,積四千五百六十年算外。按劉氏《長術》按宋劉羲叟,字仲更,司馬溫公門人。嘗推漢至五代月日朔晦爲劉氏《長曆》,其書今亡,僅見於《通鑑目錄》。以此爲《太初術》者誤。《玉海》云以曆書大小餘計之乃古曆,非《太初曆》也。曰楨案:此術蔀首歲名與《周術》同,惟上元積年不同耳。

按《曆書》曰:"昔自在古,曆建正作於孟春。"《索隱》曰:"案古曆者,謂黃帝調曆以前有《上元太初曆》等,皆以建寅爲正,謂之孟春也。"《律曆志》云:"議造漢曆,迺以前曆上元泰初四千六百一十七歲,至於元封七年,復得太初本星度新正。願募治曆者,更造密度,各自增減,以造漢《太初曆》。"是漢《太初曆》因前曆之法以爲法,亦因前曆之名以爲名,《曆書》所載盖即《上元泰初曆》也。小司馬謂有黃帝調曆以前,盖爲是曆者,上推積年在黃帝之前,非真在調曆以前也。

又按錢氏大昕《三統術衍》序曰:"《史記》所述《甲子篇》乃張壽王所治之殷曆,非太初本法也。攷《漢書・曆志》云'壽王曆乃太史官殷曆也',然則此曆乃太史官相傳有此術法,亦名《上元太初曆》,與《藝文志》所載殷曆曆元不同,盖別是一術。汪氏《諸術攷》云:'漢初承秦制,或云用殷術,或云用顓頊術。'按張蒼用顓頊曆,史有明文。或以爲用殷術者,殆以《漢志》稱前曆,遂謂《曆書》所載即太初以前所用之曆,實不然也。"《續漢志》引《五紀論》云:"民間亦有黃帝諸曆,不如史官記之明也。"按"史官所記"即指此曆。又《御覽》引《五行傳》云"元封中用太初曆測弦望最密",亦即指此《上元太初曆》,史公以是曆爲當時改憲所本,故著於篇。

漢太初曆

《史記・曆書》:今上即位,招致方士唐都,分其天部;而巴落下閎運算轉曆,然後日辰之度與夏正同。

《漢書・曆志》:武帝元封七年,漢興百二歲矣,大中大夫公孫卿、壺遂、太史令司馬遷等言"曆紀壞廢,宜改正朔"。遂詔卿、遂、遷與侍郎尊、大典星射姓等議造《漢曆》。姓等奏不能爲算,願募治曆者,更造密度,各自增減,以造漢《太初曆》。迺選治曆鄧平及長樂司馬可、酒泉侯宜君、侍郎尊及與民間治曆者,凡二十餘人,方士唐都、巴郡落下閎與焉。都分天部,而閎運算轉曆。其法以律起曆,與鄧平所治同。迺詔用鄧平所造八十一分律曆,罷廢尤疏遠者十七家,復使校律昏明。宦者淳于陵渠復覆《太初曆》晦朔弦望,皆最密,日月如合璧,五星如連珠。陵渠奏狀,遂用鄧平曆,以平爲太史丞。又《兒寬傳》:拜寬爲御史大夫,從東封泰山。後太史令司馬遷等言:"曆紀壞廢,漢興未改正朔,宜可正。"上乃詔寬與遷等共定漢《太初曆》。又《公孫弘卜式兒寬傳》贊曰:"曆數則唐都、落下閎。"按侍郎尊不詳何人,大當是梁相褚大,見《兒寬傳》。

《晉書·曆志》:秦并天下,頗推五勝,自以獲水德之瑞,用十月爲正。漢氏初興,多所未暇,百有餘載,襲秦正朔。爰及武帝,始詔司馬遷等議造《漢曆》,乃行夏正。

阮元《疇人傳》論曰:"《漢書》載《三統術》而不著《太初》本法,或疑《太初》與《三統》不同,非也。蓋《太初術》有三統,即得謂之《三統術》,以《三統術》説《春秋》,亦得謂之《春秋術》,稱名或異,其實則一而已。遷父子世太史公,首建正朔之義,可謂不尸其官矣。至於運算推步,造立法數,則閎、平之功居多焉。閎字長公,巴郡閬中人,明曉天文地理,隱於落亭。武帝時,友人同縣譙隆薦閎待詔太史,更作《太初曆》,曰:'後八百歲此曆差一日,當有聖人定之。'拜侍中不受。"

汪曰楨《推步諸術考》:漢鄧平《太初術》上元庚辰天正甲子朔旦冬至,至太初元年丁丑,積四千六百一十七年算外,此四千六百一十七,即《三統術》一元之數。司馬彪言自太初元年始用《三統術》,而何承天以劉歆之生不逮太初譏之,蓋未明《三統》之即《太初》也。何氏之譏見《宋書·曆志》,亦見《續漢·曆志》注。又曰:"自武帝太初元年丁丑始用此術,以正月爲歲首。迄孺子始初元年戊辰,凡一百一十二年。新王莽亦用此術,自始建國元年己巳以建丑月爲正月,迄地皇四年癸未,凡一十五年。後漢亦用此術,自淮陽王更始元年癸未仍以正月爲歲首,迄章帝元和二年甲申，凡六十二年。統計丁丑至甲申，大凡行用一百八十八年。"按此疑即《漢志》之《大曆》，然亦無碻證，今姑存之。

四分術

錢大昕《漢書攷異》曰："《四分》之術，後漢始行。今劉子駿《三統術》亦著其説，則西京已有之矣。《淮南·天文訓》所述甲寅元亦與《四分》同。"亦見《三統術衍》。

阮元《疇人傳》論曰："《漢書·志》載'《四分》，上元至伐桀十三萬二千一百一十三歲'，按見《曆志》《三統曆》下篇《世經》中。蓋四分之率本在《三統》以前，東京諸儒特增脩其法而用之耳。"

汪曰楨《推步諸術攷》：《元命苞術》上元庚申天正甲子朔旦冬至，《乾鑿度》亦有此元，與《元命苞》同，即後漢《四分術》所自出也。

按《漢書·曆志》，元鳳六年，鮮于妄人奏張壽王"妄言《太初曆》虧四分日之三"，則昭帝時已有《四分曆》，在劉歆之前。又《續漢·曆志》，明帝永平二年，詔張盛等以《四分法》課。歲餘，《四分》之術，始頗施行。是元和改曆之前，亦有《四分曆》，官曆署据以課疏密。《隋志》曆數家首載《四分曆》三卷，不著撰人。在李梵《四分曆》三卷之前，其即漢以來相傳張壽王、劉歆所見之本歟？又武帝時脩《太初曆》，罷廢尤疏遠者十七家，疑《四分》之術即在十七家之内，當時以爲疏遠而罷廢之也。

上林清臺候課

《漢書·曆志》：迺詔遷用鄧平所造曆。後二十七年，元鳳三年，太史令張壽王上書言："黃帝《調律曆》，漢元年以來用之。今陰陽不調，宜更曆之過也。"詔下主曆使者鮮于妄人詰問，壽王不服。妄人請與治曆大司農中丞麻光等二十餘人雜候日月晦朔弦望、八節二十四氣，鈞校諸曆用狀。宋祁曰："鈞校，當作'鉤校'。"奏可。詔與丞相、御史、大將軍、右將軍史各一人雜

候上林清臺,課諸曆疏密,凡十一家。以元鳳三年十一月朔
旦冬至,盡五年十二月,各有第。壽王課疏遠。案漢元年不
用黃帝《調曆》,壽王非《漢曆》,逆天道,非所宜言,大不敬。
有詔勿劾。復候,盡六年。《太初曆》第一,即墨徐萬且、長安
徐禹治《太初曆》亦第一。壽王及待詔李信治黃帝《調曆》,課
皆疏闊。壽王候課,比三年下,<small>師古曰:"比,頻也。下,下獄也。"按此似
謂比及三年下第也。</small>終不服。再劾死,更赦勿劾,遂不更言,誹謗
益甚,竟已下吏。故曆本之驗在於天,自漢曆初起,盡元鳳六
年,三十六歲,而是非堅定。

《續漢書‧曆志》:順帝漢安二年,尚書侍郎邊韶上言:"孝武
皇帝攄發聖思,詔司馬遷、鄧平等更建《太初》,改元易朔,行
夏之正,設清臺之候,驗六異,課效捔密,《太初》爲最。"靈帝
熹平四年,議郎蔡邕議曰:"黃帝<small>按當爲武帝</small>始用《太初》丁丑
之元,有六家紛錯,爭訟是非。太史令張壽王挾甲寅元以非
漢曆,雜候清臺,課在下第,卒以疏闊,連見劾奏,《太初》效
驗,無所漏失。"

《宋書‧曆志》:元嘉二十年,太子率更令何承天上表曰:"漢
代雜候清臺,以昏明中星,課日所在,雖不可見,月盈則蝕,必
當其衝,以月推日,則躔次可知焉。捨易而不爲,役心於難
事,此臣所不解也。"

　按《清臺候課》,猶史官注記之類。據《續漢志》則邊韶、蔡邕
　尚見其書,至宋何承天僅傳其遺事,而其書則云不可見矣。

劉向　五紀論　<small>向始末具《六藝》禮家。</small>

《史記‧宋微子世家》:武王既克殷,訪問箕子。箕子對曰:
"天錫禹鴻範九等,四曰五紀:一曰歲,二曰月,三曰日,四曰
星辰,五曰曆數。"

《漢書‧曆志》:至周武王訪箕子,箕子言大法九章,而五紀明

曆法。故自殷周，皆創業改制，咸正曆紀，服色從之，順其時氣，以應天道。三代既没，五伯之末史官喪紀，疇人子弟分散，或在夷狄，故其所記，有《黄帝》、《顓頊》、《夏》、《殷》、《周》及《魯曆》。至孝成世，劉向總六曆，列是非，作《五紀論》。

《續漢書·曆志》：賈逵論曆曰：“《五紀論》‘日月循黄道，南至牽牛，北至東井，率日行一度，月行十三度十九分度之七’也。”延光論曆曰：“《五紀論》推步行度，當時比諸術爲近，然猶未稽於古。”漢安論曆曰：“《洪範五紀論》曰：‘民間亦有黄帝諸曆，不如史官記之明也。’”

《宋書·曆志》：祖冲之曰：“按《五紀論》黄帝曆有四法，顓頊、夏、周，並有二術。”又曰：“夏曆七曜西行，特違衆法，劉向以爲後人所造。”

王應麟《漢志考證》曰：“《書正義》云：‘古時真曆，遭戰國及秦而亡。漢存六曆，雖詳於五紀之論，皆秦漢之際假託爲之。’”又曰：“《詩正義》云：‘劉向《五紀論》載《殷曆》之法，唯有氣朔而已。’”

嚴可均《全漢文編》曰：“《五紀論》見《宋書·天文志》，又見《乾象通鑑》十六。”

　　按《開元占經·日晷影篇》於冬至、春分、夏至、秋分引劉向言晷影尺寸，當是《五紀論》中文。

劉歆　三統曆譜三卷　歆始末具《六藝》尚書家。

《漢書》本傳：典儒林史卜之官，考定律曆，著《三統曆譜》。又贊曰：“劉氏《鴻範論》發明《大傳》，著天人之應；《七略》剖判藝文，總百家之緒；《三統曆譜》考步日月五星之度，有意其推本之也。”

《漢書·曆志》：劉向總六曆，列是非，作《五紀論》。向子歆究其微眇，作《三統曆》及《譜》，以說《春秋》，推法密要，故述焉。

《後漢書·鄭興傳》：興善《左氏傳》。天鳳中將門人從劉歆講正大義,歆美興才,使撰條例、章句、訓詁,及校《三統曆》。興子裦從父受《左氏春秋》,精力於學,明《三統曆》。章懷太子曰:"《三統曆》,謂夏、殷、周曆也。"

《隋志》子部曆數家:梁又有《三統曆法》三卷,劉歆撰。《唐·經籍志》:《三統曆》一卷,劉歆撰。《藝文志》:劉歆《三統曆》一卷。

錢大昕《三統術衍自序》曰:"古術之可攷者,當以《三統》爲首。《三統》之術,本之《太初》,又追前世一元,五星會牽牛之初,以爲太極上元,參之《易》象,以窮其源;徵之《春秋》,以求其驗。班孟堅以爲推法密要,服子慎、韋宏嗣亦取以解《春秋內外傳》。"

阮元《刻錢氏〈三統術衍〉序》曰:"推步術見於廿四史志者,以《漢書》劉歆《三統術》爲最古。其日法、斗分並與《太初術》同,蓋歆即因落下閎、鄧平之法而增脩者也。其法以統術推氣朔月日,以紀術步五星,以歲術求歲星太歲,綱舉目張,規模大備。《世經》一篇,考驗炮犧以來有涉步算之事,一一符合,固漢氏一代之故事,而步術七十餘家之權輿也。"

阮元《疇人傳》論曰"三代推步之書,秦火而後無復遺餘。及今可攷而知者,自歆《三統》始也。論其爲術之善,厥有數端。四分以後,太歲一歲一名,而《三統》推歲星以百四十四年,行百四十五次,太歲與歲星恒相應,有超辰之法,一也;四分二十四氣中節與今不殊,而《三統》則以驚蟄爲正月中,雨水爲二月節,穀雨爲三月節,清明爲三月中,合於《夏小正》正月啓蟄之文,二也;上世積年荒遠難稽,《史記》託始共和,最爲有徵,《三統》、《世經》所載,自文王四十二年以後,歲歲相接,更在共和之前,攷古者得以有所據依,三也;歆父子相繼領校秘書,《世經》所稱《伊訓》、《武成》等文必真古文,以有裨經學,

四也；至於臚列《尚書》、《春秋》古來有涉步算之事，一一推
合，以明其術之有驗於古，班固稱爲推法密要，後世諸儒用以
説經，蓋誠有所取爾也。惟述統母之生，多傅合《易》卦、鍾
律，案以算理，實多未然"云云。

汪曰楨《推步諸術考》：按《太初曆》一元有三統，故名《三統
術》，以《三統術》説《春秋》即謂之《春秋術》。杜預言劉子駿造
《三正術》以修《春秋》，是又名《三正》也。姜岌言服虔解傳用太
極上元，太極上元乃《三統術》劉歆所造元也，是又名《太極》也。

　按杜征南《長曆説》云自古論《春秋》者，或造家術，或用黃
　帝諸曆，此即家術之類也。或以爲王莽用《三統曆》，非是。

太史公萬歲曆一卷

《史記》自序：司馬氏世典周史。談爲太史公。太史公學天官
於唐都，受《易》於楊何，習道論於黃子。太史公仕於建元、元
封之間。有子曰遷。仕爲郎中，奉使巴、蜀以南，南略邛、筰、
昆明，還報命。是歲天子始建漢家之封，按即元封元年。而太史
公留滯周南，不得與從事，故發憤且卒，執遷手而泣曰："自獲
麟以來四百有餘歲，而諸侯相兼，史記放絶。今漢興，海內一
統，明主賢君忠臣死義之士，余爲太史而弗論載，廢天下之史
文，余甚懼焉，汝其念哉！"

裴駰引臣瓚《漢書音義》曰："《茂陵中書》司馬談以太史丞爲
太史令。"《御覽》二百三十五引應劭《漢官儀》曰："太史令秩六百石，掌天時星
曆，凡歲將終，奏新年曆。"

《隋志》子部五行家：《太史公萬歲曆》一卷。《唐·經籍志》：
《太史公萬歲曆》一卷，司馬談撰。《唐·藝文志》：《太史公萬
歲曆》一卷，注云司馬談。

王莽王光上戊曆

《漢書·王莽傳》：天鳳六年春，莽見盜賊多，乃令太史推三萬

六千歲曆紀,六歲一改元,布天下。明年改元曰地皇,從三萬六千歲曆號也。地皇二年,莽下書曰:"惟民困乏,難溥開諸倉以賑贍之,猶恐未足。其且開天下山澤之防,勿令出税。至地皇三十年如故,是王光上戊之六年也。"孟康曰:"戊,土也,莽所作曆名。"按莽以戊辰之年即真,天鳳元年,令天下小學,戊子代甲子爲六旬首,冠以戊子爲元日,昏以戊寅之旬爲忌日,百姓多不從者。又云服色配德上黃,蓋自爲獲土德,故曆以戊名。王光上戊之六年,似謂六歲一改年,在王光上戊曆中第六次改年也。"年"或"元"字之誤。

《後漢書·隗囂傳》:囂移檄告郡國曰:"昔秦始皇毀壞謚法,以一二數欲至萬世,而莽下三萬六千歲之曆,言身當盡此度。循亡秦之軌,推無窮之數。是其逆天之大罪也。"

　　按太史公及王莽二曆猶今萬年曆之類。

九章算術九篇

《世本》曰:"隸首作算數。"宋衷曰:"隸首,黃帝史也。"張澍輯注曰:"隸首作《九章算數》。《博物志》:'黃帝臣。'一云黔如即隸首。《吕氏春秋》云:'黔如爲慮首。'史言作算之始者也。《漢·律志》:'算法用竹,徑一分,長寸六,二百七十一枚而成六觚,爲一握。'徑象乾律黃鍾之一,而長象坤吕林鍾之長。"

《周禮》:"保人乃教之六藝,六曰九數。"鄭氏曰:"九數:方田、粟米、差分、少廣、商功、均輸、方程、嬴不足、旁要。今有重差,夕桀句股也。"賈公彦曰:"云九數者,方田以下皆依《九章算術》,而言云'今有重差,夕桀句股也'者,此漢法增之。"阮文達校勘記:"夕桀"二字,後人據《釋文》所加。鄭注本云"今有重差句股",馬融、干寶注云"今有重差夕桀",鄭有"句股"無"夕桀",馬、干有"夕桀"無"句股"。

阮元《疇人傳》論曰:"劉徽稱《九章》爲《九數》之流,則《九數》與《九章》自别。賈公彦釋鄭氏注云'今有重差,夕桀句股也者,此漢法增之',非也。蓋方田、粟米、差分、少廣、商功、均輸、方程、嬴不足、旁要、今有、重差、夕桀、句股者,《九數》之篇名。方田、粟米、衰分、少廣、商功、均輸、贏不足、方程、句股者,《九章》之目。'今有'別爲一術,不得以今爲指謂漢時也。"

晋劉徽注本序曰:"周公制禮而有《九數》,《九數》之流,則《九章》是矣。漢北平侯張蒼、大司農中丞耿壽昌皆以善算命世。蒼等因舊文之遺殘各稱删補,故校其目則與古或異,而所論多近語也。《疇人傳》論曰:"張蒼本秦人,其所傳者必羲和、周公之遺,施行當世,爲後來步算家所宗,豈不宜哉?"

《隋書·經籍志》:《九章算術》十卷,劉徽撰。按此并《重差》一卷,故十卷。《九章算經》二十九卷,徐岳、甄鸞等撰。按此似并劉徽等三家所注爲一編。《唐書·藝文志》:徐岳《九章算術》九卷。甄鸞《九章算經》九卷。《宋志》:《注九章算經》九卷,魏劉徽、唐李淳風注。

晁氏《續書志》曰:"《九章算經》九卷,未詳撰人姓名。或曰《周公九章》者,一方田,二算粟,三衰分,四少廣,五商功,六均輸,七盈不足,八方程,九勾股。魏劉徽、唐李淳風嘗爲之注,則此術起於漢之前矣。"

《四庫提要》曰:"《九章算術》蓋《周禮》保氏之遺法,不知何人所傳。《永樂大典》引《古今事通》曰'王孝通言,周公制禮有《九章》之名,其理幽而微,其形秘而約。張蒼删補殘闕,校其條目,頗與古術不同'云云。今考書內有長安、上林之名,知述是書者在西漢中葉後矣。按長安、上林當是耿壽昌語。舊本有注,題曰劉徽所作。又有注釋,題曰李淳風作。算數莫古於九數,九數莫古於是書。雖新法屢更,愈推愈密,而窮源探本,要百變不離其宗,固古今算學之弁冕矣。"

孫子算經三卷

序曰:"夫算者,天地之經緯,羣生之元首,五常之本末,陰陽之父母,星辰之建號,三光之表裏,五行之準平,四時之終始,萬物之祖宗,六藝之綱紀,羣倫之聚散;攷二氣之升降,推寒暑之迭運,步遠近之殊同;觀天道精微之肇基,察地理縱橫之長短;采神祇之所在,極成敗之符驗;窮道德之理,究性命之情。立規矩,準方圓,謹法度,約尺寸,立權衡,平輕重,剖毫釐,析黍絫;歷億載而不朽,施八極而無疆;散之不可勝究,歛之不盈掌握;嚮之者富有餘,背之者貧且寠;心開者幼冲而即悟,意閉者皓首而難精。夫欲學之者,必務量能揆己,志在所專,如是則焉有不成者哉!」

《隋書·經籍志》:《孫子算經》二卷。《唐·經籍志》:《孫子算經》三卷,甄鸞撰注。《藝文志》:李淳風注甄鸞《孫子算經》三卷。《宋史·志》:李淳風注釋《孫子算經》三卷。又《孫子算經》三卷,注云不知名。

《四庫提要》曰:「唐之選舉,算學《孫子》、《五曹》共限一歲習肄,於後來諸算術中,特爲近古,第不知孫子何許人。朱彝尊《曝書亭集·五曹算經跋》云:'相傳其法出於孫武,然孫子別有《算經》,考古者存其說可爾。'又有《孫子算經跋》云'首言度量所起,合乎兵法"地生度,度生量,量生數"之文。次言乘除之法設爲之數,十三篇中所云廓地、分利、委積、遠輸、貴賣、兵役、分數,比之《九章·方田》、《粟米》、《差分》、《商功》、《均輸》、《盈不足》之目,往往相符,而其要在"得算多、多算勝",以是知此篇非僞託也'云云。合二跋觀之,彝尊之意,蓋以爲確出於孫武。今考書内設問有云'長安、洛陽相去九百里',又云'佛書二十九章,章六十三字',則後漢明帝以後人語。按明帝時佛經四十二章,章字不一,豈漢時《四十二章經》之外別有此二十九章歟? 孫武,春秋末人,安有是語乎? 舊本久佚,今從《永樂大典》所載裒集編次,仍爲三卷。其甄、李二家之注,則不可復考,是則姚廣孝等割裂刊削之過矣。」

阮元《疇人傳》論曰：“朱竹垞以《孫子算經》爲孫武作，戴東原以書中有長安、洛陽相去及佛書二十九章語，斷爲漢明帝以後人。然術數之書類多附益，如卷末推孕婦所生男女，鄙陋荒誕，必非《孫子》正文。或恐傳習《孫子》者，轉展增加，失其本真。今但題作孫子，不稱孫武，而附於周末，以志闕疑。其書詳説乘除開方，可以考見古人從橫布算之式。下卷‘物不知數，三三數之，五五數之，七七數之’一問，爲《九章》所未及。宋秦道古數學《九章》大衍求一法，蓋出於此也。”

右曆譜，凡一十六家一十六部。舊、新《唐志》有劉向《九章重差》一卷，乃劉徽之譌，不錄。

翼奉　風角要候十一卷

《漢書》本傳：奉字少君，東海下邳人也。治《齊詩》，與蕭望之、匡衡同師。按《儒林傳》同師少府后倉也。三人經術皆明，衡爲後進，望之施之政事，而奉惇學不仕，好律曆陰陽之占。元帝初即位，諸儒薦之，徵待詔宦者署，數言事宴見，天子敬焉。以奉爲中郎，上復延問得失。奉以爲祭天地於雲陽汾陰，及諸寢廟不以親疏迭毀，皆煩費，違古制。其後貢禹亦言當定迭毀禮，上遂從之。及匡衡爲丞相，奏徙南北郊，其議皆自奉發之。奉以中郎爲博士、諫大夫，年老以壽終。子及孫皆以學在儒官。《漢書》列傳第四十五贊曰：“漢興，推陰陽言災異者，孝武時有董仲舒、夏侯始昌，昭、宣則眭孟、夏侯勝，元、成則京房、翼奉、劉向、谷永，哀、平則李尋、田終術。此其納説時君著明者也。察其所言，仿佛一端。假經設誼，依託象類，或不免乎‘億則屢中’。仲舒下吏，夏侯囚執，按謂夏侯勝。眭孟誅戮，李尋流放，此學者之大戒也。京房區區，不量淺深，危言刺譏，構怨彊臣，罪辜不旋踵，亦不密以失身，悲夫！”

《後漢書·郎顗傳》注曰："風角謂候四方四隅之風,以占吉凶。"

《隋志》子部天文家:《翼氏占風》一卷。五行家:《風角要候》十一卷,翼奉撰。《風角鳥情》一卷,翼氏撰。《風角雜占五音圖》五卷,翼氏撰。梁十三卷,翼奉撰,亡。《唐·經籍志》:《風角要候》一卷,翼奉撰。《藝文志》:翼奉《風角要候》一卷。本傳注晋灼引翼氏曰"五行動爲五音"。

王應麟《漢志考證》曰:"奉本傳注引翼氏《風角》,《郊祀志》注引翼氏《風角》,《蔡邕傳》注翼氏《風角》曰:'風者,天之號令,所以譴告人君者。'"按《張奐傳》注亦引此文。

按《文選·鮑明遠雜詩》注、《初學記》人部、《藝文類聚》政治部、《御覽》刑法部,並引翼奉《風角書》,蕭吉《五行大義》數引翼奉説,似即此書。大抵《風角要候》《隋志》題翼奉撰者,是其本書。《占風》、《鳥情》、《雜占五音圖》題翼氏者,似術家編録之別本,其十三卷者,似合京房書爲一帙也。

京房　風角要占八卷　房始末具《諸子》法家。

《晋書·天文志》:漢京房著《風角書》有《集星章》,所載妖星皆見於月旁,互有五色方雲,以五寅日見,各有五星所生云云。

《隋志》子部五行家:《風角要占》三卷,梁八卷,京房撰。梁有《風角五音占》五卷,京房撰。又《風角雜占五音圖》十三卷,京房撰。

按《初學記》卷一引京房《風雨要決占候》,《御覽》卷八引京房《風角要訣》,其文並同,知爲一書。又《御覽》七百十七引《風角要占厭盜賊法》,又八百七十二引《風角占》,似亦出是書。又《風角五音占》五卷,似其別本。《雜占五音圖》十三卷,則合翼氏書爲一編者。

京房　方正百對一卷

《隋志》子部五行家：《方正百對》一卷，京房撰。

按《元帝本紀》初元三年，詔舉明陰陽災異之士者各三人。於是言事者衆，或進擢召見，人人自以得上意。以《京房傳》證之，則房以孝廉應是舉。次年授爲郎。後三歲爲永光二年，詔舉賢良直言之士，蓋即賢良方正。又二歲，詔公卿大夫對。時房在朝，後三年拜魏郡太守。去月餘，徵下獄棄市。此書名《方正百對》者，或因房舉賢良方正，其門弟子裒錄奏對之語題以此名歟？《藝文類聚》諸書多引京房《別對災異》，嚴氏《文編》輯存三十二條，又有《律術對》五條，疑即是書之篇目。《隋志》是書之下，又有京房《晉災祥》一卷，《通志略》錄此書，無撰人名氏，知宋時《隋志》無“京房撰”三字，今不錄。

右五行，凡二家三部。《隋志》有《東方朔占》二卷，《東方朔書》二卷，《東方朔書鈔》二卷，《東方朔曆》一卷，《東方朔占候水旱下人善惡》一卷，其僞起於兩漢，班史言之詳矣。然無以别其時代，今概不錄。《開元占經》九十二雨占門載《東方朔占》二條，甚不足觀。又《日本國書目》有司馬遷《乾坤經》一卷，《宋史·藝文志》有《費直焦贛晷限曆》一卷，皆術者依託，不錄。

連山

《周禮》：“太卜掌三易之法，一曰《連山》。”又曰：“簭人掌三易以辨九簭之名，一曰《連山》”。

桓譚《新論》曰：“《連山》八萬言。”又曰：“《連山》藏於蘭臺。”晉皇甫謐《帝王世紀》曰：“夏人因炎帝曰《連山》。《連山易》，其卦以純《艮》爲首。艮爲山，山上山下，是名《連山》，雲氣出內於山。夏以十三月爲正，人統，《艮》漸正月，故以《艮》爲首。”

《北史·劉炫傳》：時牛弘奏購求天下遺逸之書，炫遂僞造書百餘卷，題爲《連山易》、《魯史記》等，錄上送官，取賞而去。後人有訟之，經赦免死，坐除名。

《經義考》曰："案《連山》、《歸藏》，《漢志》不載，則其亡已久。
而酈道元注《水經》引《連山易》云云，是元魏時尚有其書。若
司馬膺所注，度即劉炫僞本，李淳風《乙巳占》所引是亦僞本
《連山》之文，今其書亦亡。毛漸所序《三墳》，首列《山墳》，謂
是《連山之易》，更荒誕不足信也。"又曰："黄佐《六藝流别》載
《連山》繇辭云云，不知本於何書，豈有《連山之易》乃效王弼
《易傳》之體乎？作僞者拙，且爲劉炫笑矣。"又曰："杜子春以
《連山》爲宓犧，《歸藏》爲黄帝，姚信以《列山》爲神農，而班孟
堅《古今人表》既於聖人列宓犧、神農、黄帝，又於仁人著列
山、歸藏，不應複出乃爾。"

梁玉繩《人表考》曰："列山氏、歸藏氏，先儒皆以爲炎、黄别
號，則二氏重出矣。但《禮·祭法》疏引《命曆序》曰炎帝八
世，黄帝十世，安知列山非炎帝初封黄帝爲諸侯之號，其後或
遷有熊，或升天子，而别以族姓紹封乎？故鄭注《祭法》云'或
曰有烈山氏'，杜注《昭廿九傳》云'烈山，神農世諸侯'，則歸
藏可例觀也。"列山、烈山、連山，並音聲之轉。

馬國翰輯本序曰："桓譚《新論》稱《連山》八萬言，蓋漢時此書
尚存，桓君山及見之，而傳者甚少，故《漢》、《隋志》皆不著録。
皇甫謐《帝王世紀》、酈道元《水經注》、李淳風《乙巳占》皆引
《連山》。謐，晋人；道元，北魏人，皆在劉炫前。淳風所引'姮
娥奔月，枚筮有黄'，與張衡《靈憲》同，决爲古之佚文。其它
以韵爲爻，與《易林》頗似。縱非古經，要與《三墳》所載《山
墳》爲《連山》出於毛漸手序者，逈不侔矣。梁元帝亦有《連
山》三十卷，段成式謂每卦引《歸藏》、《卜圖》、《立成》、《委
化》、《集林》及焦贛《易林》。今亦亡佚。或者後人稱述不能
區别歟？兹輯諸書所引並衆家論説爲一卷。"

　按《唐·藝文志》首載《連山》十卷，司馬膺注，《舊唐志》、

《隋志》皆無之，故《經義考》以爲隋劉炫僞本。

歸藏十三卷

《周禮》："太卜掌三易之法，一曰《連山》，二曰《歸藏》，三曰《周易》。其經卦皆八，其別皆六十有四。"又曰："簭人掌三易以辨九簭之名，一曰《連山》，二曰《歸藏》，三曰《周易》。"

《禮記·禮運》：孔子曰："吾欲觀殷道，是故之宋，而不足徵也。吾得《坤乾》焉。"鄭氏注曰："殷陰陽之書，存者有《歸藏》。"

桓譚《新論》曰："《連山》八萬言，《歸藏》四千三百言。夏易煩而殷易簡。"又曰："《連山》藏於蘭臺，《歸藏》藏於太卜。"

賈公彥《周禮疏》曰："殷人因黃帝曰《歸藏》。《歸藏易》以純《坤》爲首。坤爲地，萬物莫不歸而藏於其中。殷以十二月爲正，地統，故以《坤》爲首。"又曰："《洪範》云'擇建立卜筮人，三人占，從二人之言'。蓋筮時《連山》、《歸藏》、《周易》三易並用，夏、殷以不變爲占，《周易》以變者爲占，三人各占一易。"

《隋志》經部易家：《歸藏》十三卷，晋太尉參軍薛貞注。又曰："《歸藏》，漢初已亡，案晋《中經》有之，唯載卜筮，不似聖人之旨。以本卦尚存，故取貫於《周易》之首，以備《殷易》之缺。"

《唐日本國見在書目》：《歸藏》四卷，晋太尉參軍薛貞注。《唐·經籍志》：《歸藏》十三卷，殷易，司馬膺撰。按此當爲薛貞注。《唐·藝文志》：《歸藏》十三卷。不著注家名氏，蓋以舊志題司馬膺爲疑，故削之也。《宋史·志》：薛貞注《歸藏》三卷。

《崇文總目》：《歸藏》三卷，晋太尉參軍薛正注。隋世有十三篇，今但存《初經》、《齊母》、《本蓍》三篇，文多闕亂，不可詳解。

《通志·藝文略》：《連山》亡矣。《歸藏》，隋有薛貞注十三卷。今所存者，《初經》、《齊母》、《本蓍》三篇而已。言占筮事，其辭質，其義古，後學謂爲不文，疑而棄之，獨不知後之人能爲此文乎？

《經義考》曰："按《歸藏》隋時尚存，至宋猶有《初經》、《齊母》、《本蓍》三篇，其見於傳注所引者，辭皆古奧，而孔氏《正義》謂《歸藏》僞妄之書，亦未盡然。"又曰："《歸藏》之書有《本蓍篇》，亦有《啓筮篇》，有《齊母經》，亦有《鄭母經》，見於郭景純《山海經注》。《隋志》謂《歸藏》漢初已亡，故班固《藝文志》不載；又謂晋《中經簿》有之，斯景純得援之以釋《山經》也。"

王謨輯本序録曰："今共鈔出《周禮疏》二條，《爾雅疏》一條，《山海經注》十條，《穆天子傳注》一條，《莊子釋文》一條，《楚辭補注》一條，《文選注》三條，《類聚》四條，《初學記》二條，《書鈔》一條，《御覽》十條，《路史注》二條，《經義考》五條，附録《連山易》二條。"

馬國翰輯本序曰："今玩其遺爻，類皆韵語，奇古可誦，與《左氏傳》所載諸繇辭相類，《焦氏易林》源出於此。雖畢日奔月，頗涉荒怪，然龍戰於野，載鬼一車，《大易》以之取象，亦無所嫌也。但殷易而載武王枚占，穆王筮卦，蓋周太卜掌其法者，推記占驗之事附入篇中，其文非漢以後人所能作也。今並宋時三篇亦佚，朱太史《經義考》搜輯甚詳，據以爲本，間有遺漏，爲補綴之，並附諸家論説爲一卷。"

嚴可均輯本序曰："《新論》稱《歸藏》四千三百言，是西漢末實有此書。《漢志》本《七略》，偶失載耳。《崇文總目》云今但存三篇，《玉海》引《中興書目》同，《文淵閣書目》不著録，蓋三篇又亡於元、明之際。今蒐輯羣書，得八百四十六字，視桓譚所見木略存什二焉。諸書引見不著篇名者，凡二十五條。又《歸藏·啓筮》十五條，《歸藏·鄭母經》三條，《歸藏·齊母經》、《歸藏·初經》、《歸藏·本蓍篇》各一條，附録一條，又附筮辭五條，卜頌十五條。"

按劉歆《與揚雄從取方言書》云："三代之書，蘊藏於家，顧弗多耶。今有一《周易》而無《連山》、《歸藏》。"則劉子駿家無此二書。《新論》言《連山》、《歸藏》藏蘭臺太卜，則在中秘書之外，故《七略》未之及也。

竹書易三篇　汲冢書。

束晳《竹書叙目》曰："《易繇陰陽卦》二篇與《周易》略同，繇辭則異。《卦下易經》一篇，似《説卦》而異。"

《藝文類聚》卷四十引王隱《晉書》曰："太康元年，汲縣民盜發魏安釐王冢，得竹書漆字古書，有易卦，似《連山》、《歸藏》。"

按王隱以爲似《連山》、《歸藏》，束廣微云"其爻辭異"，又云"似《説卦》而異"，則其書實爲占卜之屬，與漢人《易林》等相類。

師春一篇　汲冢竹書。

束晳《竹書叙目》曰：《師春》一篇，書《左傳》諸卜筮，師春似是造書者姓名也。

杜預《春秋集解後序》曰："又別有一卷，純集疏《左氏傳》卜筮事，上下次第及其文義皆與《左傳》同，名曰《師春》，師春似是抄集者人名也。"

《史通·申左篇》自注曰："《師春》多載春秋時筮者繇辭，將《左氏》校，遂無一字差舛。"

《玉海·藝文·編年類》：《中興書目》曰："《汲冢師春》一卷，案杜預云'純集疏《左氏傳》卜筮事'。今雜叙諸國世系及律吕、謚法，末載變卦雜事。嘉祐中，蘇洵編定《六家謚法》，其表謂采《汲冢師春》者，即此書所載謚法云。"

《書録解題》曰："《汲冢師春》一卷，晉汲郡魏安釐王冢所得古簡。杜預得其紀年以考證《春秋》。別有一卷，純集疏《左氏傳》卜筮事。今此書首叙周及諸國世系，又論分野、律吕爲圖，又雜録謚法、卦變，與杜預所言純集卜筮者不同，似非當時本書也。"

王應麟《漢志考證》注：程氏《春秋分記》曰："歲星所在,傳有明文,考之《汲冢師春》,紀述爲詳,謂歲星每歲而成一分,積百四十四年而滿本數,則爲超辰之限。"按宋程公《説春秋分記》九十卷,見《書録解題》,據所引稱則《汲冢師春》中又有言太歲超辰之法。

《宋史·藝文志》春秋家:《汲冢師春》一卷,師春純集疏《左傳》卜筮事。按此即《中興書目》所載之一卷,與《中興目》所言不合,蓋率意録其一語,不復詳考其後文也。

按《晉書》校次汲冢古文者,荀勖、和嶠、束皙外,又有衛恒。傳讚考論其書者,又有王接、王庭堅、潘滔、摯虞、謝衡、續咸諸人。當時互相詰難,各是其是,故編次不同,傳本亦異。《隋》、《唐志》皆不著録,至宋《中興目》始著一卷,或相傳別本,非束氏所編。

焦延壽　易林十六卷

《漢書·京房傳》:房治《易》,事梁人焦延壽。延壽字贛。贛貧賤,以好學得幸梁王,王共其資用,令極意學。既成,爲郡史,察舉補小黃令。愛養吏民,化行縣中。舉最當遷,三老官屬上書願留贛,有詔許增秩留,卒於小黃。其説長於災變,分六十四卦,更直日用事,以風雨寒温爲候,各有占驗。

《漢書·儒林傳》:京房受《易》梁人焦延壽。延壽云嘗從孟喜問《易》。會喜死,房以爲延壽即孟氏學,翟牧、白生不肯,皆曰非也。至成帝時,劉向校書,考《易》説,以爲諸《易》家説皆祖田何、楊叔、丁將軍,大誼略同,唯京氏爲異,黨焦延壽獨得隱士之説,託之孟氏,不相與同。師占曰:"黨讀曰儻。"按諸家多以"異黨"讀爲句,非也。

《太平御覽》職官部引《陳留風俗傳》曰:"昭帝時,蒙人焦貢爲小黃令,路不拾遺,囹圄空虛,詔遷貢。百姓揮涕守闕,求索還貢,天子聽,增貢之秩千石。貢之風化猶存,其民好學多貧，此其風也。"按此則貢爲梁國蒙縣人，賴以補史傳之略。小黄縣屬陳留郡，故《風俗傳》載其事。貢久於其職，能使縣中移風易俗者。貢、贛同。

《隋志》子部五行家：《易林》十六卷，焦贛撰。梁又本三十二卷。《唐·經籍志》：《焦氏周易林》十六卷，焦贛撰。《藝文志》同。《宋志》著龜家：焦贛《易林傳》十六卷。

《崇文總目》：焦贛以一卦轉之六十四卦，各有繇言，著吉凶占驗，然不傳推用之法。

晁氏《讀書志》：漢天水焦贛延壽傳《易》於孟喜，行事見《儒林傳》中，此其所著書也。費直題其前曰六十四卦變，又有唐王俞序其書。每卦變六十四，總四千九十六首，皆爲韻語，與《左氏傳》載"鳳皇于飛，和鳴鏘鏘"，《漢書》所載"大横庚庚，予爲天王"之語絶相類，豈古之卜者各有此等書耶？按晁《志》稱漢天水者，蓋據舊本卷首僞費直題辭之誤也。

陳氏《書録解題》曰："漢小黄令梁焦延壽贛撰。又名《大易通變》。凡四千九十六卦，其辭假出於經史，其意雅通於神祇，蓋一卦可以變六十四也。舊見沙隨程迴所記南渡諸人以《易林》筮國事，多奇驗，求之累年。寶慶丁亥始得之，皆韻語古雅，頗類《左氏》所載繇辭。或時援引古事，間嘗筮之，亦驗。頗恨多脱誤，亦多重複，或諸卦數爻共一繇，莫可攷矣。"

《四庫提要》曰："《易林》十六卷，漢焦延壽撰。延壽字贛，梁人。昭帝時，由郡吏舉小黄令。京房師之，故《漢書》附見房傳。黄伯思《東觀餘論》以爲名贛字延壽，與史不符。又據後漢小黄門譙君碑，稱贛之後裔，疑贛爲譙姓，然史傳無不作焦。漢碑多假借，如歐陽之作'歐羊'者不一而足，亦未可執爲確證。至舊本《易林》，首有費直之語，稱王莽時建信天水焦延壽。其詞蓋出僞託，鄭曉嘗辨之，審矣。贛嘗從孟喜問《易》，然其學不出於孟喜，《漢書·儒林傳》記其始末甚詳。

蓋《易》於象數之外別爲占候一派者,實自贛始。所撰有《易林》十六卷,又《易林變占》十六卷,並見《隋志》。《變占》久佚,惟《易林》尚存。其書以一卦變六十四,六十四卦之變共四千九十有六,各繫以詞,皆四言韻語。《崇文總目》言其推用之法不傳,而黄伯思記王泌占,程迴記宣和、紹興二占,皆有奇驗,則其術尚有知之者。惟黄伯思謂《漢書》稱延壽《易》分六十四卦更直日用事者,乃《變占》法,非《易林》法。薛季宣《易林序》則謂《易林》正用直日法,辨伯思之説爲謬,並爲圖例以明之。唐王俞序本名《大易通變》,與諸本不同,疑爲後來卜筮家所改,非其舊也。"

焦延壽　易林變占十六卷

《隋書·經籍志》:《易林變占》十六卷,焦贛撰。

《經義考》曰:"李鼎祚《易集解》於《隨卦》采贛之説,云漢高帝與項籍其明徵也,當屬《變占》中語。"又曰:"《隋志》五行家《易林》十六卷,新、舊《唐書·志》、《崇文總目》同《七録》作三十二卷,殆合《變占》十六卷言之。"

　　按《開元占經·五星占》、《歲星占》、《中官星占》、《外官星占》、《客星占》諸篇引焦延壽説二十餘條,皆非韻語,疑亦《變占》中文。

　　又按《北堂書鈔》地部引焦贛《易林》曰:"雷風泥塞,常水不温。凌人惰怠,大雹爲災。"焦贛《易林變占》曰:"深水難涉,塗泥在轂。漫澲不進,虎嚙我足。"《初學記》地部引焦贛《易林》曰:"江河淮海,天之奥府。衆利所聚,可以饒有。"焦贛《易林變占》曰:"江河淮海,天之都市。商人受福,國家富有。"兩書互引,知《變占》亦略如《易林》,各有繇辭。据李鼎祚、瞿曇悉達所引,則其中亦各有解釋之文,并及天文星占。總之,與孟喜所得《易》家候陰陽災變書同出一源，而焦氏專用之，京氏用之尤精。

又按舊本卷首載東萊費直序曰："六十四卦變占者，王莽時建信天水焦延壽之所撰也。"按《地理志》千乘郡莽曰建信，其屬無天水縣。据李氏兆洛所考，兩漢有天水郡，無天水縣。馬竹吾輯《費氏易林》，信此序真出費直，著説力辨。焦、費二人王莽時猶存，蓋未詳考。贛實梁國蒙人，其爲小黄令在昭帝時也。按京房死於元帝建昭二年，年四十一，其受業於贛當二十餘，在宣帝五鳳、甘露中。唐王俞序謂"元、成之間，凌夷厥政，先生或出或處，亦卒於官次"。蓋昭帝時始補官，其後或出或處，至元、成間乃卒，卒時後京房數年，其言可信。俞自言讀班史列傳、曆代名臣譜系、諸家雜説之文以爲之説云。

費直　周易逆刺占災異十二卷　直始末具《六藝》易家。

《漢書·儒林傳》："費直治《易》長於卦筮，亡章句。"又曰："高相治《易》與費公同時，其學亦亡章句，專説陰陽災異。"

《唐書·藝文志》：《費氏周易逆刺占災異》十二卷，注云費直。

《通志·略》五行易占家：《周易逆刺占災異》十二卷，京房撰，一云費氏。按《隋志》有是書十二卷，題云京房撰，故鄭氏牽合以爲一書，非也。

全祖望《讀易別錄》：漢單父長按當爲"令"。費直《周易逆刺占災異》十二卷，見《唐志》五行家，是書《經義考》失載。

馬國翰《費氏周易分野》輯本序曰："案羅泌《路史》云'《費直易》十二篇，以易卦配地域'。今其書佚，唯《晉書·天文志》引其十二次所起度數，稱費直《周易分野》。唐《開元占經》亦引之，稱名同。考《隋志》有《易林》二卷，《易內神筮》二卷，梁有《周易筮占林》五卷，俱費直撰，悉佚不傳。此未知當屬何書，姑以《晉志》所引題'分野'。至其配卦之例，莫可稽考。《唐書·曆志》載一行論兩戒間及《易卦》，或其遺法乎？"

按費氏有《易傳》，又有《易章句》，《晉志》所引《周易分野》

與此兩書頗不類，與所作《易林》等書又不相涉，故馬氏謂不知當何屬。今按《唐志》載費氏此書，乃災異占候之學，故可以《易卦》配地域，而逆刺其將然，由是知《分野》之書必在此十二卷中。《路史》稱十二篇與《唐志》合，羅氏在北宋猶及見其書歟？《儒林傳》言費直長於卦筮，又言高相與費公同時，其學亦亡章句，專説陰陽災異，蓋費、高二家學術略同。高專以此爲説，費則別有所作，不盡於此也。尋史文前後語意，則費氏此書尤可信。《隋志》載京氏書，書名、卷數並與此同，而別有《周易分野》一卷，不著撰人，意即費書之殘朕。至唐而全書復出，故《新志》明著於録。

費直　周易林五卷

《隋志》子部五行家：《易林》二卷，費直撰，梁五卷。《唐·經籍志》：《費氏周易林》二卷，費直撰。《藝文志》同。《通志·略》五行易占家著録同。

按馬國翰輯本序云費氏有《周易林》二卷，今佚。考《焦氏易林》卷首載東萊費直説一節，又《禮記·月令》正義引《易林》一節，不見《焦氏易林》定爲《費氏易林》之語。按費説一節固屬僞詞，正義一節不著姓名，漢以來爲《易林》者有崔篆、伏萬壽、許峻、張滿、管輅、郭璞、魯洪度諸家，何由知其定爲費氏乎？馬氏此輯可省。

費直　易内神筮二卷

《隋志》五行家：《易内神筮》二卷，費直撰。《通志·略》五行筮占家：《周易内卦神筮法》二卷，費直撰。《唐·藝文志》有《周易内卦神筮法》二卷，不著撰人，据《通志·略》似即費氏書。

按全氏《讀易別録》又有費直《易外神筮》二卷，注云見《隋志》五行家，今按《隋志》實無此目，《通志·略》亦不載，未詳所據。

費直　周易筮占林五卷

《隋志》五行家：梁有《周易筮占林》五卷，費直撰，亡。《通志·略》五行筮占家：《周易筮占林》五卷，費直撰。

按焦、費與劉中壘同時而稍在前，觀《儒林傳》言高相與費公同時，此似本《別錄》原文，而稱爲費公，則同時脩敬之詞也。費一傳爲琅邪王璜，璜在王莽時貴顯。高一傳爲其子康，康在莽居攝時被殺。師徒、父子相去不遠，故朱睦㮮《授經圖》謂高相平帝時人，費卒年不可攷。然當成帝劉向校書之時，竊意其人尚存，其學雖行於民間，其書則不入中秘。又或例不錄生存人，非揚雄四賦當時奏進者可比，故焦、費之書皆不著於《錄》、《略》。

京房　周易守林三卷　房始末具《諸子》法家。

京房　周易集林十二卷

《隋書·經籍志》：《周易守林》三卷，京房撰。《周易集林》十二卷，京房撰。《通志·略》五行易占家：《周易集林》十二卷，京房撰。

按《東觀漢記》沛獻王輔善《京氏易》。永平五年秋，京師少雨，上御雲臺，召尚席取卦，具自爲卦，以《周易卦林》卜之，其繇曰："蟻封穴戶，大雨將集。"明日大雨。上以問輔，輔上書曰："案《易卦》《震》之《蹇》'蟻封穴戶，大雨將集'。《蹇》艮下坎上，艮爲山，坎爲水，山出雲爲雨。蟻穴居知雨，將雲雨，蟻封穴，故以蟻爲興文。"按沛王所説即本《京氏易》，今《焦氏蹇林》亦有"蟻封穴戶"繇詞，似所謂《集林》者，集古林及其師説爲之。《守林》未詳，豈其守定此林用以卜從違者歟？又按《初學記》、《御覽》天部引《周易集林》雜占曰："占天雨否外卦，得陰爲雨，得陽不雨。其爻發變，得坎爲雨，得離不雨。巽化爲坎，先風後雨，坎化爲巽，先雨後風。"似其書分雜占等門目，然不知是否京氏書。

京房　周易混沌四卷

《隋書・經籍志》：《周易混沌》四卷，京房撰。《唐・經籍志》：
《京氏周易混沌》四卷。《藝文志》同。《通志・略》五行易占
家著録同。

　　按《靈棋經》以純陰鏝卦爲混沌未明，豈此所載皆純陰鏝
卦歟？

京房　周易委化四卷

《隋書・經籍志》：《周易委化》四卷。《通志・略》五行易占家
著録同。

京房　周易律曆一卷

《崇文總目》卜筮類：《周易律曆》一卷，京房撰。《宋史・藝文
志》五行家：虞翻注京房《周易律曆》一卷。《通志・略》五行
易占家：《周易律曆》一卷，京房撰。按《隋志》有虞翻撰《周易集林律
曆》一卷，又《易律曆》一卷，蓋其一爲虞氏自撰，其一即所注京氏書。新、舊《唐書・
志》並有《易律曆》一卷，不著撰人，亦似此書。

宋王欽臣《談録》曰：“《京氏律曆》一卷，虞翻爲之解。其書雖
存，學者罕究，公從祕府傳其書，究習遂通，屢以占卦，甚效。”
按稱公者，謂其父王洙也，其書名《王氏談録》。

陳氏《書録解題》曰：“《京氏參同契律曆志》一卷，虞翻注。專
言占象而不可盡通，字亦多誤，未有別本校。”

　　按京氏本有《律術》之書，見前曆譜家。疑此書本與《律術》
同爲一編，故名《律曆》。至宋王洙所見，僅存其半，而《律
術》亡矣。陳《録》作《參同契律曆志》，則又術者所改題，非
其本名也。

　　又按京房卒年四十一，時爲元帝建昭二年。劉向卒年七十
二，卒後十三年王莽代漢。以《劉歆傳》證之，向當卒於成
帝綏和元年。房死時，向年四十三，蓋長於房二歲。及後

將十年領校秘書，以其前卒，又當元帝世立《京氏易》博士，故《七略》易家載《孟氏京房》十一篇，《災異孟氏京房》六十六篇，《京房段嘉》十二篇。若術數之書，則亦未嘗徧及也。今審取《易林》以下純爲占卜之類者，録五種如右。《隋志》五行家又有《京房逆刺》一卷，《周易占事》十二卷，《周易占》十二卷，《周易妖占》十三卷，《周易飛候》九卷，又一部六卷，《周易飛候六日七分》八卷，《周易四時候》四卷，《周易錯卦》七卷，又見經部易家云：“梁有《周易錯》八卷。”《周易逆刺占災異》十二卷，及宋以來相傳《易傳積算法雜占條例》一卷，《易傳》三卷，凡一十二部。重複互見，茫無可稽，以其名書之義推之，疑皆是《災異孟氏京房》六十六篇、《京氏段嘉》十二篇之散見者，故概不入録。

東方朔　射覆經一卷　朔始末具《詩賦略》中。

《漢書》本傳：上嘗使諸數家射覆，置守宮盂下，射之，皆不能中。朔自贊曰：“臣嘗受《易》，請射之。”迺別著布卦而對曰：“臣以爲龍又無角，謂之爲虵又有足，跂跂脈脈善緣壁，是非守宮即蜥蜴。”上曰：“善。”賜帛十匹。復使射他物，連中，輒賜帛。時有幸倡郭舍人，滑稽不窮，常侍左右，曰：“朔狂，幸中耳，非至數也。臣願令朔復射，朔中之，臣榜百，朔不能中，臣賜帛。”迺覆樹上寄生，令朔射之。朔曰：“是竈數也。”舍人曰：“果知朔不能中也。”朔曰：“生肉爲膾，乾肉爲脯；著樹爲寄生，盆下爲竈數。”上令倡監榜舍人云云。又贊曰：“朔之詼諧，逢占射覆，其事浮淺，行於衆庶，童兒牧豎莫不眩燿。而後世好事者因取奇言怪語附著之朔，故詳録焉。”師古曰：“言此傳所以詳録朔之辭語者，爲俗人多以奇異妄附於朔故耳。欲明傳所不記，皆非其實也。”

《通志·藝文略》五行覆射家：東方朔《射覆經》一卷。

按本傳又云：“凡劉向所録朔書具是矣。世所傳他事皆非
也。”顔注：“謂他事如《別傳》及俗用五時行日之書，皆非其
實。”今按本傳載其射覆二事，則實有其事，非五行時日等
比，亦非奇言怪語附著於朔之比。當時必有其書，故班氏
得著録於史。又云“復使射他物，連中”。是班氏所見尚不
止此，餘皆略之也。《隋志》五行家有《易射覆》二卷，又一
部一卷，不著撰人，疑其一是朔書，本名《易射覆》，《通志·
略》作《射覆經》，似眩燿者所改。題射覆之術，蓋亦從卜筮
而得。惟引伸觸類用之精者，斯能應機屢中，非別有異術
也。史又言與郭舍人往復爲隱事，則熟讀《隱書》十八篇了
之，亦非有他術也。

右蓍龜，凡八家一十六部。《隋志》有《神農重卦經》二卷，《文王幡音》一卷。
《通志·略》有嚴遵《周易骨髓決》一卷，《君平占卦法》一卷，《周易子夏》十八章三卷，
《鬼谷先生周易元悟髓決》一卷，《黃石公備氣》三卷。《宋志》有《周易鬼谷林》一卷，
《孫臏卜法》一卷，《三墳易典》三卷，題箕子注，《周易三備》三卷，題孔子師徒所述。
此類非一，不能具載。又今有《靈棋經》一卷，題東方朔撰，又以爲黃石公、張良、劉
安，其書頗古，《四庫全書》亦著於録，然無以定其爲漢人所作，故概置不録。

焦氏六情鳥音内祕一卷

《漢書·翼奉傳》：奉奏對曰：“六情更興廢。”張晏曰：“六情，
廉貞、寬大、公正、姦邪、陰賊、貪狠也。”

《隋志》五行家：《六情鳥音内祕》一卷，焦氏撰。《通志·略》
五行鳥情家著録同。

按六情之説，同時翼奉已言之，非起於後世術家可知。《隋
志》載焦延壽書衹《易林》及《變占》，各十六卷，此題焦氏，
或其後人及門弟子所録。

京房　占六情百鳥鳴一卷　房始末具《諸子》法家。

《唐日本國人見在書目》五行家：京房《占六情百鳥鳴》一卷，

京房《雜占》一卷。

按《雜占》疑即宋時相傳積算法，《雜占》條例當屬《漢志》所載《灾異孟氏京房》六十六篇中，故此不録。

京君明推偷盜書一卷

《隋志》五行家：《京君明推偷盜書》一卷。

按本傳：房事梁人焦延壽。延壽補小黄令。以候司先知姦邪，盜賊不得發。唐王俞《大易通變序》亦言，邑中隱伏之事皆預知其情，得以寵異遷秩。房或推其師術，以爲此書。又按房有《風角要占》見前五行家。《御覽》七百十七引《風角要占》厭盜賊法。《息夫躬傳》言祝盜方，蓋即其類。此書雖爲術各殊，疑舊與厭盜賊法俱在《風角要占》八卷中。

京房婚書三卷

《宋史·藝文志》五行家：陳襄校定《夢書》四卷，又校定《相笏經》一卷，校定《京房婚書》三卷。

按《宋史·陳襄傳》，襄知河陽縣，富弼入相，薦爲秘閣校理，是書蓋即爲秘閣校理時所審定也。襄在北宋得見秘書，其稱京房自是可信。《隋志》五行家有《婚嫁書》凡十二家，皆不著撰人，意其中有京氏書在焉。

京房占夢書三卷

《隋志》五行家：《占夢書》三卷，京房撰。《通志·略》五行占夢家著録同。

目瞤書一卷

《隋志》五行家：梁有《嚏書》、《耳鳴書》、《目瞤書》各一卷，亡。

《通志·略》五行雜占家：《目瞤書》一卷。

按《西京雜記》樊將軍噲問陸賈曰："自古人君皆云受命於天，云有瑞應，豈有是乎？"賈應之曰"有之。夫目瞤得酒食，燈華得錢財，乾鵲噪而行人至，蜘蛛集而百事喜。小既有徵,大亦宜然。故目瞤則祝之,燈華則拜之,乾鵲噪則餧之,蜘蛛集則放之"云云。是目瞤有祝在漢初已然。目瞤之書亦漢時所有,《藝文志》有《啑耳鳴雜占》十六卷,不及《目瞤》。

沐書一卷

《論衡·譏術篇》:時日之書,衆多非一,略舉較著,明其是非。《沐書》曰:"子日沐,令人愛之;卯日沐,令人白頭。"夫人之所愛憎,在容貌之好醜;頭髮白黑,在年歲之稚老。使醜如嫫母,以子日沐,能得愛乎? 使十五女子,以卯日沐,能白髮乎?且沐者,去首垢也。洗去足垢,盥去手垢,浴去身垢,皆去一形之垢,其實等也。洗、盥、浴不擇日,而沐獨有日。如以首爲最尊,則浴亦治面,面亦首也。如以髮爲最尊,則櫛亦宜擇日。櫛用木,沐用水,水與木俱五行也。用木不避忌,用水獨擇日。如以水尊於木,則諸用水者宜皆擇日。且水不若火尊,如必以尊卑,則用火者宜皆擇日。且使子沐,人愛之;卯沐,其首白者,誰也? 夫子之性,水也;卯,木也。水不可愛,木色不白。子之禽鼠,卯之獸兔也。鼠不可愛,兔毛不白。以子日沐,誰使可愛? 卯日沐,誰使凝白者? 夫如是,沐之日無吉凶,爲沐立日曆者,不可用也。

　　按王仲任在東漢初,所見書皆漢時所有可知,《隋志》五行家有《沐浴書》一卷,不著撰人,或漢時相傳。然仲任明言洗、盥、浴不擇日,此稱沐浴,殆後世術者又推演及之歟?

裁衣書一卷

《論衡·譏術篇》又曰:"裁衣有書,書有吉凶。凶日製衣則有禍,吉日則有福。夫衣與食俱輔人體,食輔其內,衣衞其外,飲食不擇日,製衣避忌日,豈以衣爲於其身重哉? 人道所重,莫如食急,故八政一曰食,二曰貨。衣服,貨也。如以加之於身爲尊重,在身之物,莫大於冠。造冠無禁,裁衣有忌,是於尊者略，卑者詳也。且夫沐去頭垢，冠爲首飾，浴除身垢，衣衞體寒。沐有忌，冠無諱，浴無吉凶，衣有利害。俱爲一體，共爲一身，或善或惡，所諱不均，俗人淺知，不能實也。且衣服不如車馬。九錫之禮，一曰車馬，二曰衣服。作車不求良辰，裁衣獨求吉日，俗人所重，失輕重之實也。”

按《隋志》五行家梁有《裁衣書》一卷，亡，疑即王仲任所見者。

右雜占，凡五家八部。《隋志》有《東方朔歲占》一卷，《東方朔占夢》七卷。《通志·略》有《東方朔相笏經》一卷，《東方朔珤琭賦疏》十卷，《郯子占鳥經》一卷，《鬼谷先生射覆歌》一卷，《河上公宿命要訣》一卷，《風后三命》一卷。似此者不一而足。又《四庫》術數類存目有《東方朔占書》三卷，《東方朔易衍》二卷，《黃帝授三子玄女經》一卷，皆術者依托，今概不錄。

山海經逸篇五篇

《山海經》篇目曰：“《大荒東經》第十四，《大荒南經》第十五，《大荒西經》第十六，《大荒北經》第十七，《海内經》第十八。”注云：“此《海内經》及《大荒經》，本皆逸在外。”

王應麟《漢志考證》曰：“《山海經》十三篇，劉歆定十八篇，多於《志》五篇，固已不同。”

鎭陽畢沅新校正《篇目攷》：《山海經》三十四篇，禹、益所作。沅曰：“劉秀表云‘凡三十二篇’，今合《五藏山經》及《海外》、《海内經》，共三十四篇。‘二’當爲‘四’字之誤也。十三篇，漢時所合。”沅曰：“劉向校經時所合凡十三篇，班固作《藝文志》取之於《七略》，而無《大荒經》以下五篇也。十八篇，劉秀所增。”沅曰：“藏本目録下注云：‘此《海内經》及《大荒經》，本皆進在外。’言《山海經》古本十三篇，劉秀校進時又附五篇於後，爲十八篇。此郭璞注歟？又按《大荒經》四篇似釋《海外經》四篇，《海内經》一篇似釋《海内經》四篇。”又曰：“《山海經》有古圖，有漢所傳圖，有梁張僧繇等圖，《大荒經》已下五篇所説之圖，當是漢時所傳之圖也。以其圖有成湯，有王亥、僕牛等知之，又微與古異也。据《藝文志》，《山海經》在形法家，本劉向《七略》，以有圖，故在形法家。又郭璞注中有云‘圖亦作牛形’，又云‘亦在畏獸畫中’。又郭璞及張駿有《圖讚》，陶潛詩亦云‘流觀山海圖’。”

按《藝文志》載《山海經》十三篇，蓋中祕書古本，合三十四篇爲十三篇也。此五篇在《七略》之外，元刊本篇目下注云“本皆逸在外”，蓋別有此外書，非劉歆校定奏進者也。諸本皆誤作“進在外”，畢氏新校正亦作“進”，而曲爲解釋，恐未然。“進”與“逸”顯晦懸殊，此書之所以貴古本，亦可云一字千金者矣。

梁丘藏一篇　　汲冢竹書。

束晳《竹書叙目》曰：“《梁丘藏》一篇，先叙魏之世數，次言丘藏金玉事。”

按此似魏之列代冢墓志，故入此門。

秦地圖

《漢書》本紀：高帝元年冬十月，沛公至霸上。秦王子嬰降，遂西入咸陽。蕭何盡收秦丞相府圖籍文書。

何本傳：沛公至咸陽，諸將皆爭走金帛財物之府分之，何獨先入收秦丞相御史律令圖書藏之。沛公具知天下阸塞，户口多少，彊弱處，民所疾苦者，以何得秦圖書也。

《漢書·地理志》琅邪郡長廣縣班氏注曰：“有萊山萊王祠。奚養澤在西，秦地圖曰劇清地，幽州藪。”又代郡班氏縣注云：“秦地圖書班氏。莽曰班副。”錢氏《攷異》曰：“此注疑有脱譌。”宗按秦地圖或不作班氏。

《晉書·裴秀傳》：秀作《禹貢地域圖》，序曰：“今秘府既無古之地圖，又無蕭何所得秦圖。”

按班氏譔《地理志》兩引秦地圖，又引秦屬公、秦惠公、秦孝公、秦惠文王、秦武王、秦昭王、秦文王、秦宣太后、秦始王，又數稱故秦、秦改、秦曰，各若干條，似皆秦地圖中語也。知其書東漢初尚存，及魏晉時，裴秀言秘府無秦圖，則大抵亡於董卓、催、汜之亂。

漢輿地圖

《史記·三王世家》：元狩六年四月丙申，丞相臣青翟等請立皇子，臣閎等爲諸侯王令史官擇吉日，御史奏輿地圖。丁酉，太僕臣賀行御史大夫事，昧死奏輿地圖，請所立國名。《索隱》曰：“謂地爲‘輿’者，天地有覆載之德，故謂天爲‘蓋’，謂地爲‘輿’，故地圖稱‘輿地圖’。疑自古有此名，非始漢也。”

《史記·淮南王列傳》：王日夜與伍被、左吳等案輿地圖。《索隱》曰：“《志林》云輿地圖漢家所畫，非出遠也。”又《匈奴傳》注臣瓚曰：“浮苴井去九原二千里，見漢輿地圖。”

《晉書·裴秀傳》：秀作《禹貢地域圖》，序曰：“今秘府既無古之地圖，又無蕭何所得秦圖。唯有漢時所畫《輿地》及《括地》諸雜圖。各不設分率，又不考正準望，亦不備載名山大川。其所載列，雖有麄形，皆不精審，不可依據。或稱外荒迂誕之言，不合事實，於義無取。”

　　按《元帝本紀》建昭四年春正月，以誅郅支單于告祠郊廟。赦天下。羣臣上壽置酒，以其圖書示後宮貴人。或曰單于土地山川之形書也。據臣瓚、裴秀所云，似已備載此圖矣。

張騫出關志一卷

《史記·衛青霍去病》附傳：將軍張騫，以使通大夏，還，爲校尉。從大將軍有功，封爲博望侯。後三歲，爲將軍，出右北平，失期，當斬，贖爲庶人。其後使通烏孫，爲大行而卒，家在漢中。

《漢書》本傳：張騫，漢中人也。建元中爲郎。使月氏。初，騫

行時百餘人,去十三歲,唯二人得還。騫身所至者,大宛、大
月氏、大夏、康居,而傳聞其旁大國五六,具爲天子言其地形,
所有語在《西域傳》。又曰:"自騫開外國道以尊貴,其吏士争
上書言外國奇怪利害,求使。"

《華陽國志》:張騫,漢中成固人也。爲人强大有謀,能涉遠。
爲武帝開西域五十三國,窮河源,南至絶遠之國。拜校尉,從
討匈奴有功,遷衛尉,封博望侯。於是廣漢緣邊之地,通西南
之塞,豐絶遠之貨,令帝無求不得,無思不服。至今方外開
通,騫之功也。

《後漢書·西域傳》論曰:"西域風土之載,前古未聞也。漢世
張騫懷致遠之略,班超奮封侯之志,終能立功西遐,羈服外
域。"又曰:"佛道神化,興自身毒,而二漢方志莫有稱焉。張騫
但著地多暑溼,乘象而戰,其精文善法導達之功靡所傳述。"

《隋志》史部地理類:張騫《出關志》一卷。《通志·略》地理行
役門著録同。

章宗源《隋經籍志考證》:崔豹《古今注》曰:"酒杯藤出西域,
國人寶之,不傳中土。張騫出大宛得之。事出張騫《出關
志》。"洪遵《泉志》外國品亦引騫《出關志》。

朱贛　地理書

《漢書·地理志》:漢承百王之末,國土改變,民人遷徙。成帝
時,劉向略言其域分,丞相張禹使屬潁川,朱贛條其風俗,猶
未宣究,故輯而論之,終其本末著於篇。

《隋書·經籍志》地理記篇叙曰:"武帝時,計書既上太史,郡
國地志,固亦在焉。而史遷所記,但述河渠而已。其後劉向
略言地域,丞相張禹使屬朱貢條記風俗,班固因之作《地理
志》。其州國郡縣山川夷險時俗之異,經界之分,風氣所生,
區域之廣,户口之數,各有攸叙,與古《禹貢》、《周官》所記

相埒。”

《宋書·志》序曰：“朱贛博采風詩，尤爲詳洽，班固因以爲誌。”

《史通·雜述篇》曰：“地里書者，若朱贛所采，浹於九州。言皆雅正，事無偏黨。”

錢大昕《漢書考異》曰：“《地里志》末論十二國分域，蓋出於劉向。”

按劉向欲述地理，略言域分，而未成其書，當在《續太史公書》中，別見春秋家劉歆《續太史公》條下。朱贛始末未詳，其所作當是丞相府所録藏者，班氏修史，因彙次而論著之。

司馬相如　蜀本紀　相如始末具《詩賦略》。

嚴君平　蜀本紀　嚴遵始末具《諸子》道家。

陽成子玄　蜀本紀

《華陽國志·序志》曰：“司馬相如、嚴君平、揚子雲、陽成子玄、鄭伯邑、尹彭城、譙常侍、任給事等各集傳記，以作《本紀》，略舉其隅。”又曰：“《蜀紀》言‘三皇乘祇車出谷口’，秦宓曰‘今之斜谷也’。及武王伐紂，蜀亦從行。《史記》：周貞王之十六年，秦厲公城南鄭。此谷道之通久矣。而説者以爲蜀王因石牛始通，不然也。《本紀》既以炳明，而世俗間橫有爲蜀傳者，言蜀王蠶叢之間周迴三千歲，又云荆人鼈靈死，屍化西上，後爲蜀帝；周萇弘之血變成碧珠，杜宇之魄化爲子鵑。案《蜀紀》：‘帝居房心，決事參伐。’參伐則蜀分野，言蜀在帝議政之方。帝不議政則王氣流於西，故周失紀綱，而蜀先王；七國皆王，蜀又稱帝。此則蠶叢自王，杜宇自帝，皆周之叔世，安得三千歲？且太素資始，有生必死；死，終物也。自古以來，未聞死者能更生當世。或遇有之，則爲怪異。子所不言，況能爲帝王乎？碧珠出不一處，地之相距動數千里，一人之血，豈能致此？子鵑鳥四海有之，何必在蜀？漢末時，漢中祝元靈性滑稽，用州牧劉焉談調之末，與蜀士燕胥，聊著翰墨。當時以爲極歡，後人有以爲惑。恐此之類必起於元靈之由也。惟智者辨其不然。"

按蜀在周時稱王稱帝，故記其事者稱"本紀"。陽成子玄始末未詳，觀常氏《序志》次揚子雲之後，則與陽成子長同時。子長名衡，見《六藝》樂類。諸書言揚子雲《蜀王本紀》載杜鵑荆鼈諸怪異事，多以爲譏。今觀常道將所考，則自司馬長卿以下八家皆無是説，蓋出於祝元靈之書，集矢於子雲，非其實也。元靈名龜，有《漢中耆舊傳》，鄭伯邑名廛，尹彭城名貢，譙常侍名周，任給事名熙，並後漢、魏、晉時人，詳見余所輯《後漢》、《三國藝文志》。

揚雄 蜀王本紀一卷 雄始末具《六藝》小學家。

《隋志》史部地理類：《蜀王本紀》一卷，揚雄撰。《唐·經籍志》同。《唐·藝文志》：揚雄《蜀王本紀》一卷。

《史通·因習篇》曰："國之有僞，其來尚矣。如杜宇作帝，勾踐稱王。而揚雄撰《蜀紀》，子貢著《越絶》。考斯衆作，咸是僞書。"按此謂僭僞之書，猶云僞史。又《雜説篇》云："揚雄《法言》好論司馬遷，且哂子長愛奇多雜。觀其《蜀王本紀》，稱杜魄化而爲鵑，荆屍變而爲鼈，其言如是何其鄙哉！所謂非言之難，而行之難也。"

章宗源《隋志考證》曰："按'杜宇作帝，死化子規'，《文選·蜀都賦》注。'荆尸鼈令隨江水至沰，與望帝相見。望帝以爲相，以德薄不及鼈令，乃委國授之而去。'此見《文選·思玄賦》注。所記誠涉怪異，然雄言'荆地有一死人，名鼈令'，非變而爲鼈也。至如'武都山精，化爲女子'，'朱提男子，從天而下，自稱望帝'，'五丁迎秦女，山崩化爲石'，'秦襄王時，宕渠郡獻長人二十五丈六尺'，此類亦杜宇、鼈令之流。"

嚴可均輯本曰："揚雄有《蜀王本紀》一卷。今輯諸書所引見者凡二十六條。"按近刻《古逸叢書》中《珊玉集》亦引揚雄《蜀王本紀》，此嚴氏所未及見也。

按常道將《序志》所言，知揚雄書中屢有祝元靈、燕胥之語，後人無以別之。

桑欽　水經三卷 欽始末具《六藝》尚書家。

《唐六典》工部水部郎中注：桑欽《水經》所引天下之水百三十七，江河在焉。酈善長注《水經》引其枝流一千二百五十二。

《唐·藝文志》史部地理類：桑欽《水經》三卷。一作郭璞撰。酈道元注《水經》四十卷。

晁氏《郡齋讀書志》：《水經》四十卷，漢桑欽撰。欽，成帝時人。本經三卷，後魏酈道元注。

陳氏《直齋書錄解題》：《水經》三卷，《水經注》四十卷，桑欽撰，後魏御史中尉范陽酈道元善長注。桑欽，不知何人，《邯鄲書目》以爲漢人，晁公武曰成帝時人，當有所據。按《儒林傳》古文《尚書》家，欽爲孔安國六傳弟子，王莽時與其師塗惲等並貴顯。晁氏以爲成帝時人，亦相去不甚遠也。

仁和趙一清《水經注釋·叙目》曰："按李林甫《唐六典》注云'桑欽《水經》所引天下之水百三十七'。王應麟《玉海》云：'自河水至斤江水非經水常流，不在記注之限，按酈道元曰："水出山而流入海者，命曰經水。"末卷載《禹貢》山水澤地所在凡六十。'按今本經水凡百十六，較《唐六典》少二十一篇。證以本注，及雜采他籍，得溄、洺、溽沱、泒、滋、伊、灅、澗、洛、豐、涇、沴、渠、獲、洙、滌、日南、弱、黑十八水。而'灅'下當有'灅餘'。清濁漳、大小遼原分爲二，刪去無注無名之沇、酉水，合一百三十七水，與《唐六典》數合也。"謹按《四庫提要》曰"其考据訂補亦極精核"。

畢沅《山海經新校正·篇目考》曰："《山海經·海內東經》篇

中,自‘岷三江,首’至‘漳水入章武南’多有漢郡縣名,此是
《水經》。据《隋書・經籍志》云《水經》三卷郭璞注,《舊唐
書・經籍志》云《水經》二卷郭璞撰,此《水經》《隋》、《唐》二志
皆次在《山海經》末,當即《海内經》中文也。又有《水經》四十
卷,酈善長注,乃桑氏之經,杜佑不知郭注是《海内東經》中
《水經》,以郭璞爲注桑氏之書,其謬甚矣。"按《晋書・郭璞傳》載璞
所著書甚詳,有《山海經注》無《水經注》,畢氏所考良信。

《四庫提要》曰:"《水經》作者,《唐書》題曰桑欽,然班固嘗引
欽説,與此經文異。道元注亦引欽所作《地理志》,不曰《水
經》。觀其涪水條中稱‘廣漢’已爲‘廣魏’,則決非漢時;鍾水
條中稱‘晋寧’仍曰‘魏寧’,則未及晋代。推尋文句,大抵三
國時人。今既得道元原序,謹按得之《永樂大典》。知並無桑欽之
文,則據以削去舊題,庶幾闕疑之義云爾。"謹按此條並據編脩戴震
之説,不盡然也,詳見下文。

錢大昕《三史拾遺》曰:"《地理志》稱古文者十一,汧山、終南、
惇物在扶風,外方在潁川,内方、倍尾在江夏,嶧陽在東海,震
澤在會稽,傅淺原在豫章,豬壄澤在武威,流沙在張掖,皆《古
文尚書》家説,與《水經》所載《禹貢》山澤所在無不脗合。相
傳《水經》出於桑欽,欽即傳《古文尚書》者,則《水經》爲欽所
作信矣。戴東原以《水經》有廣魏縣斷爲魏人所作,大昕謂
《水經》郡縣間有與西漢互異者,乃後人附益改竄,猶《爾雅》
周公作而有張仲孝友之語,《史記》司馬遷作而有揚雄之語
也。然則《志》何以別有桑欽説,曰《禹貢》山水澤地所在一篇
本古文家相傳之學,而欽引以附《水經》之末,《水經》則欽自
出新意爲之,故不可合而爲一。"

　按今本《水經注》酈道元序非全文,故始終不見言《水經》撰
　人。李林甫等注《六典》,於《經》之若干水、《注》之若干水

言之鑿鑿，必得之酈氏全序也。酈序至杜佑時已有所散佚，故《通典》謂《水經》不知何代之書。《唐·藝文志》題桑欽，似亦本《六典》，而又因《舊志》稱郭璞撰，故兩存其說。據畢氏所攷，則郭璞所注非桑氏書。

又按或謂酈道元《水經注》引桑欽所作《地理志》，今攷戴氏校本“河水東北過高唐縣東”條下引桑欽《地理志》曰“漯水出高唐”，《說文》水部“濕”字下亦引桑欽此說，桂氏《義證》遂謂此出桑欽所作《地理志》。然攷趙氏註釋本則云“《地理志》桑欽曰‘漯水出高唐’”，蓋即《漢志》引桑欽說，道元轉引之，非道元引桑欽《地理志》，戴氏沿《永樂大典》寫誤，失於校正耳。酈氏於濟水、濁漳水、易水、沔水下引桑欽說又有四條，皆出《漢志》，亦無別引桑欽《地理志》之文，知桂氏及《提要》實沿戴氏此一條之誤也。

又按《漢志》引桑欽說者，上黨郡屯留下一條，平原郡高唐下一條，泰山郡萊蕪下一條，丹陽郡陵陽下一條，張掖郡刪丹下一條，敦煌郡效穀下一條，此條師古曰“三字誤衍。”錢氏《攷異》亦云“乃班氏本文，非小顏注”。中山國北新成下一條。《說文》水部引桑欽說三條，與《漢志》所引略同，金部“銚”字下引一條，或爲欽說《尚書·禹貢》文，或爲《水經》文，無以詳知。

王莽治河議

《漢書·溝洫志》：王莽時，徵能治河者以百數，其大略異者，長水校尉平陵關並、大司馬史長安張戎、御史臨淮韓牧、大司空掾王橫各言所宜，沛郡桓譚爲司空掾，典其議，爲甄豐言：“凡此數者，必有一是。宜詳攷驗，皆可豫見，計定然後舉事，費不過數億萬，亦可以事諸浮食無產業民。空居與行役，同當衣食；衣食縣官，而爲之作，迺兩便，可以上繼禹功，下除民疾。”王莽時但崇空語，無施行者。

本志顏氏注：桓譚《新論》曰："關並字子陽，材智通達也。張戎字仲功，習漑灌事也。韓牧字子台，善水事。"師古曰："王橫字平中，琅邪人。見《儒林傳》。中讀曰仲。"按《儒林傳》作"璜"，傳《費氏易》，又從號徐敖受《古文尚書》。王莽時，諸學皆立，劉歆爲國師，璜等皆貴顯。今按顏注，則璜與桓君山同爲大司空甄豐掾。豐以居攝元年爲大司空，至始建國二年十二月自殺，君山爲掾典領是議，即在此五年中也。

按桓君山所典治河議，當在大司空故府所錄藏，班氏附著於《溝洫志》，又疑在《新論·述策篇》、《雜事篇》，然不可知矣。

王莽　地理圖簿

《漢書·平帝本紀》：元始四年，更公卿、大夫、八十一元士官名位次及十二州名。分界郡國所屬，罷置改易，天下多事，吏不能紀。

《王莽傳》：元始五年，莽復奏曰："臣又聞聖王序天文，定地理，因山川民俗以制州界。漢家地廣二帝三王，凡十三州，州名及界多不應經。《堯典》十有二州，後定爲九州。漢家廓地遼遠，州牧行部，遠者三萬餘里，不可爲九。謹以經義正十二州名分界，以應正始。"奏可。

《王莽傳》又曰：始建國四年，莽至明堂，授諸侯茅土。下書曰："予以不德，襲於聖祖，爲萬國主。思安黎元，在於建侯，分州正域，以美風俗。追監前代，爰綱爰紀。惟在《堯典》，十有二州，衞有五服。《詩》國十五，祈徧九州。《殷頌》有'奄有九有'之言。《禹貢》之九州無并、幽，《周禮·司馬》則無徐、梁。帝王相改，各有云爲。或昭其事，或大其本，厥義著明，其務一矣。昔周二后受命，故有東都、西都之居。予之受命，蓋亦如之。其以洛陽爲新室東都，常安爲新室西都。邦畿連體，各有采任。州從《禹貢》爲九，爵從周氏有五。諸侯之員千有八百，附城之數亦如之，以俟有功。諸公一同，有衆萬戶，土方百里。侯伯一國，衆戶五千，土方七十里。子男一則，衆戶二千五百，土方五十里。附城大者食邑九成，衆戶九百，土方三十里。自九以下，降殺以兩，至於一成。五差備具，合當一則。今已受茅土者，公十四人，侯九十三人，伯二十一人，子百七十一人，男四百九十七人，凡七百九十六人。附城五百一十一人。九族之女爲任者，八十三人。及漢氏女孫中山承禮君、遵德君、修義君更以爲任。十有一公，九卿，十二大夫，二十四元士。定諸國邑采之處，使侍中講理大夫孔秉等與州部衆郡曉知地理圖籍者，共校治於壽成朱鳥堂。予數與羣公祭酒上卿親聽視，咸已通矣。夫襃德賞功，所以顯仁賢也；九族和睦，所以襃親親也。予永惟匪懈，思稽前人，將章黜陟，以明好惡，安元元焉。”以圖簿未定，未授國邑，且令受奉都内，月錢數千。

又《莽傳》：天鳳二年，莽意以爲制定則天下自平，故鋭思於地理，制禮作樂，講合六經之説。公卿旦入暮出，議論連年不決。四年六月，更授諸侯茅土於明堂，曰：“予制作地理，建封五等，考之經藝，合之傳記，通於義理，論之思之，至於再三，自始建國之元以來九年於茲，迺今定矣。”

《後漢書·隗囂傳》：囂移檄告郡國曰：“故新都侯王莽，分裂郡國，斷截地絡。田爲王田，賣買不得。規錮山澤，奪民本業。造起九廟，窮極土作。發冢河東，攻劫邱壟。此其逆地之大罪也。”

《漢書·地理志》：京兆尹長安，王莽曰常安。船司空，莽曰船利。師古曰：“王莽篡位，改漢郡縣名，普易之也。下皆類此。”又曰：“船司空，本主船之官，遂以爲縣名。”

　　按莽究心地里，既於元始中從《堯典》奏改十三州爲十二州。行不數年，篡位之後，又從《禹貢》改爲九州，考論九年而後成其書，兼及封建井田之制。班制所引郡縣異名，特其一端耳。其郡縣之數，今不可考。唯《莽傳》天鳳元年下書有云：“九州之内，郡百二十有五，縣二千二百有三。”其時尚在未定之前，大略之數不過如此。又謂郡縣以亭爲名者三百六十，以應符命文云。

青烏子三卷

《風俗通·姓氏篇》：青烏氏，漢有青烏子，善術數。張澍輯注曰：“按《風俗通》引《青烏氏書説》‘鷄者，東方之牲也’。”按《風俗通》程榮刊本引作《青史子書説》，與張氏所見異，未詳孰是。

《唐·經籍志》子部五行家：《青烏子》三卷。《藝文志》同。

《唐日本書目》：《青烏子》十三卷。按“十”字似衍。

《四庫提要》術數類存目曰：《葬經》一卷，題曰《青烏先生葬經》，大金丞相兀欽仄注。考青烏子名見《晋書·郭璞傳》。《唐志》有《青烏子》三卷，已不知爲真古書否。此本文義淺近，經與注如出一手，殆又後人所依託矣。郭璞《葬書》引‘經者曰’若干條，皆見於此本，然字句頗有異同。蓋作僞者獵取璞書以自證，而又稍易其文，以泯剽襲之迹耳，未可據爲符驗也。”

按唐修《晋書·郭璞傳》不見言青烏子事。《提要》云云，或從他所引别家《晋書》歟？然應劭言青烏子遠在郭景純之前，非始見於《郭傳》也明矣。《文選·謝靈運哀傷詩》注、《初學記》禮部、《御覽》七百二並引青烏子《相冢書》。《抱朴子·極言篇》云：“黄帝相地理則書青烏之説。”

嚴助　相貝經二卷

《漢書》本傳：助，會稽吳人，嚴夫子子也。張晏曰：“夫子嚴忌也。”或曰族家子也。郡舉賢良，對策，武帝擢爲中大夫。後拜爲會稽太守。三年計最，因留爲侍中。有奇異，輒使爲文，及作賦頌數十篇。坐與淮南王交私，棄市。

《藝文類聚》寶玉部：《相貝經》曰“《相貝經》，朱仲受之於琴高，琴高乘魚，浮於海河，水產必究。仲學仙於高，而得其法。又獻珠於漢武，去，不知所之。嚴助爲會稽太守，仲又出，遺助以徑尺之貝，并致此文於助”云云。《列仙傳》曰：“朱仲，會稽市販珠人。高后時，募三寸珠，乃詣闕上之。珠好過度，賜五百金。魯元公主私以七百金，從仲求珠。仲獻四寸之珠。”琴高，趙人，亦見《列仙傳》。此所引《相貝經》似後人序文，非嚴助手筆也。

《説文》：貝，海介蟲也。居陸名猋，在水名蜬。象形。古者貨貝而寶龜，至周而有泉，至秦廢貝行錢。

《隋志》子部五行家：梁有《相貝經》二卷，亡。《唐·經籍志》農家：《相貝經》一卷。《藝文志》同。

楊慎《丹鉛總録》曰：“馬總《意林》引《相貝經》，不著作者。讀《初學記》始知爲嚴助作。”

　按《隋》、《唐志》載《相貝經》不著撰人。宋本《意林》第六卷有《相貝經》一卷，題曰琴高。嚴氏可均《校補意林闕目》有《貝書》十卷，不著名氏。陶宗儀《説郛》云《相貝經》朱仲撰。汪師韓《文選注》引《羣書目録》云《相貝經》嚴助撰，見《初學記》。今按《初學記》居處部引嚴助《相兒經》曰“堯懸貝轂於塸宮”，兒蓋“貝”之寫誤。貝之爲物，上古三代以爲貨幣，又以爲藥物，爲器具、珍飾，其用至廣。其書自周秦時有之，不始於嚴助，此特助所校録，亦不出於助，觀《初學記》所引序可知矣。《漢武故事》云“上少好學，招求天下遺書，親自省校，使莊助、司馬相如等以類分別之”，則此爲助校書時所傳益信。今姑從《初學記》題嚴助姓名。其佚文《選》注及《初學記》所引率不過一二語，《御覽》鱗介部引二條，《藝文類聚》引凡三百餘言，最爲詳悉云。

相玉書

後漢王逸《離騷注》：《相玉書》言璏大六寸，其曜自照。

《魏志·鍾繇傳》注：《魏略》曰："太子與繇書曰：'竊見《玉書》，稱美玉白若截肪，黑譬純漆，赤擬雞冠，黃侔蒸栗。'"

按《相玉書》不知何人作，王叔師《騷注》引之當出前漢，《藝文類聚》寶玉部引《呂氏春秋》"《珠玉圖》曰璣碎珠"，此似高誘注文。《珠玉圖》亦不知爲何人作，與此相類。

相印經一卷

相笏經一卷

相鷹經一卷

《魏志·夏侯玄傳》注：《魏氏春秋》曰："《相印書》曰：'相印法本出陳長文，長文以語韋仲將，印工楊利從仲將受法，以語許士宗。利以法術占吉凶，十可中八九。仲將問長文從誰得法，長文曰："本出漢世，有《相印》、《相笏經》，又有《鷹經》、《牛經》、《馬經》。印工宗養以法語程申伯，是故有一十二家相法傳於世。"'"

按《隋志》五行家梁有《相手板經》、韋氏《相板印法》、程申伯《相印法》各一卷，亡。舊、新《唐志》農家：《鷹經》一卷。《通志·略》五行類：《東方朔相笏經》一卷。按《相印經》意即在魏韋誕、程喜兩家書中，兩家又從而增演之。而韋氏書中又兼言相笏，別出一本則託之東方朔。既陳羣言本出漢世，則此三書漢時所有可知。其《相牛經》、《相馬經》疑在《漢志》《相六畜》三十八卷中，故此不錄。

淮南八公相鶴經二卷

《史記·淮南王列傳》索隱：《淮南要略》云："養士數千，高材者八人：蘇非、李尚、左吳、田由、雷被、伍被、毛被、晉昌，號曰八公。"

《文選·舞鶴賦》注:《相鶴經》者,出自浮丘公。公以自授王
子晋。崔文子者,學仙於子晋,得其文,藏於嵩高山石室。及
淮南八公采藥得之,遂傳於世。

《隋志》五行家:梁有《淮南八公相鵠經》、《浮丘公相鶴書》各
二卷,亡。《唐·經籍志》農家:《相鶴經》一卷,浮丘公撰。
《藝文志》:浮丘公《相鶴經》一卷。《宋志》五行家:趙《浮丘
公相鶴經》一卷。

　　按《淮南八公相鵠經》即《浮丘公相鶴經》,《隋志》引《七
　　錄》兩書並出,實重複也。《初學記》鳥部及《御覽》並引
　　《淮南八公相鵠經》,知"鵠"亦"鶴"字之誤。《選》注所引
　　當是序文,宋本《意林》第六卷亦有《浮丘公相鶴經》一卷,
　　高似孫《子略》亦載之。浮丘公、王子晋、崔文子並見劉向
　　《列仙傳》。

右形法,凡二十家二十部。《七錄》有《黃帝葬山圖》四卷,《四庫提要》有《黃帝
宅經》二卷,《存目提要》有《漢原陵祕葬經》十卷,《鬼谷子相掌金龜卦》一卷,《鬼谷子
貴賤定格三世相書》一卷,並依託,不錄。又《通志·略》地理類載《周公城名錄》一
卷,《御覽》一百五十七《太一式占》引《周公城名錄》,文與《禹貢》釋文引《周公職錄》
同,或稱《城名錄》,或稱《職錄》,莫可究詰。大抵是《河洛圖緯》之佚存者。附誌於
此,不別出焉。

右數術六種,凡六十二家七十四部。史言數術之家皆明堂羲和
史卜之職,則爲古史官所有事。其書或傳或不傳,年代縣邈,
不可詳究。《天官書》曰:"皋、唐、甘、石因時務論其書傳。"今
唐昧、甘、石之書,略見前天文家,而尹皋之書不可攷。又云:
"漢之爲天數者:星則唐都,氣則王朔,占歲則魏鮮。"《藝文
志》亦云"漢有唐都,庶得麤觕"。今惟王朔有兵家《雜匈奴
占》一卷,蓋非其全。《魏鮮歲占》,《天官書》及《開元占經》引
之,當在班《志》《子贛雜子候歲》二十六卷中,而唐都之書不
可攷。《曆志》言元封中修《太初曆》,罷廢尤疏遠者十七家。

今十七家之曆不可攷。汪氏《推步諸術考》言曆家託始黃帝，而黃帝之前伏羲氏有《甲寅曆》，神農氏有《太初曆》，黃帝以後陶唐氏有《甲子曆》，其殆周秦時疇人子弟所推衍，今亦不可攷。郭景純言京房《易傳》有消伏之救。見《晉書》本傳。《開元占經》日變色條載京房引《救黃經》、《救赤經》、《救黑經》、《救白經》，此《易傳》所引，在房之前，不知出自誰氏。梁元帝《洞林序》云“羲門五將韓終六壬”，見《金樓子》。終爲秦始皇時方術士，則漢時有六壬家。舊説謂六壬起於黃帝素女者，妄也。班《志》有《羲門式》，無《六壬書》，豈所載《六合隨典》二十五卷即其書歟？司馬季主傳宋忠、賈誼，言人禄命。《論衡·命義》等篇數言星、位、禄命三命，則漢世已有元辰禄命之書，今皆不可詳考。《論衡·譏日》、《詰術》等篇又數言歲時之書、時日之書、工技之書，斯則泛論虛擬之詞，尤無從而尋按矣。

漢書藝文志拾補卷六

方技略第六

神農本草經三卷

皇甫謐《帝王世紀》曰："炎帝神農氏長於江水，始教天下耕種五穀而食之，以省殺生。嘗味草木，宣藥療疾，救夭傷人命。百姓日用而不知，著《本草》四卷。"

《隋志》子部醫方家：《神農本草經》三卷。《唐·經籍志》醫術類：《神農本草》三卷。《藝文志》同。

《顏氏家訓·書證篇》：典籍錯亂久矣。譬猶《本草》，神農所述，而有豫章、朱崖、趙國、常山、奉高、真定、臨淄、馮翊等郡縣名，出諸藥物，皆由後人所羼，非本文也。

宋掌禹錫《嘉祐補注本草叙錄》曰："舊説《本草經》三卷，神農所作，而不經見。《漢書·藝文志》亦無錄焉。唐李世勣等以梁《七錄》載《神農本草》三卷，推以爲始。又疑所載郡縣有後漢地名，似張機、華佗輩所爲，皆不然也。蓋上世未著文字，師學相傳，謂之《本草》。兩漢以來，名醫益衆，張、華輩始因古事附以新説，通爲編述，《本草》繇是見於經錄。"

宋寇宗奭《本草衍義》序曰："《帝王世紀》云'黃帝使岐伯嘗味草木定《本草經》，造醫方以療衆疾，乃知《本草》之名自黃帝始。'"

王應麟《漢志考證》曰："張仲景《金匱》云'神農能嘗百藥'，《淮南子》云'神農嘗百草之滋味，一日而七十毒'。案《平帝紀》，元始五年，舉天下通知方術本草者，《郊祀志》成帝初有本草待詔，《樓護傳》‘護少誦醫經本草方術數十萬言’，其名見於此。陶弘景云‘疑仲景、元化等所記舊經三卷，藥止三百六十五種’。唐于志寧曰：‘世謂神農氏嘗藥以拯含氣，而黄帝以前文字不傳，以識相付，至桐、雷乃載篇册。’”

按嚴氏《全上古文編》云：“《漢・藝文志》經方家有《神農黄帝食禁》七卷，《周禮・醫師》疏引‘食禁’作‘食藥’，蓋食禁、食藥即《本草》矣。”今按《隋志》引《七録》別有《神農藥忌》一卷，《黄帝雜飲食忌》二卷，《藥忌》、《食忌》似即《漢志》《食禁》七卷之遺，蓋黄、農兩家禁方之類，非《本草》也。

今仍從王氏所補録於此。《扁鵲倉公列傳》數言禁方，知古來禁方多矣。

桐君采藥録二卷

梁陶弘景《名醫別録》序曰：“又有《桐君采藥録》説其花、葉、形、色。”

《隋書・經籍志》：《桐君藥録》三卷。《唐・經籍志》同。《藝文志》同。《日本國見在書目》：《桐君藥録》二卷。

明李時珍《本草綱目》序録曰：“桐君，黄帝時臣也。書凡二卷，紀其花、葉、形、色，今已不傳。後人又有《四時采藥》、《太常采藥時月》等書。”

按《御覽》八百六十七引《桐君録》曰：“酉陽、武昌、晋陵皆出好茗。”又曰：“茶花狀似梔子，其色稍白。”此不知爲本文，爲後人注文？

雷公藥對二卷

陶弘景《名醫別録》序曰：“又有《桐君采藥録》説其花、葉、形、色，《藥對》四卷論其佐、使、相、須。魏晋以來，吳普、李諧之等更復損益。”按此似有敓誤，“藥對”上當有“雷公”二字，當是桐、雷二家書合四卷也。

《唐書・經籍志》：《雷公藥對》二卷。

李時珍《本草綱目》叙録曰：“《雷公藥對》，陶氏前已有此書，《吳氏本草》所引雷公是也。蓋黄帝、雷公所著，北齊徐之才增飾之。”

按《隋志》、《唐·藝文志》有雷公集注《神農本草》四卷，蓋劉宋時雷敩，非此雷公。

子儀本草經一卷

《周禮·天官·疾醫》注：五藥治合之齊，則存乎神農、子儀之術。疏：案劉向云“扁鵲治趙太子暴疾尸蹷之病，使子明炊湯，子儀脈神，子術案摩”。又《中經簿》云：“《子義本草經》一卷。”儀與義，一人也。若然，子義亦周末時人也。

按子儀，秦越人弟子也。《禮》疏引劉向見《説苑·辨物篇》，然其文則云：“子容擣藥，子明吹耳，陽儀反神，子越扶形，子游矯摩。”與此所引異。《史記·扁鵲傳》言其治虢太子尸蹷，使弟子子陽厲鍼砥石，使子豹爲五分之熨，與此亦異。又《索隱》案傅玄云“虢是晉獻所滅，先此百二十餘年，此時焉得有虢”，則此云“虢太子”，非也。然案“虢”後稱“郭”，春秋有郭公，蓋郭之太子也。今按此云趙太子，與史亦異。

倉公對詔

《史記》列傳：太倉公者，齊太倉長，臨菑人也，姓淳于氏，名意。少而喜醫方術。高后八年，更受師同郡元里公乘陽慶。慶使意盡去其故方，更悉以禁方予之，傳黄帝、扁鵲之脈書，五色診病，知人死生，決嫌疑，定可治，及藥論，甚精。受之三年，爲人治病，決死生多驗。然左右行游諸侯，不以家爲家，或不爲人治病，病家多怨之者。文帝四年中，人上書言意，以刑罪當傳西之長安。意有五女，隨而泣。意怒，罵曰：“生子不生男，緩急無可使者！”於是少女緹縈傷父之言，乃隨父西。

上書曰:"妾父爲吏,齊中稱其廉平,今坐法當刑。妾切痛死者不可復生而刑者不可復續,雖欲改過自新,其道莫由,終不可得。妾願入身爲官婢,以贖父刑罪,使得改行自新也。"書聞,上悲其意,此歲中亦除肉刑法。徐廣曰:"案年表孝文十二年除肉刑。"意家居,詔召問所爲治病死生驗者幾何人,主名爲誰。詔問故太倉長臣意:"方技所長,及所能治病者? 有其書無有? 皆安受學? 受學幾何歲? 嘗有所驗,何縣里人也? 何病? 醫藥已,其病之狀皆何如? 具悉而對。"臣意對云云。按"主名爲誰"以上是史公所叙,"詔問"以下則録其本奏之辭而失於刊正者,與《三王世家》全録本奏同也。《漢書·藝文志》曰:"太古有岐伯、俞拊,中世有扁鵲、秦和。漢興有倉公。今其技術晻昧。"

嚴可均《全漢文編》曰:"淳于意對詔問所爲治病死生,驗者幾何,人主名爲誰,凡三十一條,並《史記·倉公傳》。"

按倉公所對凡二十六條,又詔問對八條,實三十四條,刊本誤合三條,故嚴氏以爲三十一。其所事師則菑川唐里公孫光及陽慶,所授弟子則爲齊宦者平、臨菑人宋邑、濟北王太醫高期、王禹、菑川王太倉馬長馮信、高永侯家杜信、齊王侍醫臨菑召里唐安,凡七人。自陶氏《名醫別録》亡,遂皆不可攷。

右經方,凡五家五部。

鄒衍重道延命方　　衍始末具《諸子》小説家方士傳。

《漢書·劉向傳》:上復興神僊方術之事,而淮南有《枕中鴻寶苑祕書》及鄒衍重道延命方,世人莫見,而更生父德武帝時治淮南獄得其書。更生幼而讀誦,以爲奇,獻之。

按葛洪《抱朴子·遐覽篇》載《鄒生延命經》一卷,似即此書。或實出鄒生,或方士僞託,無以詳知。

陵陽子明經

劉向《列仙傳》曰："陵陽子明者，銍鄉人也，好釣魚於旋溪。得白龍，子明懼，解釣拜而放之。後得白魚，腹中有書，教子明服食之法。子明遂上黃山，采五石脂，沸水而服之。三年，龍來迎去，止陵陽山上百餘年。"

按王逸《楚辭‧遠游篇》章句、《文選‧甘泉賦》張揖注並引《陵陽子明經》，又《思玄賦》、《江賦》、《琴賦》注、《張景陽七命》注亦數引之，其言亦近似服氣導引之術。《隋志》醫家有《陵陽子說黃金秘法》一卷，《新唐志》有《明月公陵陽子祕訣》一卷，其即是書之轉輾傳益者。

又按《抱朴子‧黃白篇》云："凡方書所名藥物，又或與常藥物同而名異者，如河上姹女，非婦人也；陵陽子明，非男子也；禹餘糧，非米也；堯漿，非水也。"則陵陽子明又似藥物之名，爲神仙家之寓言，莫得而詳矣。

五行變化墨子五卷

《抱朴子‧遐覽篇》曰："道經有《墨子枕中五行記》五卷。"又曰："其變化之術，大者唯有《墨子五行記》，本有五卷。昔劉君安未仙去時，鈔取其要，以爲一卷。其法用藥用符，乃能令人飛行上下，隱淪無方，含笑即爲婦人，蹙面即爲老翁，踞地即爲小兒，執杖即成林木，種物即生瓜果可食，畫地爲河，撮壤爲山，坐致行廚，興雲起火，無所不作也。"又曰："余事鄭君弟子五十餘人，唯余見受金丹之經及《三皇內文》、《枕中五行記》。"

《隋‧經籍志》五行家：梁有《五行變化墨子》五卷，亡。

按墨家右鬼神，右鬼神則必重祠祀，重祠祀則必涉神異，涉神異則必兼變化，能變化則以爲神仙術矣。漢之方士類皆以祠祀神仙爲言，《史》、《漢》書、志言如其方、如其方者屢矣。《隋志》既載《五行變化墨子》，而醫方家又有《墨子枕內

五行紀要》一卷。蓋一言變化,一言藥物。然葛稚川言變化
之術用藥,則又似從五卷中析出,大抵皆方士學墨者之所爲,
未必是墨翟也。三墨之徒衆多非一,秦漢方士蓋其末流之別
爲一派者。

方士陷冰丸方一卷

《漢書·郊祀志》:成帝末年頗好鬼神,亦以無繼嗣故,多上書
言祭祀方術者,皆得待詔,祠祭上林苑中長安城旁,費用甚
多。谷永説上曰:"臣聞明於天地之性,不可惑以神怪;知萬
物之情,不可罔以非類。諸背仁義之正道,不遵五經之法言,
而盛稱奇怪鬼神,廣宗祭祀之方,求報無福之祠,及言世有仙
人,服食不終之藥,黄冶變化,堅冰淖溺,皆姦人惑衆,挾左
道,懷詐譌,以欺罔世主。"晋灼曰:"方士詐以藥石若陷冰丸
投之冰上,冰即消,因假爲神仙道使然也。"

　　按《隋志》醫方家有《扁鵲陷冰丸方》一卷,据谷疏及晋注,
　　蓋即武宣時方士所作,而托之扁鵲。

淮南中篇八卷　淮南王安始末具《詩賦》總集中。

《漢書》本傳:淮南王安招致賓客方術之士數千人,作爲《内
書》二十一篇,《外書》甚衆,又有《中篇》八卷,言神仙黄白之
術,亦二十餘萬言。安入朝,每宴見,談説方技。

《漢書·劉向傳》:是時,宣帝循武帝故事,復興神仙方術之
事,而淮南有《枕中鴻寶苑秘書》。書言神僊使鬼物爲金之
術,世人莫見,更生父德武帝時治淮南獄得其書。更生幼而
讀誦,以爲奇,獻之,言黄金可成。上令典尚方鑄作事,費甚
多,方不驗。上乃下更生吏。師古曰:"《鴻寶苑秘書》,並道
術篇名。藏在枕中,言常存録之不漏泄也。"

《漢書·郊祀志》:大夫劉更生獻淮南枕中洪寶苑秘之方,令
尚方鑄作。事不驗,更生坐論。師古曰:"洪,大也。苑秘者,

言秘術之苑囿也。"按《鴻寶苑祕書》，苑祕方似即中篇八卷也。

《史·龜策傳》褚少孫曰："臣爲郎時，見《萬畢石朱方》。"《索隱》曰："按《萬畢術》中有《石朱方》。"按萬畢、石朱似方士姓名。

《抱朴子·論仙篇》：夫作金皆在《神仙集》中，淮南王抄出，以作《鴻寶枕中書》。又《神仙傳》：漢淮南王作《中篇》八章，言神仙黃白之事，名爲《鴻寶》，《萬畢》三章，論變化之道，凡十萬言。按此似《萬畢術》之書，淮南抄入《中篇》，外又別有其本。

《隋志》子部五行家：梁有《墨子枕中五行要記》、《淮南萬畢經》、《淮南變化術》各一卷，《淮南中經》四卷，亡。按《抱朴子·遐覽篇》云："其變化之術之大者，唯有《墨子五行記》，本有五卷。昔劉安抄取其要，以爲一卷。"今考《七錄》別有《五行變化墨子》五卷，與《抱朴子》所言合，知此一卷乃淮南王抄入《中篇》者。《七錄》載《淮南變化術》之後，又有《陶朱變化術》一卷，疑亦在《中篇》之內。若是，則《中篇》八卷全在《七錄》，不知阮氏何以分別著錄，豈《中經》四卷即《漢書》《中篇》八卷，其前四種又不在《中篇》之內者歟？《唐·經籍志》：《淮南王萬畢術》一卷，劉安撰。《唐·藝文志》：《淮南王萬畢術一卷》。

　　按諸書所引惟《萬畢術》爲多，高郵茆泮林輯存一卷，在茆輯十種中。

阮倉　列仙圖一卷

今本劉向《列仙傳》贊曰："余嘗得秦大夫阮倉撰《仙圖》，自六代迄今有七百餘人。"

《論衡·無形篇》：傳稱赤松、王喬好道爲仙，度世不死，是虛語也。圖仙人之形，體生毛，臂變爲翼，行於雲，則年增矣，千歲不死。此虛圖也。世有虛語，亦有虛圖。

《抱朴子·論仙篇》曰："劉向撰《列仙傳》，删秦大夫阮倉書中出之。"又《神仙傳》序曰："弟子滕升嘗問：'古之仙者豈有其人乎？'余答曰：'秦阮倉所記有數百人，劉向所纂七十一人。'"

《玉海·藝文》：《後漢·東平王蒼傳》："帝特留蒼，賜以秘書、列仙圖、道術秘方。"《隋·經籍志》"漢時阮倉作《列仙圖》。"唐許南容策"陳留神仙,阮倉述其事"。《集賢注記》云"阮倉《仙圖》一卷,集賢無本"。按《集賢注記》三卷,唐韋述撰。

劉向　列仙傳二卷 向始末具《六藝》禮家。

《太平御覽》道部仙經門:劉向《列仙傳》叙曰:"《列仙傳》,漢光禄大夫劉向所撰也。成帝時,向既司典籍,見上頗修神仙事,遂修上古以來及三代秦漢,博采諸家言神仙事。"按晉郭元祖有《列仙讚序》一卷,見《隋·經籍志》,此序疑即郭元祖撰。

今本《列仙傳》總讚曰:"余嘗得秦大夫阮倉撰《仙圖》,自六代迄今七百餘人。始皇好遊仙之事,庶幾有獲,故方士霧集,祈祀彌布。殆必因迹託虛,寄空爲實,不可信用也。若《周公黄録》記太白下爲王公,歲星變爲賓壽公等,所見非一家,聖人所以不開其事者,以其無常。然雖有時著,蓋道不可棄,距而閉之,尚貞正也。而《論語》云'怪力亂神',其微旨可知矣。"按此讚紀文達疑爲郭元祖撰,其云《周公黄録》似是讖書中篇目。

《抱朴子·論仙篇》曰:"向本不解道術,至於撰《列仙傳》,自删秦大夫阮倉書中出之。或所親見,然後記之,非妄言也。"又曰:"劉向博學則究微極妙,經深涉遠,思理則清澄真僞,研覈有無。其所撰《列仙傳》,仙人七十有餘,誠無其事,妄造何爲乎?邈古之事,何可親見,皆賴記籍傳聞於往耳。《列仙傳》炳然其必有矣。然書不出周公、仲尼,世人終於不信。多謂劉向非聖人,其所撰録不可孤據,尤所以使人歎息者也。向爲漢世名儒,其所記述,庸可棄哉?"

《顏氏家訓·書證篇》曰:"《列仙傳》劉向所造,而讚云七十四人出佛經,由後人所羼,非本文也。"

《隋志》史部雜傳篇叙曰:"又漢時,阮倉作《列仙圖》,劉向典校經籍,始作《列仙》、《列士》、《列女》之傳,皆因其志尚,率爾而作，不在正史。"又曰："《列仙傳贊》三卷，劉向撰，斝續，《四庫提要》曰："'斝續'上似脫一字，蓋有《續傳》一卷，故三卷也。"孫綽贊。《列仙傳贊》二卷，劉向撰，晋郭元祖贊。"《唐·經籍志》：《列仙傳贊》二卷，劉向撰。《藝文志》道家神仙類：劉向《列仙傳》二卷，《宋史·藝文志》三卷。

《玉海·藝文》曰："《史記正義》：《七略》云《列仙傳》二卷，劉向撰。《崇文目》同，凡七十二人。"按此云《七略》似《七錄》之譌。

陳氏《書録解題》曰："《列仙傳》二卷，漢劉向撰。凡七十二人，每傳有贊，似非向本書，西漢人文章不爾也。《館閣書目》三卷，六十二人。《崇文總目》作二卷，七十二人，與此合。"

《四庫簡明目録》曰："《列仙傳》二卷，舊本題劉向撰。自赤松子至元俗，凡七十一人，人係一贊，篇末又爲總贊，全如《列女傳》之體。然《漢志》載劉向六十七篇無此書，疑魏晋間方士所依託，故葛洪《神仙傳》已引之。其總贊引《孝經援神契》，亦《七略》不載之書。疑即《隋志》所謂郭元祖《列仙傳贊》也。"

孫志祖《讀書脞録》曰："李石《續博物志》云《列仙傳》七十二人，《書録解題》亦云七十二人，每傳有贊，是宋本尚不誤也。今本七十人，《四庫提要》曰："葛洪《神仙傳》序稱七十一人，今本上卷四十人，下卷三十人。内江斐二女應作二人，與葛洪所記適合。"末有總贊一篇，亦無出佛經之語，蓋後人綴集，非向書之舊。《文選·西京賦》、《吳都賦》、《天台賦》、《海賦》、《思玄賦》注、《登江中孤嶼詩》注引文，今本皆無之。"

按今本載及東方朔、鈎弋夫人，劉中壘必不若是之妄。且既云據阮倉之圖取以爲傳，而傳中有成帝時事，今本必無識道流所爲，亦非真是綴集之本也。

右神仙，凡七家七部。按今本《列仙傳》云："涓子著《天地人經》四十八篇，其

《琴心》三篇有條理。"又云"呂尚作《玉鈐》六篇在棺中"，又朱璜《讀老君黄庭經》，又仙人以《素書》五卷質酒於女丸。《素書》者，房中術也，恐非劉氏本真，故概不取。又《抱朴子·遐覽篇》有《老君玉曆真經》一卷，《素女經》一卷，《彭祖經》一卷，《八公黄白經》一卷，《崔文子肘後經》一卷，《鄒陽子經》一卷，《鬼谷經》一卷，《甪里先生長生集》一卷，似皆漢魏方士所依託，今并不録。其史志所載上古三代秦漢人所作神仙家書，悉數之不能盡，今不具。

右方技二種，凡一十二家一十二部。按《藝文志》方技四種：曰醫經，曰經方，曰房中，曰神仙。醫經之書，《七略》已收載無遺。《隋志》所有黄帝、岐伯、扁鵲諸籍，皆其相傳之本，唯吳普《本草》數引醫和甘苦寒温之説，秦醫和、秦醫緩見《左傳》。吳普，漢魏時人，華陀弟子，其《本草》所引見《御覽》百穀部、菜部、藥部。而《漢志》無其書，意亦在醫經、經方諸部中也。房中之書，《七略》之外亦罕有別出。《隋志》載《素女祕道經》、《玄女經》、《素女方》、《彭祖養性》、《郊子説陰陽經》，即其散佚之僅存者。陽湖孫氏得《素女方》，刊入《平津館叢書》。傳於今者唯此。今所拾補僅經方、神仙兩種。經方家書如倉公《對詔》，皆言脈法方論，是最古之醫案。或且未能通其説，首尾完具，是爲上乘。至於神仙家書則率多荒誕，如墨子、淮南謬稱黄冶變化，眩惑視聽，祇益姦欺；《列仙圖傳》粉飾尸解飛昇，摩擬虛無，全乖事實，是皆於脩養、静攝、按摩、步引之道渺不相涉。在彼法既爲左道，於是類亦曰歧驅，以《六略》之中無可繫屬，此猶得近似，故附麗之爾。

二十五史藝文經籍志考補萃編總目